O JOGO

O JOGO
A BÍBLIA DA SEDUÇÃO

PENETRANDO NA SOCIEDADE SECRETA
DOS MESTRES DA CONQUISTA

Neil Strauss

16ª Edição

Tradução
Mauro Pinheiro

Rio de Janeiro | 2025

CIP-BRASIL. CATALOGAÇÃO-NA-FONTE
SINDICATO NACIONAL DOS EDITORES DE LIVROS, RJ

S893J
16ª ed.

Strauss, Neil
O jogo: penetrando na sociedade secreta dos mestres da conquista / Neil Strauss; tradução: Mauro Pinheiro. - 16ª ed. - Rio de Janeiro: Best*Seller*, 2025.

Tradução de: The game
Contém glossário
ISBN 978-85-7684-238-5

1. Sedução. 2. Relações homem-mulher. I. Título.

07-3542

CDD: 306.7
CDU: 392.6

Título original norte-americano
THE GAME
Copyright © 2005 by Neil Strauss
Copyright da tradução © 2008 by Editora Best Seller Ltda.

Editoração eletrônica: Abreu`s System
Arte de capa: Laboratório Secreto

Todos os direitos reservados. Proibida a reprodução,
no todo ou em parte, sem autorização prévia por escrito da editora,
sejam quais forem os meios empregados.

Direitos exclusivos de publicação em língua portuguesa para o Brasil
adquiridos pela
EDITORA BEST SELLER LTDA.
Rua Argentina, 171, 3º andar, São Cristóvão
Rio de Janeiro, RJ – 20921-380
que se reserva a propriedade literária desta tradução

Impresso no Brasil

ISBN 978-85-7684-238-5

Seja um leitor preferencial Record
Cadastre-se no site www.record.com.br e receba
informações sobre nossos lançamentos e nossas promoções.

Atendimento e venda direta ao leitor
sac@record.com.br

Dedicado às milhares de pessoas com quem conversei em bares, clubes, shoppings, aeroportos, supermercados, metrôs e elevadores nos últimos dois anos.

Se vocês estiverem lendo isto, quero que saibam que eu não estava brincando. Estava sendo sincero. Realmente. Vocês eram diferentes.

"Não consegui chegar a nada, nem mesmo tornar-me mau: nem mau, nem bom, nem canalha, nem honrado, nem herói, nem inseto. Agora, vou vivendo os meus dias em meu canto, serrazinando a mim próprio com o consolo raivoso — que para nada serve — de que um homem inteligente não pode mesmo, a sério, tornar-se algo, e de que somente os imbecis o conseguem."

FIÓDOR DOSTOIÉVSKI
Memórias do subsolo

Aqueles que leram os primeiros esboços deste livro fizeram todos as mesmas perguntas:

....

ISSO É VERDADE?

ISSO ACONTECEU MESMO?

ESSAS PESSOAS SÃO REAIS?

....

Assim, considero necessário empregar um velho artifício literário...

A HISTÓRIA QUE SE SEGUE É REAL.

ACONTECEU DE VERDADE.

*Os homens vão negar,
as mulheres duvidarão.
Mas apresento-a para vocês aqui,
nua e crua.
Perturbadoramente verdadeira.
Peço perdão a vocês por antecipação.*

NÃO ODEIE O JOGADOR...
ODEIE O JOGO.

SUM

Primeiro Passo 13
ESCOLHA UM ALVO 13

Segundo Passo 27
ABORDE E COMECE 27

Terceiro Passo 67
DEMONSTRE VALOR 67

Quarto Passo 125
DESARME OS OBSTÁCULOS 125

Quinto Passo 167
ISOLE O ALVO 167

Sexto Passo 231
CRIE UMA CONEXÃO EMOCIONAL 231

Sétimo Passo 269
RETIRE-SE PARA UM LOCAL DE SEDUÇÃO 269

Oitavo Passo 291

TEMPERATURA DA BOMBA DE PERSUASÃO 291

Nono Passo 347

FAÇA UMA CONEXÃO FÍSICA 347

Décimo Passo 373

DESTRUA A RESISTÊNCIA DE ÚLTIMA HORA 373

Décimo Primeiro Passo 415

ADMINISTRE AS EXPECTATIVAS 415

Glossário 469

Agradecimentos 481

ESCOLHA UM ALVO

"Os homens não eram o verdadeiro inimigo — foram vítimas como nós, sofrendo de uma ultrapassada mística masculina que os fez sentirem-se desnecessariamente inadequados, quando não havia mais ursos para matar."

— Betty Friedan

A mística feminina

CONHEÇA MYSTERY

A casa estava um desastre.

As portas partidas e arrancadas das dobradiças; as paredes cheias de marcas de socos, telefones e vasos de plantas arremessados contra elas. Herbal estava escondido num quarto de hotel temendo pela própria vida; e Mystery desabara no tapete da sala de estar e chorava. Fazia dois dias que não parava de chorar.

Não era um tipo normal de choro. Lágrimas comuns são compreensíveis. Mas Mystery estava muito além da compreensão. Estava fora de controle. Durante uma semana, ele estivera oscilando entre períodos de extrema raiva e violência e acessos espasmódicos e catárticos de soluços. E agora ameaçava matar a si mesmo.

Éramos cinco morando naquela casa: Herbal, Mystery, Papa, Playboy e eu. Rapazes e homens apareciam, vindo de todos os cantos do mundo para apertar nossas mãos, tirar fotos conosco, aprender conosco, serem como nós. Eles me chamavam de Style. Um nome que fiz por merecer.

Nunca usávamos nossos nomes verdadeiros — somente cognomes. Mesmo nossa mansão, como as outras que tínhamos espalhadas por todos os lugares, de São Francisco a Sidney, tinha um apelido. Era o Projeto Hollywood. E o Projeto Hollywood estava um caos.

Os sofás e uma dezena de almofadas que cobriam o chão da sala estavam fétidos e desbotados por causa do suor masculino e dos líquidos femininos. O tapete branco se tornara cinza, devido ao tráfego constante de uma humanidade jovem e perfumada que passava como um rebanho por ali todas as noites, vinda de Sunset Boulevard. Pontas de cigarro e camisinhas usadas flutuavam sinistramente na jacuzzi. E a agitação de Mystery durante os últimos dias deixara o resto do lugar destruído e os residentes petrificados. Ele tinha 1,95m e estava histérico.

— Não consigo dizer como me sinto — falava, engasgando com os soluços. Seu corpo todo tomado por espasmos. — Não sei o que vou fazer, mas não vai ser nada racional.

Ele se esticou no chão e socou o estofamento vermelho manchado do sofá, enquanto a lamuriosa sirene de seu desalento ia ficando mais forte, enchendo a sala com o som de um marmanjo que perdera toda característica que distingue o homem de uma criança ou de um animal.

Ele estava usando um robe de seda dourado vários números abaixo do seu, deixando expostos os joelhos cheios de feridas. As extremidades do cinto mal conseguiam se encontrar para fazer um nó e o robe estava parcialmente aberto, revelando seu peito pálido e sem pêlos e, abaixo, uma cueca cinza Calvin Klein quase caindo. O outro único item de vestimenta sobre seu corpo que tremia era um gorro apertado sobre a cabeça.

Era junho em Los Angeles.

— Esse negócio de viver — ele voltou a falar — é tão sem sentido.

Virando-se, ele olhou para mim com seus olhos úmidos e vermelhos.

— É como um jogo-da-velha. Não tem como ganhar. O melhor, então, é não jogar.

Não havia mais ninguém em casa. Eu tinha de encarar aquilo. Ele precisava ser sedado antes que começasse a se desmanchar em lágrimas e ficar furioso novamente. A cada ciclo de emoções ficava pior e, desta vez, eu temia que fizesse algo que não pudesse ser desfeito.

Não podia deixar Mystery morrer durante meu turno. Ele era mais do que um simples amigo; ele era um mentor. Ele mudara minha vida, assim como a de milhares de outros como eu. Eu precisava lhe dar um Valium, um Xanax, um Vicodin, qualquer coisa. Apanhei meu caderno de telefones e folheei as páginas em busca de alguém que provavelmente teria algum desses comprimidos — gente como caras de bandas de rock, mulheres que acabaram de passar por uma cirurgia plástica, antigos atores mirins. Mas nenhum daqueles para quem liguei estava em casa ou tinha remédio. Ou alegava não ter, por não querer dividir.

Só restava uma pessoa a quem telefonar: a mulher que empurrara Mystery naquela espiral descendente. Ela era uma garota de programa; ela devia ter alguma coisa.

Katya, uma lourinha russa com voz de Smurfete e a energia de um desses cachorrinhos de madame, apareceu na porta da frente dez minutos depois com um Xanax na mão e uma expressão de preocupação no rosto.

— Não entre — avisei. — Ele vai acabar matando-a. — Não que ela não o merecesse totalmente, é claro. Ou pelo menos era o que eu achava naquela hora.

Dei o comprimido e um copo de água para Mystery, depois esperei seu soluçar se transformar num mero fungar. Em seguida, ajudei-o a calçar um par de botas pretas, jeans e uma camiseta cinza. Ele ficou dócil outra vez, como um bebê gigante.

— Vou levar você para onde possa ser ajudado — falei.

Conduzi-o até meu velho Corvette enferrujado e instalei-o no pequeno assento da frente. De vez em quando, podia ver um tremor de ódio atravessar seu rosto ou lágrimas escorrerem de seus olhos. Esperava que ele se mantivesse calmo até que eu pudesse ajudá-lo.

— Quero aprender artes marciais — disse ele docilmente —, assim, quando eu quiser matar alguém, vou saber o que fazer.

Pisei no acelerador.

Nosso destino era o Centro de Saúde Mental de Hollywood, na Vine Street. Um horrível bloco de concreto cercado dia e noite por homens sem teto que berravam com os postes de luz, travestis que viviam com carrinhos de supermercado e outros arremedos de seres humanos que acampavam em qualquer lugar onde houvesse serviço social gratuito.

Mystery, percebi, era um deles. Acontece que ele tinha carisma e talento, o que atraía outras pessoas e impedia que jamais ficasse sozinho no mundo. Ele possuía duas características que eu notara em praticamente todo rock star que já entrevistara: aquele brilho insano nos olhos e uma incapacidade absoluta para fazer algo para si mesmo.

Levei-o até a recepção, registrei seu nome e, juntos, esperamos nossa vez de sermos atendidos por um assistente social. Sentado numa cadeira preta vagabunda de plástico, ele ficou olhando catatônico as paredes azuis da instituição.

Uma hora se passou. Ele começou a ficar inquieto.

Duas horas se passaram. Sua testa se franziu; sua expressão ficou sombria.

Três horas se passaram. As lágrimas começaram a escorrer.

Quatro horas se passaram. Ele deu um pulo da cadeira e saiu correndo da sala de espera, atravessando a porta de entrada do prédio. Caminhava ligeiro, como um homem que soubesse onde estava indo, embora o Projeto Hollywood ficasse a cinco quilômetros dali. Persegui-o pela rua e o alcancei em frente a um pequeno shopping center. Segurei seu braço e o virei, falando com ele como se fosse um bebê e voltando para a sala de espera.

Cinco minutos. Dez minutos. Vinte minutos. Trinta. Ele se levantou e saiu outra vez.

Saí correndo atrás dele. Dois assistentes sociais estavam parados sem fazer nada no saguão.

— Segurem ele! — eu gritei.

— Não podemos — um deles respondeu. — Já saiu do recinto.

— Então vocês vão simplesmente deixar um suicida ir embora assim? — Mas eu não podia perder tempo discutindo. — Pelo menos arrumem um terapeuta para vê-lo, se eu conseguir trazê-lo de volta para cá.

Saí correndo pela porta e olhei para a direita. Não estava lá. Olhei para a esquerda. Nada. Corri para o norte, na direção da Fountain Avenue, eu o vi na esquina e arrastei-o de volta.

Quando chegamos, os assistentes sociais o levaram por um longo corredor escuro e o colocaram num cubículo claustrofóbico com assoalho de vinil. A terapeuta sentou-se atrás de uma mesa, passando um dedo por um cacho de seus cabelos pretos. Era uma asiática magra com seus vinte e tantos anos, as maçãs do rosto altas, batom vermelho-escuro e um terninho de risca-de-giz.

Mystery desabou na cadeira na sua frente.

— Então, como você está se sentindo hoje? — ela perguntou, forçando um sorriso.

— Estou me sentindo — respondeu Mystery — como se nada fizesse sentido. — E se debulhou em lágrimas.

— Estou ouvindo — ela disse, escrevendo num bloco de notas. O caso estava provavelmente encerrado para ela.

— Portanto, estou me retirando da corrida genética — soluçou ele.

Ela o olhava com uma simpatia fingida enquanto ele falava. Para ela, ele era apenas mais um da dezena de malucos que via diariamente. Tudo que precisava decidir era se ele precisava ser medicado ou internado.

— Não posso mais — prosseguiu Mystery. — É inútil.

Num gesto de rotina, ela abriu uma gaveta, retirou um pacote de lenços de papel e lhe entregou. Quando Mystery apanhou um lenço, ele olhou para cima e seus olhares se encontraram pela primeira vez. Ele ficou imóvel e encarou-a em silêncio. Ela era surpreendentemente bonita para uma clínica daquelas.

Uma centelha de ânimo cruzou a expressão de Mystery, depois se apagou.

— Se eu tivesse encontrado você num outro momento e num outro lugar — disse ele, amassando um lenço na mão —, as coisas teriam sido diferentes.

Seu corpo, normalmente impávido e ereto, estava curvado na cadeira como um macarrão empapado. Ele olhava carrancudo para o chão enquanto falava.

— Eu sei exatamente o que dizer e o que fazer para você se sentir atraída por mim — prosseguiu ele. — Está tudo na minha cabeça. Todas as regras. Todos os passos. Eu só não posso... fazer isso agora.

Ela assentiu mecanicamente.

— Você deveria me ver quando não estou assim — continuou, sua voz lenta e o nariz fungando. — Já saí com as mulheres mais lindas do mundo. Num outro lugar, numa outra hora, e você seria minha.

— Certo — ela disse, como se falasse a uma criança. — Tenho certeza que sim.

Ela não sabia. Como poderia saber? Mas aquele gigante soluçando com um lenço amassado entre as mãos era o maior artista da sedução do mundo. Não era apenas uma questão de opinião, mas um fato. Nos últimos dois anos, eu já encontrara vários que se autoproclamavam o melhor, e Mystery superava todos. Era seu hobby, sua paixão, sua vocação.

Existia apenas uma única pessoa viva capaz de competir com ele. E essa pessoa também estava sentada diante dela. De um nerd amorfo, Mystery me transformara num superstar. Juntos, havíamos dominado o mundo da sedução. Havíamos realizado seduções espetaculares diante dos olhos de nossos alunos e discípulos em Los Angeles, Nova York, Montreal, Londres, Melbourne, Belgrado, Odessa e ainda mais longe.

E agora estávamos num hospício.

CONHEÇA STYLE

Estou longe de ser um cara atraente. Meu nariz é largo demais para meu rosto e, embora não seja curvo, tem uma protuberância no septo. Ainda que eu não seja careca, dizer que meus cabelos estão rareando seria amenizar a verdade. Há apenas alguns tufos cultivados com tônico capilar cobrindo o alto do meu crânio, como arbustos secos. Na minha opinião, meus olhos são pequenos e lacrimosos, embora possuam um brilho vivaz, que está condenado a permanecer meu segredo, pois ninguém pode vê-los por trás dos meus óculos. Tenho reentrâncias nos dois lados da cabeça que, gosto de acreditar, dão alguma personalidade ao meu rosto, ainda que ninguém tenha me elogiado por isso até hoje.

Sou mais baixo do que gostaria de ser e tão magro que pareço malnutrido para a maioria das pessoas, não importa o quanto eu coma. Quando examino meu corpo pálido, os ombros caídos, me pergunto por que alguma mulher iria querer dormir ao lado dele, quanto mais abraçá-lo. Portanto, para mim, conhecer mulheres dá trabalho. Não sou o tipo de cara para quem as mulheres sorriem no bar ou que querem levar para casa quando se sentem bêbadas e loucas. Não posso oferecer a elas um pedaço da minha fama e da minha vaidade como um rock star, tampouco cocaína e uma mansão, como tantos outros homens em Los Angeles. Tudo o que tenho é minha mente, e isso ninguém pode ver.

Você deve ter percebido que não mencionei minha personalidade. Isso é porque minha personalidade mudou completamente. Ou, para colocar de modo mais exato, eu mudei completamente minha personalidade. Inventei o Style, meu alter ego. E num período de dois anos Style se tornou mais popular do que eu jamais fui — especialmente com as mulheres.

Nunca foi minha intenção mudar minha personalidade ou sair pelo mundo sob uma identidade fictícia. Na verdade, eu estava feliz comigo mesmo e com minha vida. Isto é, até que um telefonema inocente (tudo sempre começa com um telefonema inocente) me conduziu numa jornada até a mais estranha e excitante comunidade que encontrei em mais de dez anos de jornalismo. O telefonema foi de Jeremie Ruby-Strauss (sem parentesco), um editor de livros que deparara com um artigo na Internet chamado manual da cama, abreviação de *Manual de como levar mulheres para a cama*. Reunida em 150 páginas ardentes, ele disse, ali estava a sabedoria compilada de dezenas de artistas da sedução que têm partilhado seus conhecimentos em grupos de discussão há quase uma década, trabalhando secretamente para transformar a arte da sedução numa ciência exata. As informações precisavam ser reescritas e organizadas num coerente livro de auto-ajuda, e ele achou que eu era o homem certo para fazê-lo.

Eu não estava tão certo disso. Queria escrever literatura, não dar conselhos para adolescentes excitados. Mas, é claro, eu lhe disse que não me faria mal algum dar uma olhada.

No momento em que comecei a leitura, minha vida mudou. Mais do que qualquer outro livro — seja a Bíblia, *Crime e castigo* ou *Os prazeres da cozinha* —, o manual da cama abriu meus olhos. E não necessariamente por causa das informações que continha, mas por conta do caminho para o qual me levou.

Quando olho para trás e vejo meus anos de adolescência, sinto um arrependimento em especial, e ele não tem nada a ver com o fato de não ter estudado o bastante, não ter sido legal com minha mãe ou ter batido o carro do meu pai num ônibus. É simplesmente que eu não me diverti com muitas meninas. Sou um homem profundo — eu releio *Ulisses* de Joyce a cada três anos para me divertir. Eu me considero razoavelmente intuitivo. No âmago, sou uma boa pessoa e tento evitar magoar os outros. Mas parece que não consigo evoluir para o estado seguinte de ser humano porque desperdiço tempo demais pensando nas mulheres.

E eu sei que não sou o único. Quando conheci Hugh Hefner, ele estava com 73 anos. Tinha ido para a cama com milhares das mulheres mais lindas do planeta, segundo sua própria contabilidade, mas só queria conversar sobre suas três namoradas — Mandy, Brandy e Sandy. E sobre como, graças ao Viagra, ele conseguia mantê-las todas satisfeitas (embora sua grana talvez fosse o suficiente para satisfazê-las). Se um dia quisesse ir para a cama com outra mulher, ele disse, a regra era que teriam que fazer isso todos juntos. Assim, o que concluí de nossa conversa foi que ele era um cara que havia tido todo o sexo que desejara durante toda sua vida e, aos 73 anos, ainda estava atrás de um rabo. Quando isso termina? Se Hugh Hefner ainda não acabou, quando é que eu vou acabar?

Se o manual da cama não houvesse cruzado meu caminho, eu, como a maioria dos homens, nunca teria evoluído em minhas reflexões sobre o sexo oposto. Na verdade, meu começo foi provavelmente pior do que o da maior parte dos homens.

Na minha pré-adolescência não havia brincadeiras de médico, nem meninas que cobrassem um dólar para mostrar o que tinham por baixo das saias, tampouco colegas que me deixassem tocá-las em lugares onde não devia. Passei a maior parte da minha adolescência de castigo; assim, quando minha única oportunidade sexual surgiu — uma caloura bêbada me chamou e me ofereceu um boquete —, fui forçado a recusar, ou então sofreria com a ira da minha mãe. Na faculdade, eu comecei a me encontrar: as coisas que me interessavam, a personalidade que a timidez sempre me impedira de exprimir, o grupo de amigos que expandiriam minha mente com drogas e conversas (nesta ordem). Mas nunca me sentia à vontade perto das mulheres: elas me intimidavam. Em quatro anos de faculdade, não dormi sequer com uma mulher no campus.

Depois da faculdade, arrumei um emprego no *The New York Times* como repórter cultural, onde comecei a criar confiança em mim mesmo e em minhas opiniões. Por fim, consegui acesso a um mundo privilegiado no qual não havia leis: caí na estrada com Marilyn Manson e o Mötley Crüe para escrever livros com eles. Durante todo aquele tempo, mesmo com passe livre para freqüentar os camarins, não fui beijado por ninguém, exceto pelo Tommy Lee. Depois disso, achei melhor desistir de uma vez. Alguns caras conseguiam o que queriam, outros, não. Eu, certamente, estava no segundo grupo.

O problema não era não conseguir ir para a cama com alguém. Acontecia que, quando eu tinha sorte, uma trepada de uma noite só era minha única trepada em dois anos, porque eu não sabia quando ia acontecer de novo. O manual da cama tinha uma sigla para mim: TFM — tolo frustrado médio. Eu era um TFM. Ao contrário de Dustin.

Conheci Dustin no último ano da faculdade. Ele era amigo de um de meus colegas de classe chamado Marko, um falso aristocrata sérvio que fora meu companheiro na seca de mulheres desde o maternal, em grande parte graças à sua cabeça, que tinha a forma de uma melancia. Dustin não era mais alto, mais rico, mais famoso nem mais bonito do que nós. Mas possuía uma qualidade que nos faltava: ele atraía mulheres.

Quando Marko me apresentou a ele, não fiquei impressionado. Era baixo e moreno, com longos cabelos castanhos encaracolados e uma camisa vagabunda de gigolô semi-aberta. Naquela noite, fomos a uma boate em Chicago chamada Drink. Depois de deixarmos os casacos na chapelaria, Dustin perguntou:

— Vocês sabem se há cantos escuros por aqui?

Perguntei-lhe para que ele precisava de cantos escuros e ele respondeu que eram bons lugares para levar as meninas. Ergui minhas sobrancelhas com ceticismo. Minutos depois de entrar no bar, porém, ele estabeleceu contato visual com uma moça de aparência tímida que conversava com uma amiga. Sem dizer palavra, Dustin se afastou. A menina o seguiu — direto para um canto escuro. Quando eles pararam de se beijar e se agarrar, separaram-se em silêncio, sem aquela troca obrigatória de telefones nem mesmo um encabulado "até mais".

Dustin repetiu aquele feito aparentemente milagroso quatro vezes na mesma noite. Um novo mundo se abria diante dos meus olhos.

Eu o atormentei durante horas com perguntas, tentando identificar que tipo de poderes mágicos que ele tinha. Dustin era o que se pode chamar de um cara natural. Perdera a virgindade aos 11 anos, quando uma menina de 15, filha dos vizinhos, usou-o como experimento sexual. E desde então não parou mais. Certa noite, levei-o a uma festa num navio ancorado no rio Hudson, em Nova York. Quando uma mulher provocante de cabelos castanhos e olhos de coelho apareceu por ali, ele se virou para mim e disse:

— Ela é o seu tipo.

Eu neguei e olhei para o chão, como de costume. Temia que ele me fizesse falar com ela, o que acabou acontecendo.

Quando ela passou por nós outra vez, ele lhe perguntou:

— Você conhece o Neil?

Era um modo idiota de quebrar o gelo, mas não importava agora que o gelo fora quebrado. Eu gaguejei algumas palavras, até Dustin assumir e me resgatar. Depois dali, encontramos com ela e seu namorado num bar. Tinham acabado de se mudar para morarem juntos. Seu namorado estava levando o cão para passear. Após alguns drinques, ele levou o cachorro para casa, deixando a moça, Paula, conosco.

Dustin sugeriu que fôssemos para minha casa e preparássemos um lanche de fim de noite, então seguimos para meu minúsculo apartamento no East Village e, em vez do lanche, caímos na cama, com Dustin de um lado de Paula, e eu no outro. Quando Dustin começou a beijar a bochecha esquerda dela, ele fez sinal para eu fazer o mesmo no lado direito. Então, em sincronia, descemos para o pescoço e para os seios dela. Embora eu estivesse surpreso com a conivência de Paula, para Dustin aquilo parecia ser uma rotina. Virando-se para mim, ele perguntou se eu tinha uma camisinha. Achei uma para ele. Ele retirou sua calça e a penetrou enquanto eu continuava lambendo inutilmente seu seio direito.

Este era o dom de Dustin, seu poder: dar às mulheres as fantasias que elas achavam que nunca experimentariam. Em seguida, Paula não parou de me telefonar. Queria falar o tempo todo sobre aquela experiência, racionalizá-la, pois não conseguia acreditar no que havia feito. Era assim que sempre funcionava com o Dustin: ele ficava com a menina; eu, com a culpa.

Eu classifiquei isso como uma simples diferença de personalidades. Dustin tinha um charme natural e um instinto animal que eu não possuía. Ou, pelo menos, era isso que eu achava, até ler o manual da cama e explorar os grupos de discussão e os sites que ele recomendava. O que descobri foi toda uma comunidade repleta de Dustins — homens que reivindicavam ter descoberto a combinação para abrir o coração e as pernas das mulheres — e de milhares de caras como eu, tentando aprender seus segredos. A diferença era que esses homens tinham decomposto seus métodos num conjunto específico de regras que qualquer um poderia pôr em prática. E cada um dos autoproclamados artistas da sedução tinha seu próprio conjunto de regras.

Havia Mystery, o mágico; Ross Jeffries, o hipnotizador; Rick H., o empreendedor milionário; David DeAngelo, um corretor imobiliário; Juggler, um comediante; David X, operário na construção civil; e Steve P., um sedutor tão poderoso que as mulheres de fato lhe pagavam para aprender como chupá-lo melhor. Solte-os em South Beach, em Miami, e uma quantidade indeterminada de valentões mais bonitos e musculosos atirarão areia em seus rostos pálidos e macilentos. Mas se estiverem dentro de um Starbucks ou Whiskey Bar, eles vão se revezar dando um amasso na namorada do valentão assim que ele virar as costas.

Assim que descobri o mundo deles, a primeira coisa que mudou foi meu vocabulário. Termos como TFM, AS (artista da sedução), caça (paquerar mulheres) e GG (gata gostosa)[1] passaram a fazer parte permanente do meu léxico. Então, meus rituais diários mudaram à medida que me viciava naquele ambiente on-line que os artistas da sedução tinham criado. Sempre que voltava para casa depois de uma reunião ou um encontro com uma mulher, eu me sentava diante do computador e enviava minhas perguntas da noite para o grupo de discussão. "O que eu faço se ela disser que tem namorado?"; "Se ela comer alho durante o jantar, quer dizer que ela não está planejando me beijar?"; "Quando uma mulher coloca batom na sua frente isso é um bom ou mau sinal?".

E esses personagens virtuais, como Candor, Gunwitch e Formhandle, começaram a responder minhas perguntas. (As respostas, em ordem: use um modelo destruidor de namorado; você está se preocupando demais com isso; nenhum dos dois). Logo eu percebi que aquilo não era apenas um fenômeno da Internet,

---

[1] Um glossário pode ser encontrado na página 469 com explicações detalhadas desses e de outros termos usados pela comunidade dos sedutores.

mas um modo de vida. Havia cultos de candidatos a sedutor em uma dezena de cidades — de Los Angeles até Zagreb, passando por Mumbai — que se encontravam semanalmente no que eles chamavam de covis, a fim de discutir táticas e estratégias, antes de saírem todos para encontrar mulheres.

Na forma de Jeremy Ruby-Strauss e da Internet, Deus havia me dado uma segunda chance. Não era tarde demais para ser Dustin, para me tornar o que toda mulher queria — não o que elas dizem querer, mas o que querem realmente, no fundo delas mesmas, além de sua programação social, onde repousam seus sonhos e suas fantasias.

Mas eu não podia fazer isso sozinho. Conversar com os caras pela Internet não seria o bastante para mudar uma vida inteira de fracassos. Era preciso encontrar os rostos por trás daqueles nomes na tela, observá-los em campo, descobrir quem eram e o que os fazia funcionar. Fiz disso minha missão — meu emprego em tempo integral e minha obsessão —: perseguir os artistas da sedução no mundo e implorar por abrigo sob suas asas.

E assim tiveram início os dois anos mais estranhos da minha vida.

SEGUNDO PASSO
ABORDE
E COMECE

"O primeiro problema para todos nós, homens e mulheres, não é aprender, mas desaprender."

— Gloria Steinem
discurso inaugural, Vassar College

Capítulo 1

Saquei 500 dólares no banco, enfiei dentro de um envelope branco e escrevi Mystery na frente. Não foi o momento de que mais me orgulho na vida.

Mas eu tinha dedicado os últimos quatro dias a me preparar para aquilo de qualquer maneira — comprando roupas no valor de 200 dólares na Fred Segal, passando toda uma tarde procurando a água-de-colônia perfeita e gastando 75 dólares num corte de cabelo em Hollywood. Eu queria parecer o melhor possível; aquela seria a primeira vez que eu sairia com um verdadeiro artista da sedução.

Seu nome, ou pelo menos o nome que usava on-line, era Mystery. Era o artista da sedução mais venerado da comunidade, uma usina de força que cuspia mensagens detalhadas que pareciam algorítmicas, mostrando como manipular situações sociais a fim de encontrar e atrair mulheres. Suas noitadas seduzindo modelos e strippers na sua cidade natal, Toronto, estavam relatadas na Internet com detalhes íntimos, a escrita cheia de jargões que ele próprio inventava: neg solitário, neg grupal, teoria de grupo, indicadores de interesse, peão — cada um deles tendo se tornado parte integrante do léxico do artista da sedução. Há quatro anos ele oferecia conselhos gratuitos em grupos de discussão sobre sedução. Então, em outubro, resolveu colocar um preço e mandou a seguinte mensagem:

> *Atendendo a várias solicitações, Mystery está agora realizando workshops de Treinamento Básico em várias cidades do mundo. O primeiro workshop será em Los Angeles, de quarta-feira à noite, dia 10 de outubro, até sábado à noite. A taxa é de 500 dólares. Isso inclui acesso à boate, uma limusine nos quatro dias (boa, hein?), conferência de uma hora na limusine com um questionário de meia hora ao final da noite e, finalmente, três horas e meia por noite em campo (divididas em duas boates por noite) com Mystery. Ao final do Treinamento Básico você terá abordado em torno de 50 mulheres.*

Não era um feito simples se matricular num workshop dedicado a seduzir mulheres. Fazer isso é reconhecer uma derrota, uma inferioridade e uma inadequação. É admitir finalmente para si mesmo que, após todos esses anos sendo sexualmente ativo (ou pelo menos sexualmente cônscio), você ainda não é um adulto e não descobriu como fazê-lo. Aqueles que pedem socorro são, com freqüência, aqueles que fracassaram ao tentar fazer alguma coisa para si mesmos. Assim, se um viciado vai para uma clínica de desintoxicação e os indivíduos violentos assistem a aulas de controle da raiva, então os retardados sociais freqüentam a escola de sedução.

Apertar enviar no meu e-mail para Mystery foi uma das coisas mais difíceis que já fiz. Se alguém — amigos, família, colegas e, especialmente, minha solitária ex-namorada em Los Angeles — descobrisse que eu estava pagando para viver uma experiência de campo seduzindo mulheres, a gozação e a recriminação seriam instantâneas e impiedosas. Assim, mantive secretas minhas intenções, evitando programas sociais e dizendo às pessoas que iria levar um velho amigo para conhecer a cidade durante todo o final da semana.

Eu precisaria manter esses dois mundos separados.

Em minha mensagem para Mystery, não lhe disse meu sobrenome ou minha profissão. Se fosse pressionado, eu diria apenas que era um escritor, e deixaria as coisas assim. Eu queria me infiltrar de forma anônima nessa subcultura, sem desfrutar de vantagens ou pressões adicionais por conta de minhas credenciais.

Assim mesmo, ainda tinha que lidar com minha própria consciência. Esta era, de longe, a coisa mais patética que já fizera na vida. E, infelizmente — em oposição, digamos, a me masturbar no chuveiro —, não era algo que eu pudesse fazer sozinho. Mystery e os outros alunos estariam lá para testemunhar minha vergonha, meu segredo, minha inaptidão.

Um homem tem dois fatores de propulsão no início da idade adulta: um, no sentido do poder, do sucesso e da realização; o outro, no sentido do amor, do companheirismo e do sexo. Metade da minha vida então estava fora de ordem. Apresentar-me diante deles era o mesmo que ficar em pé e admitir que era apenas meio homem.

Capítulo 2

Uma semana depois de ter mandado o e-mail eu entrei no saguão do Hollywood Roosevelt Hotel. Estava usando um suéter azul tão macio e fino que parecia algodão, calça preta com enfeite nas laterais e sapatos que me davam mais alguns centímetros de altura. Meus bolsos cheios de materiais que Mystery instruíra a cada aluno que trouxesse: uma caneta, um bloco de notas, uma caixa de chicletes e preservativos.

Identifiquei Mystery imediatamente. Ele estava sentado regiamente numa poltrona vitoriana, com um sorriso presunçoso, do tipo acabei-de-erguer-o-mundo-com-meus-braços. Vestia um terno folgado azul-escuro, tinha um pequeno piercing de madeira atravessado no queixo e as unhas pintadas de preto-azeviche. Não era exatamente atraente, mas era carismático — alto e magro, com longos cabelos castanhos, as maçãs do rosto protuberantes e de uma palidez exangue. Parecia um especialista em computadores recém-mordido por um vampiro e na fase intermediária de uma transformação.

Ao seu lado havia um personagem mais baixo com o olhar intenso que se apresentou como parceiro de Mystery, Sin. Ele vestia uma camisa preta bem justa, de gola arredondada, e seus cabelos pretos como o breu tinham sido penteados para trás com gel. Sua aparência, porém, era a de um homem cuja cor natural dos cabelos era ruiva.

Fui o primeiro aluno a chegar.

— Qual é o seu melhor placar? — perguntou Sin, se inclinando e me convidando a sentar. Eles já estavam me avaliando, tentando descobrir se eu estava pronto para o *jogo*.

— Meu placar?

— É. Com quantas mulheres já dormiu?

— É... Em torno de sete — respondi.

— Em *torno* de sete? — pressionou Sin.

— Seis — confessei.

Sin já estava na casa das 60, Mystery, em centenas. Eu os olhei com admiração: eram artistas da sedução cujas façanhas eu vinha acompanhando com avidez pela

Internet havia meses. Eram outros tipos de seres: tinham a pílula mágica, a solução para a inércia e frustração que atormentava os grandes protagonistas literários com os quais eu tinha me relacionado durante toda a vida — fosse Leopold Bloom, Alex Portnoy ou o porquinho do ursinho Pooh.

Enquanto esperávamos pelos outros alunos, Mystery jogou um envelope no meu colo.

— Estas são algumas das mulheres com quem saí — ele disse.

Dentro de uma pasta de papel havia uma série espetacular de lindas mulheres: um retrato com o rosto de uma provocante atriz japonesa; uma foto de publicidade autografada de uma morena que tinha incrível semelhança com Liv Tyler; outra da Garota do Ano da revista *Penthouse*; um instantâneo de uma stripper bronzeada e cheia de curvas com um penhoar, a quem Mystery se referiu como sendo sua namorada, Patricia; e a fotografia de uma morena com grandes seios siliconados que Mystery mamava no meio de uma boate. Eram essas suas credenciais.

— Consegui fazer isso não prestando atenção aos seus peitos a noite toda — ele explicou, quando perguntei sobre aquela última foto. — Um artista da sedução deve ser a exceção à regra. Você não deve fazer o que todo mundo faz. Nunca.

Eu escutava com atenção. Queria ter certeza de que cada palavra ficasse gravada no meu córtex cerebral. Eu estava presenciando um evento singular; o único outro artista da sedução digno de confiança que oferecia cursos era Ross Jeffries, que tinha basicamente fundado a comunidade no final dos anos 1980. Mas naquele dia foi a primeira vez que alunos da sedução eram retirados dos ambientes seguros das salas de seminário e soltos em boates para serem criticados à medida que praticavam o jogo com mulheres insuspeitas.

Um segundo aluno apareceu, apresentando-se como Extramask. Era um cara alto, magricelo e agitado, de 26 anos, com os cabelos bem curtos nas laterais, roupas demasiadamente largas e um rosto finamente cinzelado. Com um corte de cabelo e vestuário adequados, ele teria facilmente se transformado num cara boa-pinta.

Quando Sin lhe perguntou seu placar, Extramask respondeu coçando a cabeça, pouco à vontade.

— Eu não tenho praticamente experiência nenhuma com mulheres — explicou. — Nunca beijei uma garota.

— Você está brincando — exclamou Sin.

— Eu nunca fiquei de mãos dadas com uma garota. Eu fui criado de forma muito protetora. Meus pais eram católicos realmente severos e, assim, eu sempre senti um bocado de culpa, quando se tratava de meninas. Mas já tive três namoradas.

Ele olhou para o chão e coçou o joelho em círculos nervosos, enquanto citava suas namoradas, apesar de ninguém ter pedido detalhes. Houve Mitzelle, que rompeu com ele depois de sete dias. Houve Claire, que dois dias depois lhe disse que havia cometido um engano quando aceitou sair com ele.

— E houve então a Carolina, minha doce Carolina — concluiu, um sorriso sonhador surgindo no seu rosto. — Fomos um casal por um dia. Lembro-me dela caminhando para minha casa na tarde seguinte com uma amiga. Eu a vi do outro lado da rua e fiquei animado. Quando me aproximei, ela berrou: "Estou dispensando você."

Todos aqueles relacionamentos, aparentemente, haviam sido durante a escola primária. Extramask sacudia a cabeça com tristeza. Era difícil dizer se ele estava conscienciosamente sendo engraçado ou não.

O próximo a chegar foi um homem bronzeado e meio careca de seus 40 anos que viera da Austrália somente para aquele workshop. Tinha um Rolex de 10 mil dólares, um sotaque encantador e um dos suéteres mais feios que eu já vira — uma monstruosidade de tecido espesso com linhas em ziguezague de todas as cores que sugeria o infeliz resultado de uma pintura a dedo. Parecia cheio de dinheiro e confiança. Ainda assim, no momento em que abriu a boca para fornecer a Sin seu placar (cinco), acabou se traindo. Sua voz tremia; não conseguia olhar para ninguém nos olhos e havia algo de patético e pueril nele. Sua aparência, como seu suéter, era apenas um acidente, e não dizia nada de sua natureza.

Ele era novo na comunidade e relutante em confidenciar até seu primeiro nome, assim Mystery o batizou de Sweater.

Nós três éramos os únicos alunos daquele workshop.

— Muito bem, temos um bocado de coisa para conversar — disse Mystery, batendo as mãos. Ele se aproximou para que os outros hóspedes no hotel não pudessem nos ouvir. — Meu trabalho é colocar vocês no jogo — continuou ele, olhando de modo penetrante para cada um de nós. — Preciso transferir o que tenho na minha cabeça para as de vocês. Pensem nesta noite como um videogame. Não é real. Toda vez que fizerem uma abordagem, vocês estarão praticando o jogo.

Meu coração começou a bater com violência. A idéia de tentar começar uma conversa com uma mulher que eu não conhecia me deixava petrificado, especialmente com aqueles caras observando e julgando meu desempenho. Pular de pára-quedas ou de bungee-jump era moleza comparado com aquilo.

— Todas as suas emoções irão tentar foder com vocês — prosseguiu Mystery. — Elas estão aí para tentar confundi-los, portanto, fiquem sabendo agora mesmo que não devem confiar nelas, de modo algum. Algumas vezes, vocês se sentirão tímidos, e constrangidos, e será preciso tratar isso como se trata uma pedra dentro do sapato. É desconfortável, mas será necessário ignorá-la. Não faz parte da equação.

Olhei à minha volta: Extramask e Sweater pareciam tão nervosos quanto eu.

— Eu preciso ensinar a vocês, em quatro dias, toda a equação e a seqüência de lances que precisam aprender — continuou Mystery. — Vocês terão que praticar esse jogo várias vezes para aprender a usá-lo. Portanto, preparem-se para fracassar.

Mystery fez uma pausa para pedir um Sprite com cinco rodelas de limão ao lado, e então nos contou sua história. Sua voz era alta e clara — havia sido inspirada, disse ele, na do conferencista motivacional Anthony Robbins. Tudo o que fazia parecia ser uma invenção consciente, ensaiada.

Desde os 11 anos, quando conseguiu descobrir o segredo de um truque de cartas de um colega de classe, o objetivo de Mystery na vida fora se tornar um mágico célebre, como David Copperfield. Passou anos estudando e praticando e conseguiu explorar com sucesso seus talentos em festas de aniversário, comemorações empresariais e mesmo em alguns programas de entrevista na tevê. Enquanto isso, contudo, sua vida social era um sofrimento. Aos 21, ainda virgem, resolveu dar um jeito naquilo.

— Um dos maiores mistérios do mundo é a mente de uma mulher — disse com veemência. — Então decidi descobri-lo.

Ele fazia todo dia um percurso de meia hora de ônibus até Toronto, ia aos bares, lojas de roupas, restaurantes e cafés. Não sabia que existia a comunidade on-line ou outros artistas da sedução, então foi obrigado a se virar sozinho, confiando na única habilidade que tinha: a mágica. Foram-lhe necessárias dezenas de viagens até a cidade antes de conseguir reunir coragem para falar com uma pessoa estranha. A partir daí, teve de tolerar fracasso, rejeição e constrangimentos noite e dia até, gradualmente, montar o quebra-cabeça das dinâmicas sociais e descobrir o que acreditava serem os padrões subjacentes a todos os relacionamentos entre macho e fêmea.

— Foram-me necessários dez anos para descobrir isso — disse ele. — O formato básico é o ECAC — encontre, conheça, atraia, conclua. Acreditem se quiser, o jogo é linear. Um bocado de gente não sabe disso.

Na meia hora que se seguiu, Mystery nos falou sobre o que ele chamava de teoria de grupo.

— Já apliquei esse conjunto específico de eventos zilhões de vezes. Você não pode chegar numa garota que está sozinha. A sedução perfeita não é assim. As belas mulheres raramente são encontradas sozinhas.

Depois de abordar o grupo, prosseguiu Mystery, o segredo é ignorar a mulher que você deseja enquanto conquista seus amigos — especialmente os homens e os prováveis empata-foda. Se o alvo for atraente e acostumada a ter homens a bajulando o tempo todo, o artista da sedução deve intrigá-la, fingindo-se imune aos seus encantos. Isso pode ser realizado aplicando-se o que ele chamava de um neg.

Nem um elogio nem um insulto, o neg é um meio-termo — um insulto acidental ou um elogio sarcástico. O objetivo de um neg é reduzir a auto-estima de uma mulher e ao mesmo tempo demonstrar ativamente uma falta de interesse por ela — dizendo-lhe que tem batom nos dentes ou oferecendo um chiclete quando ela parar de falar.

— Eu não ignoro as meninas feias; eu não ignoro os homens; eu só ignoro as garotas que eu quero comer — explicou Mystery, os olhos brilhando com a convicção de seus aforismos. — Se não acreditam em mim, vocês verão hoje à noite. Esta é a noite dos experimentos. Primeiro, eu farei uma demonstração. Vocês vão me observar e, em seguida, tentarão aplicar algumas séries. Amanhã, se fizerem o que eu digo, serão capazes de se dar bem com uma garota em menos de 15 minutos.

Ele olhou para Extramask.

— Cite cinco características de um macho alfa.

— Confiança?

— Certo. O que mais?

— Força?

— Não.

— Odor corporal?

Ele olhou para Sweater e para mim. Nós também não tínhamos a menor idéia.

— A característica número 1 de um macho alfa é o sorriso — disse ele, produzindo um sorriso artificial. — Sorria quando entrar num ambiente. Assim que chegar numa boate, o jogo tem início. E sorrindo parece que você está acompanhado, que é um cara divertido e que é alguém.

Ele virou-se para Sweater:

— Quando você entrou, você não sorriu enquanto falava conosco.

— Isso não tem nada a ver comigo — disse Sweater. — Quando eu sorrio fico com cara de idiota.

— Se você continuar fazendo o que sempre fez, vai continuar conseguindo o que sempre conseguiu. Se é chamado de Método Mystery é porque eu sou Mystery e este é meu método. Então vou pedir apenas que aceitem algumas das minhas sugestões e tentem coisas novas nos próximos quatro dias. E vocês verão a diferença.

Além da confiança e do sorriso, aprendemos as outras características de um macho alfa: vestir-se bem, possuir senso de humor, saber se relacionar com as pessoas e ser visto como o centro social de um ambiente. Ninguém pensou em dizer a Mystery que isso dava um total de seis características, na verdade.

Enquanto Mystery dissecava ainda mais o macho alfa, dei-me conta de uma coisa: o motivo de eu estar ali — assim como Sweater e Extramask — era o fato de nossos pais e amigos terem falhado conosco. Eles nunca nos deram as ferramentas de que precisávamos para nos tornarmos seres sociais plenamente efetivos. Agora, décadas mais tarde, era hora de adquiri-las.

Mystery foi até o outro lado da mesa e nos olhou individualmente.

— Qual é o tipo de garota que você quer? — perguntou ao Sweater.

Sweater retirou do bolso uma folha de caderno perfeitamente dobrada.

— Ontem à noite escrevi uma lista de metas para mim mesmo — disse ele, desdobrando o papel, que estava preenchido com quatro colunas de itens enumerados. — E uma das coisas que estou procurando é uma esposa. Ela precisa ser inteligente o bastante para manter uma conversa e ter estilo e beleza suficiente para fazer as cabeças se virarem quando entrar num ambiente.

— Muito bem, agora olhe para você — disse Mystery. — Você parece um cara mediano. Caras acham que, se parecerem genéricos, terão chance com uma ampla gama de mulheres. Não é verdade. Você tem de se especializar. Se parecer um cara comum, você vai arrumar mulheres comuns. Essas suas calças de cor cáqui são boas para um escritório. Não para boates. E esse suéter, melhor queimá-lo. Você precisa ser maior do que a vida. Estou falando de ficar lá no alto. Se quiser conseguir só as garotas nota 10, você precisa aprender a teoria do pavão.

Mystery adorava teorias. A teoria do pavão é a noção de que para atrair as fêmeas mais desejáveis da espécie é necessário sobressair de um modo cintilante e colorido. Para os humanos, ele nos disse, o equivalente à cauda em leque do pavão é uma camisa vistosa, um chapéu espalhafatoso e jóias que reluzam no escuro — basicamente, tudo aquilo que eu desprezara durante toda a vida, por considerar de mau gosto.

Quando chegou a vez de minha crítica pessoal, Mystery apresentou uma lista de problemas a resolver: jogar fora os óculos, dar uma forma ao cavanhaque, grande demais, raspar os arbustos sobre minha cabeça, vestir-me com mais ousadia, usar alguma coisa que provocasse comentários, conseguir algumas jóias, arrumar uma vida.

Anotei todas as suas palavras. Ele era um cara que pensava incessantemente na sedução, como um cientista louco tentando descobrir uma fórmula de transformar amendoins em gasolina. O arquivo de seu site na Internet tinha 3 mil posts — mais de 2.500 páginas —, todas dedicadas a decifrar o código secreto que é a mulher.

— Tenho um quebra-gelo para você usar — ele disse para mim. Um quebra-gelo é um roteiro preparado, utilizado para iniciar conversas com um grupo de estranhos; é a primeira coisa com que se deve armar alguém que deseja conhecer mulheres. — Diga o seguinte, quando vir um grupo com uma mulher que você aprecia: "Ei, parece que a festa é por aqui." Depois se vire para a garota que lhe interessa e acrescente: "Se eu não fosse tão gay, você seria *toda* minha."

Enrubesci.

— É mesmo? — perguntei. — E como isso vai me ajudar?

— Assim que ela se sentir atraída por você, não importa mais que você tenha dito que era ou não gay.

— Mas isso não é uma mentira?

— Não é uma mentira — respondeu ele. — É um flerte.

Para os demais, ele ofereceu outros exemplos de quebra-gelo, perguntas inocentes, porém interessantes, como: "Você acha que feitiços funcionam?" ou "Nossa, você viu aquelas duas mulheres brigando lá fora?". É claro, não eram perguntas espetaculares ou sofisticadas, mas todas tinham como objetivo iniciar uma conversa entre dois estranhos.

O ponto importante do Método Mystery, ele explicou, é passar sob o radar. Não aborde uma mulher com uma proposta sexual. Aprenda primeiro sobre ela, e deixe-a merecer o direito de ser conquistada.

— Um amador ataca uma mulher imediatamente — sentenciou ele, ao se levantar para deixar o hotel. — Um profissional espera de oito a dez minutos.

Armados com nossos negs, teoria de grupo e quebra-gelos camuflados, estávamos prontos para invadir as boates.

Capítulo 3

Entramos na limusine e seguimos para o Standard Lounge, a boate de um hotel cercada com cordas roxas de veludo. E foi nesse lugar que Mystery espatifou meu conceito de realidade. Os limites que certa vez eu impusera à interação humana foram ampliados muito além do que eu julgara possível. O homem era uma máquina.

O lugar estava morto quando chegamos. Era muito cedo. Havia somente dois grupos de pessoas na boate: um casal próximo da entrada e dois casais num canto.

Eu estava pronto para ir embora. Mas então vi Mystery se aproximar das pessoas no canto. Estavam sentadas em sofás opostos com uma mesa de vidro no meio. Os homens estavam de um lado. Um deles era Scott Baio, o ator mais conhecido por seu papel de Chachi em *Happy Days*. Na frente, havia duas mulheres, uma morena e uma loura oxigenada que parecia ter saído das páginas da revista masculina *Maxim*. Sua camiseta branca sem mangas estava tão suspensa no ar pelos seus falsos seios que a parte de baixo flutuava sobre sua barriga moldada por exaustivos abdominais. Ela era o par de Baio. Era também, concluí, o alvo de Mystery.

Suas intenções eram evidentes, porque ele não estava falando com ela. Em vez disso, mantinha-se de costas para ela e mostrava algo para Scott Baio e seu amigo, um cara de seus 30 anos, bronzeado e bem vestido que parecia exalar um forte cheiro de loção pós-barba. Aproximei-me.

— Tome cuidado com isso — Baio estava dizendo. — Custa 40 mil dólares.

Mystery estava com o relógio de Baio nas mãos. Depois, o colocou cautelosamente sobre a mesa.

— Agora, veja isso — ele disse. — Eu enrijeço os músculos do meu ventre, aumentando o fluxo de oxigênio para o meu cérebro e...

Quando Mystery passou a mão sobre o relógio, o ponteiro dos segundos parou de funcionar. Ele esperou 15 segundos, depois passou a mão novamente e, devagar, o relógio ressuscitou — junto com o coração de Baio. A platéia de quatro pessoas de Mystery começou a aplaudir.

— Faça mais uma! — rogou a loura.

Mystery mandou-lhe um neg:

— Nossa, ela é tão exigente — disse ele, virando-se para Baio. — Ela é sempre assim?

Estávamos testemunhando a teoria de grupo em funcionamento. Quanto mais Mystery fazia seus truques para eles, mais a loura clamava por atenção. E a cada vez ele a rechaçava e continuava falando com seus dois novos amigos.

— Eu não costumo sair — Baio estava dizendo para Mystery. — Estou cansado disso, e velho demais.

Depois de mais alguns minutos, Mystery finalmente tomou conhecimento da presença da loura. Ele estendeu os braços. Ela colocou a mão na dele, e ele começou a efetuar uma leitura psíquica da loura. Estava empregando uma técnica sobre a qual eu ouvira falar, chamada leitura a frio: a arte de dizer truísmos para as pessoas sobre elas mesmas sem qualquer conhecimento prévio de sua personalidade ou experiências. Em campo, todo conhecimento — ainda que esotérico — é poder.

A cada frase precisa que Mystery proferia, o queixo da loura parecia cair ainda mais, até ela começar a lhe perguntar sobre seu trabalho e suas habilidades psíquicas. Todas as respostas de Mystery tinham por objetivo acentuar a juventude e o entusiasmo pela boa vida que Baio dissera ter deixado para trás.

— Eu me sinto muito velho — disse Mystery, lançando a isca.

— Quantos anos você tem? — ela quis saber.

— Vinte e sete.

— Isso não é estar velho. É a idade perfeita.

Ele fora aceito.

Mystery me chamou e sussurrou no meu ouvido. Queria que eu falasse com Baio e seu amigo, para mantê-los ocupados enquanto ele atacava a garota. Era minha primeira experiência como parceiro — um termo que Mystery havia tomado do filme *Top Gun – Ases indomáveis*, assim como as palavras alvo e obstáculo.

Eu me esforcei para ficar de conversa fiada com eles. Mas Baio, parecendo nervoso em relação a Mystery e sua garota, me interrompeu.

— Diga-me que é só uma ilusão — disse ele — e que esse cara não está de fato roubando minha namorada.

Dez longos minutos depois, Mystery se levantou, pôs o braço no meu ombro e nós saímos da boate. Na rua, ele retirou um guardanapo do bolso do terno. Havia um número de telefone anotado.

— Você deu uma boa olhada nela? — perguntou Mystery. — É por isso que estou nesse jogo. Tudo o que aprendi eu usei hoje. Tudo encaminhava para esse momento. E funcionou — disse, sorrindo de satisfação. — Que tal a demonstração?

Aquilo tinha sido o bastante. Roubar uma garota bem na cara do célebre namorado — ultrapassado ou não — era uma façanha que nem Dustin poderia ter realizado. Mystery era o cara.

Quando tomamos a limusine para o Key Club, Mystery nos revelou o primeiro mandamento da sedução: a lei dos três segundos. Um homem tem três segundos após identificar uma mulher para falar com ela, disse ele. Se levar mais do que isso, então não só a garota vai provavelmente pensar que o cara é um tarado, que está há um tempão olhando para ela, mas também ele começará a pensar demais sobre a abordagem, ficando nervoso e, o que é provável, acabará estragando tudo.

No instante em que entramos no Key Club, Mystery acionou a lei dos três segundos. Dirigindo-se a passos largos até um grupo de mulheres, ele estendeu as mãos e perguntou:

— Qual é a primeira impressão de vocês quanto a isso? Não falo das mãos grandes, mas das unhas pretas.

Quando as garotas se aproximaram dele, Sin puxou-me para o lado e sugeriu que déssemos uma volta pelo local e eu tentasse minha primeira abordagem. Um grupo de mulheres passou por nós e eu tentei fazer minha primeira abordagem. Mas a palavra "Oi" mal conseguiu escapar da minha garganta, saindo num volume insuficiente para que elas pudessem ouvir. Quando elas começavam a se afastar, eu as segui e segurei uma das garotas por trás, pelo ombro. Ela se virou, assustada, e me lançou um olhar devastador do tipo quem-é-esse-idiota que era a própria razão do meu medo de conversar com as mulheres.

— Nunca — me advertiu Sin com sua voz nasalada —, nunca aborde uma mulher por trás. Chegue sempre pela frente, mas num ângulo ligeiro para não ficar muito direto e confrontador. Você precisa falar com ela por sobre seu ombro, assim fica parecendo que você pode se afastar a qualquer minuto. Você viu o Robert Redford em *O encantador de cavalos*? É mais ou menos isso.

Alguns instantes depois, achei uma jovem mulher com pinta de embriagada, cabelos louros cacheados e vestindo uma túnica rosa bufante. Estava sozinha. Decidi me aproximar para me redimir. Fiz uma curva até ficar na posição de dez horas em relação a ela e avancei, imaginando que estivesse me aproximando de um cavalo que eu não queria assustar.

— Oh, meu Deus — eu disse para ela. — Você viu aquelas duas garotas brigando lá fora?

— Não. O que houve?

Ela estava interessada. Estava falando comigo. Aquilo funcionava.

— Eh... duas garotas estavam brigando por causa de um baixinho que era metade delas. A coisa ficou feia. Ele ficou lá rindo até a polícia chegar e levar as meninas.

Ela riu. Começamos a falar sobre a boate e a música que estava tocando. Ela era bem simpática e parecia realmente agradecida pela conversa. Eu não imaginava que abordar uma mulher fosse tão fácil.

Sin se aproximou silenciosamente e sussurrou no meu ouvido:

— Passe para uma fisiô.

— O que é uma fisiô? — perguntei.

— Fisiô? — repetiu a garota.

Sin ergueu meu braço e o colocou em volta dos ombros dela.

— Fisiô é quando você toca numa garota — sussurrou ele.

Senti o calor do seu corpo e me lembrei de como eu adorava o contato humano. Animais de estimação gostam de receber carinho. Não há nada de sexual quando um cachorro ou um gato pede um afeto físico. As pessoas são iguais: precisamos ser tocados. Mas somos tão confusos e obcecados sexualmente que acabamos ficando nervosos e desconfortáveis sempre que uma pessoa nos toca. E, infelizmente, não sou exceção. Enquanto falava com ela, minha mão ficou pouco à vontade no seu ombro. Estava ali pousada como um membro inerte, e eu imaginei que ela estivesse se perguntando o que exatamente minha mão estava fazendo ali e como faria para se livrar dela de modo cortês. Então lhe fiz um favor e a removi sozinho.

— Isole-se com ela — Sin disse para mim.

Sugeri que nos sentássemos e fomos na direção de um banco. Sin nos seguiu e sentou-se no banco de trás. Conforme tinham me ensinado, pedi que me dissesse que qualidades ela achava atraente nos homens. Ela falou que era o senso de humor e a bunda.

Felizmente, eu tenho uma dessas qualidades.

De repente, senti Sin soprar nos meu ouvido.

— Cheire os cabelos dela — foram suas instruções.

Senti o cheiro de seus cabelos, embora não soubesse ao certo o sentido daquilo. Achei que Sin quisesse que eu mandasse um neg, então lhe disse:

— Um cheiro de fumaça.

— Nããããoo! — ele sibilou no meu ouvido. Acho que eu não devia ter aplicado um neg.

Ela pareceu ofendida. Então, para me recuperar, eu os cheirei de novo.

— Mas por baixo tem um perfume intoxicante.

Ela inclinou a cabeça para o lado, franziu as sobrancelhas ligeiramente, me examinou da cabeça aos pés e disse:

— Você é esquisito.

Eu estava colocando tudo a perder. Por sorte, Mystery chegou logo em seguida.

— Este lugar está morto — disse ele. — Vamos para um lugar onde haja mais alvos.

Para Mystery e Sin, essas boates não pareciam ser a realidade. Ficavam à vontade para soprar nos ouvidos dos alunos enquanto eles conversavam com as mulheres, apresentando a terminologia da sedução em frente de estranhos, e até interrompendo um aluno durante uma abordagem e explicando, diante de todos, o que ele estava fazendo errado. Eles se sentiam tão confiantes e sua conversa era tão cheia de jargões que as garotas raramente chegavam a ficar curiosas, muito menos a desconfiar de que estavam sendo usadas para treinar caras que queriam ser homens cheios de mulheres.

Despedi-me da minha nova amiga, como Sin me ensinara, apontando para meu rosto e dizendo "Dá um beijinho de despedida". Ela de fato me deu uma beijoca e eu me senti muito alfa.

Na saída, quando parei para ir até o banheiro, encontrei Extramask lá em pé, encaracolando uma mecha de cabelos molhados com os dedos.

— Você está esperando para usar o banheiro? — perguntei.

— Mais ou menos — respondeu ele. — Pode ir.

Olhei-o, intrigado.

— Posso dizer uma coisa para você? — perguntou ele.

— Claro.

— Eu tenho muita dificuldade para mijar ao lado de alguém no banheiro. Quando tem um cara parado ao lado, eu não consigo mijar, porra. Mesmo se eu já estiver mijando e um cara se aproximar, eu paro. E aí fico ali parado, nervoso, me sentindo um merda.

— Ninguém está julgando você.

— Sei. Lembro que, um ano atrás, mais ou menos, eu e um cara estávamos tentando mijar nesses mictórios que ficam um ao lado do outro, mas acabamos ficando ali parados. Ficamos assim uns dois minutos, tomando conhecimento da timidez respectiva para mijar, até eu fechar a calça e ir para outro banheiro.

— Extramask fez uma pausa. — O cara nem me agradeceu por ter saído do banheiro naquele dia.

Eu assenti com a cabeça, fui até o mictório e me aliviei com distinta falta de constrangimento. Comparado a Extramask, eu seria um aluno mais fácil.

Quando eu estava saindo do banheiro, ele ainda estava lá em pé.

— Sempre gostei desses mictórios com divisórias — disse ele. — Mas só são encontrados em lugares elegantes.

Capítulo 4

Eu estava superanimado dentro da limusine, seguindo para o próximo bar.

— Você acha que eu podia tê-la beijado? — perguntei a Mystery.

— Se você acha que poderia, então poderia — respondeu ele. — Assim que você se pergunta se deveria ou não deveria, isso quer dizer que deveria. E o que tem a fazer é trocar de fase. Imagine uma engrenagem gigante batendo sobre sua cabeça e vá à luta. Comece atacando, diga-lhe que acabou de perceber como seu cabelo é lindo e passe a massagear seus ombros.

— Mas como saber se está tudo bem?

— O que eu faço é procurar algum IDI. Um IDI é um indicador de interesse. Se ela perguntar qual é seu nome, isso é um IDI. Se ela perguntar se você é solteiro, isso é um IDI. Se você segurar na mão dela, apertá-la e ela apertar a sua também, isso é um IDI. E assim que eu consigo três IDIs, troco de fase. Nem paro para pensar. É como um programa de computador.

— Mas como você faz para beijá-la? — perguntou Sweater.

— Você apenas diz: "Quer me beijar?"

— E, então, o que acontece?

— Uma dessas três coisas — respondeu Mystery. — Se ela disser "Sim", o que é muito raro, você a beija. Se ela disser "Talvez", você diz: "Então vamos descobrir", e a beija. E se ela disser "Não", você diz: "Eu não disse que você podia. Simplesmente me pareceu que você tinha alguma coisa em mente." Está vendo — ele sorriu, triunfante —, você não tem nada a perder. Há um plano para todas as contingências. É à prova de erros. Este é o beijo íntimo de Mystery.

Eu escrevia freneticamente cada palavra sobre o beijo íntimo no meu bloco de notas. Ninguém nunca me disse como beijar uma garota antes. Esse era o tipo de coisas que os homens deveriam saber sozinhos, como se barbear e consertar carros.

Sentado na limusine com o bloco de notas no colo, ouvindo Mystery falar, me perguntei por que de fato eu estava ali. Assistir a um curso de sedução de mulheres não era o tipo de coisa normal a se fazer. Ainda mais perturbador: eu indagava por que aquilo era tão importante para mim, por que eu me tornara tão rapidamente obcecado com a comunidade virtual e seus principais pseudônimos.

Talvez fosse porque atrair o sexo oposto era a única área da minha vida na qual eu me sentia um fracasso total. Toda vez que caminhava pela rua, na direção de um bar, podia ver meu próprio fracasso me encarando com batom vermelho e rímel preto. A combinação de desejo e paralisia era fatal.

Após a sessão daquela noite, abri meu arquivo de documentos e remexi meus papéis. Havia algo que precisava encontrar, algo que eu não via há anos. Depois de meia hora, achei: uma pasta com a etiqueta "Textos da escola secundária". Retirei uma folha de papel pautado coberta de cima a baixo com minha caligrafia de rapaz. Era o único poema que eu tentara escrever em toda a minha vida. Havia sido escrito no penúltimo ano do Ensio Médio, e nunca o mostrara a ninguém. No entanto, era uma resposta para minha pergunta.

FRUSTRAÇÃO SEXUAL
por Neil Strauss

O único motivo para sair
O único objetivo em mente,
Um relance de um familiar par
De pernas numa rua agitada ou
O abraço de uma mulher que
Você só pode chamar de amiga.

Uma noite vazia gera hostilidade.
Um fim de semana vazio cria animosidade.
Através de olhos vermelhos, o mundo todo é visto,
Furioso com amigos e família sem
Razão alguma que possam perceber.
Só você conhece o motivo do seu ódio.

Ali está o "apenas amigos" que você
Conhece há tanto tempo, e respeita
A tal ponto que não consegue fazer o que quer.
E ela nem se incomoda em adotar
Sua falsa personalidade e flertar, porque ela acha
Que você gosta dela como ela é, quando o que você
Gostava em relação a ela era seu jeito de flertar.

Quando sua própria mão se torna sua melhor amante,
Quando seu fertilizante que gera vida é desperdiçado
Num lenço de papel e jogado na privada,
Você se pergunta quando vai parar,
Pensando no que podia ter acontecido
Naquela noite em que quase chegou a algum lugar.

Lá vai a tímida que sorri
E que parece querer conhecer você
Mas você não consegue se controlar para falar.
Então, em vez disso, ela se torna sua fantasia
Noturna, aquilo que podia ter sido e não foi.
Sua mão substituirá a dela.

Quando você negligencia o trabalho e outras atividades,
Quando negligencia aqueles que de fato amam você,
Para atirar num alvo que raramente acerta.
Será que todos têm sorte com mulheres, menos você,
Ou será que elas simplesmente não querem isso tanto quanto você?

Na década que se seguiu à conclusão daquele poema, nada mudou. Eu ainda era incapaz de escrever poesia. E, mais importante, eu ainda me sentia da mesma maneira. Talvez, me inscrever no workshop de Mystery tenha sido uma decisão inteligente. Afinal de contas, estava fazendo algo concreto em relação ao meu defeito.

Até mesmo o sábio habita no paraíso dos tolos.

Capítulo 5

Na última noite do curso, Mystery e Sin nos levaram a um bar temático chamado Saddle Ranch, um lugar de pegação no estilo country na Sunset Strip. Eu já estivera lá antes — não para seduzir mulheres, mas para montar um touro mecânico. Uma das minhas metas em Los Angeles era dominar a máquina em sua programação mais rápida. Mas hoje, não. Depois de três noites consecutivas ficando até às duas e meia da madrugada na rua e então analisando as abordagens com Mystery e os outros alunos por muito mais tempo do que a meia hora prevista, eu estava um bagaço.

Em poucos minutos, porém, nosso incansável professor de sedução estava no bar, acariciando uma loura embriagada e barulhenta que tentava roubar seu cachecol. Vendo Mystery em ação, percebi que ele usava exatamente os mesmos quebra-gelos, discursos e frases — e conseguia quase sempre um número de telefone ou um beijo de língua, mesmo que a mulher estivesse com seu namorado. Eu nunca tinha visto nada parecido. Algumas vezes, a mulher com quem ele estava conversando chegava a chorar.

Quando me dirigi até a arena onde estava o touro mecânico, me sentindo um idiota com aquele chapéu vermelho de caubói que Mystery insistira para que eu usasse, vi uma gata de cabelos negros e longos com um suéter bem justo e pernas bronzeadas que brotavam de uma saia franzida. Ela estava conversando animadamente com dois caras, balançando no meio deles como uma personagem de desenho animado.

Um segundo. Dois segundos. Três.

— Oi, parece que a festa é aqui mesmo — eu disse para os caras, e então me virei para encarar a garota. Comecei a gaguejar. Eu sabia qual era a frase que vinha depois — Mystery a enfiara na minha cabeça durante todo o fim de semana —, mas eu temia usá-la.

— Se... se eu não fosse gay, você seria toda minha.

Um belo sorriso se abriu no seu rosto.

— Gostei do seu chapéu — gritou ela, colocando a mão na aba.

Acho que a técnica do pavão funcionara.

— Ei — eu lhe disse, repetindo uma frase que ouvira Mystery usar mais cedo. — Não toque na mercadoria.

Ela reagiu me abraçando e me dizendo que eu era engraçado. Até a última gota de medo evaporou com aquela aceitação. O segredo para conhecer as mulheres, eu percebi, é simplesmente saber o que dizer, e o momento e a maneira de fazer isso.

— Como é que vocês se conheceram? — perguntei.

— Acabamos de nos conhecer — ela respondeu. — Meu nome é Elonova — concluiu, fazendo uma reverência desajeitada.

Tomei aquilo por um IDI.

Mostrei a Elonova um truque de PES, percepção extra-sensorial, que Mystery me ensinara um pouco antes de chegarmos, no qual eu adivinhava o número em que ela estava pensando de um a dez (dica: quase sempre é sete), e ela bateu palmas, toda alegre. Os dois caras, diante de um adversário superior, se afastaram.

Quando o bar fechou, Elonova e eu saímos. Todos os TFM que passaram por nós fizeram um sinal positivo com o polegar, significando "Ela é gostosa" ou "Que cara de sorte". Uns idiotas. Estavam arruinando meu jogo — isto é, se eu conseguisse arrumar um jeito de dizer a Elonova que não era gay. Esperava que ela já tivesse descoberto sozinha.

Lembrei do Sin falando sobre a fisiô e coloquei o braço em torno dela. Desta vez, contudo, ela recuou. Aquilo, com certeza, não era um IDI. Ao tentar me aproximar dela para tentar mais uma vez, um dos caras que estiveram com ela no bar apareceu. Ela flertou um pouco com ele enquanto eu fiquei parado como um imbecil. Quando ela se virou para mim, alguns minutos depois, eu lhe disse que poderíamos sair juntos um dia desses e trocamos telefones.

Mystery, Sin e os rapazes estavam na limusine, observando meu intercâmbio ir por água abaixo. Entrei no carro me achando irresistível por conta do número íntimo. Mas Mystery não tinha ficado muito impressionado.

— Você conseguiu o número íntimo — disse ele — porque você forçou sua presença. Mas deixou que ela o manipulasse.

— O que você quer dizer com isso? — perguntei.

— Eu já lhe falei sobre a teoria do gato e do barbante?

— Não.

— Ouça. Você já viu um gato brincando com um barbante? Pois bem, quando o barbante está balançando acima da sua cabeça, fora do alcance, o gato fica maluco tentando pegá-lo. Ele salta no ar, dança para os lados e o caça por toda a sala. Mas assim que você solta o barbante e ele cai entre as patas do gato, o bicho olha o barbante por um segundo e depois se afasta. Não tem mais graça. Ele não quer mais o barbante.

— E aí?

— E aí que aquela garota começou a se afastar no momento em que você pôs o braço em torno dela. E você correu de volta para ela como um cachorrinho de estimação. Deveria tê-la castigado, se virar e ir falar com outra pessoa. Deixar ela ir à luta para recuperar sua atenção. Depois, ela fez você esperar enquanto conversava com aquele mané.

— O que eu deveria ter feito?

— Deveria ter dito: "Vou deixar vocês dois sozinhos" e se afastado, como se a tivesse dado para ele, mesmo sabendo que ela gostava mais de você. É preciso agir como se você fosse um prêmio.

Eu sorri. Acho que realmente entendi.

— É isso aí — ele arrematou. — Seja o barbante balançando.

Fiquei em silêncio e comecei a pensar, as pernas contra o balcão de bar da limusine e jogado contra o assento. Mystery virou-se para Sin e eles conversaram durante alguns minutos. Eu me sentia como se estivessem falando de mim.

Tentei olhar para eles nos olhos. Achei que iam dizer que eu havia atrasado o workshop, que eu ainda não estava pronto para isso, que deveria estudar mais uns seis meses e depois tentar outra vez.

De repente, Mystery e Sin interromperam sua discussão. Mystery abriu um enorme sorriso e olhou bem nos meus olhos.

— Você é um de nós — ele disse. — Você vai ser um superstar.

Capítulo 6

Grupo MSN: Lounge de Mystery
Assunto: Magia do sexo
Autor: Mystery

Meu workshop Método Mystery, em Los Angeles, arrebentou. Resolvi ensinar várias maneiras impressionantes para demonstrar o poder da mente através da mágica no meu próximo workshop. Afinal de contas, alguns de vocês precisam de *alguma coisa* para transmitir suas personalidades encantadoras. Se vocês entrarem no jogo sem nenhuma vantagem — como se disserem, por exemplo: "Oi, eu sou contador" —, vocês não conseguirão capturar a atenção e a curiosidade do seu alvo.

Assim, depois desse workshop, eu retirei o modelo ECAC e subdividi a abordagem em 13 passos detalhados. Segue o formato básico para todas as abordagens:

1. Sorria quando entrar num ambiente. Descubra o grupo com o alvo e aplique a lei dos três segundos. Não hesite — aproxime-se imediatamente.

2. Recite um quebra-gelo memorizado, ou, então, dois ou três em seqüência.

3. O quebra-gelo deve conquistar o grupo, não apenas o alvo. Quando estiver falando, ignore em grande parte o alvo. Se houver homens no grupo, concentre sua atenção neles.

4. Mande um neg para o alvo usando um dos vários negs que já vimos. Diga a ela: "Você é uma graça. Seu nariz se mexe quando você ri." Em seguida, mostre isso aos amigos dela e faça-os rir também.

5. Transmita sua personalidade para todo o grupo. Faça isso usando histórias, mágica, anedotas e humor. Dê atenção particular aos homens e às mulheres menos atraentes. Enquanto isso, o alvo notará que você está no centro das atenções. Você pode pôr em prática várias táticas como o discurso da foto,[2] mas somente para os obstáculos.

---

[2] O discurso da foto significa carregar um envelope de fotografias no bolso do casaco, como se acabassem de ser reveladas. Cada foto, contudo, deve ser pré-selecionada para comunicar um aspecto

6. Mande mais um neg, se for o caso. Se ela quiser ver as fotos, por exemplo, diga: "Nossa, como ela é apressada. Como vocês a agüentam?"

7. Pergunte ao grupo: "Então, como vocês se conheceram?" Se o alvo estiver com um dos homens presentes, descubra desde quando estão juntos. Se for um relacionamento sério, saia fora com delicadeza, dizendo: "Um prazer conhecer vocês."

8. Se ninguém se dirigir a ela, diga para o grupo: "Eu estou deixando um pouco sua amiga de fora. Tudo bem se eu conversar com ela por alguns instantes?" Eles sempre dizem: "Hum, claro, se ela estiver a fim." Se você executou os passos anteriores corretamente, ela vai concordar.

9. Isole-a do grupo dizendo que quer lhe mostrar uma coisa bacana. Leve-a para sentar nas proximidades. À medida que a conduzir por entre as pessoas, faça um teste de fisiô segurando sua mão. Se ela a apertar, está funcionando. Comece a procurar outros IDI.

10. Sente-se com ela e faça uma leitura mágica, um teste PES ou qualquer outra demonstração que a deixe fascinada ou intrigada.

11. Diga a ela: "A beleza é comum, o que é raro é uma grande energia e uma perspectiva sobre a vida. Diga-me uma coisa: o que você tem por dentro que poderia me fazer querer conhecer você mais do que outra pessoa qualquer?" Se ela começar a relacionar qualidades, isso é um IDI positivo.

12. Pare de falar. Ela reinicia o papo com uma pergunta começando pela palavra "Então" ou "E aí?". Se isso ocorrer, este terá sido o terceiro IDI e você pode passar para...

13. Beijo íntimo. Diga, de repente: "Você quer me beijar?" Se o cenário ou a circunstância não forem adequados à intimidade física, então apresente para si mesmo uma restrição de tempo, dizendo: "Tenho que ir, mas devíamos continuar numa outra hora." Em seguida, consiga seu número de telefone e parta.
— Mystery

---

diferente da personalidade do AS, por exemplo, fotos do AS com lindas mulheres, com crianças, com animais de estimação, com celebridades, zoando com os amigos e fazendo alguma atividade como andar de patins ou pára-quedismo. O AS deve ter também uma história curta e espirituosa para acompanhar cada foto.

Apostila do curso do Método Mystery

Capítulo 7

Claro, há Ovídio, o poeta romano que escreveu *A arte do amor*; Don Juan, o mítico conquistador baseado nas proezas de vários nobres espanhóis; O duque de Lauzun, o lendário libertino francês que morreu na guilhotina; e Casanova, que detalhou mais de cem conquistas em 4 mil páginas de sua biografia. Contudo, o inquestionável pai da sedução moderna é Ross Jeffries, um autoproclamado fanático, alto e magro, com a pele porosa, que vem de Marina Del Rey, Califórnia. Guru, líder do culto e provocador, ele comanda um exército de 60 homens fortes e excitados, incluindo autoridades governamentais, agentes secretos e criptógrafos.

Sua arma é sua voz. Após anos estudando os mestres hipnotizadores e os Kahuanas havaianos, ele reivindica ter achado a tecnologia — e não se engane quanto a isso, é exatamente do que se trata — que transforma qualquer mulher sensível num poço de libidinagem. Jeffries, que alega ter servido de inspiração para o personagem de Tom Cruise em *Magnólia*, chama-a de Sedução Veloz.

Jeffries desenvolveu a Sedução Veloz em 1988, após terminar um período de abstinência sexual de cinco anos com a ajuda da programação neurolinguística (PNL), uma controversa fusão de hipnose e psicologia que surgiu a partir da onda de aperfeiçoamento pessoal dos anos 1970 e conduziu ao aparecimento de gurus de auto-ajuda, como Anthony Robbins. O preceito fundamental da PNL é que os pensamentos, as emoções e o comportamento de uma pessoa — e os pensamentos, as emoções e o comportamento de outros — podem ser manipulados por meio de palavras, sugestões e gestos físicos destinados a influenciar o subconsciente. O potencial do PNL para revolucionar a arte da sedução era óbvio para Jeffries.

Com o passar dos anos, Jeffries teve de superar, processar ou destruir todo concorrente no campo da sedução, fazendo de sua escola, a Sedução Veloz, o modelo predominante para fazer os lábios de uma mulher tocarem os de um homem — isso é, até Mystery chegar e começar a realizar seus workshops.

Assim, o clamor on-line por um relato de testemunho ocular do primeiro workshop de Mystery foi surpreendente. Os admiradores de Mystery queriam saber se as aulas valiam a pena; seus inimigos, principalmente Jeffries e seus discípulos, queriam fazê-lo em pedaços. Foi assim que resolvi enviar uma descrição detalhada de minhas experiências.

No fim da minha resenha, lancei um chamado em busca de parceiros em Los Angeles, pedindo somente que fossem um pouco confiantes, inteligentes e socialmente à vontade. Eu sabia que para me tornar eu mesmo um artista da sedução seria preciso internalizar tudo o que vira Mystery fazer. Isso só viria com a prática — através de incursões a bares e boates todas as noites até me tornar um natural, como Dustin, ou mesmo um desnaturado, como Mystery.

No dia em que meu depoimento chegou à Internet, recebi uma mensagem de alguém em Encino com o apelido de Grimble, que se identificava como sendo um aluno de Ross Jeffries. Ele queria "caçar" comigo, como ele disse. Caçar é um jargão dos artistas da sedução que significa sair para conhecer mulheres.

Uma hora depois de lhe enviar meu número de telefone, Grimble ligou. Mais do que Mystery, era Grimble que me iniciaria naquilo que só poderia ser descrito como uma sociedade secreta.

— Ei, cara — disse ele, num sussurro conspirador. — O que você acha do jogo do Mystery?

Dei-lhe minha avaliação.

— Uau, gostei! — ele respondeu. — Mas você precisa sair comigo e Twotimer um dia desses. Nós temos caçado um bocado com Ross Jeffries.

— É mesmo? Eu gostaria de conhecê-lo.

— Ouça, pode guardar um segredo?

— Claro.

— Quanta tecnologia você usa em suas caças?

— Tecnologia?

— É, o quanto há de técnica e o quanto de simples conversa?

— Acho que é meio a meio — respondi.

— Eu chego a 90%.

— O quê?

— É, uso um quebra-gelo pré-fabricado, depois evoco os valores dela e descubro suas palavras hipnóticas. Em seguida, parto para um dos padrões secretos. Você conhece a seqüência do Homem de Outubro?

— Nunca ouvi falar.

— Pô, cara. Eu estava com uma garota aqui na semana passada e lhe dei uma identidade totalmente nova. Efetuei uma evocação de valores sexuais, em seguida mudei todo seu timing e realidade interiores. Depois, passei meu dedo em seu rosto, dizendo a ela para perceber — nesse ponto sua voz adotou um ritmo lento e hipnótico — como, onde quer que eu tocasse... meu dedo deixava um rastro de energia dentro dela... e onde quer que você sinta esta energia se expandindo... mais profundamente você quer se permitir... sentir essas sensações... se tornando cada vez mais... intensas.

— E depois?

— Passei meu dedo sobre seus lábios e ela começou a chupá-lo — ele exclamou, triunfante. — Corpo a corpo total!

— Caramba! — exclamei.

Não tinha a menor idéia do que ele estava falando. Mas eu queria essa tecnologia. Lembrei-me de todas as vezes em que tinha levado uma mulher para minha casa, sentado ao seu lado na cama, me inclinado para o beijo e sido rechaçado por um papo de "Vamos ser só amigos". Na verdade, essa rejeição é uma experiência tão universal que Ross Jeffries inventou não apenas uma sigla para ela, VSSA, mas uma litania de respostas também.[3]

Conversei com Grimble durante duas horas. Ele parecia conhecer todo mundo — desde as lendas, como Steve P., que diziam ter um círculo de mulheres que pagavam pelo privilégio de servi-lo, até caras como Rick H., o aluno mais famoso de Ross, graças a um incidente envolvendo ele, uma jacuzzi e cinco mulheres.

Grimble seria um parceiro perfeito.

---

[3] Uma dessas respostas de Ross Jeffries é: "Não posso prometer uma coisa dessas. Amigos não se trancam em categorias desse jeito. A única coisa que posso prometer é nunca fazer nada, a menos que eu e você nos sintamos totalmente à vontade, a fim e prontos."

Capítulo 8

Fui até a casa de Grimble em Encino na noite seguinte para sairmos à caça. Seria minha primeira vez em campo desde o workshop de Mystery. Seria também a primeira vez que eu sairia em dupla com um estranho conhecido pela Internet. Tudo que eu sabia sobre ele era que se tratava de um estudante universitário que gostava de garotas.

Quando estacionei, Grimble apareceu abrindo um grande sorriso no qual não acreditei muito. Ele não parecia perigoso ou malvado. Apenas falso, como um político, um vendedor ou, suponho, um sedutor. Tinha a pele cor de cevada, embora fosse de fato alemão. Na verdade, ele se dizia um descendente de Otto von Bismarck. Estava vestindo uma jaqueta de couro marrom sobre uma camisa com motivos florais que, desabotoada, revelava um peito estranhamente sem pêlos que sobressaía como seu nariz. Na mão trazia um saco de plástico cheio de fitas de vídeo, que ele colocou no banco de trás do meu carro. Ele me lembrava um mangusto.

— Esses são alguns seminários do Ross — disse ele. — Você vai gostar do seminário de Washington, porque ele aborda a sinestesia. As outras fitas são de Kin e Tom. — A ex-namorada de Ross e o atual namorado dela. — É sobre o seminário de Nova York: "Ancoragem Avançada e Outras Coisas Secretas".

— O que é ancoragem? — perguntei.

— O meu parceiro, Twotimer, vai lhe mostrar quando você encontrá-lo. Já experimentou uma ancoragem condimentada antes?

Havia tanta coisa para eu aprender! Os homens, em geral, não se comunicam no mesmo nível de profundidade emocional e de detalhes íntimos que a maior parte das mulheres. Mulheres discutem tudo. Quando um homem encontra seus amigos depois de uma trepada, eles perguntam: "E aí, como foi?" E como resposta ele lhes mostra o polegar para cima ou para baixo. É assim que acontece. Discutir a experiência em detalhes significaria fornecer aos seus amigos imagens mentais que eles não querem. É um tabu entre os homens imaginar seus melhores amigos pelados ou fazendo sexo, porque podem acabar ficando excitados — e todos sabemos o que isso quer dizer.

Então, desde quando eu comecei a nutrir pensamentos lascivos na sexta série, supus que sexo era algo que só acontecia com os caras se eles saíssem bastante e se expusessem à chance — afinal de contas, era por isso que diziam se dar bem. A única ferramenta que tinham em seus cinturões era a persistência. É claro, havia alguns homens que se sentiam sexualmente à vontade em relação às mulheres, capazes de provocá-las sem piedade, até que viessem comer nas suas mãos. Mas eu não era assim. Era preciso toda minha coragem para perguntar a hora a uma mulher, ou onde ficava a Melrose Avenue. Eu não conhecia nada sobre a ancoragem, evocação de valores, encontrar palavras extasiadas ou essas outras coisas sobre as quais Grimble não parava de falar.

Como é que pude trepar com alguém sem conhecer toda aquela tecnologia?

Era uma noite calma de terça-feira no Valley e o único lugar que Grimble conhecia era uma filial local do T.G.I. Friday's. No carro, fizemos um aquecimento ouvindo as fitas sobre caça de Rick H., praticando quebra-gelos, fingindo sorrisos e dançando em nossos assentos para ganhar energia. Era uma das coisas mais ridículas que eu já fizera, mas eu estava adentrando um novo mundo agora, com suas próprias regras de comportamento.

Entramos no restaurante — confiantes, sorridentes, alfa. Infelizmente, ninguém nos percebeu. Havia dois caras no balcão do bar assistindo a um jogo de beisebol na televisão, um grupo de homens de negócios numa mesa do canto e os funcionários eram quase todos homens. Seguimos impávidos até a varanda, quando abrimos a porta, uma mulher surgiu. Hora de testar o que eu aprendera.

— Oi — eu lhe disse. — Posso pedir sua opinião sobre uma coisa?

Ela parou e me ouviu. Tinha mais ou menos 1,60m, cabelos curtos e crespos e um corpo de marshmallow, mas seu sorriso era bonito; seria uma ótima chance de praticar. Resolvi utilizar o quebra-gelo de Maury Povich.

— Meu amigo Grimble aqui recebeu hoje mesmo uma ligação do programa de auditório de Maury Povich — comecei. — E parece que estão criando um espaço sobre admiradores secretos. Evidentemente, há uma pessoa apaixonada por ele. Você acha que ele deveria ir ao programa ou não?

— Claro — ela respondeu. — Por que não?

— Mas e se seu admirador secreto for um homem? — perguntei. — Esses programas de entrevistas adoram achar uma conclusão inesperada para tudo. Ou se for um parente?

Isso não é mentir, é flertar.

Ela começou a rir. Perfeito.

— Você iria ao programa? — perguntei.
— Provavelmente não — ela respondeu.
De repente, Grimble se meteu.
— Então você acha que eu deveria ir ao programa, mas você mesma não o faria — ele a provocou. — Você não é nada aventureira, não é mesmo?
Era incrível vê-lo em ação. Num momento em que eu teria deixado a conversa virar um papo-furado, ele já estava a conduzindo para um território sexual.
— Sou sim — ela protestou.
— Então prove para mim — disse ele. — Vamos tentar um pequeno exercício. Chama-se sinestesia. — Ele deu um passo aproximando-se dela. — Você já ouviu falar em sinestesia? Isso permite encontrar todos os tipos de recursos para realizar e sentir todas as coisas que você quiser na vida.

Sinestesia é uma bomba de efeito moral do arsenal do sedutor veloz. Literalmente, é uma sobreposição dos sentidos. No contexto da sedução, porém, sinestesia se refere a um tipo de hipnose do despertar no qual uma mulher é levada a um estado de consciência elevado e convencida a criar imagens e sensações prazerosas crescendo com intensidade.

Ela concordou e fechou os olhos. Eu ia finalmente conseguir ouvir um dos exemplos secretos de Ross. Mas logo que Grimble começou, apareceu um atleta forte com o rosto vermelho vestindo uma camiseta apertada.
— O que você está fazendo? — ele perguntou a Grimble.
— Eu estava mostrando para ela um exercício de auto-aperfeiçoamento chamado sinestesia.
— Muito bem, mas ela é minha esposa.
Eu esquecera de verificar se ela estava com aliança de casamento no dedo, embora duvidasse de que pequenas inconveniências, como o casamento, importassem para Grimble.
— Desarma o cara — disse Grimble num sussurro, virando-se para mim. — Enquanto isso, eu cuido da garota.
Eu não tinha idéia de como desarmá-lo. Ele não parecia tão relaxado quanto Scott Baio.
— Ele pode mostrar o exercício para você também — eu disse, inseguro. — É um lance realmente legal.
— Eu não sei de que porra você está falando — exclamou o cara. — O que ele pode me mostrar?
Dando um passo à frente, ele se inclinou sobre mim. Exalava um cheiro de uísque e cebolas fritas.

— É uma maneira de você saber se... se... — eu estava gaguejando. — Deixa pra lá.

O cara ergueu as mãos e me deu um empurrão para trás. Embora eu diga para as garotas que tenho 1,80m, na verdade tenho 1,70m. Minha testa ficava na altura de seus ombros.

— Pare com isso — disse sua esposa, nossa caça até então. Depois ela se virou para nós e disse: — Ele está bêbado. E quando bebe fica sempre assim.

— Assim como? — perguntei. — Violento?

Ela esboçou um triste sorriso.

— Vocês me parecem formar um casal formidável — eu disse. Minha tentativa de desarmá-lo havia claramente fracassado, porque ele estava a ponto de me desarmar. Seu rosto ébrio e vermelho estava a alguns centímetros do meu, berrando que ia quebrar a cara de alguém.

— Um prazer conhecer vocês dois — eu disse entredentes, me afastando lentamente.

— Não me deixe esquecer — disse Grimble, quando voltamos para o carro. — Preciso ensinar para você como lidar com um MAG.

— Um MAG?

— É. O macho alfa do grupo.

Ah, entendi.

Capítulo 9

Quatro dias depois, em um sábado à tarde, eu estava sentado assistindo aos vídeos que Grimble me dera quando ele ligou com boas notícias. Ele e seu parceiro, Twotimer, iam encontrar Ross Jeffries no California Pizza Kitchen para uma expedição até o Getty Museum, para a qual eu estava convidado.

Cheguei 15 minutos antes, escolhi uma mesa e fiquei lendo os impressos sobre mensagens de sedução até Ross, Grimble e Twotimer chegarem. Twotimer tinha os cabelos pretos penteados para trás com gel, a textura parecida com a de alcaçuz, a jaqueta de couro da mesma cor e um caráter viperino. Com seu rosto redondo de bebê, ele se assemelhava a um clone de Grimble inflado com uma bomba de bicicleta.

Ao me levantar para me apresentar, Ross me interrompeu. Ele não era a pessoa mais educada que eu tinha conhecido. Usava um longo sobretudo de lã, que balançava solto em volta de suas pernas quando caminhava. Era magro e desajeitado, com uma barba curta e branca e a pele oleosa. Seus cabelos rareavam em desgrenhados cachos grisalhos e seu nariz era tão saliente que poderia pendurar o sobretudo nele.

— Então, o que você aprendeu com Mystery? — perguntou Ross com um riso zombador.

— Muita coisa — respondi.

— Por exemplo?

— Bem, um dos pontos principais foi saber quando uma garota estava se sentindo atraída por mim. Agora eu sei.

— E como você sabe?

— Quando consigo acumular três indicadores de interesse.

— Cite-os.

— Deixe eu ver. Quando ela pergunta meu nome.

— Esse é um deles.

— Quando você segura a mão dela e a aperta e ela retribui o aperto.

— Esse é outro.

— E... não estou conseguindo lembrar do resto agora.
— A-ha — exclamou ele. — Esse não é um bom professor, não é mesmo?
— Ao contrário, ele foi um excelente professor — protestei.
— Então me diga o terceiro indicador de interesse.
— Não consigo me lembrar agora. — Senti-me como um animal acuado.
— Caso encerrado — disse ele.
Ele era bom.

Uma garçonete baixinha com unhas azuis, fofinha como um bebê e de cabelos castanho-claros apareceu para anotar nossos pedidos. Ross olhou para ela e depois piscou para mim.

— Estes são meus alunos — disse ele. — Sou o guru deles.
— É mesmo? — indagou ela, fingindo interesse.
— O que você diria se eu dissesse que ensino às pessoas como controlar suas mentes para atrair qualquer um que desejem?
— Sem essa.
— É verdade. Eu posso fazer você se apaixonar por qualquer um nesta mesa.
— E como funciona? Com o controle da mente? — Ela se mostrava cética, mas começando a ficar curiosa.
— Deixe-me perguntar uma coisa. Quando você se sente realmente atraída por alguém, como você sabe? Em outras palavras, quais os sinais que você capta vindos de si mesma, por dentro, que permitem que você se dê conta — e nesse ponto ele baixou a voz, pronunciando com vagar cada palavra — que está de fato se sentindo atraída por um cara?

O objetivo da pergunta, eu descobriria mais tarde, era fazer com que a garçonete sentisse a emoção da atração na sua presença e, dessa forma, associasse aqueles sentimentos ao rosto dele.

Ela pensou por alguns instantes.
— Bom, acho que sinto uma coisa estranha na barriga, como se fossem borboletas.

Ross colocou a mão sobre a própria barriga.
— Entendo, e aposto que quanto mais você se sente atraída, mais essas borboletas se alvoroçam na sua barriga — ele começou a levantar a mão lentamente até a altura do coração — até seu rosto ficar vermelho... como está agora.

Twotimer se inclinou e sussurrou para mim:
— Isso é uma ancoragem. Quando você associa um sentimento, como a atração, a um toque ou um gesto. Agora, toda vez que Ross erguer a mão daquele jeito, ela se sentirá atraída por ele.

Após mais alguns minutos em que Ross falou naquele tom hipnótico e galanteador, os olhos da garçonete começaram a brilhar. Ross aproveitou a oportunidade para brincar com ela sem piedade. Ele levantava a mão como se fosse um elevador, da sua barriga até o próprio rosto a cada instante, sorrindo à medida que a fazia corar seguidas vezes. Os pratos que ela carregava foram esquecidos, oscilando precariamente em seu braço enfraquecido.

— Com seu namorado — prosseguiu Ross —, você se sentiu atraída imediatamente? — Ele estalou os dedos, retirando-a de seu transe. — Ou isso levou tempo?

— Bom, a gente já terminou — ela disse. — Mas levou algum tempo. Antes éramos amigos.

— Mas não é muito melhor quando você sente aquela atração — ele moveu sua mão para cima novamente e os olhos dela começaram a brilhar de novo — imediatamente por alguém? — Ele apontou para si mesmo, o que julguei se tratar de mais um truque de PNL para fazê-la pensar que era ele aquele alguém. — É incrível, não é?

— É, sim — concordou ela, completamente esquecida de atender as outras mesas.

— Qual era o problema com seu namorado?

— Ele era muito imaturo.

Ross aproveitou a oportunidade.

— Pois é, você deveria sair com homens mais maduros.

— É o que eu estava pensando, em relação a você, quando estamos conversando. — Ela soltou um risinho.

— Aposto que logo que você chegou a esta mesa eu era a última pessoa por quem você poderia se sentir atraída.

— É estranho — retorquiu ela —, porque, em geral, você não é o meu tipo.

Ross sugeriu que fossem tomar um café juntos, quando ela não estivesse trabalhando, e ela se precipitou, dando-lhe seu número de telefone. A técnica dele era bastante diferente da de Mystery, mas ele parecia ser o maioral também.

Ross soltou uma gargalhada barulhenta e vitoriosa.

— Está certo, mas seus outros clientes estão começando a ficar furiosos. Mas, antes de ir embora, deixe-me dizer uma coisa. Por que você não aproveita todos esses bons sentimentos que está tendo agora — ele ergueu novamente a mão — e os coloca dentro desse sachê de açúcar — ele apanhou o sachê e esfregou-o com as mãos —, assim você poderá carregá-los o dia todo.

Ele lhe entregou o sachê. Ela o colocou no bolso do avental e se afastou, ainda vermelha como uma beterraba.

— Isso — sussurrou Twotimer —, é ancoragem condimentada. Depois de ter ido embora, o sachê de açúcar servirá para lembrá-la das emoções positivas que sentiu com ele.

Quando saímos do restaurante, Ross aplicou o mesmo discurso com a recepcionista e conseguiu seu número de telefone. Ambas tinham vinte e poucos anos; Ross tinha uns 40. Eu estava desconcertado.

Entramos no Saab de Ross e nos dirigimos para o Getty.

— Tudo o que você quiser de uma mulher, seja atração, luxúria, fascínio, tudo se resume num processo interior que é acionado dentro do corpo e dentro do cérebro dela — ele explicou enquanto dirigia. — E tudo o que você precisa para evocar tal processo são perguntas que façam com que ela entre em seu corpo e seu cérebro e de fato experimente isso de maneira que reaja a você. Então ela associará esses sentimentos de atração a você.

Sentado ao meu lado no banco traseiro, Twotimer examinou meu rosto e perguntou o que eu achava.

— Fantástico — respondi.

— Diabólico — ele corrigiu, deixando um sorriso tomar conta de seus lábios.

Quando chegamos ao Getty, Twotimer concentrou sua atenção em Ross.

— Eu queria perguntar a você sobre a seqüência do Homem de Outubro — disse ele. — Eu tenho pensado em algumas das etapas.

Ross virou-se para ele.

— Você entende que essas coisas não são boas? — Enquanto falava, Ross cutucava o peito de Twotimer com o dedo, na altura do coração. Ele estava fazendo mais uma ancoragem, tentando associar a noção da maldade com o modelo proibido. — Existe uma razão para eu não ensinar isso nos seminários.

— E qual é a razão? — Twotimer perguntou.

— É que — respondeu Ross — é como dar dinamite para crianças.

Twotimer voltou a sorrir. Eu sabia exatamente o que ele estava pensando — porque, na minha mente, a palavra *diabólico* estava associada àquele sorriso.

— Darwin falava sobre a sobrevivência do mais adaptado — Twotimer me explicou, enquanto caminhávamos pelo museu, ao lado de um acervo de arte anterior ao século XX. — Nos primórdios, isso significava que o mais forte sobreviveria. Mas a força não ajuda muito a seguir em frente na nossa sociedade atual. As mulheres se acasalam com sedutores, que entendem como acionar, por meio de palavras ou toques, as fantasias do cérebro feminino. — Havia algo de artificial e ensaiado na maneira dele de falar, no jeito de se mexer, no modo como olhava para mim. Ele parecia estar chupando minha alma com os olhos. — Portanto, toda a idéia de sobrevivência do mais adaptado é um anacronismo. Como jogadores, estamos no limiar de uma nova era: a sobrevivência do mais sutil.

Eu gostei da idéia, embora infelizmente não fosse mais sutil do que forte. Minha voz era rápida e oscilante, meus movimentos afetados, minha linguagem corporal, um desastre. Para mim, a sobrevivência exigiria muito trabalho.

— Casanova era um de nós — prosseguiu Twotimer. — Mas nós temos um estilo de vida melhor.

— Pois é, provavelmente era preciso muito mais trabalho para seduzir uma mulher naquela época, por conta da moral de então — respondi, tentando dar uma contribuição útil.

— E nós temos a tecnologia.

— Você quer dizer o PNL.

— Não apenas isso. Ele tinha que trabalhar sozinho — ele sorriu, fixando seus olhos nos meus. — Nós temos uns aos outros.

Andamos pelas galerias, observando as pessoas que observavam as pinturas. Vi Grimble e Twotimer conversarem com várias mulheres. Mas eu estava cheio de medo de efetuar uma abordagem na frente de Ross. Era como tentar tocar um violoncelo na frente de Yo-Yo Ma. Temia que ele fosse criticar tudo que eu fizesse ou ficar aborrecido com o fato de eu não usar tecnologia suficiente. Por outro lado, aquele cara aconselhava seus alunos a superarem seus medos de abordar mulheres se aproximando aleatoriamente das mulheres e dizendo: "Oi, eu sou Manny, o Marciano. Qual seu sabor preferido de bola de boliche?" Portanto, eu realmente não tinha nada a temer ao parecer um idiota na frente dele. Ele criava idiotas.

Ao final do dia, Ross conseguira três números. Twotimer e Grimble, dois cada um. E eu nada.

Quando tomamos o trenzinho morro abaixo, na direção do estacionamento do museu, Ross se aproximou de mim.

— Ouça — disse ele —, tenho um seminário em alguns meses. Eu deixo você participar de graça.

— Obrigado — agradeci.

— Vou ser seu guru. Não o Mystery. Você verá que o que vou ensinar é cem vezes mais poderoso.

Não sabia ao certo o que responder. Eles estavam travando uma competição em cima de mim — um TFM.

— E mais uma coisa — acrescentou Ross. — Em troca, quero que você me leve a cinco, não, seis festas em Hollywood com gatas supergostosas. Preciso ampliar meus horizontes.

Ele sorriu e perguntou:

— Negócio fechado? — Com o polegar ele roçava o queixo. Eu tive a certeza de que estava me ancorando.

DEMONSTRE VALOR

> "My man is smooth like Barry
> And his voice got bass.
> A body like Arnold with a
> Denzel face…
> He always has heavy
> Conversation for the mind
> Which means a lot to me, 'cause
> Good man are hard to find."
>
> — Salt-n-Pepa,
> *Whatta Man*
>
> (Meu homem é suave como Barry / E a voz dele tem um grave. / Um corpo de Arnold com um rosto de Denzel… / Ele tem um papo / Profundo para a mente / Isso que significa muito pra mim porque / Não é fácil achar um homem bom assim.)

Capítulo 1

Os melhores predadores não ficam deitados na selva com seus dentes expostos e as garras para fora. A presa, vendo-os assim, os evitará. Eles se aproximam lenta e inofensivamente da presa, ganham sua confiança e, então, atacam.

Pelo menos, foi o que Sin me disse. Ele chamava de Método Sin, tirando uma onda.

Embora Mystery tivesse voado de volta para Toronto depois do workshop, mantive contato com Sin. Eu o tinha visto levando uma mulher para casa pela primeira vez e a espremendo contra a parede, segurando-a pelo pescoço para soltá-la um pouco antes de beijá-la, disparando seu nível de adrenalina para as alturas, com partes iguais de medo e tesão. Em seguida, ele lhe preparava o jantar e nunca dizia uma palavra até a sobremesa, quando então a encarava como um tigre visualizando sua presa e dizia, num tom de lascívia contida: "Nem queira saber as coisas que estou pensando em fazer com você agora mesmo." Geralmente, era nessa hora que eu me desculpava e ia embora.

Assim como o sorrateiro Grimble, o mais predatório Sin se tornou um fiel parceiro. Nossa amizade, porém, não durou muito tempo. Certa tarde, após uma seção de caça no Beverly Center, Sin me informou que fora convocado pelo Exército como oficial.

— A carreira militar garante um contracheque regular — ele me explicou, ao sentarmos a uma mesa do café. — E posso morar onde bem entender. Faz tempo demais que sou um programador de computador desempregado.

Tentei convencê-lo a deixar aquilo de lado. Sua onda era projeção astral, rock gótico, sadomasoquismo e azaração. Ele teria que esconder tudo isso se ingressasse no Exército. Mas sua decisão estava tomada.

— Eu estava falando com Mystery sobre você — disse ele, inclinando-se sobre a mesa de treliças de metal. O tom da sua voz, como sempre, era mortalmente sério. — Ele quer agendar um outro workshop em dezembro. Como eu não vou estar por aqui para agir como parceiro para ele, a idéia era você me substituir.

Só em pensar em mais um fim de semana com Mystery e todos os seus segredos, com os procedimentos triplos que usava para levar as mulheres às lágrimas, tive que controlar a exaltação na minha voz.

— Acho que vou estar livre — respondi.

Entre tantos potenciais artistas da sedução no mundo, eu não podia acreditar que Mystery estivesse escolhendo a mim. Talvez ele não conhecesse tanta gente assim.

Havia apenas um pequeno problema: eu não estaria disponível em dezembro. Já havia reservado um vôo para Belgrado para visitar Marko, o colega de escola que me apresentara a Dustin e seus talentos naturais. Era tarde demais para cancelar com Marko, mas tampouco eu estava a fim de perder a oportunidade de ser o parceiro de Mystery.

Tinha de haver uma solução.

Naquela noite, liguei para Mystery em Toronto, onde ele estava morando com os pais, duas sobrinhas, sua irmã e o marido dela.

— Oi, camarada — disse Mystery ao atender. — Isso aqui está um saco.

— Acho difícil de acreditar.

— Mas é verdade, está chovendo e eu quero sair. Mas não tenho ninguém com quem sair e a menor idéia de onde ir. — Ele fez uma pausa, pedindo suas sobrinhas para calarem a boca. — Provavelmente, vou ter que comer um sushi sozinho.

Eu tinha imaginado que o grande Mystery tivesse filas de garotas esperando por ele todas as noites da semana e uma lista de espera de caçadores ansiosos para acompanhá-lo aos clubes noturnos. Em vez disso, ele estava estagnado dentro de casa. O pai dele estava doente. A mãe, sobrecarregada. E sua irmã estava se separando do marido.

— Você não pode sair com Patricia? — perguntei. Patricia era a namorada de Mystery, a que aparecia fotografada em *négligée* no seu currículo de sedutor.

— Ela está furiosa comigo — respondeu.

Mystery conhecera Patricia há quatro anos, quando ela desembarcou de um navio, vindo da Romênia. Ele tentou moldá-la em sua garota ideal — convenceu-a a fazer um implante nos seios, chupar seu pau (algo que nunca fizera antes) e arrumar um emprego como stripper —, mas ela estabeleceu um limite quanto à bissexualidade. Para Mystery, isso foi um descumprimento de contrato.

Todos têm suas razões para entrar no jogo. Alguns, como Extramask, são virgens que querem experimentar como é ficar com uma mulher. Outros, como Grimble e Twotimer, desejam novas garotas toda noite. E uns poucos, como Sweater, estão em busca da esposa perfeita. Mystery tinha sua própria meta específica.

— Quero ser amado por duas mulheres — disse ele. — Quero uma loura nota 10 e uma asiática nota 10, que vão se amar tanto quanto me amam. E a heterossexualidade de Patricia está afetando minha vida sexual com ela, porque, a não ser que eu imagine uma outra garota ali, não é sempre que consigo manter uma ereção. — Ele levou o telefone para outro cômodo, porque sua irmã e o marido estavam discutindo, depois prosseguiu: — Acabei de terminar com Patricia, mas não tem nenhuma nota 10 em Toronto. Nenhuma menina excessivamente brilhante. São todas nota 7, no máximo.

— Mude-se para Los Angeles — sugeri. — É onde moram essas garotas lindas que você quer.

— É, eu preciso realmente sair daqui — suspirou. — Por isso quero agendar um monte de workshops. Tem gente interessada em Miami, Chicago e Nova York.

— E que tal Belgrado?

— O quê? Não tem uma guerra rolando por lá?

— Não, a guerra acabou. E eu tenho que visitar um velho amigo. Ele falou que o lugar é seguro. Podemos ficar na casa dele de graça, e as mulheres eslavas são consideradas as mais belas do mundo.

Ele hesitou.

— E eu tenho mais um bilhete de avião grátis.

Silêncio. Estava considerando a questão. Pressionei um pouco mais.

— Mas qual é, rapaz? É uma aventura. E na pior das hipóteses você trará uma nova fotografia para seu procedimento fotográfico.

Mystery raciocinava como um fluxograma. E, se concordasse com alguma coisa, seu assentimento era dado instantaneamente e sempre com a mesma palavra, que ele disse em seguida:

— Feito.

— Ótimo — respondi. — Vou mandar os horários dos vôos pela Internet.

Mal podia esperar pela viagem de seis horas. Queria absorver cada fragmento de conhecimento, cada truque de magia, cada frase de sedução, cada história da sua cabeça. Queria imitar exatamente o que vira ele fazendo, palavra por palavra, truque por truque, simplesmente porque funcionavam.

— Mas, espere — disse ele. — Tem uma coisa.

— O quê?

— Se você vai ser meu parceiro, você não pode ser Neil Strauss — disse ele, com o mesmo tom determinado com o qual falara a palavra *feito*. — Está na hora de você mudar e, num estalo, se tornar outra pessoa. Pense nisso: Neil Strauss, escritor. Não soa legal. Ninguém quer ir para a cama com um escritor. Estão na parte inferior da escada social. Você tem que ser um superstar. E não apenas com as mulheres. Você é um artista necessitando um tipo de arte. E eu acho que sua arte é na verdade as habilidades sociais que está aprendendo. Observei você em campo; você se adapta rapidamente. É por isso que eu e Sin o pegamos. Espere um instante.

Ouvi-o folheando alguns papéis.

— Ouça — disse ele. — Estas são minhas metas pessoais de aperfeiçoamento: quero levantar dinheiro para fazer uma turnê de ilusionista. Quero morar em hotéis elegantes. Quero uma limusine para ir e voltar dos shows. Quero especiais na tevê com grandes truques de ilusionismo. Quero levitar sobre as cataratas do Niágara. Quero viajar para a Inglaterra e para a Austrália. Quero jóias, jogos, um avião de aeromodelismo, um assistente pessoal, um estilista. E quero um papel em *Jesus Cristo Superstar*, como Jesus.

Pelo menos ele sabia o que queria da vida.

— O que estou realmente procurando — finalmente prosseguiu ele — é deixar as pessoas com inveja de mim, que mulheres me queiram e que homens queiram ser eu.

— Você nunca foi muito amado quando era criança, não?

— Nunca — ele respondeu melancolicamente.

No final da conversa, ele disse que ia me passar pela Internet a senha para uma comunidade on-line secreta chamada Lounge de Mystery. Ele a criara dois anos antes, depois de uma arrojada bar woman com quem fora para a cama em Los Angeles encontrar uma nota na Internet que ele escrevera sobre ela num grupo de discussão sobre sedução. Após passar um fim de semana procurando o resto de seus arquivos na rede, ela enviou uma mensagem para a namorada de Mystery, Patricia, contando sobre as atividades extracurriculares de seu namorado. O desenrolar quase destruiu seu relacionamento e, ao mesmo tempo, ensinou-lhe que havia um lado ruim em ser um artista da sedução: ser descoberto.

Diferente dos outros painéis sobre sedução que eu estivera lendo, nos quais centenas de novatos imploravam constantemente por conselhos da parte de somente alguns especialistas, Mystery tinha selecionado rigorosamente os melhores artistas da sedução na comunidade para seu fórum particular. Ali, eles não apenas partilhavam seus segredos, histórias e técnicas, mas também colocavam fotos deles mesmos e de suas mulheres — até mesmo, ocasionalmente, vídeos e gravações em áudio de suas façanhas em campo.

— Mas, lembre-se — disse Mystery com firmeza. — Você não é mais o Neil Strauss. Quando eu o vir por lá, quero que seja outra pessoa. Você precisa de um nome para a sedução. — Ele fez uma pausa. — Styles?

— Que tal Style? — Esta é uma coisa de que me orgulho: posso nunca ter me sentido confortável socialmente, mas pelo menos eu sabia me vestir melhor do que aqueles que se sentiam assim.

— Que seja Style então. Mystery e Style.

Isso, agora se tratava de um workshop ministrado por Mystery e Style. Soava muito bem. Style, o artista da sedução — ensinando adoráveis perdedores como encontrar as mulheres dos seus sonhos.

Mas, assim que desliguei, me dei conta de uma coisa: primeiro, Style teria que aprender sozinho. Afinal de contas, apenas um mês se passara desde o workshop com Mystery. Eu ainda tinha muito chão pela frente.

Estava na hora de realizar uma puta mudança.

Capítulo 2

Um dos heróis da minha adolescência era Harry Crosby. Ele foi um poeta da década de 1920 e, francamente, sua poesia era um saco. Mas seu estilo de vida era lendário. O sobrinho e afilhado de J. P. Morgan, companheiro de copo de Ernest Hemingway e D. H. Lawrence, foi a primeira pessoa a publicar partes de *Ulisses* de Joyce e se tornou um símbolo decadente da geração perdida. Ele viveu uma vida alucinada à base de ópio, e jurou que morreria aos 30. Quando estava com 22, se casou com Polly Peabody, que inventou o sutiã sem alça, e a convenceu a mudar seu nome para Caresse. Para sua lua-de-mel, se trancaram dentro de um quarto em Paris com pilhas de livros e ficaram só lendo. Aos 31, quando percebeu que seu estilo de vida ainda não o havia matado, Crosby se suicidou.

Eu não tinha uma Caresse para se trancar comigo em um quarto, mas me fechei em casa durante uma semana no estilo de Harry Crosby, lendo livros, ouvindo fitas, assistindo a vídeos e estudando as mensagens no Lounge de Mystery. Fiz uma auto-imersão na teoria da sedução. Eu precisava abandonar Neil Strauss e me tornar Style. Queria estar à altura da fé que Sin e Mystery tinham em mim.

Para isso, precisava mudar não somente as coisas que eu dizia para as mulheres, mas meu modo de agir na presença delas. Precisava ganhar confiança, me tornar interessante, determinado, gracioso, me transformar no macho alfa que não fui educado para ser. Havia um bocado de tempo desperdiçado a recuperar — e seis semanas para fazê-lo.

Comprei livros sobre linguagem corporal, paquera e técnicas sexuais. Li antologias sobre as fantasias sexuais femininas, como o *Meu jardim secreto*, de Nancy Friday, de modo a internalizar a idéia de que as mulheres de fato queriam sexo tanto quanto os homens — se não mais —; elas só não querem ser pressionadas, enganadas ou que as façam sentir como se fossem putas.

Encomendei livros sobre marketing, como a obra seminal de Robert Cialdini, *Influence*, na qual aprendi vários princípios-chave que orientam a maioria das decisões das pessoas. O mais importante de tudo isso é a comprovação social, a noção de que se todos estão fazendo uma coisa, então essa coisa deve ser boa.

Assim, se você estiver num bar com uma bela amiga ao seu lado (um pivô, como dizem na comunidade), é muito mais fácil conhecer mulheres do que se você estiver sozinho.

Assisti aos vídeos que Grimble me passara e tomei notas sobre cada um, memorizando asserções ("Se uma mulher entrar em meu mundo, será a melhor coisa que poderá acontecer a ela") e modelos. Há uma diferença entre uma frase e um modelo. Uma frase é, basicamente, qualquer comentário preparado que se faz a uma mulher. Um modelo tem um roteiro mais elaborado, especificamente destinado a excitá-la.

Homens e mulheres pensam e reagem de modo diferente. Mostre a um homem a capa da *Playboy* e ele logo se empolga. Na verdade, mostre a ele um abacate sem caroço e ele fica empolgado. As mulheres, segundo os sedutores velozes, não são persuadidas tão facilmente por imagens e conversas diretas. Elas reagem melhor à metáfora e à sugestão.

Um dos modelos mais conhecidos de Ross Jeffries usa um programa do Discovery Channel sobre os contornos das montanhas-russas como uma metáfora para a atração, confiança e excitação que são, com freqüência, condições prévias para que haja sexo. O modelo descreve a "atração perfeita", que oferece um sentimento de excitação quando a montanha-russa se ergue até o ponto mais alto e, depois, mergulha vertiginosamente; e, então, oferece um sentimento de segurança, pois foi projetada para permitir que você tenha essa experiência num ambiente confortável e seguro; finalmente, assim que o passeio termina, você tem vontade de começar de novo, de novo, de novo. Ainda que pareça improvável que um modelo como esse possa excitar uma garota, pelo menos é melhor do que falar sobre trabalho.

Entretanto, não bastava para mim apenas um estudo sobre Ross Jeffries. Um monte de suas idéias é simples aplicação de programação neurolinguística. Então, fui até a fonte e comprei os livros de Richard Bandler e John Grinder, professores da Universidade da Califórnia que desenvolveram e popularizaram essa escola periférica de hipnopsicologia nos anos 1970.

Depois do PNL, era hora de aprender alguns dos truques de Mystery. Gastei 150 dólares numa loja de mágicas comprando vídeos e livros sobre levitação, como entortar metal e leitura da mente. Eu aprendera com Mystery que uma das coisas mais importantes a fazer com uma mulher atraente era demonstrar seu próprio valor. Em outras palavras, o que me torna diferente dos outros vinte e tantos caras que a abordaram? Pois bem, se eu conseguir entortar seu garfo olhando para ele ou adivinhar seu nome antes mesmo de falar com ela, isso será algo diferente.

Para demonstrar ainda mais valor, comprei livros sobre análise de caligrafias, leitura rúnica e cartas de tarô. Afinal, o assunto predileto de todo mundo é a própria pessoa.

Fiz anotações sobre tudo que estudei, desenvolvendo procedimentos e histórias para serem testados em campo. Negligenciei meu trabalho, meus amigos e minha família. Estava no meio de uma missão de 18 horas por dia.

Quando finalmente acabei de abarrotar minha mente com tantas informações quanto ela podia suportar, comecei a trabalhar na linguagem corporal. Fiz algumas aulas de salsa e suingue. Aluguei *Juventude Transviada* e *Uma Rua Chamada Pecado* para praticar os olhares de James Dean e Marlon Brando. Estudei Pierce Brosnan na nova versão de *Thomas Crown*, Brad Pitt em *Encontro marcado*, Mickey Rourke em *Orquídeas selvagens*, Jack Nicholson em *As bruxas de Eastwick* e Tom Cruise em *Top Gun*.

Observei todos os aspectos de meu comportamento físico. Meus braços balançavam quando eu estava andando? Eles se curvam um pouco, como se eu estivesse fazendo exercício peitoral? Meu andar transmitia confiança? Poderia empinar o peito um pouco mais? Manter a cabeça mais erguida? Dar passos mais largos como se tivesse um pau enorme?

Após corrigir tudo o que pude sozinho, matriculei-me em um curso de Técnica Alexander para melhorar minha postura e me livrar da maldição dos ombros caídos que eu herdara da família de meu pai. E devido ao fato de as pessoas nunca entenderem o que eu digo — falo muito rápido, baixo e murmurando —, comecei a ter aulas semanais de oratória e canto.

Eu me vesti com casacos elegantes sobre camisas vistosas e tantos acessórios quanto fosse possível. Comprei anéis, colares e falsos piercings. Experimentei tudo isso com chapéus de caubói, estolas de plumas, colares cintilantes e mesmo óculos escuros, à noite, para ver se conseguia mais atenção das mulheres. Eu sabia que a maior parte desses vestuários espalhafatosos é brega, mas a teoria do pavão de Mystery funcionava. Quando eu usava pelo menos um item que chamava atenção, as mulheres que estavam interessadas em me conhecer dispunham de um meio fácil de começar a conversa.

Saí com Grimble, Twotimer e Ross Jeffries praticamente todas as noites e, pouco a pouco, descobri uma nova maneira de interagir. As mulheres estão cansadas dos caras genéricos que fazem sempre as mesmas perguntas: "Então, de onde você é?... Qual o seu trabalho?" Com nossos modelos, esquemas e procedimentos, virávamos os heróis do pedaço, salvando as fêmeas da espécie de um *certain ennui*.

Nem todas as mulheres apreciavam nossos esforços, é claro. Embora nunca tenham me batido, gritado comigo ou lançado sobre mim o conteúdo de um copo, histórias sobre fracassos retumbantes assombravam meus pensamentos. Havia a história de Jonah, um virgem de 23 anos de idade da comunidade de sedução que foi atingido na nuca — duas vezes — por uma garota embriagada que não apreciou seus negs. E também a de Little Big Dick, um sedutor do Alasca que estava sentado a uma mesa, conversando com uma garota, quando o namorado dela apareceu por trás, arrancou-o da cadeira, atirou-o no chão e o chutou na cabeça durante dois minutos seguidos, fraturando os ossos em torno do seu globo ocular esquerdo e deixando as marcas da bota no seu rosto.

Mas eram exceções, eu esperava.

Essas surras rondavam minha mente quando estava a caminho de Westwood, o berço da UCLA, para minha primeira tentativa de caça à luz do dia. Apesar da cola que levava com meus quebra-gelos e procedimentos preferidos no bolso da calça, eu estava petrificado, dirigindo por aquelas ruas, tentando escolher alguém para minha primeira abordagem.

Quando passei por uma loja da Office Depot, vi uma mulher com óculos marrons e cabelos louros curtos que balançavam sobre os ombros. Era magra, com curvas suaves e gentis, seu jeans apertado na medida certa e uma pele linda, tipo manteiga queimada. Ela parecia um tesouro escondido no campus.

Ela entrou na loja e eu resolvi ir em frente. Mas, então, eu a vi outra vez pela vitrine. Tinha a aparência de uma intelectual tranqüila que trazia dentro de si uma fêmea devastadora que ainda não havia despertado. Alguém com quem eu poderia falar sobre os filmes de Tarkovsky e depois levar para assistir a uma corrida de caminhões. Talvez ela viesse a ser minha Caresse. Eu sabia que se não a abordasse acabaria me punindo depois e me sentindo um fracassado. Então, decidi tentar minha primeira sedução diurna. Além do mais, disse para mim mesmo: ela provavelmente não será tão bonita assim de perto.

Entrei na loja e a descobri num corredor examinando envelopes de carta.

— Oi, talvez você possa me ajudar a resolver uma questão que está me atormentando — eu lhe disse. Quando acabei de recitar o quebra-gelo de Maury Povich, notei que era ainda mais bela de perto. Eu tinha esbarrado numa verdadeira nota 10. E foi preciso seguir o protocolo mandando-lhe um neg.

— Eu sei que não se deve dizer isso — falei rapidamente —, mas eu cresci assistindo aos desenhos animados do Pernalonga. E você tem os mais adoráveis dentes de Pernalonga que já vi.

Fiquei preocupado, achando que tinha ido longe demais. Tinha inventado aquele neg ali, de repente, e provavelmente ia tomar um tapa. Mas ela acabou rindo.

— Depois de tantos anos usando aparelhos, minha mãe ficaria furiosa se ouvisse isso — respondeu.

Estava flertando comigo também.

Realizei o procedimento PNL e, felizmente, ela escolheu o número 7. E ficou admirada. Perguntei qual era seu trabalho e ela disse que era modelo e apresentava um programa na rede TNN. Quanto mais conversávamos, mais ela parecia apreciar o papo. No entanto, quando me dei conta de que estava funcionando, fiquei nervoso. Não conseguia acreditar que uma mulher como aquela estivesse a fim de mim. Todo mundo na Office Depot estava olhando para nós. Não podia prosseguir.

— Estou atrasado para um compromisso — eu lhe disse, as mãos ainda tremendo. — Mas o que devemos fazer para dar continuidade a esta conversa?

Este era o procedimento número íntimo de Mystery. Um artista da sedução nunca dá a uma garota seu número de telefone, porque ela pode não ligar. Um AS deve deixar uma mulher suficientemente à vontade para que ela lhe dê seu telefone. É também necessário evitar pedi-lo diretamente, porque ela pode sempre negar e, em vez disso, deve-se conduzi-la até que ela própria sugira a idéia.

— Posso lhe dar meu telefone — ela ofereceu.

Ela escreveu seu nome, seguido do número de telefone e de seu e-mail. Eu mal podia acreditar.

— Mas eu não saio muito — ela alertou, como se fizesse uma reflexão tardia. Talvez já estivesse se arrependendo.

Quando voltei para casa, retirei o pedaço de papel do bolso e o coloquei na frente do computador. Já que ela era supostamente uma modelo, decidi procurar uma foto na rede. Ela me fornecera somente seu primeiro nome, Dalene, mas felizmente seu e-mail continha seu sobrenome, Kurtis. Digitei aquelas palavras no Google e apareceram cerca de 100 mil resultados.

Eu acabara de descolar o número da Coelhinha do Ano da revista *Playboy*.

Capítulo 3

Eu sentava diante do meu telefone e olhava o número de Dalene Kurtis todas as noites. Mas não conseguia criar coragem para ligar. Eu não era confiante e boa-pinta o bastante para aquela perfeita espécime da feminilidade. Quero dizer, o que eu faria se saísse com ela?

Lembro de ter saído para almoçar com uma garota chamada Elisa que eu conhecera num emprego temporário durante minhas férias, quando tinha 17 anos. Eu estava tão nervoso que não conseguia fazer minhas mãos pararem de tremer ou minha voz parar de desafinar. E quanto mais sem jeito eu ficava, mais desconfortável ela se sentia. Quando os pratos enfim chegaram, eu estava constrangido demais para comer diante dela. Foi um desastre — e não era nem mesmo um encontro romântico. E, assim sendo, que chances eu teria com a Coelhinha do Ano?

Existe uma palavra para isso: indignidade. Eu não me sentia digno.

Aguardei três dias para telefonar, depois adiei por mais um dia e, então, resolvi que, se ligasse no fim de semana, ficaria parecendo que eu não tinha nenhuma vida social. Decidi telefonar na segunda-feira. Uma semana já havia se passado. Provavelmente, já teria se esquecido de mim. Tínhamos conversado por dez minutos, no máximo, e havia sido, reconhecidamente, uma conversa levemente íntima. Eu era apenas um cara estranho e interessante que ela encontrara numa loja de produtos para escritório. Não havia razão para aquela mulher, que poderia escolher qualquer homem no hemisfério, querer me ver novamente. Então, nunca liguei para ela.

Eu era meu pior inimigo.

Meu primeiro sucesso legítimo só ocorreu uma semana depois. Extramask, do workshop do Mystery, apareceu em meu apartamento em Santa Mônica sem avisar, numa noite de segunda-feira. Ele estava muito empolgado pois acabara de fazer uma descoberta fascinante.

— Eu sempre achei que a masturbação e a dor vinham de mãos dadas — disse ele, assim que abri a porta.

Extramask parecia diferente. Ele havia tingido e eriçado os cabelos, furado as orelhas e comprado brincos, colar e roupas punk. Ficou realmente legal. Nas mãos, trazia um livro de Anthony Robbins, *Poder sem limites*. Estávamos, obviamente, na mesma situação.

— Do que você está falando? — perguntei.

— Olha só. Acabei de bater uma, me limpei e suspendi a cueca, está entendendo?

Ele entrou e se jogou no sofá.

— Acho que está dando para acompanhar.

— Mas o que eu não tinha percebido até ontem foi que ainda tinha um pouco de sêmen no buraco do pênis. Então fui dormir, aquilo endureceu e ficou grudado ali. Depois, quando acordei de manhã para dar uma mijada, o mijo não saiu. — Ele segurou o saco e o sacudiu para ilustrar seu argumento. — Então eu tive que forçar mais até um pedaço daquela porra sair voando do meu pênis e se colar na parede ou coisa parecida.

— Você ficou louco — respondi.

Eu nunca experimentara ou sequer ouvira sobre esse fenômeno antes. Extramask era o estranho resultado de uma educação católica repressiva e de uma vasta ambição para se tornar comediante. Eu nunca sabia se ele estava atravessando momentos de angústia ou se apenas tentava me divertir.

— Dói pra caralho — ele continuou. — Doeu tanto que até parei de bater punheta durante uma semana pra não sentir mais dor. Mas ontem à noite eu espremi aquela merda pra fora do meu pau assim que acabei de gozar.

— E agora você pode se masturbar até seu coração se deleitar?

— Exatamente — disse ele. — E eu ainda não contei pra você a boa notícia.

— Pensei que esta era a boa notícia.

Ele levantou a voz, entusiasmado.

— Agora eu consigo mijar ao lado de outras pessoas! É só uma questão de confiança. Então, tudo que aprendi no workshop de Mystery não funciona só com as mulheres.

— É verdade.

— Pode ser usado para mijar também.

Fomos de carro até La Salsa comer uns burritos. Numa mesa próxima, havia uma mulher atraente, mas ligeiramente desleixada, enfiando recibos dentro de uma agenda abarrotada. Tinha cabelos castanhos longos e cacheados; seus traços fisionômicos eram os de um pequeno roedor e seus seios imensos se recusavam a ficar escondidos pela blusa. Quebrei a regra dos três segundos por aproximadamente 250 segundos, até finalmente ganhar confiança e abordá-la. Eu não queria parecer um TFM na frente de Extramask.

— Oi. Estou fazendo um curso de análise de caligrafia — eu lhe disse. — Enquanto estamos esperando a comida, você se importa se eu praticar com você?

Ela me olhou de modo cético, mas por fim decidiu que eu parecia inofensivo e consentiu. Entreguei-lhe meu caderno e disse para escrever uma frase.

— Interessante — eu disse. — Sua caligrafia não tem inclinação. É reta, para cima e para baixo, o que significa que você é uma pessoa auto-suficiente e não precisa estar sempre com os outros para se sentir bem consigo mesma.

Certifiquei-me de que ela estava assentindo com a cabeça e então prossegui. Esta é uma técnica que eu aprendera num livro sobre leitura fria que expunha os truísmos e as técnicas de interpretação de linguagem corporal usada por médiuns canastrões.

— Você não possui um grande sistema organizacional para sua caligrafia, o que quer dizer que, em geral, você não consegue se manter muito organizada ou atender a própria agenda.

A cada bobagem que eu dizia, ela se inclinava e concordava mais vigorosamente com a cabeça. Seu sorriso era maravilhoso e era fácil conversar com ela. Tinha acabado de sair de uma aula de teatro humorístico ali perto, comentou, e se ofereceu para contar algumas piadas que tinha em seu caderno.

— Começo meu show com esta — disse ela após eu terminar minha análise. — Eu acabei de sair da academia de ginástica e, rapaz, meus braços estão cansados.

Era este seu quebra-gelo. Ela o trazia numa cola que estava sempre no bolso da calça. Seduzir as mulheres, pensei, era muito parecido com a apresentação solo de um comediante ou qualquer outra arte performática. Precisa de quebra-gelos, procedimentos e uma conclusão memorável, além da habilidade para fazer tudo isso parecer novo a cada vez.

Ela disse que ia passar a noite num hotel na cidade, então propus levá-la de carro até lá. Quando ela saltou, apontei o dedo para meu rosto e disse: "Um beijo de despedida." Ela beijou minha bochecha. Extramask chutava a parte de trás do meu assento, excitado. Então eu lhe disse que tinha um trabalho para fazer naquele momento, mas que ligaria para ela convidando-a para um drinque assim que terminasse.

— Você está a fim de sair pelas boates hoje à noite comigo e o Vision? — perguntou Extramask, quando ela se foi.

— Não, eu preciso ver essa garota.

— Certo, mas eu vou sair de qualquer maneira — ele disse. — Mas depois, quando voltar para casa, vou encher uma bacia pensando nessa gata que acabou de beijar você.

Antes de sair para apanhá-la naquela noite, imprimi um dos modelos proibidos de Ross Jeffries que Grimble me enviara num e-mail. Estava determinado a compensar meu último impasse.

Fomos para um bar qualquer para tomar um drinque. Ela trocara de roupa e estava usando agora um suéter azul desfiado e um jeans bem largo, que a faziam parecer um pouco atarracada. De qualquer maneira, eu estava contente por me achar num encontro romântico de verdade com uma mulher que eu conquistara. Finalmente, tive a oportunidade de experimentar um material mais avançado.

— Existe uma maneira — eu lhe disse — de você se concentrar melhor em suas metas e na sua vida. — Eu me sentia como Grimble no T.G.I. Friday's.

— E como é? — ela perguntou.

— É um exercício de visualização. Um amigo me ensinou. Não sei de cor, mas posso ler para você.

Ela quis ouvir.

— Ótimo — eu disse, enquanto desdobrava o papel com o modelo escrito e começava a ler. — Talvez você consiga se lembrar da última vez em que sentiu felicidade ou prazer. Do modo como você está se sentindo agora, onde ficam essas emoções no seu corpo?

Ela apontou para o centro do peito.

— E como você classifica essa emoção numa escala de 1 a 10?

— Sete.

— Muito bem, agora, enquanto se concentra nessa emoção bem aqui, você consegue começar a ver uma cor fluindo dessa emoção. Que cor é essa?

— Púrpura — ela disse, fechando os olhos.

— Ótimo. O que aconteceria se deixasse toda essa cor púrpura que flui desse ponto encher-se de calor e intensidade? Com cada respiração, quero que você deixe essa cor púrpura ficar um pouquinho mais nítida.

Seu corpo começou a relaxar. Podia ver seus peitos arfarem sob o suéter. Agora, eu acertara o caminho. Estava despertando uma reação como a que eu vira Ross Jeffries conseguir no California Pizza Kitchen. Prossegui com o modelo, mais confiante, fazendo a cor se expandir e crescer em intensidade dentro dela à medida que ela se sentia num transe ainda mais profundo. Imaginei Twotimer pronunciando a palavra *diabólico* atrás de mim.

— Como você se sente agora, numa escala de 1 a 10? — perguntei.

— Dez — ela disse.

Imaginei que estivesse funcionando.

Depois, fiz com que ela encolhesse a cor até se transformar num pequeno grão púrpura que continha toda a força e intensidade do prazer que estava sentindo. Fiz com que colocasse o grão imaginário na minha mão. Em seguida, deslizei minha mão ao longo de seu corpo, primeiro à distância e então o tocando levemente.

— Note como meu toque pode se tornar uma espécie de pincel, transferindo essa cor e essa sensação a partir de seu pulso, através do braço e até a superfície do rosto.

Para ser honesto, eu não tinha idéia se aquilo estava ou não a excitando. Ela estava ouvindo e parecia estar gostando, mas não começou a chupar meus dedos como a garota na história de Grimble. Na verdade, eu me sentia não apenas um pouco estúpido, mas também lúbrico usando o pretexto da hipnose para tocar nela. Eu não gostava desses modelos proibidos. Eu entrara no jogo para ganhar confiança, não controlar a mente dos outros.

Parei então e perguntei o que ela achava.

— A sensação é boa — disse ela, abrindo seu sorriso de roedora.

Não sabia dizer se ela estava sendo condescendente ou não, mas acho que a maior parte das pessoas está disposta a tentar algo de novo se isso lhe parecer seguro.

Dobrei o pedaço de papel, coloquei-o no bolso e a levei de volta ao hotel. Mas, em vez de deixá-la saltar, entrei com o carro na garagem. Saímos do carro e eu a segui até seu quarto. Eu estava apavorado demais para dizer alguma coisa, temendo que ela pudesse virar-se de repente e me perguntar: "Por que você está me seguindo?" Mas ela parecia ter dado um consentimento mental: tudo indicava que íamos fazer sexo naquela noite. Eu não conseguia acreditar na minha sorte. Depois de tanto praticar, eu estava finalmente conseguindo resultados.

Segundo Mystery, leva aproximadamente sete horas para uma mulher ser conduzida de um encontro para o sexo. Essas sete horas podem acontecer em uma noite ou durante vários dias: abordar e conversar durante uma hora; falar no telefone durante uma hora; encontrar-se para um drinque por duas horas; falar no telefone por mais uma hora e, então, no encontro seguinte, ficar juntos por mais duas horas, antes de ir para a cama.

Esperar sete horas ou mais é o que Mystery chama de jogo duro. Mas, ocasionalmente, uma mulher pode sair com a intenção específica de levar alguém para casa, ou pode ser facilmente levada ao sexo num prazo muito mais curto.

Mystery chama isso de xeque-mate. Eu tinha passado uma hora com aquela garota no La Salsa e duas horas no bar. Estava prestes a experimentar meu primeiro xeque-mate.

Ela inseriu o cartão do hotel na porta e uma luz verde acendeu — um presságio, senti, da noite de paixão à nossa frente. Ela abriu a porta e eu entrei atrás dela. Ela sentou na cama — exatamente como nos filmes — e retirou os sapatos. Primeiro o esquerdo, depois o direito. Estava usando meias brancas, que eu achei muito bonitas. Ela flexionou para cima os dedos de ambos os pés, depois os curvou para baixo, enquanto se deixava cair sobre a cama.

Dei um passo na sua direção, preparando-me para cair sobre ela com um abraço. Mas, bruscamente, o cheiro mais pútrido que jamais senti me invadiu as narinas. O odor, literalmente, me jogou para trás. Era exatamente o mesmo cheiro de queijo rançoso que emana dos sem-teto alcoólatras no metrô de Nova York. Daquele tipo capaz de esvaziar todo um vagão. Não importava o quanto eu recuasse, a intensidade do odor não diminuía. O cheiro invadiu todo o quarto, tomando todo o espaço disponível.

Olhei para ela, deitada de costas na cama, atrevida e abstraída. Eram seus pés. Seus pés estavam impregnando o quarto.

Eu tive que sair fora rapidamente.

Capítulo 4

Toda noite, após as saídas ou encontros, os alunos e os mestres da sedução enviam mensagens eletrônicas com informações sobre suas experiências. São os chamados relatórios de campo. As metas, ao transcrever suas aventuras, variam: alguns querem ajuda para sanar os erros, outros querem partilhar novas técnicas e alguns querem apenas se gabar.

No dia seguinte à minha desventura com a comediante de pés fedorentos, Extramask pôs na rede um relatório de campo. Evidentemente, ele experimentara sua própria e estranha aventura naquela mesma noite. O tempo que dedicara à comunidade da sedução já havia compensado. Agora, já conseguia mijar nos banheiros, próximo aos outros homens; podia se masturbar sem se machucar e, aos 26 anos, finalmente perdia sua virgindade. Embora não da maneira que esperara.

GRUPO MSN: Lounge de Mystery
ASSUNTO: Relatório de campo — Eu f-total uma garota!
AUTOR: Extramask

Eu, Extramask, f-total uma garota pela primeira vez — suprimindo meu status de virgem (ainda que não tenha ejaculado). Começo pelo início.

Na segunda-feira, saí à caça com Vision. Fomos até uma boate de três andares que tinha uns 15 ambientes, cada um com seu bar. Efetuamos uma boa caçada pelo lugar.

Especialmente naquela noite, eu estava me sentindo fora do normal, e isso refletia no meu modo de caçar. Não estava me saindo tão bem quanto de costume. Subi ao segundo andar e encontrei Vision. Havia uma garota usando o cachecol dele e ele não conseguia achá-la. Então, comecei a conversar com ele sobre isso e uma garota, WideFace, apareceu e fez um intenso contato visual comigo. Ela disse: "Oi."

As gatas raramente me dão esse mole, então eu disse para ela: "Oi, você viu o cachecol desse cara aqui?"

Eu estava de papo-furado. Pela expressão de seu rosto largo, senti que podia dizer qualquer coisa.

Depois do papo do cachecol:

> **WIDEFACE:** Você é muito lindo *(falado com um quarto de sotaque chinês / um quarto de inglês / um quarto de chinês rico / um quarto de sotaque de Zsa Zsa Garbor).*
> **EXTRAMASK:** É verdade? Obrigado.
> **WIDEFACE:** E aí, quando foi que você chegou aqui?

Como vocês podem ver, a conversa era fraca, mas eu sabia que estava rolando alguma coisa. Eu sabia que se aplicasse meus procedimentos em cima dela, estaria dando um passo para trás na caçada.

Falamos sobre essas bobeiras mundanas: trabalho, o que fazíamos à noite, breve resumo de nós mesmos etc. Depois nos deslocamos para um lugar mais calmo. (Ela solicitou o deslocamento.) Enquanto estávamos ali em pé, conversando, Vision me deu uma comprovação social ao passar ocasionalmente por ali e me dar um tapinha nas costas e esse tipo de coisa. Tudo ajuda.

> **WIDEFACE:** O que você está procurando esta noite?
> **EXTRAMASK:** *(Pensando: Puta merda, acho que vou trepar.)*
> **EXTRAMASK:** Não sei. E você, o que está procurando?
> **WIDEFACE:** Estou a fim de muita agitação.
> **EXTRAMASK:** Pode crer, eu também estou a fim de agitação *(dito casualmente).*
> **WIDEFACE:** Você está a fim de sair comigo e com minha amiga?
> **EXTRAMASK:** Claro, deixe eu só avisar meu camarada que estou indo embora.
> **WIDEFACE:** Está certo, espero aqui.

Fui à procura de Vision.

> **EXTRAMASK:** Aí, cara. Está rolando. Acho que vou conseguir trepar hoje à noite.
> **VISION:** Vai, vai. Sai fora de uma vez.

Muito bem, então encontrei WideFace e sua amiga sérvia. Demos as mãos e caminhamos até o carro, que estava a 15 minutos dali. Aquilo tudo estava me deixando nervoso. Mas consegui me acalmar um pouco.

Sobre o que conversamos no caminho até o carro? Nada demais, só conversa fiada sobre o frio que estava fazendo, o que eu fazia na vida e outras futilidades. Estava tão implícito que se tratava de uma transa de uma noite só! Entramos no carro e sua amiga disse que queria comer pizza. Segue o que Extramask estava pensando:

> **EXTRAMASK:** QUE SE FODA A PIZZA, SUA PUTA ESTÚPIDA. SOU VIRGEM E QUERO DAR UMA TREPADA AGORA MESMO. VÁ PARA SEU PRÓPRIO CARRO E CORRA ATRÁS DESSA PORRA DESSA PIZZA SOZINHA.

Convenientemente, WideFace se esqueceu da pizza, mas, por acaso, acabou passando na frente da pizzaria. Deixamos sua amiga saltar e eu passei para o banco da frente. Olhei para seu corpo medíocre pensando: "Beleza. Vou poder agarrar tudo isso."

Mais uma vez, a conversa dentro do carro não era sobre sexo. A mesma conversa fiada. Quando eu lhe perguntara anteriormente o que estava estudando, ela disse: "Mais tarde te falo." Eu perguntei isso umas três vezes, a cada vez ela ficava mais frustrada comigo. Eu não me importava. O que me incomodava para caralho era que ela não dissesse nada além disso.

Ela acabou contando, quando estávamos sozinhos no carro. Era um curso idiota qualquer na faculdade. Algo sem importância. Então ela me disse qual era o emprego dos seus sonhos. Eu tinha perguntado, muito embora não desse a mínima.

WIDEFACE: Quero ser policial.
EXTRAMASK: (*Pensando*: Você seria a pior policial do planeta. Você nunca será uma policial.)
EXTRAMASK: Por que você não corre atrás de seu sonho?
WIDEFACE: Blábláblá, patati-patatá, blobloblo.

Enfim chegamos na casa dela. Ela mora na cobertura da porra de um prédio enorme com uma colega. O quarto dela era grande pra caralho. Tinha uma dessas enormes TV Trinitron lá dentro. Ela me disse para escolher alguma música, pois estava indo ao banheiro por um instante. Coloquei um hip-hop, já que ela dissera antes que gostava desse tipo de coisa.

Ela apareceu vestindo um pijama. Eu a joguei no chão e bati punheta várias vezes em cima dela! Não, estou brincando... ela apareceu de pijama e me disse que eu podia usar o banheiro. Eu não estava precisando, mas achei que aquilo fazia parte de todo esse ritual de sexo, então lá fui eu. Não esqueçam, irmãos, eu ainda era virgem nessa altura — não tinha a menor noção. Então, fui para o banheiro e fiquei de bobeira lá dentro. Não lavei meu pau nem nada. A única coisa que me passava pela cabeça era ligar para o Vision e lhe contar que eu estava a ponto de comer aquela garota, mas achei que isso era imbecil.

Então, eu estava pensando: será que devo sair daqui completamente nu? Humm. Resolvi sair como havia entrado, ou seja, vestido como antes, menos a camisa. Imaginem se eu saísse totalmente pelado com o pau duro latejando no ar?

As luzes tinham sido apagadas. Ela estava deitada na cama. Eu me aproximei e comecei a lhe fazer carinhos. Beijei seu pescoço e sua orelha. Então ela segurou minha mão e a colocou sobre seu seio direito! Então comecei a acariciá-lo enquanto a beijava. Depois, acabei esfregando sua vagina (sobre o pijama) com a mão. Ela estava gemendo. Então retirei minha calça, mas fiquei de cueca.

Aposto que vocês, seus safados, não pensavam que eu fosse descrever isso com tantos detalhes, não é?

Então, eu estava a beijando e esfregando sua xoxota. Isso foi complicado. Não conseguia me concentrar no beijo na sua boca e nas carícias vaginais ao mesmo tempo. Mas estava tentando fazer o melhor possível.

Ela começou a esfregar meu pau, e eu estava me sentindo bem demais.:)))

WIDEFACE: Me fode Extramask.
EXTRAMASK: Está bem.

Tirei então a porra da cueca. Fiquei ajoelhado na cama com meu pau durão, pulsando, vocês sabem.

WIDEFACE: Põe uma camisinha. Eu tenho uma.
EXTRAMASK: Eu tenho uma também.

Não queria usar a dela. Por algum motivo, estava com medo, como se ela pudesse fazer uma sabotagem, ou coisa parecida.

WIDEFACE: Qual é a marca?
EXTRAMASK: Sheik.

Mais uma vez, eu era virgem ainda e não sabia muito bem colocar um preservativo.

EXTRAMASK: Põe você em mim. Isso me excita.
WIDEFACE: Coloco.

Ela não conseguia enfiar a camisinha, então decidiu apanhar a dela. Quando foi buscá-la, acabei conseguindo colocar a minha. E, então, comi a garota!

Comi a garota e comi a garota e comi a garota e comi a garota e comi a garota e comi a garota.

Cerca de 15 minutos depois de ter começado, eu estava pensando: "Essa trepada está um saco. É isso o sexo? Odiei. Quero ir embora." Queria realmente sair fora. Eu estava pensando: "Foi para isso que esquentei tanto a cabeça durante meses?"

Lá estava eu, metendo na garota num papai-mamãe há 15 minutos e sem sentir nada.

Ela estava gemendo toda melosa e eu apenas bombeando como se fosse uma máquina. Então resolvi virá-la de lado e tentar algumas posições — como nos filmes pornôs!

Deixei que ela montasse sobre mim. Sempre fantasiara em relação a isso. E lá estava ela, em cima de mim e eu pensando: "Puta merda, isso está machucando. Ela vai acabar arrancando meu pau."

Dois minutos depois, mudei de posição porque estava doendo demais. Fiz com que ela ficasse de quatro. Pensei que assim seria interessante. Então agarrei a mulher por trás e estava tentando encontrar sua fenda, mas não conseguia. Lá estava eu, vasculhando sua bunda e suas coxas, procurando a entrada. Foi horrível, assim como o sexo. Não conseguia achar seu buraco. Ela começou a choramingar por causa da demora. E eu pensando: "Você está choramingando? Fica fria, china — sério." Eu não estava sentindo nenhum prazer naquele negócio.

Consegui penetrá-la e bombear duas vezes, e depois saí novamente. Então troquei de posição e, por algum motivo, voltamos à posição em que ela ficava por cima. Que besteira, Extramask! Temia que meu pau se soltasse de uma vez. Depois de cerca de quatro minutos, voltamos à posição papai-mamãe e dei um tapa na sua cara.

Ei, foi ela que pediu.

Eu estava dizendo umas merdas do tipo:

"Gostou disso?"

"Diz meu nome!"

"Você quer que eu bata mais forte?"

Não esqueçam, eu estava de saco cheio durante toda a experiência. Totalmente decepcionado. :)))

Trinta minutos depois:

WIDEFACE: Troque de camisinha.
EXTRAMASK: *(Pensando:* Acho que deve se fazer isso após meia hora de sexo. Mas, principalmente, estava puto porque o sexo ainda não havia acabado.)

Então retirei meu preservativo e coloquei um outro.

WIDEFACE: O que você está fazendo?
EXTRAMASK: Estou pondo uma outra camisinha.
WIDEFACE: Por quê?
EXTRAMASK: Pensei que você queria que eu fizesse isso.
WIDEFACE: Não.

Eu não me importei. Estava satisfeito.

Então, apenas ficamos deitados, pelados, nos beijando um pouco. Ela estava a fim de um carinho. Eu não queria de verdade, mas acabei fazendo.

Este foi um equívoco da minha parte. Depois do sexo, eu deveria ter arrancado a camisinha, sentado na cama e me masturbado até o final. Devia ter espalhado minha porra por todo canto, no rosto dela, na TV Trinitron dela.

WIDEFACE: Deite e descanse uns cinco minutos. Depois eu chamo um táxi.
EXTRAMASK: O quê? Cinco minutos? Por que você está tentando me apressar para ir embora?
WIDEFACE: Não. Não foi isso que eu quis dizer. É só que é bom descansar cinco minutos depois de transar.
EXTRAMASK: Mas por que cinco minutos?
WIDEFACE: Deixe para lá. Apenas relaxe.

EXTRAMASK: Mas por que cinco minutos?

Cinco minutos depois, ela ligou para uma companhia de táxi. Ficou esperando para ser atendida e começou a ficar zangada por ter de esperar, o que era irritante. Então me preparei para ir embora.

Conversei um pouco com ela. Ela disse que havia notado na boate que eu tinha muita energia. Ela apreciava isso.

WIDEFACE: O que você vai fazer agora? (*Eram 3h30 da madrugada.*)
EXTRAMASK: Vou para outra boate encontrar com meus amigos. (*Fui ficando mais energético, pulando de um lado para outro.*)

Ela não gostou nem um pouco de eu dizer que ia sair novamente. E, de fato, eu não ia. Apenas menti para ela. E o fiz porque estava aborrecido com ela tentando se livrar de mim tão rápido. Principalmente, queria sair dali sem demora — mas queria sair da minha maneira.

Então o táxi chegou e fui embora. Nós nos beijamos umas três vezes antes de eu partir.

Não peguei o seu número de telefone porque:

1. Não queria comê-la outra vez.
2. Era óbvio que se tratava de uma trepada de uma só noite.

Só para não haver equívocos, me certifiquei de anotar seu endereço exato, quando saí — no caso de ter esquecido alguma coisa lá. Preferia que não tivesse.

E é isso. Enfiei meu pau numa garota. Perdi minha virgindade. O sexo foi horrível. Eu me senti um pouco sujo, depois do ato.

Em suma, não me sinto nem um pouco diferente em comparação ao tempo em que era virgem. De qualquer modo, acredito que isso ajudará subconscientemente minhas caçadas. Quero dizer, agora já fiz sexo. Eu sei o que é. Então, daqui para a frente, qualquer garota com quem conversar, vou agir mais assim: "Quem se importa? Eu não preciso disso que você tem."

— Extramask

Capítulo 5

Como beijar uma garota?

A distância entre você e ela é de apenas dez centímetros. Não está muito longe, qualquer que seja o padrão. Praticamente, não é preciso sequer mover o corpo para cobrir esse espaço. No entanto, são os dez centímetros mais difíceis que um homem tem de percorrer em sua vida. É o momento em que o macho deve reconhecer todos os privilégios que são seus por direito inato; deve colocar seu orgulho, ego, auto-estima e dedicação de lado e apenas esperar — esperar que ela não se desvie oferecendo a bochecha, ou, pior, com um discurso do tipo "Vamos ser só amigos".

Saindo todas as noites no meu treinamento para ser o parceiro de Mystery em seu próximo workshop, logo desenvolvi um procedimento que funcionava — pelo menos até certo ponto. A rejeição não era uma opção. Eu sabia como penetrar num grupo, reagir à maior parte das contingências e sair com um número de telefone e um plano para voltar a se ver.

Toda vez que voltava para casa, eu revisava os eventos da noite, procurando partes da caçada que eu poderia ter feito melhor. Se a abordagem não funcionava, eu pensava em como aperfeiçoá-la — ângulos de ataque, recuo e partida, além das restrições de tempo. Se eu não conseguisse o número do telefone, não culpava a garota por ser fria ou safada, como fazem tantos outros caçadores. Culpava a mim mesmo e analisava cada palavra, gesto e reação até que identificasse um erro tático.

Eu havia lido num livro chamado *Introdução à PNL* que não existe o que chamam de fracasso, apenas lições de aprendizado. Eu queria que as lições de aprendizado se instalassem em minha mente, de modo que, no campo, eu fosse infalível. Eu teria que provar meu valor para os alunos do Mystery, assim como Sin fizera comigo. E uma falha em público destruiria tudo. Os alunos iriam mandar mensagens dizendo que Style era um impostor, uma piada.

Mas ainda restava um problema que eu não conseguia resolver. Embora um quebra-gelo, um neg e uma demonstração de alto valor fossem suficientes para conseguir o telefone de alguém, eu não tinha idéia do que deveria fazer depois. Ninguém me ensinara isso.

Quero dizer, tecnicamente, eu sabia as palavras que Mystery usava para conseguir um beijo íntimo: "Você gostaria de me beijar?" Mas eu ficava congelado demais para poder de fato emiti-las. Depois de passar tanto tempo ao lado de uma garota (fosse meia hora numa boate ou várias horas no encontro seguinte), eu ficava muito amedrontado para romper a harmonia e a confiança que havia construído. A menos que ela me desse uma indicação clara de que estava sexualmente interessada em mim, eu sentia que tentar beijá-la a decepcionaria e ela pensaria que eu era exatamente igual aos outros caras.

Esta era uma típica reflexão estúpida de um TFM. Ainda havia um cara legal à espreita dentro da minha cabeça do qual era preciso me livrar. Mas, infelizmente, não haveria tempo para fazer isso antes de partir para Belgrado.

Capítulo 6

Aprendi vários truques manuais, um princípio de magia chamado de ambigüidades, os fundamentos da interpretação de enigmas e um jeito de fazer cigarros acesos desaparecerem. Aquele foi o plano de viagem mais produtivo da minha vida. E agora Mystery e eu estávamos em Belgrado, provavelmente no pior momento do dia. Gelo e lama se acumulando nas ruas, enquanto Marko nos conduzia para seu apartamento num Mercedes 1978 prateado, cujo motor tinha o hábito de morrer toda vez que passava à segunda marcha.

Mystery, com os cabelos sujos e presos num rabo-de-cavalo, remexeu na mochila, sentado à frente, retirando um longo sobretudo preto. Ele havia cortado a parte inferior do casaco e costurado no lugar um tecido preto coberto de estrelas. Parecia o tipo de roupa a se vestir numa festa medieval. Mystery fabricara também seu próprio anel, pintando um globo ocular sobre a superfície de plástico. Ele estava, com certeza, parecendo um maluco, muito além do que eu já conseguira ser. Sua maior ilusão era se transformar num jogador de boa aparência todas as noites em que saía.

— Vamos ter de raspar seu cabelo — disse ele, olhando para mim.

— Não, obrigado. E se eu tiver uma forma estranha de crânio ou marcas misteriosas na cabeça, como meu pai?

— Olhe para você. Está usando óculos porque sua visão é uma droga. Usa um chapéu para cobrir os enormes espaços calvos da sua cabeça. Você está fantasmagoricamente pálido. E dá a impressão de que não faz ginástica desde quando estava na faculdade. Você está se dando bem porque é esperto e aprende rápido. Mas parece o conde Drácula também. Você é Style, portanto, comece a ser Style. Faça alguma coisa: raspe a cabeça, faça uma cirurgia nos olhos, entre para uma academia.

Ele era um maluco bastante persuasivo.

Depois, ele se virou para Marko.

— Tem um barbeiro por aqui?

Infelizmente, havia um. Marko estacionou ao lado de um prédio pequeno e entramos, encontrando um barbeiro sérvio gerenciando uma loja vazia. Mystery me fez sentar numa cadeira, disse a Marko para instruir o barbeiro a remover todos aqueles arbustos secos da minha cabeça e, depois, supervisionou o trabalho para certificar-se de que o barbeiro raspasse inteiramente minha cabeça.

— A calvície não é uma escolha, mas ficar careca, sim — disse ele. — Se alguém perguntar por que você raspa a cabeça, diga que costumava ter os cabelos longos até a cintura, mas depois se deu conta de que eles ocultavam seu melhor aspecto. — Ele começou a rir. — Ou, então, você pode dizer: "Ora, a maioria dos lutadores de luta-livre raspa a cabeça."

Registrei mentalmente as duas réplicas para anotá-las mais tarde em meu caderno de colas.

Quando o barbeiro terminou, olhei no espelho e vi um paciente de quimioterapia olhando para mim.

— Está ótimo — disse Mystery. — Vamos ver se existe um salão de bronzeamento por aqui. Em pouco tempo você vai parecer um matador.

— Tudo bem, mas vou ter de fazer uma cirurgia ocular aqui na Sérvia?

Meu primeiro pensamento, assim que estava com a cabeça raspada e bronzeado foi: por que levei tanto tempo? Minha aparência estava muito melhor. Tinha passado da nota 5 para a nota 6,5 na escala de atratividade. A viagem começava a parecer uma boa decisão.

Marko também parecia merecer um repaginação. Com quase 2m, ele era bem mais forte do que a maioria dos sérvios. Sua pele era morena e a cabeça desproporcional como a de Charlie Brown. Vestia um sobretudo muito grande, um suéter cinza da Brook Brothers com manchas brancas e uma malha de gola rulê que lhe dava a aparência de uma tartaruga.

Marko não fora capaz de realizar seu sonho de ser da alta sociedade após se formar na faculdade nos Estados Unidos, então se mudara para um território menor, a Sérvia, onde seu pai era um artista renomado.

Ele nos levou para o apartamento de um quarto onde havia apenas uma cama estreita e outra, de casal. Como não havia saco de dormir, nem mesmo um sofá, concordamos em nos revezarmos, partilhando a cama maior.

Enquanto Mystery tomava banho, Marko me chamou num canto.

— O que você está fazendo com esse cara?

— O que você quer dizer?

— Eu quero dizer, ele é totalmente superficial. Nós freqüentamos a escola de latim de Chicago. Estudamos na faculdade de Vassar. Esse não é o tipo de cara que possa se encaixar nesses lugares. Ele não é um de nós.

— Eu sei. Eu sei. Você está certo. Mas, confie em mim, esse cara pode mudar sua vida.

— Tudo bem — disse Marko. — Veremos. Conheci uma garota no mês passado que é diferente de todas as outras e eu quero fazer a coisa certa. Então tome cuidado para o Mystery não arruinar tudo com todos esses truques de sedução e acabar me envergonhando.

Marko não tinha saído com mulher alguma desde que regressara a Belgrado. Porém, alguns meses antes, por intermédio de um amigo, ele conhecera uma garota chamada Goca e tinha certeza de que ela era aquela que ele procurava. Ele saía com ela, comprava-lhe flores, convidava-a a jantar e depois a acompanhava até a porta de casa, como um perfeito cavalheiro.

— Você já dormiu com ela? — perguntei.

— Não. Ainda nem a beijei.

— Rapaz, você se comporta como um TFM. Um dia, um cara vai chegar até ela numa boate e lhe dizer: "Você acredita em feitiço?" e depois vai levá-la para casa. Ela quer aventura. Ela quer sexo. Todas as garotas querem.

— Não sei — disse Marko. — Ela é diferente dessas garotas. As pessoas aqui têm mais classe do que em Los Angeles.

Os AS têm um nome para isso: eles chamam de paixonite. É uma doença que os TFM pegam: eles se tornam obcecados com uma mulher com quem não namoram nem levam para cama, depois passam a agir de modo tão carente e nervoso perto dela que acabam a afastando de si. A cura para a paixonite, os AS costumam dizer, é sair e fazer sexo com uma dúzia de outras garotas — e depois ver se aquela flor ainda lhe parece tão especial.

Capítulo 7

A bolsa de acessórios que usei no workshop em Belgrado era uma Armani preta, do tamanho de um livro de capa dura, com uma única tira para o ombro de modo a deixá-la balançar graciosamente em volta do meu torso. Com tantos truques de magia, utensílios e outras ferramentas do ofício, necessárias no campo, era impossível encaixar tudo nos quatro bolsos da calça. Assim, quase todo AS no jogo tinha uma bolsa de acessórios. Os conteúdos da minha eram os seguintes:

1 PACOTE DE CHICLETES WRIGLERS
Não importa a qualidade de seu jogo, você não vai ganhar um beijo se seu hálito for nefasto.

1 PACOTE DE PRESERVATIVOS, TROJAN, LUBRIFICADOS
Necessários não apenas no caso de haver sexo, mas também como apoio psicológico, saber que está preparado.

1 LÁPIS, 1 CANETA
Para escrever números de telefone, tomar notas, realizar truques de magia e analisar caligrafias.

1 FIAPO DE GAZE
Para o quebra-gelo do fiapo: aproxime-se de uma mulher, pare, sem dizer nada, remova o fiapo (escondido na palma de sua mão) da roupa dela, pergunte: "Há quanto tempo isso está aí?", em seguida lhe entregue o fiapo de gaze.

1 ENVELOPE DE FOTOS PRÉ-SELECIONADAS
Para o procedimento de fotos de Mystery.

1 CÂMERA DIGITAL
Para o procedimento de foto digital de Mystery: primeiro tire uma foto de você mesmo e da garota sorrindo, depois outra numa pose séria e,

finalmente, uma se beijando (na face ou na boca). Em seguida, olhe as fotos com ela e diga: "Formamos um lindo casal, não?" Se ela concordar, você se deu bem.

1 CAIXA DE TIC-TAC
Para o procedimento Tic-Tac: ponha dois tic-tacs em sua mão. Coma um bem devagar. Em seguida, dê o outro para ela. Se ela aceitar, diga: "Há uma coisa que esqueci de dizer para você. Apenas emprestei o Tic-Tac. Quero ele de volta." Então, beije-a.

PROTETOR LABIAL, DELINEADOR E LENÇO DE PAPEL
Artefatos opcionais para maquiagem.

TRÊS PÁGINAS DE PAPEL COM COLAS
Uma página com os procedimentos preferidos para consulta rápida. Duas páginas de novos procedimentos e frases a praticar.

1 CONJUNTO DE RUNAS DE MADEIRA NUM SACO DE PANO
Para interpretações rúnicas.

1 CADERNO
Para números de telefone, anotações, truques de magia e para o quebra-gelo de desenhista de Ross Jeffries, no qual você desenha seriamente o retrato de uma garota, diz a ela "Sua beleza me inspirou para as belas artes" e depois exibe um desenho de palitinho com um título algo assim: "Garota semibonita num café, 2005."

1 COLAR FLUORESCENTE
O brilho serve para o efeito "pavão".

2 CONJUNTOS DE PIERCINGS FALSOS DE LÁBIOS E ORELHAS
Adorno corporal opcional.

1 PEQUENO GRAVADOR DIGITAL
Para registrar caçadas secretamente, reproduzi-las e resenhá-las mais tarde.

2 COLARES BARATOS SOBRESSALENTES, 2 ANÉIS DE POLEGAR SOBRESSALENTES
Para dar às garotas após um número íntimo. Pergunte: "Você não é uma ladra, é?" Em seguida, apanhe o colar ou o anel, coloque-o nela, beije-a

e diga: "Isso ainda é meu. Algo para se lembrar de mim. Me devolva na próxima vez que nos encontrarmos." Depois que ela partir, recoloque o sobressalente.

1 PEQUENA LANTERNA DE LUZ NEGRA
Para localizar fiapos de tecido e caspas nas roupas de uma garota — um neg.

4 FRASCOS DE AMOSTRA GRÁTIS DE ÁGUAS-DE-COLÔNIA DIFERENTES
Para ficar com um bom cheiro. E para o quebra-gelo da água-de-colônia: aspergir uma amostra diferente em cada pulso. Depois peça a garota para cheirar seus pulsos e escolher a melhor. Em seguida, marque sua escolha no pulso correto com uma caneta. Calcule os resultados ao final da noite para descobrir o melhor odor para si mesmo.

VÁRIOS TRUQUES DE MAGIA
Para entortar garfos, fazer cigarros desaparecerem e fazer levitar garrafas de cerveja.

É, eu estava carregando munição pesada. Era uma noite importante — meu primeiro workshop como parceiro — e eu precisava mostrar meu valor.

Eu havia esquecido de dizer a Mystery que sua tarifa padrão para o workshop equivalia à metade do salário anual de um sérvio médio, assim, a maior parte dos alunos era de outros países. Eles nos encontraram no Ben Akiba, um lugar próximo à praça central de Belgrado. Exoticoption era um americano que tinha vindo de Florença, onde estudava; Jerry era um instrutor de esqui de Munique e Sasha era um nativo que estava estudando na Áustria.

Os estranhos se avaliam em poucos segundos: uma centena de detalhes mínimos, desde a roupa até a linguagem corporal, se unem para criar uma primeira impressão. A tarefa de Mystery — e a minha — era afinar os detalhes e transformar os três em AS.

Exoticoption era tranqüilo; na verdade, ele tentava com tal empenho parecer um cara tranqüilo, e isso funcionava contra ele. Jerry tinha um grande senso de humor, mas à primeira vista parecia um chato. E Sasha — bem, ele estava precisando terrivelmente de um reparo. Só a socialização já seria um desafio para ele: parecia um grande bebê ganso com espinhas.

Desta feita, foi minha vez de perguntar a todos: "Qual é o seu placar?", "Quais são seus pontos fracos?" e "Com quantas garotas você gostaria de ir para a cama?".

Exoticoption, que tinha 20 anos, estivera com duas mulheres.

— Eu tenho coragem para abordar, e tive alguma sorte no passado — começou ele, colocando o braço esquerdo casualmente sobre a cadeira ao lado. — Mas meu defeito crucial é a fase de ataque. Mesmo quando sinto as vibrações de que elas estão se sentindo atraídas por mim, ainda assim não consigo concluir.

Jerry, 33 anos, já saíra com três mulheres.

— Eu funciono em pequenos cafés e na maioria de outros ambientes calmos, mas não me sinto à vontade nas boates.

E Sasha, que tinha 22 anos, disse que já havia transado com uma mulher, embora desse a impressão de estar exagerando.

— Eu estou nessa porque é como o jogo de Dungeons and Dragons. Quando aprendo um neg ou um procedimento, é como se tivesse um novo feitiço ou varinha mágica que mal posso esperar para usar.

Um por um, eles expuseram seus medos e colocaram seus gravadores portáteis sobre a mesa. Meu trabalho era fazê-los entrar no jogo. Eu precisava passar o que tinha em mente para eles.

A parte pedagógica do workshop era fácil. Tudo o que tinha de fazer era manter Mystery nos eixos — ele adorava o som da própria voz — e dar material para os alunos. O desafio viria com a parte das demonstrações.

Enquanto falávamos, mandei os rapazes em missão para várias mesas. Fiz com que penetrassem em alguns conjuntos,[4] observei suas linguagens corporais e as reações das mulheres, depois, comentei suas performances.

> "Você está se inclinando no meio do conjunto, demonstrando carência. Fique reto e firme sobre os calcanhares, como se pudesse se afastar a qualquer momento."

> "Você estava os deixando constrangidos, pairando sobre eles por muito tempo. Deveria ter-se sentado e dado a si mesmo uma restrição de tempo. Diga: "Só posso ficar alguns minutos pois tenho que voltar logo para meus amigos." Desta forma, eles não se preocuparão achando que você vai ficar sentado ali a noite toda."

Sasha foi o pior. Atrapalhou-se com os quebra-gelos, ficou encarando a ponta dos próprios sapatos e carecia de uma mínima autoconfiança. As garotas o escutavam apenas por educação.

---

[4] Um conjunto é um grupo de pessoas num local público. Um conjunto duplo é um grupo de duas pessoas; um conjunto triplo é um grupo de três pessoas etc.

No balcão do bar, notei uma garota de cabelos pretos e uma loura alta com um perfeito bronzeado artificial, covinhas profundas e tranças como as de Bo Derek. Elas irradiavam energia e confiança. Não ia ser um conjunto fácil. Então, o passei para Sasha.

— Vá até aquele conjunto duplo — eu o instruí. Não era preciso se esforçar para mandar os caras para os conjuntos. — Diga que você está acompanhando alguns amigos da América e peça sugestão de boas boates para levá-los.

Era uma missão de ataque total. Sasha se aproximou humildemente delas por trás e tentou várias vezes fazer com que notassem sua presença. Quando conseguiu alguma atenção, teve de lutar para mantê-la. Como muitos homens, ele não se comunicava com energia. Todos aqueles anos de insegurança e ostracismo social haviam eliminado o espírito e o prazer de viver de seu eu profundo. Sempre que abria a boca, ninguém sentia necessidade de se esforçar para decifrar o que estava murmurando. A mensagem era clara: "Fui feito para ser ignorado."

— Vá até lá — Mystery me disse, enquanto observávamos Sasha se debatendo com a loura Bo Derek.

— O quê?

— Vá ajudá-lo. Mostre aos rapazes como se faz.

Primeiro, o medo tomou conta do meu peito. Um aperto suave em cima do coração, como um grampo de borracha. E, então, é possível senti-lo realmente. O estômago se contrai. A garganta fica obstruída. E você engole em desespero tentando evitar a secura e esperando que, ao abrir a boca, uma voz confiante e clara apareça. Mesmo após todo o meu treinamento, eu estava aterrorizado.

Mulheres, em geral, são muito mais perceptivas do que os homens. Elas podem identificar de imediato a falta de sinceridade e o papo-furado. Assim, um grande artista da sedução deve ser congruente com seu material — e realmente acreditar nele — ou então ser um excelente ator. Qualquer um que conversar com uma mulher e, ao mesmo tempo, temer o que ela está pensando dele, está fadado ao fracasso. E a maior parte dos homens se encaixa nessa categoria. Sasha, por exemplo. Não há nada a fazer: é nossa natureza.

Mystery chama de homeóstase da dinâmica social. Somos constantemente esbofeteados, de um lado, por nosso desejo extraordinário de fazer sexo com uma garota e, por outro lado, pela necessidade de nos protegermos ao nos aproximarmos. A razão desse medo, ele diz, é porque estamos conectados evolutivamente a uma existência tribal, onde qualquer um na comunidade sabe quando um homem é rejeitado por uma mulher. O cara, então, se sente banido e seus genes, como Mystery o coloca, são irremediavelmente extirpados da existência.

Ao me aproximar, tentei expulsar o medo do meu peito e avaliar racionalmente a situação. O problema de Sasha era a posição de seu corpo. As duas mulheres estavam de frente para o balcão. Assim, tiveram que se virar para responder.

Mas se elas quisessem se livrar dele, tudo o que precisavam fazer era virar-se para o balcão e ele seria silenciado.

Olhei para trás. Mystery e os outros dois alunos estavam me observando à medida que eu me aproximava. Era preciso estabelecer os ângulos corretos. Então as abordei pela esquerda do balcão, perto da garota de cabelos pretos — o obstáculo, como diria Mystery.

— Oi — disse minha voz rouca. Limpei a garganta. — Sou um dos amigos do Sasha. E então, quais as boates que vocês recomendam?

Pude pressentir um silencioso suspiro de alívio de todas as partes, já que alguém havia chegado para deixar as coisas mais relaxadas.

— Bom, a Reka é divertida para jantar — disse a de cabelos pretos. — E ao longo do rio tem uns barcos muito legais, como o Lukas, Kruz e Exil. O Underground e o Ra também são maneiros, embora não sejam o tipo de lugar que eu freqüente.

— Olha, enquanto estamos conversando, gostaria de saber a opinião de vocês sobre uma coisa. — Agora me sentia em terrreno familiar. — Vocês acreditam que os feitiços funcionam?

Eu já estava acostumado a aplicar meu quebra-gelo do feitiço — uma história sobre um amigo que se apaixonou por uma mulher após ela ter secretamente lançado um feitiço de atração sobre ele. Então, enquanto minha boca se mexia, meu cérebro elaborava uma estratégia. Eu precisava me reposicionar próximo da loura Bo Derek. É, eu ia roubar a garota de meu aluno. De qualquer maneira, ele não tinha a menor chance.

Quando concluí, eu disse:

— Estou perguntando isso porque eu nunca acreditei nessas coisas antes, mas tive uma experiência espantosa recentemente. Olhe — eu me dirigi à loura —, deixe eu lhe mostrar uma coisa.

Fiz uma manobra para o outro lado dos bancos, a fim de ficar perto do meu alvo.

Agora que eu estava cara a cara com ela, ainda precisava me sentar, senão, ela acabaria ficando pouco à vontade me vendo naquela posição. Contudo, não havia bancos disponíveis, eu precisava improvisar.

— Me dê suas mãos — eu lhe disse —, e levante-se por um instante.

Assim que ela ficou em pé, deslizei em volta dela e sentei no seu lugar. Agora, eu estava definitivamente dentro do conjunto, e ela espreitando embaraçadamente do lado de fora. Havia sido a ciência da abordagem executada à perfeição, como num bom jogo de xadrez.

— Acabei de roubar seu banco — eu disse, rindo.

Ela sorriu e me deu um soco de brincadeira no braço. O jogo começara.

— Estou brincando — prossegui. — Fique perto. Vamos fazer uma experiência de PNL. Mas não posso me demorar. Depois, devolvo seu banco.

Muito embora não tenha conseguido adivinhar seu número (era o 10), ela gostou do processo. Enquanto conversávamos, Mystery se aproximou de Sasha e lhe disse para manter a garota de cabelos pretos ocupada, assim ela não afastaria meu alvo.

Marko estava certo: as garotas eram maravilhosas. Eram também extremamente brilhantes e, para meu grande alívio, falavam inglês melhor do que eu. Era realmente um prazer ouvir aquela garota falando; ela era cativante, culta e tinha um MBA.

Quando chegou a hora de partir, disse-lhe que seria ótimo se pudesse vê-la novamente antes de viajar. Ela apanhou uma caneta na bolsa e me deu seu número de telefone. Pude sentir a aprovação de Mystery e a aceitação dos alunos. Style era o cara.

Sasha ainda estava falando com a de cabelos pretos, então sussurrei no seu ouvido: "Diga que temos de ir embora e peça seu e-mail." Ele o fez e, vejam só, ela o deu.

Retornamos para o grupo e fomos embora. Sasha era um outro homem. Vermelho de tão excitado, dava pulos pela rua como um moleque, cantando em sérvio. Ele estava sendo, da sua maneira desajeitada, ele mesmo. Nunca havia conseguido o e-mail de uma garota antes.

— Estou tão feliz — delirava Sasha. — Este é provavelmente o melhor dia da minha vida.

Como sabem todos que lêem regularmente os jornais ou livros sobre crimes reais, uma porcentagem significativa de crimes violentos, desde seqüestros até ataques a tiro, resulta dos impulsos e desejos sexuais frustrados dos machos. Ao socializar caras como Sasha, Mystery e eu estávamos tornando o planeta um lugar mais seguro.

Mystery pôs o braço em volta dos meus ombros e aproximou meu rosto de seu sobretudo de bruxo.

— Você me deixou orgulhoso — ele disse. — Não se trata somente de ganhar a garota. O importante é o aluno ver isso acontecendo e acreditando que pode ser feito.

Foi então que me dei conta do lado negativo de toda aquela aventura. Um abismo estava se abrindo entre homens e mulheres na minha mente. Eu estava começando a ver as mulheres somente como um instrumento de medição que me dava sinais sobre como eu estava progredindo na arte da sedução. Eram meus bonecos de teste de colisão, identificáveis apenas pela cor dos cabelos e pelos números, uma loura 7, uma morena 10. Mesmo quando estava mantendo uma conversa profunda, descobrindo os sonhos de uma mulher e seus pontos de vista, na minha mente eu estava apenas marcando um traço ao lado do meu relatório de procedimentos. Ao me associar aos homens, eu estava desenvolvendo uma atitude insalubre em relação ao sexo oposto. E o mais preocupante nesse novo estado de espírito era que isso parecia me trazer mais sucesso com as mulheres.

Marko nos conduziu até o Ra, uma boate temática egípcia vigiada por duas estátuas de concreto de Anúbis. Lá dentro estava quase vazio. Havia apenas os seguranças, barmen e um grupo de nove sérvios ruidosos aglomerados nos bancos em volta de uma pequena mesa circular.

Estávamos prontos para partir quando Mystery espiou entre o grupo de sérvios e viu uma garota sozinha. Ela era jovem e esbelta, com longos cabelos pretos e um vestido vermelho que expunha um par de pernas bem torneadas. Era um conjunto impossível: ela estava cercada por um grupo de caras musculosos com corte de cabelo militar. Eram homens que tinham, com certeza, servido o Exército durante a guerra, homens que provavelmente já haviam matado antes, talvez até com as próprias mãos. E Mystery estava entrando no jogo.

O artista da sedução é a exceção à regra.

— Veja — ele me disse. — Ponha suas mãos juntas e, quando eu disser, aja como se não conseguisse abri-las.

Ele fingiu, através da arte da ilusão, lacrar minhas mãos juntas. Eu fingi estar espantado.

A comoção atraiu a atenção dos leões-de-chácara do local, que lhe pediram para tentar a façanha com seus punhos enormes. Em vez disso, Mystery realizou para eles seu ilusionismo de parar o relógio. Logo, o gerente da boate estava oferecendo bebidas de graça, e a mesa dos sérvios parara de conversar e eles começaram a rir com ele, inclusive seu alvo.

— Se vocês conseguirem que uma garota sinta inveja de vocês — Mystery disse aos alunos —, vocês conseguem ir para a cama com ela.

Dois princípios estavam em ação. Primeiro, ele estava gerando comprovação social, ganhando a atenção e aprovação dos funcionários da boate. E, segundo, estava usando um peão — em outras palavras, estava usando um grupo para facilitar o acesso a outro grupo, menos abordável.

Como golpe de misericórdia, Mystery disse ao gerente que ia fazer levitar uma garrafa de cerveja. Ele se aproximou da mesa dos sérvios, pediu uma garrafa emprestada e a fez flutuar no ar na sua frente por alguns segundos. Agora estava dentro do conjunto de seu alvo. Depois, ele realizou mais alguns truques de ilusionismo para os caras e ignorou a garota durante precisamente cinco minutos. Em seguida, condescendendo, ele começou a falar com ela e a afastá-la para um sofá ao lado. Ele usara toda a boate como peão, apenas para conhecê-la.

Como a garota falava pouco inglês, Mystery usou Marko como intérprete. Foi uma encenação mais longa do que de hábito, pois Mystery precisava convencê-la de que não estava praticando qualquer tipo de bruxaria ou magia negra.

— Tudo o que você viu esta noite é falso — Mystery acabou lhe dizendo, por meio de Marko. — Eu criei tudo isso para poder conhecer você. É uma ilusão social.

Os dois finalmente trocaram os números de telefone — "Não posso lhe prometer nada mais do que uma boa conversa", Mystery instruiu Marko a lhe dizer — e reunimos os alunos para sair da boate. Entretanto, ao seguirmos para a porta, um MAG do grupo de sérvios barrou a passagem de Mystery. Ele usava uma camiseta preta apertada, expondo um físico que, comparativamente, fazia o corpo frouxo de Mystery parecer feminino.

— Então o mágico gostou da Natalija? — ele perguntou.

— Natalija? Nós vamos voltar a nos ver. Tudo bem por você?

— Ela é minha namorada — disse o MAG. — Quero que você fique longe dela.

— Isso depende dela — respondeu Mystery, dando um passo na direção do MAG. Mystery não estava a fim de recuar. Era um idiota.

Olhei para as mãos do MAG e me perguntei quantos pescoços croatas ele apertara durante a guerra.

O MAG suspendeu a camiseta, expondo o cabo de um revólver.

— Então, seu mágico, você consegue entortar isso?

Aquilo não era um convite; era uma ameaça.

Marko se virou para mim, tomado de pânico.

— Ele vai fazer com que nos matem — disse ele. — A maioria desses caras na boate é de ex-soldados e mafiosos. Matar alguém por causa de uma mulher não é nada para eles.

Mystery moveu sua mão diante dos olhos do MAG.

— Você me viu levantando a garrafa sem tocá-la — disse ele. — Ela pesa 800 gramas. Agora imagine o que eu poderia fazer com uma pequena célula dentro do seu cérebro.

Ele estalou os dedos indicando o estouro de uma célula cerebral. O MAG olhou para Mystery nos olhos para ver se ele estava blefando. Mystery sustentou seu contato visual. Um segundo se passou. Dois segundos. Três. Quatro. Cinco. Aquilo estava me matando. Oito. Nove. Dez. O MAG abaixou a camiseta, escondendo a arma.

Mystery tinha uma vantagem a seu favor nesse ponto: ninguém em Belgrado jamais vira um mágico em ação ao vivo antes. Eles tinham apenas sido expostos a mágicos na televisão. Assim, quando Mystery refutou a crença de que magia era apenas truques de câmeras, uma crença mais antiga a substituiu: a superstição de que, talvez, a magia fosse real.

O MAG ficou ali parado, enquanto Mystery seguiu em frente, ileso.

Capítulo 8

Algumas garotas são diferentes.

Era isso o que Marko achava. Depois de tudo que viu durante o workshop de Mystery, ele não ficara de modo algum convencido. Goca não era como as outras, ele insistiu. Ela vinha de uma boa família, era bem-educada e tinha moral, ao contrário do lixo materialista das boates.

Eu já ouvira isso antes, da boca de uma dezena de caras. E também ouvira um número semelhante de mulheres dizer: "Isso não funcionaria comigo", quando lhes falei sobre a comunidade. Ainda assim, minutos depois, eu as observava trocando números de telefone — ou saliva — com um dos rapazes. Quanto mais esperta é a menina, melhor a coisa funciona. Garotas de programa com um problema de déficit de atenção, em geral, não ficam paradas ouvindo procedimentos. Uma garota mais perceptiva, viajada ou educada ouvirá e pensará, e logo se verá seduzida.

E foi assim que Mystery e eu acabamos saindo na noite de ano-novo com Marko e sua paixonite, Goca. Marko vestiu um terno cinza e a apanhou às 20h, dando a volta no carro para abrir a porta para ela, oferecendo-lhe um buquê de rosas. Ela parecia uma menina brilhante, bem-sucedida e bem-educada. Era baixa e tinha cabelos castanhos, olhos delicados e um sorriso ligeiramente mais arqueado para um dos lados. Marko tinha razão: ela parecia ser do tipo para se casar.

O restaurante era um tradicional estabelecimento sérvio, com a comida carregada de pimentas e carne vermelha. E a música era uma pura anarquia: quatro bandas de metais vagavam pelos salões, emitindo uma cacofonia de marchas e paradas sobrepostas. Observei Marko e Goca cuidadosamente a noite toda, curioso para ver se aquela história de encontro romântico funcionava mesmo.

Eles se sentaram lado a lado, pouco à vontade. A interação entre eles consistia somente das formalidades necessárias da noite: o cardápio, o serviço, a atmosfera. "Ha-ha, não foi engraçado quando o garçom deu meu bife para você?" A tensão estava me matando.

Não parecia que Marko estava sendo natural. Na escola primária, ele nunca fora muito popular, em grande parte por conta do fato de ser um estrangeiro; tinha o apelido de Cabeça de Abóbora e havia se alistado no Clube dos Novos

Republicanos. Quando entramos na faculdade, ele estava bem pior do que eu: pelo menos eu beijara uma garota.

Na universidade, ele começou a dar passos na direção de uma relação com o sexo oposto. Comprou uma jaqueta de couro, inventou um passado aristocrático para si, fez tranças nos cabelos como Terence Trent D'Arby e conseguiu seus primeiros amigos. Mas foi só no penúltimo ano que começou a se sentir suficientemente à vontade com as mulheres para começar a tirar a roupa com elas, em grande parte graças a um estudante mais jovem de quem ficara amigo, Dustin. O gosto daquelas primeiras vitórias foi tão bom que Marko ficou na faculdade mais três anos, desfrutando daquela popularidade tão dificilmente conquistada.

Um dos hábitos mais peculiares de Marko é que ele toma duchas de uma hora todas as noites. Ninguém conseguiu até hoje uma explicação plausível sobre o que ele faz lá dentro, porque nada faz sentido — a masturbação, por exemplo, não leva *tanto* tempo. Se você dispuser de algumas teorias, por favor, envie-as para: ManOfStyle@gmail.com.

Após observar Marko sentado inutilmente ao lado de Goca durante uma hora, eu estourei. Apanhei minha câmera e apliquei o procedimento fotográfico de Mystery nos dois. Pedi a eles para sorrirem para uma foto e, depois, uma com os rostos sérios e, por fim, uma com ar apaixonado — beijando-se, por exemplo. Marko esticou o pescoço na direção dela, como uma galinha, e tacou-lhe um beijo.

— Não, um beijo de verdade — insisti, concluindo o procedimento, enquanto os lábios dos dois futuros esposos se chocavam, me parecendo o mais desajeitado primeiro beijo que eu jamais testemunhara.

Depois do jantar, Mystery e eu aterrorizamos os dois salões do restaurante, dançando com os velhos, realizando truques de mágica para os garçons e flertando indiscriminadamente com as mulheres casadas. Quando voltamos, acesos, para a mesa, os olhos de Goca se encontraram com os meus; por um instante eles pareceram cintilar, como se buscasse alguma coisa em meu olhar. Eu podia jurar que se tratava de um IDI.

Naquela noite, fui acordado por um corpo quente penetrando sob a coberta. Era minha vez de partilhar a cama com Marko, mas não era o Marko. Era um corpo de mulher. Senti um par de mãos cálidas acariciarem meu crânio recém-raspado.

— Goca?!

— Shh — ela disse, sugando meu lábio superior com sua boca.

Consegui me afastar.

— Mas e o Marko?

— Ele está tomando uma ducha — ela respondeu.

— Vocês dois...?

— Não — disse ela com um desdém que me surpreendeu.

Goca e eu nos divertimos naquela noite; assim como Goca e Mystery. Ela havia passado uma cantada em Mystery mais cedo, e ele fingira não perceber. Mas foi difícil não perceber quando ela estava na minha cama, em minhas narinas, em minha boca. Claro, ela havia bebido um pouco, mas o álcool nunca leva ninguém a fazer uma coisa que não queira. Ele apenas permite às pessoas fazerem o que sempre quiseram, mas haviam reprimido. E naquele exato instante parecia que Goca queria estar com um homem que possuísse todas as seis das cinco características de um macho alfa.

Logicamente, é fácil dizer que não é certo dormir com a garota que seu amigo está almejando. Mas, quando o corpo dela se aperta contra o seu de modo tão submisso e você pode sentir o cheiro do condicionador em seus cabelos (morango), e a nuvem da tempestade da paixão criada pelo desejo dela começa a absorver vocês dois, tente dizer não. Simplesmente... está ali na sua frente.

Passei minhas mãos sob seus cabelos e, bem devagar, acariciei com as unhas seu couro cabeludo. Um arrepio de prazer percorreu todo o seu corpo. Nossos lábios se encontraram, nossas línguas se conheceram, nossos corpos se colaram.

Eu não podia fazer aquilo.

— Não posso fazer isso.

— Por quê?

— Por causa de Marko.

— Marko? — ela perguntou, como se nunca tivesse ouvido antes aquele nome.

— Ele é legal, mas é só um amigo.

— Ouça — eu disse. — Você precisa sair daqui. Marko já deve estar acabando seu banho.

Cinqüenta minutos depois, Marko acabou sua ducha. Ouvi ele e Goca discutindo em sérvio no corredor. Depois, uma porta sendo fechada com violência.

Marko se aproximou com passos arrastados até o quarto e desabou no seu lado da cama.

— E então? — perguntei. Ele não era do gênero a mostrar muita emoção.

— Muito bem, eu quero participar do próximo workshop de Mystery.

Capítulo 9

Eu não consegui preencher a porra do espaço. Lá estava ela, minha Bo Derek loura, com um MBA, sentada ao meu lado no sofá de uma cafeteria. Sua coxa roçava na minha. Ela estava brincando com os cabelos. E eu estava fraquejando.

O grande Style, aprendiz de AS cujo magnetismo era tão intenso que fez Marko parecer um TFM para seu verdadeiro amor, ainda estava amedrontado demais para beijar uma garota.

Eu possuía um jogo excelente no início, mas sem continuidade. Deveria ter cuidado do problema antes de Belgrado. Mas era tarde demais. Eu estava estragando tudo. Temia a rejeição e aquele sentimento de desconforto que vem em seguida.

Mystery, enquanto isso, estava se dando muito bem com Natalija, que era 13 anos mais nova do que ele. Não tinham nada em comum, nem mesmo o idioma. Mas lá estavam eles, sentados juntos. As pernas dele estavam cruzadas e ele estava inclinado para trás, deixando Natalija se empenhar para conquistar sua atenção. Ela se inclinava sobre ele, com a mão sobre sua perna.

Acompanhei minha loura até sua casa, após o café. Seus pais não estavam. Tudo o que tinha a dizer era "Posso usar o banheiro?", e poderia ter subido. Mas minha boca não conseguia proferir aquelas palavras. Incontáveis abordagens bem-sucedidas haviam ajudado a reduzir meu medo de rejeição social e me fizeram parecer um artista da sedução promissor para os outros, mas por dentro eu sabia que era apenas um artista da abordagem. Para me tornar um AS, havia um obstáculo mental muito mais devastador que eu precisava superar: meu medo de rejeição sexual.

Durante minhas pesquisas sobre sedução, eu tinha lido *Madame Bovary*, de Gustave Flaubert. Então me lembrei de quanto empenho e persistência precisara o dândi aristocrático Rodolphe Boulanger de la Huchette para conseguir um simples beijo da infeliz esposa Madame Bovary. Mas assim que ele a persuadiu a submeter-se pela primeira vez, tudo acabou. Ela ficou obcecada.

Uma das tragédias da vida moderna é que as mulheres, como um todo, não detêm muito poder na sociedade, apesar de todos os avanços feitos no último século. A escolha sexual, contudo, é uma das únicas áreas que as mulheres, indiscutivelmente, controlam. Só quando elas tiverem feito uma escolha e se submetido a ela a relação será invertida — e o homem retoma geralmente uma posição de poder sobre ela. Talvez seja por isso que, para frustração dos homens de todo o mundo, as mulheres mostram-se tão cautelosas antes de dizerem sim.

De modo a se sobressair em tudo, há sempre barreiras, obstáculos ou desafios que se deve ultrapassar. É o que os halterofilistas chamam de o período da dor. Aqueles que se empenham e estão prontos a enfrentar a dor, exaustão, humilhação, rejeição ou pior, são os que se tornam campeões. Os outros ficam para trás.

Para seduzir uma mulher com sucesso, inspirá-la a correr o risco de dizer sim, eu teria que reunir um pouco de coragem e me dispor a sair da zona de conforto. E foi observando Mystery agir sobre Natalija que aprendi essa lição.

— Acabei de cortar os cabelos — ele lhe dizia ao sairmos da cafeteria. — Estou sentindo os cabelos cortados me picarem no pescoço. Preciso tomar um banho. Vem me lavar.

Natalija, previsivelmente, disse que aquela parecia uma má idéia.

— Tudo bem — disse ele. — Tenho de ir embora, pois preciso de um banho. Tchau.

Quando ele se afastou, ela ficou boquiaberta. A idéia de nunca mais voltar a vê-lo pareceu lampejar em sua mente. Isso é o que Mystery chama de falsa decolagem. Ele não estava partindo realmente, estava apenas fazendo ela pensar que partia.

Mystery deu cinco passos — contando enquanto andava —, depois se virou e disse:

— Estou morando num apartamento de merda há uma semana. Vou pegar um quarto naquele hotel e tomar um banho. — Ele apontou para o Hotel Moskva, no fim da rua. — Você pode vir comigo ou então esperar que eu envie um e-mail para você daqui a duas semanas, quando voltar para o Canadá.

Natalija hesitou um instante, depois o seguiu.

E foi então que me dei conta do erro que eu tinha cometido toda minha vida: para ganhar uma mulher, você precisa estar disposto a correr o risco de perdê-la.

Quando voltei para casa, Marko estava fazendo as malas.

— Estou chocado — disse ele. — Tentei fazer tudo direito. Goca era minha última esperança em todas as mulheres.

— Mas o que você está fazendo? Vai ingressar num monastério?

— Não, estou indo para a Moldávia.

— Moldávia?

— É, as garotas mais lindas na Europa Oriental vêm da Moldávia.

— Onde fica isso?

— É um pequeno país que fazia parte da União Soviética. Tudo lá é baratíssimo. Você pode conseguir uma trepada só por ser americano.

Minha filosofia é, se alguém quer ir para um país do qual nunca ouvi falar e não há uma revolução sangrenta acontecendo por lá, estou nessa. A vida é curta e o mundo é grande.

Cá entre nós, não conhecíamos uma única pessoa que tivesse ido para a Moldávia ou que pudesse pronunciar o nome da sua capital, Chisinau. Assim, não pude ver melhor razão para ir até lá. Gosto da idéia de preencher uma forma colorida no mapa com fatos e experiências. E viajar com Mystery era um privilégio. Teríamos aventuras, em todos os lugares, do tipo com que eu sempre sonhara.

Capítulo 10

Existem poucas situações na vida tão extasiantes quanto se encontrar dentro de um carro, o tanque cheio, um mapa de todo o continente aberto à sua frente e o melhor artista da sedução do mundo sentado no banco de trás. Tem-se a impressão de se poder ir aonde quiser. O que são as fronteiras, afinal de contas, senão postos de controle que nos informam que alcançamos um novo estágio em nossa aventura?

Bem, tudo isso pode ser verdade na maior parte do tempo, mas digamos que você esteja trabalhando para uma empresa que prepara guias rodoviários, concluindo a mais recente edição do mapa da Europa Oriental, e digamos que existe um pequenino país na fronteira com a Moldávia — talvez um Estado comunista desertor —, mas que nenhum outro governo o reconhece diplomaticamente, ou de qualquer outra maneira. O que você faz? Você o inclui no mapa ou não?

Um mágico, um *faux aristocrate*, e eu estávamos atravessando a Europa Oriental quando, quase acidentalmente, descobrimos a resposta para essa pergunta. Havia sido uma viagem infrutífera até então. Mystery estava jogado no banco traseiro sob um cobertor, incapaz de se livrar de uma febre. Alheio à dramática paisagem revestida de neve da Romênia que atravessávamos, ele cobria seus olhos com um chapéu e resmungava. De vez em quando, acordava num sobressalto e expelia o conteúdo de sua mente. E, a cada vez, o conteúdo de sua mente era mais um mapa ilustrado.

— Meu plano é fazer uma turnê pela América do Norte e promover meus programas em boates de strip-tease — disse ele. — Só preciso descobrir um bom truque de ilusionismo para as strippers. Você pode ser meu assistente, Style. Imagine só: eu e você percorrendo boates de strip-tease e levando todas as garotas para o show no dia seguinte.

Depois de alguns dias monótonos em Chisinau — onde as únicas belas mulheres que vimos estavam nas capas de revistas e em cartazes de rua —, nos indagamos: "Por que parar aqui?" Odessa era tão perto. Talvez a aventura que buscávamos estivesse um pouco mais à frente.

Então deixamos Chisinau, numa sexta-feira fria e sob a neve, em direção ao Nordeste, para a fronteira ucraniana. As estradas cobertas de neve, depois de sairmos da cidade, só eram identificáveis pelas marcas de pneus que se estendiam até o horizonte. A paisagem parecia uma cena de um romance épico russo, com os galhos das árvores cobertos de gelo cristalizado e vinhedos congelados ao longo da estrada montanhosa. O carro estava impregnado de fumaça de Marlboro e gordura do McDonald's; a cada vez que o motor morria, ficava mais difícil fazê-lo pegar novamente.

Mas logo tudo isso deixou de representar o menor problema para nós. O que parecia no mapa uma viagem de 45 minutos até Odessa acabou levando quase dez horas.

O primeiro sinal de que algo incomum estava ocorrendo veio quando alcançamos uma ponte sobre o rio Dniester e encontramos um posto de controle militar completo, com vários veículos do Exército e da polícia, casamatas camufladas em ambos os lados da estrada e um tanque enorme com o canhão apontado para o tráfego que se aproximava. Paramos numa fila atrás de uns dez carros, mas um oficial do Exército nos fez sair da fila e com os braços acenou para que seguíssemos em frente. Por quê? Nós nunca saberemos.

Mystery se encolheu ainda mais dentro de seu cobertor no banco traseiro.

— Eu tenho uma versão do truque de ilusionismo da faca atravessando um corpo que pretendo executar. Style, você acha que pode se fantasiar de palhaço e me importunar do meio da platéia? Então eu chamo você para o palco e o faço sentar. Tocarei *Stuck In the Middle With You* do filme *Cães de aluguel*, enquanto enfio meu punho dentro da sua barriga. Vou agitar meus dedos quando chegar do outro lado. Depois vou erguer você, acima da cadeira, empalado no meu braço. Preciso que você faça isso comigo.

O segundo sinal de que alguma coisa não estava certa surgiu quando paramos num posto de gasolina para nos reabastecermos com lanches para a viagem. Quando tentamos pagar com moeda da Moldávia, eles nos disseram que não a aceitavam. Pagamos em dólares americanos e eles nos deram o troco no que disseram ser rublos. Ao examinarmos as moedas, notamos que cada uma tinha uma enorme foice com martelo no verso. Ainda mais estranho, haviam sido cunhadas em 2000: nove anos após o suposto colapso da União Soviética.

Mystery puxou seu chapéu até cobrir a boca, que estava se movendo com a grandiosidade de um camelô no carnaval.

— Senhoras e senhores — berrou ele do banco traseiro, enquanto Marko tentava dar partida no carro —, ele levitou sobre as cataratas do Niágara, saltou da torre Space Needle e sobreviveu... apresentamos o intrépido ilusionista superstar Mystery!

Acho que a febre estava aumentando.

Enquanto seguíamos em frente, Marko e eu começamos a ver estátuas de Lênin e cartazes comunistas pelas janelas do carro. Um cartaz maior trazia a ilustração de uma lasquinha de terra com a bandeira russa em cima, à esquerda, e, à direita, uma bandeira vermelha e verde com um slogan embaixo. Marko, que falava um pouco de russo, traduziu como sendo uma convocação pela reunião soviética. Onde estávamos?

— Imaginem só: Mystery o super-herói. — Mystery assoou o nariz com um lenço de papel rasgado. — Poderia existir um desenho animado, um livro de histórias em quadrinho, um boneco e um filme.

De repente, um policial (ou pelo menos alguém vestido desse modo) avançou sobre a pista em frente do carro com um radar na mão. Estávamos rodando a 90 quilômetros por hora, ele nos disse — dez acima do limite de velocidade. Depois de 20 minutos e uma propina de dois dólares, ele nos deixou partir. Reduzimos para 75, mas alguns minutos depois fizeram-nos parar outra vez. O policial disse também que estávamos correndo demais. Embora não houvesse sinalização, ele afirmou que o limite de velocidade havia mudado meio quilômetro antes.

Dez minutos e dois dólares depois, retomamos nosso caminho, rodando a 55 para não termos problema. Em pouco tempo, fomos parados novamente e nos disseram que estávamos rodando *abaixo* do mínimo de velocidade. Onde quer que estivéssemos, aquele era o país mais corrupto do planeta.

— Preciso preparar meu show de 90 minutos. Vai começar com um corvo voando no meio da platéia e aterrisando no palco. Depois, boom!, ele se transforma em mim.

Quando finalmente alcançamos a fronteira, dois soldados armados pediram nossos documentos. Mostramos nossos vistos da Moldávia e foi então que nos disseram que não estávamos mais na Moldávia. Mostraram-nos o passaporte local — um velho documento soviético — e berraram alguma coisa em russo. Marko traduziu: eles querem que nós voltemos até o posto de controle militar na ponte que atravessamos a três subornos atrás e peguemos o documento certo.

— Vou me vestir como Mystery, com botas do tipo plataforma e tudo mais. Não vou mais usar ternos. Virarei gótico e me vestirei casualmente. Direi à platéia que quando era criança eu brincava com meu irmão no sótão e sonhava ser mágico. Então, vou voltar no tempo e me transformar em uma criança.

Quando Marko disse a um guarda da fronteira que não voltaríamos de modo algum até a ponte, ele sacou seu revólver e o apontou para Marko. Depois pediu cigarros.

— Onde estamos? — perguntou Marko.

Com orgulho, o guarda respondeu: "Pridnestrovskaia."

Se você nunca ouviu falar em Pridnestrovskaia (ou Trans-Dniester), não se preocupe: nós tampouco. Trans-Dniester não é reconhecida diplomaticamente nem mencionada em nenhum dos mapas e guias de viagem que carregávamos.

Mas quando há um guarda da fronteira com um revólver na sua direção, bem, aí Pridnestrovskaia parece muito real.

— Vou fazer uma experiência científica em que um técnico de laboratório será transportado pela Internet. Então, a apoteose será um roubo de banco e o sumiço de uma jaula. Então, vou precisar de um menino, um corvo, você, alguém para atuar como o técnico de laboratório e algumas pessoas como guardas de banco.

Marko deu ao guarda todo seu maço de Marlboro e começou a discutir com ele. O guarda não abaixou a arma sequer uma vez. Após um longo intercâmbio, Marko gritou alguma coisa e estendeu as mãos, como se pedisse para ser algemado. Em vez de fazer isso, o guarda se virou e desapareceu dentro de uma cabine. Quando Marko voltou para o carro, perguntei-lhe o que ele dissera.

— Eu disse "Ouça, me prenda. Eu não vou voltar".

A coisa estava ficando feia.

Mystery enfiou a cabeça entre os dois bancos dianteiros.

— Imaginem só: um cartaz só com as minhas mãos, com as unhas pretas e a palavra *Mystery* embaixo. Não ia ficar incrível?

Pela primeira vez, perdi a paciência com ele.

— Cara, não é hora para isso, porra. Abra os olhos.

— Não me diga o que devo fazer — retrucou ele.

— Estamos a ponto de ir em cana. Ninguém está a fim de escutar suas merdas neste instante. Não existe nada além de você e a porra desse show de mágica?

— Ouça, se você quer sair na mão, vamos nessa — explodiu ele. — Eu encaro você agora mesmo. Sai da porra desse carro e eu dou um jeito em você.

O cara era 30 centímetros mais alto do que eu, e a travessia da fronteira estava repleta de soldados armados. De maneira alguma eu iria me atracar com ele. Mas estava furioso o bastante para considerar a possibilidade. Mystery havia sido um peso morto durante toda a viagem. Talvez Marko estivesse certo: Mystery não era como nós. Ele não freqüentara a Latin School de Chicago.

Respirei fundo e olhei fixamente para a frente, tentando conter meu ódio. O cara era um narcisista. Era uma flor que brotava com atenção — positiva ou negativa — e murchava quando ignorada. A teoria do pavão não servia apenas para atrair as garotas. Ela existia, antes de tudo, para atrair atenção. Mesmo sair na porrada comigo era apenas um outro apelo por um pouco de atenção, porque eu o havia ignorado durante os últimos 170 quilômetros.

Quando olhei de relance pelo espelho retrovisor e o vi enfezado no banco traseiro, com o chapéu sobre os olhos, eu de fato comecei a me sentir mal por ele.

— Não tive a intenção de ofender você — eu lhe disse.

— Eu já falei que não gosto quando me dizem o que devo fazer. Meu pai costumava fazer isso. E eu o odeio.

— Está certo, mas eu não sou seu pai — respondi.

— Agradeça a Deus por isso. Ele arruinou minha vida e a vida da minha mãe. — Ele ergueu o chapéu. Lágrimas cobriam suas lentes de contato, incapazes de saírem dali sozinhas. — Eu costumava me deitar na cama à noite, pensando em maneiras de matar meu pai. Quando ficava realmente deprimido, me imaginava indo até seu quarto com uma pá na mão, batendo com ela na cabeça dele e depois me matando.

Ele fez uma pausa e enxugou os olhos com a mão enluvada.

— Quando penso no meu pai — ele prosseguiu —, penso em violência. Lembro-me de vê-lo batendo na cara das pessoas quando eu era bem jovem. Quando foi preciso matar nosso cachorro, ele apanhou um revólver e estourou a cabeça do animal bem na minha frente.

O guarda da fronteira saiu da cabine e fez um gesto para que Marko saísse do carro. Eles se falaram por uns bons minutos, depois Marko lhe entregou várias cédulas de dinheiro. Enquanto esperávamos para ver se nosso suborno de 40 dólares — o equivalente a um salário mensal em Trans-Dniester — seria suficiente, Mystery se abriu para mim.

Seu pai, ele disse, era um imigrante alemão alcoólatra que abusara dele verbal e fisicamente. Seu irmão, que era 14 anos mais velho do que ele, era gay. E sua mãe culpava a si própria por ter mimado o irmão com amor para compensar o abuso por parte do pai. Então, para isso, ela havia se mantido emocionalmente afastada de Mystery. Quando ainda era virgem, aos 21 anos de idade, ele começou a se preocupar, achando que talvez fosse gay. Então, num surto de depressão, começou a formular o que se tornaria o Método Mystery, dedicando sua vida a perseguir o amor que nunca recebera dos pais.

Foram necessários mais dois subornos de valor equivalente, divididos entre dois outros oficiais, para facilitar nossa passagem pela fronteira. Para eles, nunca bastava aceitar dinheiro. Para cada suborno era preciso uma hora e meia de discussão. Talvez estivessem apenas dando a Mystery e a mim algum tempo para conhecermos um ao outro.

Quando, por fim, chegamos a Odessa, perguntamos à recepcionista do hotel sobre Trans-Dniester. Ela explicou que o país era o resultado de uma guerra civil na Moldávia, desencadeada em grande parte pelos antigos funcionários comunistas, a elite militar e os boinas-pretas, que queriam o retorno dos gloriosos dias da União Soviética. Era um lugar sem leis — o Oeste Selvagem do Bloco Oriental e um país que poucos estrangeiros ousavam visitar.

Quando Marko falou sobre nossa experiência na fronteira, ela disse:

— Você não deveria ter pedido a eles para prenderem você.

— Por quê?

— Porque eles não têm prisão lá.

— Então, o que teriam feito conosco?

Ela fez um revólver com a mão, apontou-o para Marko e disse: "Pou."

Quando voltamos para Belgrado, dirigindo uns 800 quilômetros para fora de nosso caminho a fim de evitar Trans-Dniester, o correio de voz de Marko estava cheio. Natalija, a garota de 17 anos de Mystery, deixara uma dúzia de mensagens. Mystery ligou para ela, mas a chamada foi interceptada pela mãe dela, que o amaldiçoou por ter seqüestrado a mente da filha.

Natalija continuou ligando para Marko, quando Mystery e eu voltamos para casa, nos perguntando quando ele retornaria para ela. Finalmente, Marko a salvou daquela desgraça. "Ele era um bruxo", disse a ela. "Ele a enfeitiçou. Vá procurar ajuda e pare de me telefonar."

Nos meses que se seguiram, Marko me enviou vários e-mails, pedindo a senha para entrar no Lounge de Mystery. Ele havia experimentado o fruto proibido e queria mais. Mas eu nunca o deixei entrar. Na época, achei que era porque queria manter minha nova identidade separada de meu passado. Mas a verdade era que, apesar de todas as minhas racionalizações, eu ainda me sentia constrangido com o que estava fazendo e a intensidade com que eu deixava aquilo consumir minha vida.

Capítulo 11

GRUPO MSN: Lounge de Mystery
ASSUNTO: Ponto crucial
AUTOR: Style

Estou diante de uma questão crucial que espero que vocês me ajudem a superar.

Mystery e eu acabamos de voltar de Belgrado, onde encontrei uma mulher linda e inteligente que teria, provavelmente, sido minha namorada sérvia, não fosse esse ponto crucial: tenho tido enormes problemas para conseguir dar um beijo íntimo.

Por alguma razão, a transição para o beijo é um enorme obstáculo para mim. Posso sentir a porta aberta, mas logo começo a pensar tudo em termos de "E se?" — "E se ela me rejeitar", "E se eu arruinar esta relação", "E quanto ao que ela disse do ex-namorado". E aí eu fico demasiadamente ansioso e vou em frente hesitante (e estrago tudo), ou a porta se fecha e eu perco a oportunidade, e fico puto comigo mesmo.

Então, qual é o meu problema? Estou tão perto do reino dos AS, mas esse pequeno ponto crucial me detém.

— Style

GRUPO MSN: Lounge de Mystery
ASSUNTO: Re: Ponto crucial
AUTOR: Nightlight9

E se ela me rejeitar? E se um meteoro cair sobre sua casa...

Você pediu para dizer como pode saber se ela está pronta. A resposta está na outra lei dos três segundos. Funciona 100% das vezes. Enquanto estiverem sentados próximos, apenas deixe a conversa morrer. Olhe-a nos olhos fazendo uma pausa na conversa. Se ela retribuir o olhar por pelo menos três segundos, é porque quer ser beijada. O desconforto que você poderá experimentar é o momento de que mais gosto nesse mundo — tensão sexual.

— Nightlight9

GRUPO MSN: Lounge de Mystery
ASSUNTO: Re: Ponto crucial
AUTOR: Maddash

Nunca estive a sós com uma mulher na minha casa e sem chegar ao menos ao beijo íntimo. Este é meu procedimento:

1. Peço a ela para vir me apanhar e só a deixo ficar alguns minutos. Isso porque é muito mais fácil trazer uma mulher para casa ao final da noite se ela já veio antes e nada aconteceu.

2. Ao final do encontro, convido-a para vir até minha casa e sirvo uma bebida.

3. Se ela notar meu violão (exposto de forma proeminente), eu pego e toco uma música para ela.

4. Brincamos com meu cachorrinho.

5. Mostro-lhe o terraço.

6. Trago-a de volta para o apartamento e lhe mostro os mp3s no computador, enquanto ela fica sentada no meu colo. Enquanto ela está brincando com algum programa, dou-lhe um beijo no rosto.

7. Ou ela se vira e me beija nos lábios ou continua brincando com o computador. Se ela hesitar, mostro então mais algumas coisas no computador e então a beijo de novo no rosto. Ela quer ser orientada e receber ordens. É isso que a maior parte das mulheres quer.

8. Você pode imaginar o resto.

— Maddash

GRUPO MSN: Lounge de Mystery
ASSUNTO: Re: Ponto crucial
AUTOR: Grimble

Um dos meus procedimentos de conclusão preferidos é a massagem. Quando estamos de volta ao meu apartamento, digo a ela que estou todo doído por causa de uma partida de basquetebol e preciso de uma massagem nas costas. Mas durante a massagem eu lhe digo constantemente que ela não está fazendo da maneira certa. Finalmente, finjo estar irritado e insisto em lhe mostrar como se faz. Enquanto massageio suas costas, digo-lhe que ela está carregada de tensão nas pernas e que consigo fazer massagens fantásticas nas pernas de pessoas que conheço. Começo massageando sobre a calça, mas aí peço para retirá-la porque estão me atrapalhando. Se você agir como se fosse a autoridade, ela não o questionará.

Primeiro, eu me concentro nas pernas. Mas, lentamente, vou me aproximando da bunda. Quando ela começa a ficar excitada, começo a afagá-la sob a calcinha até que fique encharcada. Nessa altura, geralmente apenas abro minha calça, ponho uma camisinha e começo a penetrá-la sem beijos ou qualquer preliminar.

Esta técnica não é para os tímidos.

— Grimble

GRUPO MSN: Lounge de Mystery
ASSUNTO: Re: Ponto crucial
AUTOR: Mystery

Quer saber como resolver esse problema? Eu não digo apenas: "Não me importa o que ela pensa." Eu de fato não me importo com o que ela pensa. Quando era mais jovem, isso era importante para mim. Mas agora, quer eu consiga ou não, ainda sou o cara que vai à luta.

Ajuda pensar que a garota é só um treino. Se o medo ainda estiver presente, apenas diga: "Troca de fase! Agora sou um troglodita! Não sou mais Style. Vamos ver se ela me odeia. Se odiar, foda-se. Não dou a mínima."

Lembre-se das mulheres com quem você não agiu como um troglodita, elas já não estão mais em sua vida. Então, foda-se. Você se importa que ela tenha uma terna lembrança de um cara com quem trepou seis meses atrás enquanto, agora, um troglodita a está comendo? Você tem que atacar, às vezes. Diga: "Ponha a língua para fora." E, então, a chupe. Se ela bater em você, ótimo! Essa história vai incrementar.

Maddash falou sobre como os acessórios bem escolhidos são uma maneira excelente de direcionar a atenção de uma garota para outra coisa, de modo que ela não resista a movimentos sexuais evidentes. Eu concordo. Diga: "Olhe lá o show de marionetes" enquanto brinca com seus seios. Se ela hesitar em relação a essas bolinações nos peitos, basta apontar para as marionetes e rir. "Veja as marionetes, veja como são engraçadas." Em seguida, volte a brincar com seus seios.

— Mystery

GRUPO MSN: Lounge de Mystery
ASSUNTO: Re: Ponto crucial
AUTOR: Style

Obrigado pela ajuda. Acho que descobri enfim uma solução. A resposta surgiu do nada, há uma semana, e eu a testei em campo com sucesso praticamente todas as noites desde então.

Aconteceu quando eu estava sentado no Standard com uma garota irlandesa que me disse ter se casado muito jovem, divorciado recentemente e agora estar a fim de aventura. Quando comecei a notar os IDI, pensei em suas mensagens. E me dei conta de que, se eu desse um bote, ela ficaria assustada e me rejeitaria. Então resolvi dar pequenos passos na direção do beijo enquanto fazia algo como Mystery disse em relação às marionetes e, ao mesmo tempo, conversando lucidamente. E, vejam só, funcionou e não parou mais de funcionar. Problema solucionado.

Segue o que eu fiz — a evolução do procedimento de troca de fase:

1. Eu me inclinei e disse que o cheiro dela era gostoso. Perguntei qual era o perfume que estava usando e então falei como era curioso que os animais sempre se cheiravam antes de se acasalarem e como estávamos evolucionariamente condicionados a nos sentir excitados quando alguém nos cheira.

2. Então falei como os leões mordiam as jubas um do outro durante o ato sexual, e como um afago por trás nos cabelos era outro dispositivo evolucionário. Enquanto eu falava, minha mão subiu pelas suas costas, agarrou um punhado de cabelos na raiz e eu puxei-a com firmeza para trás.

3. Ela não pareceu se incomodar, então puxei mais forte. Disse-lhe como as partes mais sensíveis do corpo encontram-se em geral escondidas, sem contato com o ar — por exemplo, onde os braços dobram, no lado oposto do cotovelo. Então segurei seu braço, dobrei-o um pouco e mordi eroticamente a cavidade oposta ao cotovelo. Ela disse que aquilo lhe dava arrepios.

4. Depois disso, eu falei: "Mas você sabe qual a melhor coisa do mundo? Uma mordida... bem... aqui." Apontei para o lado do meu pescoço. E então disse: "Morda meu pescoço", como se esperasse que ela fosse fazê-lo. Primeiro, ela se recusou, então eu me virei calmamente para castigá-la. Aguardei alguns segundos, depois, olhei para ela e repeti: "Morda-me bem aqui." Desta vez, ela mordeu. Era a teoria do gato e seu barbante em ação.

5. Entretanto, sua mordida foi fraca. Aí eu lhe disse: "Não é assim que se morde. Venha cá." Afastei então seus cabelos para o lado e dei-lhe uma boa mordida no pescoço e a instruí a tentar novamente. Desta vez, ela fez um excelente serviço.

6. Dei um sorriso de aprovação e disse, bem devagar: "Nada mal." Então finalmente nos beijamos.

Tomamos mais uns copos, e então a levei para minha casa. Depois eu apliquei uma dica do Maddash e a fiz sentar no meu colo, enquanto lhe mostrava um vídeo no computador. Massageei-a e beijei-a na nuca até ela se virar e começar a retribuir. Depois, ela me perguntou se podia deitar um pouco no chão. Deitei ao seu lado, e — imaginem o que aconteceu — ela desmaiou. Apagou!

Retirei seus sapatos, joguei um cobertor sobre seu corpo, coloquei um travesseiro sob sua cabeça e fui para a minha própria cama.

Então acabei dançando, mas pelo menos entendi agora. Bastou uma noite, realmente, para superar isso.

Estou pronto, enfim, para o próximo passo.

— Style

Quarto Passo
DESARME
OS OBSTÁCULOS

"O homem só tem uma escapatória do seu velho eu: ver um eu diferente no espelho dos olhos de alguma mulher."

— Clare Boothe Luce
The Women

Capítulo 1

Escolha um dojo.

Existe Ross Jeffries e a escola de Sedução Veloz, onde os padrões de linguagem subliminar são usados para fazer uma garota ficar excitada.

Ou então Mystery e o Método Mystery, no qual as dinâmicas sociais são manipuladas para conseguir a mulher mais desejável numa boate.

Ou David DeAngelo e o Double Your Dating, no qual ele defende que se deve manter a mulher sob controle através de uma combinação de humor e arrogância que ele chama de engraçado arrogante.

Ou Gunwitch e o Método Gunwitch, no qual a única coisa que um aluno tem de fazer é projetar sexualidade animalesca e contato físico crescente até que a mulher os interrompa. Seu lema é rude: "Faça a vadia dizer não."

Ou, então, há David X, David Shade, Rich H., major Mark e Juggler — o mais novo guru em atividade, que surgiu on-line certo dia afirmando que poderia seduzir mulheres melhor e mais rapidamente do que qualquer outro AS, bastando para isso ler sua lista de compras do supermercado. E também existem os professores do círculo interno, como Steve P. e Rasputin, que revelam suas técnicas apenas àqueles que eles consideram merecedores.

Sim, existem muitos mentores a se escolher, cada um com seu próprio método e discípulos, cada um operando com a convicção de que seu modo é *o* modo. E os gigantes brigam constantemente — se ameaçando, se xingando, se ridicularizando, competindo.

Minha meta era me alimentar de todos eles. Nunca acreditei realmente em nada disso. Prefiro combinar ensinamentos e sabedorias de várias fontes, encontrar as que se aplicam a mim e descartar as que não servem. O problema é que, quando você bebe da fonte do conhecimento, há um preço. E esse preço é a fé. Todo professor queria provar que era o melhor, que seus alunos eram os mais leais, que a competição não consistia em trepar. Ainda assim, todo aluno queria absorver o máximo de informação de tantos especialistas quanto possível. Trata-se de uma crise que não é específica à comunidade, mas à humanidade: o poder é mantido ao se atrair lealdade, e a subjugação é garantida aplicando-a.

Embora tenha me divertido ensinando em Belgrado, eu não queria seguidores. Eu queria mais professores. Ainda havia um bocado a aprender. Eu descobri isso quando Extramask me levou a uma festa no Hotel Argyl, no Sunset Boulevard.

Eu estava vestido casualmente, num casaco esporte preto, exibindo meu cavanhaque bem aparado. Extramask, porém, parecia cada vez melhor e mais escandaloso. Agora estava usando os cabelos curtos e espetados num estilo moicano.

Na festa, notei duas gêmeas excessivamente pavoneadas sentadas num sofá como estátuas de alabastro. Embora seus cabelos bem penteados e seus vestidos clássicos iguais parecessem atrair olhares admirativos, elas não tinham falado com ninguém durante a noite.

— Quem são elas? — perguntei ao Extramask, que estava conversando com uma pequena mulher de rosto redondo que parecia estar interessadíssima nele.

— São as Porcelaine TwinZ — ele respondeu. — Fazem um show burlesco-gótico de strip-tease. São *groupies* bem conhecidas. Acompanham os membros das bandas. Já me masturbei pensando nelas e gozei feito louco.

— Me apresente a elas.

— Mas eu não as conheço.

— Não tem problema. Me apresente assim mesmo.

Extramask se aproximou das garotas e disse:

— Este é o Style.

Apertei suas mãos. Eram mãos surpreendentemente quentes para duas garotas que pareciam meio mortas.

— A gente estava agora mesmo falando sobre fórmulas mágicas — eu lhes disse. — Vocês acham que isso funciona?

Eu sabia que este quebra-gelo era perfeito, pois estava claro que elas acreditavam nessas coisas. De alguma forma, a maioria das garotas que faz strip-tease e explora a própria sexualidade para viver acredita nisso. Em seguida, efetuei uma transição para um procedimento de adivinhação de números através do PNL.

— Mostre mais uma — arrulharam as duas.

Eu havia ido longe demais.

— Não sou um miquinho amestrado — respondi. — Além disso, sou só um cara. Preciso de alguns minutos para recarregar.

Esta era uma frase de Mystery. Elas riram no ato.

— Sabe de uma coisa — prossegui —, acabei de mostrar para vocês uns lances legais. Por que vocês não me ensinam alguma coisa agora?

Elas não tinham nada para me mostrar.

— Vou até ali, falar com uns amigos — eu disse. — Vocês têm cinco minutos para pensar em alguma coisa.

Afastei-me e comecei a bater papo com uma punk angelical chamada Sandy. Dez minutos depois, as gêmeas se aproximaram.

— Temos uma coisa para mostrar a você — disseram, orgulhosas.

Na verdade, eu não planejava voltar a falar com elas. Não achava que iam conseguir achar alguma coisa. Mas elas foram em frente e me ensinaram linguagem de sinais por cinco minutos. IDI.

Sentamos juntos e ficamos de conversa fiada, que os AS chamam de modo um tanto depreciativo de afofamento. Era fácil diferenciá-las, porque uma tinha marcas de catapora e a outra tinha perfurações no rosto devido aos piercings removidos recentemente. Eram de Portland e estavam de visita. Planejavam voar para casa no dia seguinte. Elas me contaram sobre os shows de strip-tease que faziam, no qual dançavam juntas no palco, simulando um ato sexual.

Enquanto conversávamos, eu me dei conta de que elas não passavam de garotas comuns e inseguras. Por isso tinham permanecido tão quietas. A maior parte dos homens se engana ao crer que uma mulher atraente, que fica calada ou não lhe dá atenção, é uma filha-da-mãe. A maioria das vezes, contudo, ela é apenas tão tímida e insegura quanto as mulheres menos atraentes que ele está ignorando — se não mais. O que fazia as Porcelaine TwinZ diferentes é que elas tentavam contrabalançar sua simplicidade interior com uma ostentação exterior. Eram apenas umas meninas doces procurando um amigo. E agora haviam encontrado um. Quando trocamos números de telefone, percebi que a porta estava aberta. Mas eu não sabia se devia atacar uma gêmea, a outra, ou as duas. Não conseguia imaginar um modo de separá-las, tampouco sabia como seduzir as duas simultaneamente. Eu estava numa sinuca. Então, me desculpei e fui atrás de Sandy.

Enquanto conversava com Sandy, ela chegou bem perto de mim. Parecia que queria alguma coisa. Então apliquei o procedimento de evolução de troca de fase, depois a levei até o banheiro e lhe dei uns amassos. Não me sentia de fato atraído por ela: estava apenas excitado pelo fato de poder beijar as mulheres tão facilmente agora. Já estava abusando do meu poder recém-descoberto.

Quando saímos de lá, dez minutos depois, as gêmeas tinham ido embora. Eu arruinara tudo mais uma vez, tomando o caminho mais fácil em vez de explorar um novo.

Voltei para o apartamento em Santa Mônica de mãos vazias. Mystery estava dormindo no meu sofá e eu lhe contei meu fracasso com as gêmeas. Felizmente, no dia seguinte, recebi uma mensagem das garotas. O vôo havia sido cancelado e agora estavam empacadas num Holiday Inn perto do aeroporto. Ainda havia uma chance de me redimir.

— O que eu devo fazer, Mystery?

— Convide a si mesmo. Diga apenas "Estou chegando". Não lhes dê opção.

— E depois, o que eu faço, quando estiver naquele quarto estranho de hotel com elas? Como vou fazer as coisas rolarem?

— Faça como eu faço sempre. Assim que entrar, prepare um banho. Depois tire a roupa, entre na água e chame as garotas para esfregar suas costas. Assuma a partir daí.

— Uau! Isso é bastante intrépido.

— Confie em mim — disse ele.

Então liguei para as gêmeas naquela noite e disse que estava chegando.

— Nós estamos aqui suando de calor e assistindo à televisão — me alertaram.

— Não tem problema. Faz um mês que não tomo banho nem me barbeio.

— Você está falando sério?

— Não.

Até então, tudo estava indo conforme o planejado.

Fui para o hotel, ensaiando cada jogada dentro do carro. Quando entrei no quarto, elas estavam deitadas em duas camas adjacentes vendo *Os Simpsons*.

— Preciso tomar um banho — eu lhes disse. — Estou sem água quente lá em casa.

Não é mentira. É flerte.

Fiquei conversando com elas sobre amenidades enquanto a banheira se enchia. Em seguida, me dirigi para o banheiro, deixei a porta aberta, tirei a roupa e entrei na banheira.

Não queria usar o sabão imediatamente, porque isso deixaria a água turva. Então fiquei sentado nu, dentro da banheira, tentando reunir coragem para chamar as garotas. Sentia-me tão vulnerável ali, pálido, magro e pelado. Precisava seguir o conselho de Mystery para as coisas começarem a rolar.

Passou um minuto. Cinco minutos. Dez minutos. Ainda dava para ouvir *Os Simpsons* na televisão. Elas deviam estar pensando que eu tinha me afogado.

Precisava fazer alguma coisa. Eu me odiaria se não fizesse. Fiquei ali sentado mais cinco minutos até por fim tomar coragem e gritar para elas:

— Ei, vocês podem me ajudar a lavar minhas costas?

Uma das garotas berrou alguma coisa. Houve um silêncio e, depois, sussurros. Fiquei ali sentado, em pânico, temendo que elas não viessem. Que coisa estúpida para dizer. A única coisa mais constrangedora seria se elas de fato entrassem e me vissem nu com meu pau flutuando na água como um lírio-d'água. Lembrei da minha frase preferida de *Ulisses*, quando, sexualmente frustrado, Leopold Bloom imagina sua virilidade impotente dentro da banheira e a chama de o pai flácido de milhares. E depois, pensei, se eu era esperto o bastante para citar James Joyce numa banheira, por que me sentia tão estúpido diante daquelas garotas?

Finalmente, uma das gêmeas entrou. Eu esperava que ambas viessem, mas os mendigos não podem escolher. Com minhas costas para ela, estendi o braço e apanhei o sabão na outra extremidade da banheira. Eu estava muito constrangido para olhá-la nos olhos.

Alonguei minhas costas para que não parecessem muito com as escamas de dinossauro do sr. Burns. Ela esfregou o sabão em círculos nas minhas costas. Não havia nada de erótico; era mais uma coisa profissional. Eu sabia que ela não estava com tesão e esperava que não estivesse me levando a mal. Então, ela molhou a esponja na banheira e removeu o sabão. Pronto, minhas costas estavam limpas.

E agora?

Eu pensara que o sexo seria a conseqüência automática, depois daquilo. Mas ela ficou apenas ajoelhada ao meu lado, sem fazer nada. Mystery não me dissera o que eu deveria fazer, depois de pedir para me lavarem as costas. Ele apenas dissera: assuma a partir daí, e então eu tinha achado que o sexo se desdobraria organicamente. Ele não me dissera como efetuar a transição de uma esfregada nas costas para uma carícia no meu pau. E eu não tinha a menor idéia. A última mulher a lavar minhas costas fora minha mãe, e isso foi quando era ainda pequeno o bastante para entrar numa pia.

Mas agora era a hora. Alguma coisa precisava ser feita.

— Uau. Obrigado — eu lhe disse.

Ela se levantou e saiu do banheiro.

Merda. Estraguei tudo.

Acabei de me lavar, saí da banheira, me enxuguei e vesti novamente minha roupa suja. Depois me sentei na beira da cama da garota que me lavara e nós conversamos. Tentei adaptar o procedimento de evolução de troca de fase para duas pessoas. Disse à outra irmã para sentar-se na cama conosco.

— Hum, vocês duas têm um cheiro tão gostoso — comecei. Então segurei nos cabelos das duas ao mesmo tempo e dei uma mordida no pescoço de cada uma. Mas ainda assim não consegui produzir efeito algum. Ambas mantinham-se passivas.

Fiz com que cada uma delas me massageasse uma das minhas mãos, enquanto falávamos sobre o show delas. Não queria sair dali fracassado.

— Sabe o que é engraçado? — disse uma delas. — Nós manifestamos todo nosso lado físico no palco. Nunca chegamos sequer a tocar uma à outra na vida real. Somos provavelmente mais distantes do que a maioria das irmãs.

Saí daquele quarto fracassado. Na volta, parei para conversar com Extramask na casa em que ele morava com os pais.

— Estou confuso — eu lhe disse. — Pensei que você tinha dito que elas transavam juntas com os caras.

— É, mas eu estava só brincando. Pensei que você tivesse entendido.

Extramask tinha um encontro na semana seguinte com a garota de rosto redondo com quem conversara na festa. Mulheres de rostos redondos pareciam achá-lo atraente.

Ficamos deitados no chão por duas horas, falando sobre o jogo e nosso progresso. Desde a adolescência, sempre que tinha a oportunidade de fazer um desejo (num cílio, um relógio digital às 11h11, um número sempre crescente de velas de aniversário), junto com os apelos habituais pela paz mundial e a felicidade pessoal, eu desejava ter habilidade para atrair as mulheres que queria. Eu vivia fantasiando que uma energia incrivelmente sedutora penetrava no meu corpo como um raio de eletricidade, tornando-me de repente irresistível. Mas, em vez disso, ela se transformava numa lenta garoa e eu ficava correndo com um balde, tentando captar cada gota.

Na vida, as pessoas tendem a esperar que as coisas boas venham até elas. E, esperando, elas não as encontram. Geralmente, o que você deseja não cai no seu colo; cai em algum lugar por perto, e você precisa reconhecê-lo, ficar de pé e dedicar o trabalho e o tempo necessário para alcançá-lo. Isso não é assim porque o universo é cruel. É porque o universo é inteligente. Ele tem sua própria teoria de gato e barbante e sabe que não apreciamos as coisas que caem em nosso colo.

Eu precisaria apanhar meu balde e ir à luta.

Então segui o conselho de Mystery. Fiz uma cirurgia nos olhos, jogando fora para sempre meus óculos de nerd. Paguei um tratamento a laser para clarear meus dentes. E também entrei para uma academia de ginástica e comecei a surfar, o que não era só um exercício cardiovascular, mas também um modo de ficar bronzeado. Em alguns aspectos, o surfe é como a caçada. Alguns dias você sai e pega todas as ondas e se acha o campeão; outros dias você não pega nenhuma onda boa e você se acha um merda. Mas não importa o que aconteça, todo dia você sai, aprende e improvisa. E é isso que faz com que você volte sempre.

No entanto, eu entrara na comunidade só para conseguir me renovar. Era preciso concluir minha transformação mental, que eu sabia seria muito mais difícil.

Antes de Belgrado, eu aprendera as palavras, as habilidades e a linguagem corporal de um homem de carisma e de qualidade. Agora, precisava desenvolver confiança, auto-estima e um plano interior para sustentá-las. De outra forma, eu seria apenas uma falsificação, e as mulheres perceberiam isso instantaneamente.

Eu dispunha de dois meses livres antes do meu próximo workshop com Mystery, em Miami, e queria surpreender os novos alunos. Minha meta era superar a caçada de Mystery na boate Ra, em Belgrado. Então dei a mim mesmo uma missão: conhecer nos dois meses seguintes todos os AS que existiam. Planejei fazer de mim mesmo uma máquina de seduzir, elaborada a partir de peças de todos os melhores AS. E agora que eu tinha algum status na comunidade como o novo parceiro de Mystery, seria fácil encontrá-los.

Capítulo 2

A primeira pessoa com quem eu queria aprender era Juggler. Suas mensagens na rede me intrigavam. Ele aconselhava os TFM a superarem sua timidez tentando convencer um mendigo a lhes dar 25 centavos, ou ligando aleatoriamente para um número do catálogo para pedir recomendação de filmes a assistir. A outros, ele dizia para desafiarem a si mesmos e intencionalmente tornarem as seduções mais difíceis, dizendo que trabalhavam como lixeiro e dirigiam um Impala 86. O cara era original. E acabara de anunciar seu primeiro workshop. O preço: grátis.

Uma das razões pelas quais Juggler subiu tão rápido na comunidade, além de sua tarifa competitiva, foram seus escritos: suas mensagens tinham faro. Não eram os fluxos desorganizados de um estudante do segundo grau em perpétuo conflito com sua testosterona. Então, quando liguei para Juggler para conversar sobre a utilização de um de seus relatórios de campo neste livro, ele me perguntou se poderia em vez disso escrever um novo: a história do dia em que ele me caçou em seu primeiro workshop, em São Francisco.

Relatório de Campo — A Sedução de Style
POR JUGGLER

Desliguei o telefone celular. "Style fala realmente rápido", eu disse para o gato do cara com quem eu dividia aquela casa, que entendia dessas coisas e era fiel cúmplice, quando se tratava de levar garotas para casa. (O convite "Quer ir até lá em casa para ver meu gato dar cambalhotas para trás?" raramente falhava).

Essa foi minha primeira impressão da persona de Style na vida real. Duas semanas depois, eu estava sentado num restaurante no Fisherman's Wharf de São Francisco, esperando Style chegar, mentalmente relacionando uma lista de coisas malucas que podiam estar erradas com ele. Ignorei o garçom que tentava me empurrar mais uma cerveja e fiz uma prece a mim mesmo: "Por favor, deusa da sedução e santa padroeira dos artistas da sedução e dos caras tentando trepar em todo lugar do mundo, por favor não permita que o Style seja um cara esquisito."

Falar rápido é geralmente um sinal de profunda falta de confiança. As pessoas que acham que os outros não estão interessados no que pensam falam rapidamente com medo de perder a atenção dos ouvintes. Outros, estão tão apaixonados com a perfeição que têm dificuldade para fazer a edição completa e aceleram continuamente na esperança de conseguir dizer tudo. Essas pessoas, em geral, se tornam escritores. Era isso: um freak ou um escritor. Eu esperava que fosse o segundo. Eu precisava de um amigo e semelhante nesse mundo da sedução, não outro aluno.

Eu ouvira falar de Style primeiramente na Internet. Acabamos admirando mutuamente nossos posts num site da rede destinado à arte da sedução. Ele escrevia com graça e eloqüência. Parecia ser um cara sério que estava concentrado em partilhar experiências. O que ele viu em minhas mensagens, eu só posso imaginar.

Style chegou se movimentando num galope rápido. Seriam aqueles sapatos plataforma que estava calçando? Ele estabeleceu contato visual comigo e abriu um lindo sorriso, parecia um pouquinho nervoso, só o bastante para torná-lo cativante — um efeito que, tenho certeza, era proposital. Com sua estatura relativamente baixa, a cabeça raspada como a de um bebê, e sua voz suave, ninguém jamais suspeitaria tratar-se de um artista da sedução. Aquele cara podia ser bom.

Gostei de Style de cara. Era óbvio que ela havia praticado um bocado para fazer as pessoas gostarem dele. Ele me fez sentir importante. Ele tinha um jeito de resumir muitas das minhas idéias, expressas desajeitadamente, de uma maneira graciosa e simples — fazendo, ao mesmo tempo, parecer que a eloqüência era minha. Era o cúmplice perfeito para um guru com grandes perspectivas de sucesso.

Ainda assim, eu não tinha certeza de qual era sua fraqueza. Sempre fazemos isso quando conhecemos uma pessoa. Como um editor de jornal, procuramos ambos: grandeza e fraqueza, anotando observações mentalmente para futuros aproveitamentos. Nunca ficamos à vontade com pessoas que não têm falhas visíveis. A delicadeza de Style não era uma fraqueza de verdade. Meu único palpite sobre o ponto fraco de Style era um orgulho em sua capacidade para fazer as pessoas se abrirem e se revelarem. Muito pouco, no que diz respeito à fraqueza, mas era tudo o que eu tinha para prosseguir.

Ele era um cara legal. Mas tinha uma carência de confiança que não fazia sentido, como se achasse que estava faltando alguma coisa à sua pessoa — uma peça que o completasse. Eu estava certo de que ele a procurava do lado de fora, quando finalmente só acabaria encontrando interiormente.

Após o almoço, fizemos exatamente o que todo bom artista da sedução faz em São Francisco. Fomos até o Museu de Arte Moderna.

Fomos para o subsolo e ligamos nosso radar de sedução. Entrei numa sala mal iluminada sobre nova mídia e notei uma gracinha de vinte e poucos anos de idade. Ela era pequena. Adoro mulheres pequenas. Há algo em relação à sua inerente fragilidade que me deixa ligado. Aproximei-me dela num canto onde havia projeção de vídeo. A cena se repetia incessantemente a cada minuto mais ou menos — pétalas brancas caindo delicadamente dos galhos fora da estação.

A altura pode intimidar. Eu sou o espantalho de O Mágico de Oz — alto e magro, com pedaços de feno escapando pelas minhas mangas. Sentei no banco ao seu lado. Ela relaxou. Nossos olhos se tocaram — os dela quase verdes, os meus injetados de sangue por conta do cansaço do vôo. A melhor solução é quando uma mulher nos seduz. É preciso liderar para ser um bom sedutor, mas você também tem que acompanhar. Naquele momento, me dei conta de que queria que ela me levasse pela mão até seu esconderijo na floresta. Queria que ela me mostrasse seu ingênuo truque de mágica. Queria que ela me lesse poemas perversos que escrevia em guardanapos de cafeterias.

POCOTÓ, POCOTÓ, POCOTÓ.

Style e seus sapatos estavam andando ao longo da parte posterior da divisória que separava a sala espaçosa. Eu não queria que ele viesse até nós. Não que eu não o apreciasse. Ele me conquistou com aquele "Saudações, sou eu a quem chamam Style". O problema é que aquela vibração entre eu e ela e as pétalas brancas caindo tão... fascinantes. E também porque sou um lobo e aquela pequena corça separada da manada era minha. Se Style aparecesse, eu poderia ter que mordê-lo.

A primeira coisa que você diz a uma mulher importa muito pouco. Alguns caras me dizem que não conseguem pensar em nada ou que precisam de uma boa frase. Eu lhes digo que estão pensando demais. Você não é tão importante. Eu não sou tão importante. Nós nunca tivemos um pensamento tão incrível que precise ser protegido com tanto cuidado. Desista de sua necessidade de perfeição. No que diz respeito às frases de abertura, um resmungo ou um peido é o bastante.

— Como vai você? — eu perguntei.

Este é um dos meus quebra-gelos habituais. Simplesmente algo que se ouve todo dia numa loja. Noventa e cinco por cento respondem com uma só palavra descompromissada: "Bem" ou "Legal". Três por cento respondem com entusiasmo: "Ótima" ou "Maravilhosa". São dessas que devemos manter distância — são loucas. E 2% respondem com um honesto "Péssima. Meu marido acabou de me abandonar pela recepcionista de sua academia de ioga. E dizem que essa merda é zen". Estas são as de que você gosta.

Ela me diz que vai "Bem". Sua voz é áspera para uma embalagem tão delicada. Deve ter ficado acordada até tarde, berrando num show da Courtney Love. Eu não me ligo muito na ruidosa cena do rock. Gosto de música de elevador. Mas eu a perdôo. Eu não filtro as mulheres. Isso só limitaria minhas aventuras. Só filtro o modo como elas me tratam.

Olho para ela com expectativa. Ela entende a dica.

— Como vai você? — ela pergunta.

Pondero um instante antes de responder.

— Estou... nota 8.

Estou sempre em 8, às vezes 8,5.

Existem dois caminhos para levar uma conversa. Você pode fazer perguntas: "De onde você vem?", "Quantas vezes você consegue entortar sua língua?", "Você acredita em reencarnação?".

Ou então pode fazer uma afirmação: "Eu moro em Ann Arbor, Michigan — berço de milhares e milhares de sorveterias", "Tive uma namorada que conseguia entortar a língua até ela se tornar um poodle", "O gato do cara que mora comigo é a reencarnação de Richard Nixon".

Eu passava os primeiros 20 minutos tentando conhecer as garotas, fazendo milhares de perguntas — perguntas com o final em aberto, perguntas espertas, perguntas estranhas, as perguntas mais comoventes embrulhadas em lindas caixas. Achava que apreciariam meu interesse. Tudo que obtinha eram nomes, posto, número serial e, às vezes, o dedo médio. Interrogatório não é sedução. Sedução é a arte de preparar o caminho para duas pessoas resolverem se revelar uma à outra.

Conversar utilizando afirmações é o modo como velhos amigos falam entre si. Afirmações são para íntimos, confidentes e generosos. Eles convidam os outros a partilhar e fazem perfeito sentido metafísico. Confie em mim quanto a isso — não é preciso passar noites deitado na grama, observando a Via Láctea para imaginar essas coisas. Já fiz isso para você.

— Esse vídeo me faz sentir sereno — eu disse —, como se eu juntasse as folhas numa grande pilha e me deixasse cair sobre elas. Mas se eles tivessem algumas folhas de verdade aqui com que pudéssemos brincar, aí sim isso seria arte.

Ela sorriu.

— Meus irmãos mais velhos costumavam me jogar sobre uma pilha de folhas quando ainda éramos pequenos.

Eu dei uma risada. A imagem daquela menininha sendo jogada alegremente sobre um monte de folhas era engraçada.

— Sabe — eu disse —, tenho um amigo que jura que é capaz de adivinhar a personalidade de uma pessoa com base no sexo e na idade de seus irmãos.

— Por exemplo, o fato de ter irmãos mais velhos faz de mim uma fancha?

— Ela ajeitou a fivela de seu cinto Harley Davidson. — Isso é bobagem.

Não se pode liderar sem ser capaz de seguir.

— Tremenda bobagem — eu concordei. — O cara é completamente doido. Mas é claro, ele me interpretou exatamente.

— É mesmo?

— É, ele sabia que eu tinha uma irmã mais velha. Assim sem mais nem menos.

— E como ele soube?

— Ele disse que eu era um carente.

— E você é?

— Sou, claro. Todas as minhas namoradas têm de me escrever bilhetes de amor e massagear minhas costas. Preciso de muita manutenção.

Ela riu num tom musical. Era como a trilha sonora para as folhas caindo.

POCOTÓ, POCOTÓ, POCOTÓ.

Foco é coisa do passado. No mundo moderno, queremos sentir tudo o tempo todo. Não faz sentido em apenas dar um passeio no parque quando podemos também ouvir música nos fones de ouvido, mastigar um cachorro-quente, colocar no máximo nossas solas vibradoras e observar o carnaval ambulante da humanidade. Nossas escolhas berram o credo de uma nova ordem mundial: estímulo! O pensamento e a criatividade se tornaram subservientes à meta singular de saturar nossos sentidos. Mas sou da velha escola. Se você não estiver preparado para se concentrar em mim quando estiver comigo — conversa, toque, nosso momentâneo entrelaçar das almas —, então sai da minha frente e volte para seus 500 canais de vida com som surround.

— Olha, não posso mais conversar.

— Por que não?

— Estou me divertindo, mas você precisa se concentrar em mim ou ir apreciar essas obras de arte. Além disso, com você aí em pé na minha frente vou acabar ficando com torcicolo.

Ela sorriu e sentou-se ao meu lado. Ah.

POCOTÓ, POCOTÓ, POCOTÓ.

— Eu me chamo Juggler.

— Eu sou Anastasia.

— Oi, Anastasia.

Sua mãozinha me pareceu áspera. Suas unhas estavam aparadas bem curtas. Eram mãos de uma abelha-operária. Eu precisava empreender uma investigação completa. Puxei-a para perto de mim. Ela cedeu voluntariosa.

POCOTÓ, POCOTÓ, POCOTÓ.

Style entrou em cena. Seu perfume invadiu nossas narinas e o tecido italiano de sua camisa farfalhava. Ele estava se exibindo? Acho que estava se exibindo. O que havia de errado com ele? Não podia ver que eu estava curtindo aquele momento íntimo com a garota? Estaria ele tão concentrado em algum tipo de fase divertida de sedução que não foi capaz de notar que já estávamos além disso? Meu momento com a garota evaporou. Um rugido brotou do meu peito.

— Eu conheço você? — perguntei a ele.

— E alguém conhece de fato alguém? — rebateu Style.

Ele me fez rir. Vá para o inferno, naquele momento eu odiei Style pela sua interrupção inconveniente, mas adorei seu jeito com as palavras. Decidi não mordê-lo — naquele dia.

Dava para ver que Style estava ansioso para demonstrar sua habilidade em ação. Apresentei-os, um ao outro. Então uma coisa bizarra aconteceu. Os olhos de Style giraram dentro da órbita ocular e ele se tornou outra pessoa. Parecia ter-se tornado Harry Houdine — um Harry Houdine que falava rápido demais. Ele fez alguns truques. Pediu a ela que lhe desse um soco na barriga. Mencionou ter dormido sobre uma cama de pregos. Ela estava se divertindo. O número do seu telefone apareceu de repente do nada. Aquilo bastava para Harry. Nós a deixamos onde eu a havia encontrado.

O orgulho está sempre presente quando se é um artista da sedução. É um desafio. Tenho amigos atores que podem explodir no palco como um samurai e matar cem pessoas, mas têm medo de se aproximar de uma menina no balcão do bar. Não os culpo. A maioria das platéias tem tesão em ser fodida. Elas querem que seja duro e profundo. Mas a garota sentada no banco ao lado, no bar, é mais difícil. Ela é mais assustadora. Ela é o gorila de duzentos e tantos quilos num vestidinho preto. E ela pode acabar com você, se deixar. Mas ela também está cheia de tesão para transar. Todos estamos com tesão de transar.

Em São Francisco ocorreu o meu primeiro workshop em grupo. Eu tinha acolhido seis caras. Nós os encontramos num restaurante perto da Union Street. Style me ajudou a verificar as credenciais de cada um deles. Eram seis membros bem posicionados na comunidade.

Passamos o jantar inventando maneiras de iniciar uma conversa, tais como o quebra-gelo "Fingindo que alguém é estrela do cinema". Quando estávamos para sair do restaurante, abordei um casal de boa aparência e meia-idade, sentado ali perto.

— Espero não estar interrompendo — eu disse para a mulher —, mas eu simplesmente preciso lhe dizer que adorei aquele filme em que você aparece com um menino no farol. Chorei por quatro dias. Fiquei acordado até tarde, assistindo-o com o gato do amigo que mora comigo. Ele já foi um presidente.

Eles sorriram gentilmente assentindo com a cabeça.

— Você... obrigada... muito obrigada — respondeu ela num inglês fraco.

— Isso é ótimo.

— De onde vocês são?

— Tchecoslováquia.

Dei-lhe um abraço e apertei a mão dele.

— Bem-vindos à América.

Os artistas da sedução são os últimos verdadeiros diplomatas que sobraram no mundo.

Eu não comecei como artista da sedução. Eu comecei sendo um garotinho obcecado em desmontar as coisas. Carregava uma chave de fenda para todo canto. Sentia aquele desejo ardente de descobrir imediatamente como as coisas funcionavam. Brinquedos, bicicletas, cafeteiras — tudo pode ser desmontado se você souber onde estão os parafusos. Meu pai saía para aparar a grama e achava o cortador desmontado. Minha irmã ligava a televisão... e nada. As válvulas estavam debaixo da minha cama. Sempre fui muito melhor desmontando as coisas do que as remontando. Minha família era obrigada a viver na Idade da Pedra.

Mais tarde, minhas pesquisas passaram a se concentrar em entender as pessoas e a mim mesmo. Eu me tornei um comediante. É o lado B do mundo dos espetáculos, mas uma ótima oportunidade para aprender sobre a interação humana. Como efeito colateral, fui ficando esperto com as mulheres. No meu aniversário de 23 anos, eu só tinha ido para a cama com uma mulher. Quando fiz 28, eu dormia com quantas quisesse. Minha abordagem se tornou sutil e eficiente, meus modos, graciosos e concisos.

Então encontrei a comunidade. Embora meu interesse fosse bem mais amplo do que a simples sedução, a dedicação deles no sentido de entender a interação humana fez com que me sentisse em casa.

Depois encontrei Style e senti um parentesco numa esfera totalmente diferente. Style escutava. A maior parte das pessoas não escuta, porque tem medo daquilo que pode ouvir. Style não tinha noções preconcebidas. Era legal com todo mundo. Ele não considerava que garotas duronas precisavam ser destruídas. Ele encontrava garotas mal-humoradas com as quais era divertido brincar. Ele não via um caminho com obstáculos aleatórios. Via uma oportunidade para explorar novos territórios. Juntos, éramos os expedicionários pioneiros, desbravadores da sedução.

Quando o workshop acabou, às três da madrugada, eu e Style resolvemos dividir o quarto de hotel com umas pessoas de sua família que estavam na cidade. Conversamos aos sussurros para não acordá-los. Sacaneei o senso de moda de Style. Ele fez pouco caso de minhas sensibilidades do Meio-Oeste. Partilhamos histórias de nossas experiências com a comunidade e contamos nossos ganhos — alguns beijos para Style e alguns números de telefone para mim.

A impressão era vertiginosa. Sentíamo-nos no limiar de alguma coisa.

— Cara, é realmente incrível — disse Style. — Mal posso esperar para ver aonde tudo isso vai nos levar.

Ele estava tão cheio de um atônito otimismo no poder da sedução, nos benefícios do auto-aperfeiçoamento, na crença de que nós — a comunidade — tínhamos as respostas para os problemas que o atormentaram a vida toda. Eu queria lhe dizer que a resposta que buscava encontrava-se em outro lugar. Mas nunca consegui achar o momento certo. Nós estávamos nos divertindo demais.

Capítulo 3

Quando voltei de São Francisco, onde a única pessoa com quem passei a noite foi Juggler, recebi um telefonema de Ross Jeffries.

— Vou realizar um workshop neste fim de semana — ele disse. — Se você quiser, pode vir de graça. Vai ser no Hotel Marina Beach Marriott, no sábado e domingo.

— Claro, eu adoraria — respondi.

— Só tem uma coisa: você está me devendo umas festas. Boas festas de Hollywood, com gatas maravilhosas. Você me prometeu.

— Sem problema.

— Antes de desligar, você pode me desejar um feliz aniversário.

— É hoje seu aniversário?

— É. Seu guru das vulvas está fazendo 44. E a mais nova que tracei este ano tinha 21.

Eu não imaginava então que ele estava me convidando para seu seminário não como aluno, mas como uma conquista.

Cheguei no sábado à tarde e deparei com um salão de conferências padrão de hotéis, daqueles tão iluminados e de cor mostarda, que parecem destinados a serem o habitat de salamandras, não de seres humanos. Fileiras de homens sentados atrás de mesas brancas retangulares. Alguns eram alunos grisalhos, outros adultos grisalhos e uns poucos dignitários grisalhos — executivos de empresas da Fortune 500 e mesmo autoridades do Departamento de Justiça. À frente deles estava nosso poroso e ossudo guru das vulvas, falando com fones de ouvido.

Ele estava instruindo os alunos sobre a técnica hipnótica de usar citações nas conversas. Uma idéia é mais apetitosa, ele explicou, andando pela sala, se vier de outra pessoa.

— O inconsciente pensa em termos de conteúdo e estrutura. Se você introduzir um modelo com as palavras "Meu amigo estava me dizendo", a parcela crítica da mente da mulher se fecha. Estão me acompanhando?

Ele olhou para a sala, esperando uma resposta. E foi aí que notou minha presença, sentado na fila de trás, entre Grimble e Twotimer. Ele parou de falar. Senti o calor de seus olhos sobre mim.

— Irmãos, apresento a vocês o Style. — Eu dei um sorriso pálido. — Ele já viu o que Mystery tem a oferecer e decidiu ser meu discípulo. Não é isso, Style?

Todas as cabeças gordurosas da sala viraram-se para mim. As resenhas do workshop de Mystery em Belgrado haviam chegado à Internet, e minhas habilidades em campo tinham sido muito elogiadas. As pessoas estavam curiosas para conhecer o novo parceiro de Mystery, ou, no caso de Ross, pronto a se apoderar dele.

Olhei o fone de ouvido enrolado no seu pescoço como se fosse uma aranha e disse:

— Algo parecido.

Aquilo não lhe bastava.

— Quem é seu guru? — perguntou.

Era a sala dele. Mas era minha mente. Eu não sabia o que dizer. Como a melhor maneira de se defender da pressão é com humor, tentei pensar numa resposta engraçada. Mas não consegui achar nenhuma.

— Voltarei a falar sobre isso com você — respondi.

Pude ver que ele não estava contente com minha resposta. Afinal de contas, aquilo não era apenas um seminário que ele estava ministrando. Era um culto.

Quando o encontro foi interrompido para o almoço, Ross veio falar comigo.

— Por que você não me acompanha para uma comida italiana? — ele perguntou, girando seu anel no dedo, uma réplica do usado pelo Lanterna Verde.

— Eu não sabia que você ainda era um grande defensor de Mystery — ele disse durante o almoço. — Pensei que tivesse vindo para o lado certo do poder.

— Não acho que seus dois métodos devam ser mutuamente excludentes. Contei para Mystery o que você fez com a garçonete no California Pizza Kitchen e ele ficou entusiasmado. Acho que, pela primeira vez, ele viu como a Sedução Veloz pode ser eficaz.

O rosto de Ross ficou roxo.

— Pare! — ele disse. Era uma palavra de hipnose, um padrão interrompido. — Não partilhe nada com ele. Não quero que aquele cara use minhas melhores obras, que as roube e faça dinheiro com elas. Isso é inquietante. — Ele enfiou um garfo no frango. — Eu sabia que alguma coisa estava errada. Se você pretende se envolver assim tão profundamente com Mystery, isso será um problema para mim. Se você vai ter lições particulares comigo, proíbo você de lhe contar detalhes.

— Ouça — eu disse, tentando acalmar o guru irado — não contei nada em detalhes para ele. Apenas fiz com que soubesse que você é o cara.

— Ótimo, então. Diga-lhe apenas que você me viu ganhar uma garota diabolicamente gostosa e a deixei com a calcinha molhada fazendo apenas algumas perguntas e alguns gestos. Deixe que aquele personagem arrogante descubra o resto por si só.

Observei suas narinas se dilatando e as veias na sua testa inchando, enquanto falava. Ele era, sem dúvida, um cara que havia apanhado muito, desde cedo, na vida. Não pela brutalidade de seu pai, como Mystery; os pais de Ross formavam um casal judeu inteligente e bem-humorado. Eu sabia por que eles tinham chegado ao seminário poucos minutos depois de mim e logo começaram a provocá-lo. Na verdade, Ross havia apanhado socialmente, o que deve ter custado um preço caro em sua alma, se combinado às constantes provocações e altas expectativas de seus pais. Seus irmãos devem ter sido subjugados também. Seus dois irmãos tinham se entregado a Deus, ingressando na seita Judeus de Jesus. Quanto a Ross, ele se dedicara a uma religião que ele próprio inventara.

— Você está sendo conduzido ao santuário secreto do poder, meu jovem aprendiz — ele alertou, coçando a barba curta no queixo. — E o preço da traição é mais tenebroso do que pode imaginar. Mantenha-se calado e mantenha suas promessas, e eu manterei a porta aberta.

A severidade e a raiva de Ross, embora inescrupulosas, eram compreensíveis. A verdade era que Ross construíra a comunidade da sedução quase sozinho. É claro, sempre houve um estábulo de homens dando conselhos sobre sedução, como Eric Weber, cujo livro, *Como seduzir as mulheres*, ajudou a iniciar uma tendência que culminou no filme *O Rei da Paquera*, com Molly Ringwald e Robert Downey Jr. Mas nunca existira uma comunidade de caras antes de Ross. Foi uma questão de sincronia fortuita. À medida que a Sedução Veloz evoluía, a Internet também estava se desenvolvendo.

Aos vinte e poucos anos, pelo que se sabe, Ross era um jovem revoltado. Sua ambição era se tornar um comediante e escrever roteiros. Um de seus roteiros, *They Still Call Me Bruce* [Ainda me chamam de Bruce], chegou a ser produzido, mas acabou sendo um fracasso. Então, Jeffries oscilou entre trabalhos de assistente jurídico, solidão e falta de namoradas. Tudo isso mudou quando ele estava numa seção de auto-ajuda de uma livraria e sua mão, afirma ele, involuntariamente, se ergueu e apanhou um livro. Era *Sobre príncipes e sapos: um guia*, o clássico de PNL de John Grinder e Richard Bandler. Ross passou a devorar todos os livros sobre o assunto que foi capaz de achar.

Um de seus heróis sempre fora o Lanterna Verde, que tinha o anel mágico capaz de transformar seus desejos em realidade. Após utilizar o PNL para pôr fim a um longo período de castidade involuntária, seduzindo mulheres que buscavam emprego na firma de advocacia em que trabalhava, Ross Jeffries acreditou ter achado esse anel. O poder e o controle que escaparam dele a vida toda eram finalmente seus.

Sua carreira de sedutor profissional começou com um livro de 70 páginas que ele mesmo produziu. O título resume bastante de onde ele estava vindo emocionalmente na época — *Como conseguir levar a mulher que você deseja para a cama: Um manual vil e sujo para marcar encontros e realizar seduções para homens cansados de ser o Cara Legal*. Ele vendeu o livro por meio de pequenos anúncios nos classificados das revistas *Playboy* e *Gallery*. Quando acrescentou seminários a seu repertório, ele começou a fazer publicidade na Internet também. Um de seus alunos, um lendário hacker chamado Louis DePayne, logo criou o grupo de discussão alt.seduction.fast. Deste fórum surgiu gradualmente um grupo internacional de AS.

— Quando comecei com esse negócio, fui cruelmente ridicularizado — disse Ross. — Na verdade, me xingaram de todos os nomes e me acusaram das piores coisas. Fiquei muito aborrecido durante algum tempo. Realmente puto. Mas, pouco a pouco, o argumento passou de "Isso é real?" para "Eles podem fazer isso?".

E é por isso que todo guru deve ao menos um compromisso de lealdade a Ross Jeffries. Ele criou os fundamentos. É por isso também que toda vez que novos professores aparecem, Ross tenta derrubá-los; em alguns casos, ele chegou a ameaçar revelar as atividades de sedução on-line do concorrente para seus pais ou ao diretor da escola onde este estudava.

Pior do que Mystery, na sua cabeça, era um antigo aluno de Sedução Veloz chamado David DeAngelo. Originalmente, DeAngelo chamava a si mesmo de Sisonpyh (*hypnosis* ao contrário) e conseguiu subir na hierarquia da Sedução Veloz. Mas os dois acabaram tendo uma desavença, quando Ross supostamente hipnotizou uma namorada de DeAngelo para dar uns amassos nela.

Segundo Ross, DeAngelo trouxera a garota para ele a seduzir. Isso não era incomum, disse ele, que alunos lhe trouxessem mulheres como uma espécie de oferenda a ser sacrificada. Segundo DeAngelo, Ross não tinha de modo algum permissão para tocar nela. Qualquer que fosse o caso, o resultado foi que os dois pararam de se falar e DeAngelo estabeleceu um negócio de concorrência chamado Dobre seus Encontros. Era baseado não no PNL ou qualquer outra forma de hipnose, mas sim na psicologia evolutiva e no princípio de DeAngelo do "arrogante engraçado".

— Vocês sabem, meu imitador barato, David DeAnus está realizando seu primeiro seminário em Los Angeles — disse Ross. — O cara é tão bonito e bem relacionado nas boates que fico pasmo em pensar que caras possam achar que ele entende da situação e das dificuldades que encontram ao lidar com mulheres.

Fiz uma anotação mental para me inscrever no tal seminário.

— Existe uma certa visão das mulheres que David DeAnus, Gun Bitch e Mystery têm — prosseguiu Ross, começando a ficar furioso. — Esses caras estão se concentrando nas piores tendências de algumas das piores mulheres que existem e as espalhando como uma nuvem de fertilizante sobre todas as mulheres.

Ross me fazia pensar num velho artista de *rhythm-and-blues* que já foi enganado e roubado tantas vezes que não confia em mais ninguém. Mas pelo menos existem editoras e direitos autorais para proteger os compositores. Não há como registrar os direitos autorais pela excitação de uma mulher, ou declarar autoria sobre a escolha que ela faz ao optar por um parceiro sexual. Sua paranóia, infelizmente, fazia sentido — especialmente quando se tratava de Mystery, o único sedutor com idéias e talento para superá-lo.

O garçom retirou nossos pratos.

— Eu sou tão veemente em relação a isso porque me preocupo com esses garotos — disse Ross. — Acho que 20% dos meus alunos sofreram abuso sexual. Sofreram um impacto severo. Não só com as mulheres, mas com todas as pessoas, homens e mulheres. E um bocado dos problemas da sociedade vem do fato que todos nós temos impulsos fortíssimos, mas vivemos numa cultura que nos desencoraja a explorá-los livremente.

Ele se virou e notou a presença de três executivas comendo sobremesa, a algumas mesas dali. Ele estava pronto para explorar seus impulsos sexuais.

— Como está essa torta de frutas? — Ross berrou para elas.

— Está boa — respondeu uma das mulheres.

— Vocês sabem — Ross disse a elas —, o rótulo diz: "Este produto não contém açúcar; ele derrete na boca." E esse aviso acende a receptividade do seu corpo para se preparar para o que vem depois. Ele rastreia um fluxo de energia através de seu corpo.

Agora ele conquistara a atenção delas.

— É mesmo? — perguntaram elas.

— Eu ministro cursos de fluxo de energia — prosseguiu Ross. As mulheres exclamaram em uníssono. A palavra energia é o equivalente ao odor do chocolate para a maioria das mulheres do sul da Califórnia. — Estávamos justamente indagando se os homens de fato entendem as mulheres. E achamos que descobrimos a resposta.

Num segundo, ele estava sentado junto a elas. Enquanto falava, as mulheres se esqueceram por completo de suas sobremesas e o observavam, extasiadas. Às vezes, eu não sabia dizer se seus métodos funcionavam de verdade no nível sofisticado do subconsciente, como ele dizia, ou se a maior parte das conversas era tão chata que bastava dizer algo diferente e intrigante para conquistar a atenção.

— Oh, meu Deus — disse uma das mulheres, quando ele concluiu sua demonstração sobre as qualidades que uma mulher procura nos homens. — Nunca ouvi isso dito desta maneira antes. Onde você ensina? Eu adoraria aprender mais.

Ross apanhou seu número de telefone e voltou à nossa mesa. Virando-se para mim com um sorriso, ele disse:

— Agora você está vendo quem está ensinado do modo verdadeiro?

Em seguida, ele esfregou o queixo com o dedo polegar.

Capítulo 4

Aos olhos de Sin, eu era um peão.

— Ross é um sedutor e um manipulador — ele disse quando liguei para ele em Montgomery, Alabama, onde estava servindo.

Estava morando com uma garota que conhecera e que gostava de ser levada para passear na coleira. Infelizmente, os militares fizeram cara feia para esse tipo de perversão, então Sin foi obrigado a ir até Atlanta passear com ela sossegado.

— Você tem um lugar especial nos planos de Ross — ele me alertou. — Você é a ferramenta publicitária que ele está usando para atacar Mystery. Você é o primeiro e o melhor aluno de Mystery, o único cara a caçar regularmente com ele. Assim, toda vez que Ross fizer perguntas como "Você está mentindo para seu guru?", e você responder, a pressuposição de que ele é o seu guru é confirmada. Todas as coisas que ele faz é para provar que você é um convertido e que repudiou sua antiga religião para abraçar a verdadeira, que de fato funciona. É essa a mensagem dele. Portanto, tome cuidado.

Existe um macete para aprender o PNL, a manipulação e o auto-aperfeiçoamento. Nenhuma ação — seja sua ou de outros — deve carecer de uma intenção. Toda palavra tinha um significado oculto, e todo significado oculto tinha seu peso, e todo peso tinha seu lugar especial na escala do interesse próprio. Todavia, se por um lado Ross podia estar amadurecendo uma amizade comigo a fim de esmagar Mystery, por outro, ele também tinha a reputação de contrair amizade com alunos mais novos de maneira a ser convidado para as festas.

Convidei Ross para seu primeiro evento na semana seguinte. Monica, uma atriz esforçada e com bons contatos que eu já havia caçado, tinha me convidado para sua festa de aniversário no Belly, um bar de cozinha espanhola no Santa Monica Boulevard. Achei que seria um bom ambiente, cheio de pessoas bonitas para Ross encantar com suas habilidades. Estava enganado.

Encontrei Ross na casa de seus pais, uma casa de classe média de tijolos vermelhos no lado oeste de Los Angeles. O pai dele, um quiroprático aposentado, diretor de escola e romancista autopublicado, estava sentado num sofá com a esposa, que obviamente era quem comandava a família. Na parede, havia condecorações que seu pai conquistara na Segunda Guerra Mundial, na Europa.

— O Style faz muito sucesso — Ross lhes disse. — Arruma um bocado de garotas utilizando meu material. — Mesmo os artistas da sedução quarentões buscam a aprovação dos pais.

Conversei com a mãe dele por um instante sobre sua linha de trabalho.

— Algumas pessoas acham terrível que ele fale de sexo e de mulheres — ela disse. — Mas ele não é grosseiro nem vulgar. É um menino brilhante. — Ela se levantou e deu alguns passos vagarosos até uma estante na parede. — Eu tenho um livro de poesia que ele escreveu quando tinha nove anos de idade. Você quer ler alguns poemas? Num deles, ele diz que é um rei e está no trono.

— Não, você não vai querer ler isso — interrompeu Ross. — Meu Deus, isso foi um equívoco. Melhor irmos embora.

A festa foi um desastre. Ross não conseguiu entrar em contato com pessoas de classe. Ele passou a maior parte da noite achando que estava flertando ao agir como se fosse meu namorado gay e seguindo Carmen Electra de quatro, fingindo ser um cachorro cheirando sua bunda. Quando eu estava conversando com uma outra garota, ele interrompeu para se vangloriar de uma paquera que acabara de efetuar. Às dez da noite, ele disse que estava cansado e me pediu para levá-lo em casa.

— Na próxima vez teremos que ficar até mais tarde — eu lhe disse.

— Não, na próxima vez temos que chegar na hora certa — ele me repreendeu. — Eu posso ficar fora até tarde, desde que tenha sido avisado com 12 horas de antecedência, assim posso relaxar e tirar uma soneca de tarde.

— Você não está assim tão velho.

Fiz uma anotação mental de nunca mais levar Ross em nenhum lugar legal. Era um constrangimento. Desde que começara a passar tanto tempo com AS, eu tinha reduzido meus padrões para as pessoas com que costumo sair. Todos os meus amigos haviam ficado às margens da estrada. Agora, minha vida social estava monopolizada por uma gama de nerds com a qual nunca antes eu me associara. Eu estava no jogo para ter mais mulheres na minha vida, não homens. E embora a comunidade girasse em torno de mulheres, ela era também totalmente destituída delas. Felizmente, isso era apenas parte do processo, da mesma forma que, para limpar uma casa, no começo fica tudo bagunçado.

O resto do percurso até seu apartamento, na Marina Del Rey, Ross me encheu o saco falando sobre seus rivais. É claro, os detratores de Ross não eram tampouco gentis com ele. Eles haviam recentemente o apelidado de Meu 99, alegando que, sempre que Ross se apoderava da tática de alguém, ele gostava de insistir que era algo que desenvolvera em seu seminário de 1999, em Los Angeles.

— Aquele traidor do David DeAnus — exaltou-se Ross quando saltou do carro. — O seminário dele é amanhã e acabei de descobrir que alguns de meus alunos estão agendados para participar. Não tiveram sequer a gentileza de me informar.

Não tive coragem de dizer a Ross que eu também estaria lá.

Capítulo 5

A atração não é uma escolha.

Estas eram as palavras que David DeAngelo projetara na parede. O seminário estava cheio. Havia mais de 150 pessoas na sala. Muitas delas eu reconheci de outros seminários, incluindo Extramask.

Aquilo estava virando um panorama bastante familiar: uma pessoa com fone de ouvido no palco instruindo um grupo de homens carentes sobre como escapar do onanismo noturno. Mas havia uma diferença. DeAngelo era um cara boa-pinta, como Ross Jeffries me dissera. Lembrava-me Robert DeNiro, se DeNiro tivesse sido um filhinho-da-mamãe que nunca se metera numa briga durante a vida toda.

DeAngelo sobressaía entre os outros gurus precisamente porque ele não chamava a atenção. Ele não era carismático ou interessante. Não tinha aquele brilho insano de um líder em busca da celebridade, tampouco tinha um buraco no peito que tentava preencher com mulheres. Ele sequer reivindicava ser bom naquele jogo. Era um cara bem comum. Mas perigoso, porque era organizado.

Ele havia passado meses trabalhando para aquele seminário. Não só estava tudo roteirizado como também destilado para o consumo das massas. Era um curso de instruções sobre sedução que poderia ser apresentado à tendência atual sem chocar ninguém com sua crueza, sua atitude em relação às mulheres ou pelas suas técnicas desviantes — exceto pela sua recomendação de leitura do livro *Dog Training* [Adestramento de cães], de Lew Burke, com dicas para lidar com as garotas.

DeAngelo era um cara brilhante — e uma ameaça para Ross. Muitos dos oradores do seminário eram, eles mesmos, antigos alunos de Ross: entre eles, Rick H., Vision e Orion, um supernerd que ficou famoso por ser o primeiro AS a vender vídeos dele mesmo abordando garotas nas ruas. Essa série de vídeos, *Magical Connections*, era considerada a prova concreta de que nerds com habilidades hipnóticas conseguiam trepar.

— A sedução — disse DeAngelo, lendo suas anotações — é definida no dicionário como "uma incitação ou dano, especificamente a transgressão de induzir uma mulher a consentir com uma relação sexual ilícita através de estímulos para superar seus escrúpulo.

"Em outras palavras, sedução significa enganar, ser desonesto e ocultar seus motivos. Não é isso que eu estou ensinando, estou ensinando algo chamado atração. Atração é trabalhar a si mesmo e se aperfeiçoar a tal ponto que as mulheres sejam magneticamente atraídas a você e queiram ficar perto de você."

Sequer uma vez DeAngelo citou os nomes de seus concorrentes e rivais. Era esperto demais para isso. E estava tentando resgatar todo esse mundo subterrâneo para que respirasse ao ar livre. E iria fazê-lo não tomando conhecimento algum desse mundo subterrâneo. Ele havia parado de mandar seus posts para a Internet. Em vez disso, deixava seus empregados fazê-lo por ele quando estava exaltado. Não era um gênio nem um inovador, como Mystery. Mas era um excelente marqueteiro.

— Como você faz para alguém querer alguma coisa? — ele perguntou, depois de fazer seus alunos praticarem uns com os outros o olhar de soslaio de James Dean. — Você lhe dá valor. Mostra que outras pessoas o apreciam. Você o faz parecer escasso. E faz com que lutem por ele. Quero que pensem em outras maneiras durante o intervalo para o almoço.

Eu me juntei a DeAngelo e alguns outros alunos para comer um hambúrguer e descobri um pouco mais sobre ele. Depois de trabalhar duro como corretor imobiliário em Eugene, Oregon, ele se mudou para San Diego, a fim de um novo começo. Solitário, ele ansiava por transpor a barreira invisível que separa dois estranhos numa boate. Então começou a procurar dicas na rede e cultivar amigos que se davam bem com as mulheres. Um desses amigos era o Riker, um protegido de Ross Jeffries que o convenceu a usar o AOL para conhecer mulheres. Mandar mensagens instantâneas era um meio de DeAngelo praticar a paquera do modo como seus amigos faziam, porém, sem se arriscar a um constrangimento público.

— Era esse o segredo — ele disse, enquanto os alunos se mexiam pouco à vontade em suas cadeiras para escutar. — Eu estava aprendendo novas idéias, implementando-as, e então percebendo como as mulheres reagiam no AOL. Foi quando aprendi que mexer com as estruturas de uma mulher não tinha o efeito que uma mente intuitiva imaginava. Então, me tornei arrogante e engraçado. Roubava suas falas, as provocava, acusava-as de darem em cima de mim e nunca as deixava em paz.

Entusiasmado com suas novas descobertas, DeAngelo apresentou um discurso de 15 páginas à Cliff's List, um dos reputados boletins on-line sobre sedução. A então recente comunidade da sedução o devorou: um novo guru havia chegado.

Cliff, o executivo canadense de meia-idade que atualizava a lista de dia e procurava novos mestres AS para trazê-los para a comunidade à noite, convenceu DeAngelo a passar três semanas transformando seu manifesto em um livro eletrônico, *Double Your Dating* [Dobre seus encontros].

Enquanto conversávamos, Rick H. se aproximou de nós. Ele era um dos amigos que DeAngelo cultivara e atualmente dividia um apartamento com ele em Hollywood Hills. Eu ouvira falar um bocado de Rick H. Ele era considerado o melhor, um mestre AS especializado em mulheres bissexuais. Seu estilo extravagante de se vestir, como o de um freqüentador de cassino em Vegas, era uma das inspirações para a teoria do pavão de Mystery.

Rick H. era baixo, um pouco forte e vestia uma camisa de gola enorme com um blazer vermelho. Na sua trilha, havia seis adeptos da azaração, ansiosos por sugar dele toda sua sabedoria. Reconheci dois deles: Extramask, que estava com os olhos inchados, quase fechados, e Grimble, que começava a ter dúvidas sobre a aplicação da Sedução Veloz. Hipnotizar garotas para que elas o deixassem apalpá-las nas boates não estava ajudando a encontrar namorada alguma. Então, depois de passar um tempo com Rick H., Grimble tinha se tornado um arrogante engraçado. Sua nova abordagem era erguer o cotovelo sempre que uma mulher passasse por ele, esbarrava nela e em seguida gritava "Ai" bem alto, como se ela o tivesse machucado. Quando ela parava, ele a acusava de passar a mão na sua bunda. Era muito mais compensador, pensei, ser engraçado do que provocar medo.

Rick sentou-se à mesa e se espreguiçou confortavelmente. Enquanto os alunos se apinhavam ao seu redor, ele começou a deliberar.

Ele disse que tinha duas regras para as mulheres.

A primeira: nenhuma ação generosa fica impune. (Uma frase, ironicamente, cunhada por uma mulher, Clare Boothe Luce.)

A segunda: tenha sempre uma resposta melhor.

Um dos corolários da segunda regra de Rick era nunca dar a uma mulher uma resposta direta a uma pergunta. Assim, se uma mulher perguntar o que você faz na vida, deixe-a imaginando: diga que você faz manutenção de isqueiros de cigarro, ou que é um traficante de escravas brancas, ou um jogador profissional de amarelinha. A primeira vez em que tentei isso, não funcionou muito bem. Num grupo de sete, certa noite no saguão de um hotel, uma mulher perguntou qual era o meu trabalho. Dei-lhe a resposta que eu tinha escrito na minha cola para aquela noite: negociante de escravas brancas. Assim que as palavras me saíram da boca, me dei conta de que provavelmente ela não me daria seu número de telefone. Todas do grupo eram afro-americanas.

Uma coisa que eu notei quando Rick estava falando foi que as pessoas que gostam do som da própria voz tendem a se sair melhor com as mulheres, exceto o Dustin, com sua voz baixa. O Cliff, da Cliff's List, chama isso a teoria do falastrão.

— Por que é tão divertido conversar sobre essas coisas? — Rick H. perguntou a DeAngelo.

— Porque somos homens — respondeu DeAngelo, como se isso fosse a coisa mais óbvia do mundo.

— Está certo — disse Rick —, então é por isso.

Quando os gurus se foram, sentei ao lado de Extramask. Ele bebericava um suco de maçã de uma latinha. Agora ele usava um piercing com o formato de haltere na nuca e, se não fosse pelos seus olhos intumescidos, ele seria o cara mais elegante do seminário.

— O que houve com você? — perguntei.

— Saí com aquela garota com cara de lua e consegui dar a segunda trepada da minha vida — ele disse. — Mas, embora tenhamos dado três, mais uma vez não consegui gozar. Ou as camisinhas me atrapalham ou tenho ansiedade mental e preciso me acalmar. Ou então o Mystery está certo, e eu sou homossexual.

— Mas o que isso tem a ver com seus olhos. Ela acertou uns socos em você?

— Não. Ela começou uma guerra de travesseiros e eu peguei uma infecção por causa da minha alergia.

Ele contou que a tinha encontrado para um café. Eles ficaram sentados e ele aplicou um teste PNL, um jogo psicológico chamado o cubo, e outras demonstrações de valor. Quando ela começou a rir de todas as suas piadas, até das que não eram engraçadas, ele percebeu que ela o apreciava. Eles alugaram um filme, *Insônia*, e foram para a casa dela, onde ficaram abraçados no sofá.

— Eu estava com um legítimo tesão — disse ele, casualmente. — Sabe, daquele tipo sólido como uma rocha e parece que você vai gozar antes mesmo de botar para fora da calça.

— Sei. Continue.

— E foi ótimo, porque ela estava com uma das pernas pressionando meu pau duro e cheio de porra. Ela, certamente, sentiu o volume. Eu tirei minha camisa e ela começou a me beijar e apalpar meu peito. Uma delícia. — Fazendo uma pausa, ele tomou um gole do suco de maçã pelo canudo. — Então eu tirei sua blusa, deixando ela só de sutiã. Toquei nos seus seios. Mas quando fomos para o quarto, eu tive um problema.

— Um problema de ereção?

— Não. Ela ainda estava de sutiã.

— E aí? Qual era o problema? Bastava tirá-lo?
— Não tenho a menor idéia de como se faz isso. Então deixei assim mesmo.
— Acho que para abrir um sutiã é preciso certa experiência.
— Mas eu tenho um plano. Você quer saber qual é?
— Eh... claro.
— O que eu vou fazer é pegar um dos sutiãs da minha mãe e prendê-lo em torno de um poste ou coisa parecida. Depois vou até o poste de olhos vendados como se fosse pregar o rabo do burro, pego o sutiã e tento abri-lo.

Lancei um olhar desconfiado sobre ele. Não sabia se ele estava ou não brincando.

— Estou falando sério — ele disse. — É uma maneira legítima de aprender, e você também sabe que vai funcionar.

— Como foi o sexo dessa vez?

— Foi como na última vez. Eu comi a garota até não mais poder, durante uma meia hora sem parar. Eu estava muito duro e lúbrico. Mas não conseguia gozar. Odeio essa merda. Sério, eu quero ejacular durante a trepada.

— É provável que você esteja pensando demais nisso. Ou talvez não esteja entendendo de fato as garotas, emocionalmente.

— Ou talvez eu apenas adore a pegada firme de quando estou me masturbando — ele disse, esfregando os olhos. — Acho que ganhei também meu primeiro boquete. Quer dizer, vi sua cabeça perto do meu pênis, mas não sabia dizer se ela estava me chupando ou não. Mas foi uma delícia quando ela começou a lamber meu saco.

Grimble apareceu, me dando um tapinha no ombro.

— O seminário vai recomeçar — ele disse. — Steve P. e Rasputin estão falando e você não pode perder isso de maneira nenhuma.

Levantei-me e deixei Extramask na mesa, sozinho com seu suco de maçã.

— Sabe o que eu fiz também? — berrou ele quando eu estava me afastando. — Dedei ela!

Eu me virei para olhar para ele. Ele me fez rir. Fingia ser tão confuso e imprestável, mas talvez fosse mais esperto do que todos nós.

— A parte interior da vagina não tem nada a ver com o que eu imaginava — ele gritou, excitado. — Parece uma coisa bem organizada.

Talvez não.

Capítulo 6

Embora David DeAngelo ministrasse seminários sobre como ser arrogante e engraçado, o incontestável peso pesado do gênero era um escritor canadense de 40 anos conhecido por Zan. Quando os AS, como Mystery, aconselhavam a voar abaixo do alcance do radar, Zan alardeava o fato de ele ser o homem das mulheres. Ele se considerava um sedutor na tradição de Casanova e Zorro, e se divertia vestindo-se como eles em festas a fantasia. Em quatro anos no reino da sedução, sequer uma vez pediu conselho; apenas os ofereceu.

GRUPO MSN: Lounge de Mystery
ASSUNTO: Técnica Zan do engraçado arrogante para garçonetes
AUTOR: Zan

Uma coisa que tenho a meu favor é que não sinto medo perto das mulheres. Meu método é muito simples. Tudo o que uma garota diz ou faz para mim é um IDI. Ponto. Ela me quer. Não importa quem ela seja. E quando você acredita nisso, elas começam a acreditar também.

Sou um escravo do meu amor pelas mulheres. Elas conseguem sentir isso. A fraqueza das mulheres está na linguagem e nas palavras. Felizmente, este é um dos meus pontos fortes. Se elas tentam rejeitar meus avanços, ajo como se elas fossem de Marte e o que estão dizendo não faz sentido algum para mim.

Nunca tento me defender ou me desculpar por ser um conquistador. Por quê? Porque uma reputação é algo atraente para as mulheres. É verdade. Eu sou o outro cara com o qual os homens se preocupam quando se casam com uma mulher.

Então, tendo isso em mente, gostaria de partilhar com vocês hoje minha técnica patenteada do engraçado arrogante:

Geralmente, quando um grupo de homens é confrontado com uma nova e devastadoramente bela garçonete, eles olham para sua bunda quando ela passa, depois falam sobre ela pelas costas. Mas quando ela vem até a mesa, ele se tornam totalmente corteses e simpáticos e agem como se não estivessem interessados nela.

Em vez disso, eu fico imediatamente arrogante e engraçado. Vou expor em detalhes a descrição do que faço, porque sinto que alguns caras não entendem de fato o papel do engraçado arrogante.

Quando a vejo vindo na nossa direção, eu logo começo um papo com o camarada à minha frente na mesa num tom aparentemente profundo. Eu me certifico de que meu corpo não está voltado para ela.

Quando ela chega e pergunta o que queremos beber, eu a ignoro por alguns segundos. Em seguida, olho na sua direção e finjo que só então percebi sua presença. Imediatamente, demonstro muito interesse nela — como se ela fosse uma nova descoberta. Uma rápida sacada no seu corpo, tempo suficiente para que ela perceba, depois me viro por completo na sua direção. Um grande sorriso e uma piscada, e o jogo começa.

ELA: O que você deseja?
ZAN: *(Ignorando a pergunta)* Oi, não a tinha visto antes. Qual o seu nome?
ELA: Meu nome é Stephanie. E o seu?
ZAN: Meu nome é Zan.

A essa altura eu já quebrei o gelo um pouco, revelando nossos nomes, ela me deu o direito implícito de ser mais familiar com ela. Então, na próxima vez que ela aparece, eu sorrio e dou mais uma piscada.

ZAN: Oi, você de novo? Uau, você gosta mesmo de ficar perto de nós, não?
ELA: *(Rindo)* (diz qualquer coisa)
ZAN: (diz qualquer coisa)
ELA: (diz qualquer coisa)
ZAN: *(Enquanto ela se afasta)* Aposto que você vai voltar daqui a pouco. Posso ver isso nos seus olhos.
ELA: *(Sorrindo)* Claro, não posso resistir.

Agora eu criei um clima arrogante e engraçado — sua vontade de ficar por perto, e é por isso que está sempre voltando até a mesa. Evidentemente, ela tem que voltar à nossa mesa. Ela é uma garçonete. E quando ela volta, eu lhe sorrio e lanço um olhar para os outros caras à mesa, como se dissesse: "Estão vendo, eu tinha razão." Enquanto isso, eu me esforço para fazer com que a interação venha da parte dela, como se nos conhecêssemos há muito tempo. Isso cria um nível de familiaridade que, em geral, precisa de muitos encontros para ser alcançado.

E então, depois de um tempo, quando ela voltar e perguntar:

ELA: Querem mais alguma coisa?
ZAN: *(Sorriso e piscada)* Sabe de uma coisa? Você é bem bonita. Acho que vou ligar para você.
ELA: Você acha, hum? Você não tem meu telefone.
ZAN: Bem, você tem razão. Ok, então me diga que eu anoto.
ELA: *(Sorrindo)* Não é uma boa idéia. Eu tenho namorado.
ZAN: *(Fingindo escrever)* Uau, devagar. Não consegui pegar o número. Melhor me repetir. Vamos ver... 555...
ELA: *(Ri e vira os olhos)*

O absurdo desse intercâmbio é que de maneira nenhuma ela me dará seu número de telefone na frente dos meus amigos. Nenhuma garota faria isso. Mas seus dígitos não são o objetivo, ainda não.

Agora, eu e ela temos uma relação, por assim dizer. E eu me tornei memorável o bastante para que, da próxima vez que for lá, ela me reconheça. Desse jeito, posso me aproximar, passar o braço em volta dela e continuar com o meu papo habitual: "Você daria uma excelente namorada para mim." E já que tudo foi dito de um modo meio brincalhão, ela não sabe se estou dando em cima dela ou se estou só tirando uma onda. Então, quando eu voltar:

> **ELA:** (Rindo) Ah, não! Você outra vez!
> **ZAN:** Stephanie, querida! Ei, ouça, desculpe-me por não ter retornado sua ligação ontem à noite. Sabe como é, sou um cara muito ocupado.
> **ELA:** (Levando na brincadeira) Está certo, estou realmente furiosa por causa disso.

Mais tarde:

> **ZAN:** Sabe de uma coisa, Stephanie, você é uma namorada terrível. Na verdade, nem me lembro da última vez que fizemos sexo. Pronto. Está acabado. (Apontando para uma outra garçonete) Aquela vai ser minha nova namorada.
> **ELA:** (Rindo)
> **ZAN:** (Brincando com meu telefone) Você foi rebaixada de Sexfone nº 1 para Sexfone nº 10.
> **ELA:** (Rindo) Não, por favor, farei qualquer coisa para reparar isso.

Mais tarde ainda:

> **ZAN:** (Gesticulando para que ela se aproxime e apontando para meu joelho) Stephanie, vem sentar aqui. Vou contar uma história para você dormir. (Sorrio, pisco o olho)

Tenho usado essa frase há anos. É perfeita.

Alguns de vocês provavelmente estão pensando: "Tudo bem, e depois? Como fazer a transição de uma investida engraçada para uma conversa mais séria, romântica, sexual?"

É simples, na verdade. A certa altura, eu apenas converso calmamente com ela sozinha. Não esqueça de lançar um olhar sacana.

> **ZAN:** (Não mais engraçado arrogante) Stephanie, você quer que eu ligue para você?
> **ELA:** Você sabe que eu tenho namorado.
> **ZAN:** Não foi isso que eu perguntei. Você quer que eu telefone?
> **ELA:** É tentador, mas não posso.
> **ZAN:** Fuja comigo, menina. Eu levarei você mais alto do que o Parnasso, onde você nunca esteve antes. Etc.

Tudo o que você acabou de ler realmente aconteceu nas noites de quinta e sexta-feira comigo e uma garçonete chamada Stephanie. Ela foi, sem dúvida, a gata mais quente dos últimos tempos. A decisão final ainda não foi tomada, mas ela não tem ilusão sobre minhas intenções. Meus amigos, ela os vê como uns caras legais, mas não eu. Ela sabe que qualquer interação comigo será apaixonada desde o início. E agora cabe a ela aceitar ou rejeitar.

A verdade é que ela pode muito bem rejeitar minha proposta. Mas não importa. Ela não vai se esquecer de mim tão cedo. E pode ter certeza de que a outra garçonete sabe tudo o que eu lhe disse. E isso é ótimo, especialmente levando em conta que eu disse quase as mesmas coisas do mesmo modo para todas as garçonetes ali. E continuarei fazendo isso — bem na frente de Stephanie.

O resultado final é comprovação social. Quando você chega, você é o dono do pedaço. Acene para uma garçonete, aponte para seu rosto e diga: "Ei, menina, cadê meu açúcar?" Ninguém fica intimidado porque você trata todas da mesma forma. Neste restaurante, em particular, existem quatro garçonetes que já foram para casa comigo, três garçonetes menos atraentes que querem ir para a cama comigo e várias outras que estão "sendo trabalhadas" (incluindo Stephanie). E podem ter certeza de que todas sabem umas das outras. Mas, como já disse, isso é ótimo.

— Zan

Capítulo 7

O destaque do seminário foi o aparecimento de duas pessoas que viriam me oferecer meu tão ambicionado jogo interior e mais: Steve P. e Rasputin. Era sobre esses caras que eu ouvia falar em surdina dentro da comunidade da sedução desde que me associara a ela — os verdadeiros mestres; líderes de mulheres, não de homens.

A primeira coisa que fizeram, quando pisaram no palco, foi hipnotizar todos na sala. Os dois falavam ao mesmo tempo, contando histórias diferentes — um para ocupar o consciente da mente e outro para penetrar o nível subconsciente. Quando nos despertaram, eu não tinha a menor idéia do que tinham instalado dentro das nossas cabeças. Tudo que sabíamos era que aqueles dois eram os oradores mais confiantes que já tínhamos visto. Todo o fogo e carisma que faltavam a David DeAngelo, eles possuíam a granel.

Usando um colete de couro e um chapéu de Indiana Jones, Steve P. era uma mistura de um Hell's Angel com um xamã nativo americano. Rasputin era um leão-de-chácara de clube de strip-tease, com costeletas que pareciam as de um Wolverine com esteróides. Eles tinham se conhecido numa livraria, procurando ambos o mesmo livro sobre PNL. Agora trabalhavam em equipe e estavam entre os maiores hipnotizadores do mundo. O conselho deles para seduzir mulheres era simples: "Torne-se um especialista em como se sentir bem."

Com esse objetivo, Steve P. descobrira um jeito de fazer as mulheres pagarem para transar com ele. Por algo entre cem e mil dólares, ele treina as mulheres a alcançarem o orgasmo mediante um único comando de voz; ele lhes ensinou cinco diferentes estágios de garganta profunda que ele mesmo criara; e, o mais fantástico, ele afirmava conseguir aumentar os seios através da hipnose, chegando a fazer uma mulher ganhar dois números de sutiã.

O forte de Rasputin era o que ele chamava de engenharia hipnótica sexual. O sexo, ele explicou, deve ser visto como um privilégio para a mulher, não um favor para você. "Se uma mulher quer chupar meu pau", ele elaborou, "eu lhe digo: 'Você só tem direito a três chupadas e só pode ficar aí agachada enquanto estiver sentindo prazer.'" Seu peito estufou. "Depois disso: eu lhe digo: 'Achou gostoso? Na próxima vez poderá dar cinco chupadas.'"

— E se você ficar com medo de ser surpreendido tentando manipular a garota? — perguntou um executivo na fila da frente, que parecia uma miniatura de Clark Kent.

— Não existe essa coisa chamada medo — respondeu Rasputin. — Emoções são apenas energia e movimento que você captura dentro do corpo por causa de um pensamento.

O mini-Clark Kent olhou para ele com uma expressão estúpida.

— Você sabe como superar isso? — Rasputin olhava para seu interlocutor como um campeão de luta livre, pronto para quebrar uma cadeira. — Você não toma banho nem se barbeia por um mês, até começar a feder como um esgoto. Depois sai por aí durante duas semanas usando um vestido e uma máscara de hóquei com um dildo preso a ela. Foi o que eu fiz. E nunca mais tive medo de ser humilhado publicamente.

— Você tem que viver sua própria realidade — interrompeu Steve. — Certa vez, uma garota me disse que eu era um pouco atarracado. Eu respondi: "Tudo bem, se é isso que você acha, você não irá afagar a barriga do Buda nem cavalgar no talo de jade."

Ele se calou por alguns segundos, depois prosseguiu, como se fosse uma reflexão tardia:

— Mas eu lhe disse essa porra de uma maneira gentil, pelo viés espiritual.

Depois disso, DeAngelo me apresentou a ambos. Minha cabeça batia no peito estufado de Rasputin.

— Gostaria de saber mais sobre o que vocês fazem — eu lhes disse.

— Você está nervoso — falou Rasputin.

— Pô, vocês dois são um pouco assustadores.

— Deixe-me livrá-lo dessa ansiedade — propôs Steve. — Diga seu número de telefone de trás para a frente.

Comecei a gaguejar.

— Cinco... quatro... nove... seis...

Enquanto eu falava, Steve estalou os dedos.

— Ótimo. Respire fundo e solte o ar com força — ele me instruiu.

Quando estava seguindo suas ordens, ele passou os dedos sobre meu umbigo e fez um som chiado.

— Saia! — ele ordenou. — Agora, sinta essa emoção simplesmente ser expulsa do seu corpo como uma espiral de fumaça num dia de ventania. Repare como já se foi; não existe mais. Dê um passeio pelo seu corpo e tente encontrar onde está. Repare que há agora uma vibração diferente por dentro. Muito bem. Abra seus olhos. Tente realmente com toda força recuperar um pouco daquele sentimento. Está vendo? Você não consegue.

Eu não sabia dizer se havia funcionado ou não, mas eu estava cambaleante. Ele de fato levara meu corpo e minha mente para uma espécie de viagem relâmpago.

Recuando um passo, ele examinou meu rosto, como se lesse um diário.

— Um cara chamado Phoenix se ofereceu para me pagar 2 mil dólares e me acompanhar durante três dias — disse Steve P. — E eu lhe respondi não, porque ele quer fazer das mulheres suas escravas. Você parece do tipo que se preocupa com as mulheres: não está apenas procurando um buraco para enfiar sua carne. Você está a fim de explorar essa merda.

De repente, ouvimos uma agitação atrás de nós. Duas irmãs e a mãe delas tinham cometido o engano de descer até o corredor do hotel onde havia um punhado de artistas da sedução e os abutres caíram em cima da carniça. Orion, o supernerd, estava lendo a palma da mão de uma das garotas; Rick H. explicava para a mãe que era o empresário de Orion; Grimble atacava a outra garota e uma multidão de candidatos a AS se apinhava em volta, tentando ver os mestres em ação.

— Ouça — disse Steve P. com pressa. — Aqui está meu cartão. Ligue para mim se um dia quiser aprender alguns truques do círculo secreto.

— Eu adoraria.

— Mas isso é confidencial — ele advertiu. — Se nós o deixarmos entrar, não poderá partilhar essas técnicas com ninguém. Elas são muito poderosas e em mão erradas podem realmente destruir uma garota.

— Entendi.

Ele dobrou um pedaço de papel branco dando-lhe a forma de uma rosa e depois investiu na direção da carniça. Ele se aproximou da garota que Grimble havia abordado, disse-lhe para cheirar a flor e em 30 segundos ela passou por nós nos braços de Steve P. Isso era um truque do círculo secreto. E eu estava pronto para aprendê-lo.

Capítulo 8

E assim começou a fase mais estranha do meu aprendizado.

Todos os fins de semana eu fazia um percurso de duas horas para o sul, até San Diego, e ficava no pequeno e esquálido apartamento de Steve P., onde ele criava seus dois filhos da mesma maneira que falava com seus alunos — com compassiva obscenidade. Seu filho de 13 anos já era um hipnotizador melhor do que eu seria algum dia.

Às tardes, Steve e eu íamaos até a casa de Rasputin. Eles me pediam para sentar numa cadeira e perguntavam o que eu queria aprender. Eu tinha uma lista: acreditar que era atraente para as mulheres; viver minha própria realidade; parar de me preocupar sobre o que as outras pessoas pensavam de mim; me locomover e falar com um ar enérgico, confiante, misterioso e profundo; superar meus medos de rejeição sexual e, é claro, alcançar um sentido de dignidade, o que Rasputin definiu como a convicção de merecer o que a vida tem de melhor a oferecer.

Era fácil memorizar os procedimentos, mas dominar o jogo secreto, após toda uma existência de maus hábitos e padrões de pensamento, não é tão fácil. Aqueles caras, porém, tinham as ferramentas para me consertar antes do próximo workshop de Mystery, em Miami.

— Nós vamos reformular você no que você está insatisfeito para a Boopsy poder chupar seu pau — explicou Steve. — Será um privilégio para ela poder beber o néctar de um mestre.

A cada lição, eles me colocavam sob pressão, e Rasputin contava complexas histórias metafóricas em um de meus ouvidos, enquanto Steve P. emitia comandos para meu subconsciente no outro ouvido. Eles deixavam circuitos inacabados (ou metáforas e histórias sem conclusão) na minha mente, que seriam retomados na semana seguinte. Tocavam música destinada a trazer à tona reações psicológicas específicas. Colocavam-me num transe tão profundo que as horas passavam sem que eu piscasse os olhos.

Em seguida, eu voltava para a casa de Steve e lia livros sobre PNL, enquanto ele berrava afetuosamente com os filhos.

Tenho uma teoria segundo a qual a maioria dos caras naturais, como Dustin, perde a virgindade ainda jovens e, conseqüentemente, nunca experimenta um sentimento de urgência, curiosidade e intimidação diante de uma mulher durante seus anos críticos da puberdade. Aqueles que precisam aprender a conhecer as mulheres metodicamente, por outro lado — como eu e maior parte dos alunos da comunidade —, em geral, sofrem durante todo o ensino médio sem namoradas nem encontros. Assim, somos forçados a passar anos nos sentindo intimidados e alienados pelas mulheres, que possuem sozinhas a chave para nos livrar do estigma que arruína nossas vidas de jovens adultos: a virgindade.

Steve se encaixava na minha teoria sobre os caras naturais. Ele foi iniciado no sexo quando estava na primeira série. Uma menina mais velha queria chupar seu pau; ele reagiu tentando acertá-la com uma pedra. Mas ela acabou o convencendo, e aquela experiência foi o começo de sua obsessão por sexo oral durante toda a vida. Quando estava com 17 anos, contou ele, uma prima o contratou para trabalhar na cozinha de uma escola católica para meninas. Depois de ter feito sexo oral com uma das moças, o rumor se espalhou e ele logo se tornou o quebra-galho para esse assunto no campus. Além de proporcionar prazer às garotas, ele também as fazia se sentirem culpadas. E depois de um número cada vez maior de confissões envolvendo o rapaz da cozinha, Steve foi despedido.

Ele freqüentou uma gangue de motoqueiros durante algum tempo, mas a abandonou logo em seguida, após acertar acidentalmente um tiro na cabeça de um cara. Agora, ele dedicava sua vida a uma pretensa combinação de sexualidade e espiritualidade. E apesar de seu modo grosseiro de falar, no fundo era uma boa pessoa. Ao contrário de muitos dos gurus que conheci, nele eu confiava.

Depois de os filhos de Steve irem dormir, ele me ensinou magias do círculo secreto que aprendera com xamãs cujos nomes ele havia prometido nunca pronunciar. O primeiro fim de semana que passei lá, ele me deu uma lição sobre fitando a alma, que é quando você olha intensamente o olho direito de uma mulher com seu próprio olho direito, enquanto ambos respiram no mesmo ritmo.

— Assim que você fizer isso com ela, ela vai se sentir muito ligada a você — ele me advertiu. Seus discursos preventivos eram, com freqüência, mais longos do que o verdadeiro processo de ensino. — Quando fizer isso, você se torna um *anamchara*, que em gaélico significa amigo da alma. Um amigo da alma.

No fim de semana seguinte, aprendi como administrar um *ménage à trois* e como treinar uma mulher a chupar a boceta da outra colocando uma nectarina seca na sua boca e fazendo-a mastigar eroticamente durante o sexo. No outro fim de semana, ele me mostrou como atirar esperma sobre a barriga de uma mulher. E no fim de semana que se seguiu, ele me ensinou a me conter e criar ciclos de energia orgástica de modo que uma mulher pudesse empilhar um orgasmo retido em cima do outro, até que, como Steve P. disse, ela "Comece a tremer como um cachorro cagando caroços de pêssego". Finalmente, ele partilhou comigo o que considerava ser seu maior talento: conduzir qualquer mulher, através de palavras e toques, a um poderoso orgasmo que "jorra como as cataratas do Niágara".

Tratava-se de um nível completamente novo do jogo. Ele estava me dando superpoderes.

Eu estava no meio de um redemoinho de erudição. Não ligava para os amigos. Quase nem falava com minha família. Recusei todo compromisso de escrita que me ofereceram. Eu estava vivendo numa realidade alternativa.

— Eu falei para o Rasputin — Steve me disse certa noite —, mais do que todos esses outros aprendizes da sedução que existem por aí, eu gostaria que você se tornasse um dos nossos instrutores.

Era uma oferta que eu teria de rejeitar. O mundo da sedução era um palácio de portas abertas. Ao entrar por uma, não importa a tentação provocada pelos tesouros lá dentro, significaria fechar as outras.

Capítulo 9

Voltei para casa numa noite de domingo e encontrei uma mensagem de Cliff na secretária. Ele estava na cidade e queria me levar para conhecer sua última descoberta de AS — um motoqueiro que virou operário de obra e se chamava David X.

Cliff fazia parte da comunidade desde o princípio. Era um quarentão simpático e tenso. Embora fosse convencionalmente bonito, ele era também a personificação viva da palavra quadrado. Ele parecia ter acabado de sair de uma série de televisão para a família dos anos 1950. Tinha um closet em casa, ele afirmava, com mais de mil livros sobre sedução. Havia exemplares do *Pick-Up Times*, uma revista de vida curta dos anos 1970, uma edição original do clássico de Eric Weber, *Como seduzir as mulheres*, e raridades misóginas com títulos como *A sedução começa quando a mulher diz não*.

David X era um dos seis AS que Cliff descobrira com o tempo e promovera em sua lista, que ele iniciara em 1999, após Ross tê-lo criticado na mala-direta da Sedução Veloz, que discutia as técnicas de paquera que não tinham relação com o PNL. Todo AS tinha uma especialidade, e a de David X era o gerenciamento de haréns — malabarismo de relacionamento com várias mulheres sem mentir para elas.

Quando entrei no restaurante mal iluminado, fiquei espantado com o que vi esperando por mim. David X era possivelmente o AS mais feio que eu já vira. Ele fazia Ross Jeffries parecer um desses modelos de cueca da Calvin Klein. O cara era imenso, calvo, uma aparência de sapo, com verrugas cobrindo seu rosto e a voz de 100 mil maços de cigarros.

Meu almoço com ele foi como tantos outros antes. Salvo que as regras eram sempre diferentes. As suas eram:

I. Quem se importa com o que ela pensa?
II. Você é a pessoa mais importante nessa relação.

Sua filosofia era jamais mentir para uma mulher. Orgulhava-se de ir para a cama com as mulheres conquistando-as com suas próprias palavras. Por exemplo, ao encontrar uma garota no bar, ele fazia com que ela dissesse que era espontânea e não respeitava regras; então, se ela se mostrasse relutante para sair do bar com ele, dizia: "Pensei que você fosse espontânea. Pensei que fizesse o que bem entendesse."

Ele se estendeu em sua cadeira como um pedaço de queijo suíço derretido e disse:

— As únicas mentiras que eu conto são: "Não vou gozar na sua boca" e "Vou só ficar roçando na sua bunda".

O visual não era nada bonito.

Sua filosofia estabelecia um contraste direto com tudo que eu aprendera com Mystery, e ele deixou isso bem claro, ao longo da refeição. Ele era uma evidência da teoria do Falastrão de Cliff, um macho alfa natural.

— A melhor coisa — ele se gabou — é que existem caras como eu e caras como você e Mystery por aí. Enquanto vocês ainda estão no bar com seus truques de mágica, eu já estou voltando para traçar a segunda.

Foi um encontro interessante, e eu aprendi um bocado de pequenos aspectos do jogo que voltaria a utilizar inúmeras vezes. Mas, quando acabamos, eu percebi uma coisa: eu não precisava mais conhecer nenhum guru.

Eu dispunha de todas as informações que precisava para me tornar o maior artista da sedução do mundo.

Eu tinha centenas de quebra-gelos, procedimentos, comentários engraçados-arrogantes, meios de demonstrar valor e poderosas técnicas sexuais. E tinha sido hipnotizado até o Valhalla e voltado. Não era preciso aprender mais nada, a menos que fosse para meu próprio divertimento e interesse. Eu só precisava estar em campo constantemente — abordando, calibrando, sintonizando e resolvendo os pontos cruciais. Eu estava pronto para Miami e para o workshop.

Quando Cliff me acompanhou até em casa, fiz a mim mesmo uma promessa: se eu algum dia voltar a encontrar um guru, não seria como discípulo, mas como semelhante.

QUINTO PASSO

ISOLE O ALVO

"Não é justo destroçar uma pessoa quando a saúde e a exuberância dela são uma ameaça a você."

— Jenny Holzer
Benches

Capítulo 1

À medida que Mystery e eu viajávamos pelo mundo fazendo nossos workshops, encontrando todos os participantes desse jogo, a comunidade de sedução começou a se tornar algo mais do que um bando de nomes sem rosto nas telas. Aos poucos, a comunidade se tornava uma família de carne e osso. Maddash não era mais aquelas sete letras e sim um empresário engraçado com a cara do Jeremy Piven, que morava em Chicago; Stripped era um austero editor de livros de Amsterdã com aparência de manequim de moda; Nightlight9 era um nerd adorável que trabalhava na Microsoft.

Com o tempo, os posers e os viciados em teclados saíram fora, e os superstars tiveram o que mereciam. E Mystery e eu éramos superstars porque estávamos em ação: Miami, Los Angeles, Nova York, Toronto, Montreal, São Francisco e Chicago. A cada workshop ficávamos melhores, mais fortes, mais compulsivos. Todos os outros gurus que eu tinha encontrado se agarravam à segurança de uma sala de seminário. Nunca eram obrigados a comprovar seus ensinamentos no campo, de cidade em cidade, noite após noite, mulher após mulher.

Toda vez que deixávamos uma cidade, um novo covil se formava, caso já não existisse antes, com alunos ansiosos para praticar suas novas técnicas. De boca em boca, os covis logo duplicaram, triplicaram e quadruplicaram em tamanho. E todos esses caras veneravam Mystery e Style: nós vivíamos a vida que eles queriam viver, ou pelo menos era o que eles achavam.

Cada workshop gerava mais resenhas on-line elogiando meu jogo recém-adquirido. Cada relatório de campo postado desencadeava uma enxurrada de mensagens de alunos querendo ser meus parceiros. A lista de caçadores em meu caderno de telefones já começava a superar o número de garotas que eu encontrara.

A maior parte do tempo, quando meu telefone tocava, era um cara procurando por Style. E, dispensando as apresentações, ele perguntava: "Quando você liga para uma garota você deve bloquear seu número ou não?" ou "Eu estava com um grupo de três e o obstáculo acabou gostando de mim e me deu seu telefone. Será que ainda tenho uma chance com o alvo?"

O jogo estava consumindo minha vida antiga. Mas valia a pena, porque era parte do processo de me tornar aquele cara na boate — aquele que eu sempre invejara, aquele ali no canto, beijando aquela garota que acabou de conhecer. O Dustin.

Antes de eu descobrir a comunidade, a única vez que eu quase transei com uma garota que encontrei numa boate foi logo que cheguei a Los Angeles. Mas no meio do beijo ela se afastou e disse: "As pessoas vão pensar que você é um produtor de cinema ou coisa parecida." O subtexto era que ela era gostosa demais para ficar de agarração com um cara relaxado como eu. Aquilo me deixou em pedaços por alguns meses. Eu era inseguro demais para lidar com o que era, em retrospectiva, o jeito dela de me mandar um neg.

Mas agora, quando entrava numa boate, eu sentia um ímpeto de poder, imaginando que mulher colocaria a língua na minha boca na próxima meia hora. Pois, apesar de todos os livros de auto-aperfeiçoamento que lera, eu ainda não tinha superado aquela busca de confirmação. Nenhum de nós tinha. Por isso estávamos no jogo. Sexo não era só uma troca de óleo; era um meio de ser aceito.

Mystery, enquanto isso, passara por suas próprias metamorfoses durante nossas viagens. Ele desenvolvera uma nova forma radical de se pavonear. Já não lhe bastava mais vestir um item para atrair a atenção do sexo oposto. Agora, os itens que usava eram impressionantes, transformando-o num espetáculo ambulante. Usava botas tipo plataforma de 15 centímetros e um chapéu de caubói vermelho e brilhante com tira de pele de tigre que o deixava 20 centímetros mais alto. Acrescentava a isso uma calça preta de vinil, óculos futurísticos, uma mochila de plástico, uma camisa de malha transparente, delineador nos olhos, sombra branca nas pálpebras e até sete relógios nos pulsos. Todos se viravam quando o viam na rua.

Ele não precisava de quebra-gelos. As mulheres se abriam sozinhas. As garotas seguiam-no pelas ruas. Algumas apertavam sua bunda; uma mulher mais velha chegou a mordê-lo. E tudo que precisava fazer, se estava interessado, era alguns truques de mágica, que pareciam justificar seu visual exuberante.

Sua nova aparência também servia como importante teste de acidez para mulheres. Ele repelia o tipo de garota em que não estava interessado e atraía as que lhe interessavam.

— Estou vestido para agradar as gatas impetuosas das boates, as meninas gostosas e indecentes, aquelas que eu nunca tive — ele explicou certa noite, quando o acusei de se parecer com um palhaço. — Elas fingem que são groupies, então tenho que bancar o rock star.

Constantemente, Mystery me encorajava a vestir-me de forma espalhafatosa, como ele. Embora, certa vez, eu tenha cedido e comprado um casaco de pele roxo numa loja de lingerie de Montreal, eu não conseguia me interessar em parecer ridículo para chamar a atenção. Além do mais, eu estava me saindo muito bem sem isso.

Minha reputação se devia em grande parte ao workshop em Miami, onde, num período de 30 minutos, coloquei em ação minhas seis semanas de hipnose, treinamento e acompanhamento de gurus. Foi uma noite que ficaria nos anais da história da comunidade. Era sedução, não como uma luta livre, mas um balé: um perfeito exemplo de estética. Foi a noite em que fui promovido de TFM a um AS.

Capítulo 2

Era a caçada perfeita.

Quando elas entraram na área VIP do Crobar em Miami, todos notaram. Eram duas louras platinadas com seios falsos, bem bronzeadas e roupas idênticas — blusas brancas bem justas e calças brancas apertadas. Como alguém poderia deixar de notar? Eram o que um AS chamaria de perfeito 10 e estavam vestidas para deixar os homens loucos. Isso aconteceu em South Beach, onde a testosterona corre em níveis elevados, e as duas receberam assobios e cantadas a noite toda. Elas pareciam se comprazer tanto com a atenção que atraíam quanto em demolir os homens que as assediavam.

Eu sabia o que fazer — isto é, o que ninguém estava fazendo. Um artista da sedução deve ser uma exceção à regra. Tinha de suprimir todo instinto evolutivo dentro de mim e ignorá-las de todo jeito.

Comigo estavam Mystery e dois outros alunos, Outbreak e Matador of Love. Os demais alunos estavam caçando no perímetro do salão de dança no andar inferior.

Outbreak foi na frente, cumprimentando as gêmeas platinadas por suas roupas. Elas o espantaram como se fosse um mosquito. Em seguida, Matador of Love se aproximou com o quebra-gelo de Maury Povich. Ele também foi detonado.

Agora, era minha vez. Seriam necessárias toda a confiança e auto-estima que Steve P. e Rasputin tinham me transmitido através da hipnose. Caso eu mostrasse o menor indício de fraqueza ou dúvida, elas me comeriam vivo.

— Aquela mais alta não merece um 10 — sussurrou Mystery se inclinando na minha direção. — Ela merece 11. Será preciso mandar um neg violento.

As garotas foram até o balcão do bar, onde começaram a conversar com um travesti com uma roupa preta de bailarina. Eu me aproximei, sem sequer olhar para elas, e cumprimentei o travesti como se o conhecesse. Perguntei se trabalhava na boate, e ele disse que não. Não importava realmente o que eu lhe dizia: estava apenas fazendo uma manobra de posicionamento, usando-o como peão para abordar as duas.

Agora que estava em posição, era hora de mandar um neg.

— Aquela garota ali está copiando seu estilo — eu disse para a nota 10, a mais baixa. — Olhe para ela — apontei para uma outra loura platinada com uma roupa branca.

— Não, só os cabelos são parecidos — disse a nota 10, demonstrando indiferença.

— Que nada, olhe só a roupa dela — eu persisti. — É quase exatamente a mesma.

Elas olharam outra vez, e aquele era o momento do tudo ou nada. Se eu não achasse algo interessante para dar continuidade, perderia o interesse delas e seria rotulado como mais um mané. Então prossegui com os negs.

— Sabe de uma coisa? — eu lhe disse. — Vocês duas parecem dois estranhos flocos de neve.

Era um comentário estranho e enigmático, mas agora eu tinha conseguido sua atenção. Podia sentir isso, e meu coração começou a bater mais rápido. Continuei com o que já sabia que seria meu verdadeiro quebra-gelo:

— Tenho que perguntar uma coisa. Seus cabelos são verdadeiros?

A nota 10 pareceu chocada e depois recuperou sua compostura.

— São — ela respondeu. — Pode tocar.

Puxei-os com delicadeza.

— Ei, estão se mexendo, não são de verdade.

— Puxe com mais força.

Obedeci e dei um puxão tão forte que sua cabeça veio junto.

— Tudo bem — eu disse. — Acredito em você. Mas e sua amiga?

O rosto da nota 11 ficou vermelho. Ela se inclinou sobre o balcão do bar e me lançou um olhar duro.

— Isso é muito grosseiro de sua parte. E se eu for careca por baixo? Isso poderia me deixar muito magoada. É desrespeitoso. Como você se sentiria se alguém lhe dissesse isso?

A sedução é um jogo de apostas altas, e para ganhar você deve jogar duro. Tudo o que eu fizera até então tinha sido requisitar sua atenção e provocar uma reação emocional. É claro, esta havia sido negativa, mas agora havia um relacionamento. Se conseguisse desarmar sua raiva, eu estava no jogo.

Felizmente, eu estava tentando marcar ponto com os alunos e estava usando uma peruca preta extravagante e um falso piercing no lábio — só para mostrar que a aparência não conta. Isso faz parte do jogo.

Eu me debrucei no balcão e olhei fixamente para a nota 11.

— Muito bem — eu lhe disse —, na verdade, eu *estou* usando uma peruca, e por baixo *sou* careca.

Fiz uma pausa e ela me olhou boquiaberta. Ela não sabia o que dizer. Agora era hora de fazê-la vacilar.

— E vou dizer mais uma coisa para você. Que eu saia totalmente careca, usando esta peruca ou uma outra, de cabelos longos e estranhos, isso não muda a maneira como sou tratado pelas pessoas. É tudo uma questão de atitude. Você não concorda?

Tudo que eu digo durante o processo de sedução tem um motivo oculto. Eu precisava fazer com que soubesse que, diferente de todos os outros caras no bar, eu não ficava e não ficaria intimidado pelos seus olhares. A beleza para mim era agora um teste de desestabilização: ela elimina os perdedores que ficam sem ação à sua frente.

— Moro em Los Angeles — continuei. — É para onde as mulheres mais lindas do país vão, para tentar e conseguir vencer na vida. Você olha dentro de uma boate e todo mundo é bonito. Faz esta sala VIP parecer uma espelunca. — Eram palavras que eu aprendera de cor com Ross Jeffries, e estavam funcionando.

Deixei ela olhar ao redor e prossegui:

— E sabe o que eu aprendi? A beleza é comum. É uma coisa com a qual você nasce ou então tem de pagar para ter. O que importa é o que você faz de si mesmo. O que conta é uma boa perspectiva e uma grande personalidade.

Agora eu estava no meio do jogo. As garotas é que estavam sem ação agora, não eu. Eu tinha penetrado o seu mundo, como Ross Jeffries colocou certa vez, e demonstrava autoridade sobre ele. E para garantir aquela posição lancei mais um neg, porém amaciado com um leve cumprimento, como se elas estivessem me conquistando.

— E sabe de outra coisa? Você tem um lindo sorriso. Posso dizer que por baixo disso tudo você provavelmente é uma boa pessoa.

A nota 10 chegou perto de mim disse:

— Somos irmãs.

Um artista da sedução inferior teria achado que seu trabalho estava concluído, que acabara de conquistar as duas. Mas, não, aquele era apenas mais um teste de desestabilização. Olhei bem calmo para as duas e depois arrisquei:

— Mentira — disse sorrindo. — Aposto que um monte de caras acredita em vocês, mas eu sou uma pessoa muito intuitiva. Quando olho para as duas, posso ver que são muito diferentes. Diferentes demais.

A nota 10 abriu um sorriso culpado.

— Nós nunca dizemos isso para ninguém — ela respondeu —, mas você está certo. Somos apenas amigas.

Agora que eu decodificara seu programa, afastado-a do piloto automático de respostas que ela dava aos homens, demonstrava que eu, simplesmente, não era um cara qualquer. Arrisquei de novo:

— E eu seria capaz de apostar também que vocês não são amigas há tanto tempo assim. Em geral, melhores amigas começam a ter os mesmos maneirismos, e vocês duas, realmente, não têm.

— Faz só um ano que nos conhecemos — admitiu a nota 10.

Agora era hora de recuar meu jogo e afofá-las um pouco. No entanto, decidi não fazer mais perguntas; em vez disso, como Juggler me ensinara, emitiria afirmações abertas que as levariam a me fazer perguntas.

A nota 10 me disse que elas eram de San Diego, então falamos um pouco sobre a Costa Oeste e Miami. Enquanto conversávamos, eu mantinha as costas viradas para a nota 11, como se estivesse menos interessada nela. Era o clássico Método Mystery: queria que ela pensasse mais sobre mim, indagando o motivo de eu estar lhe dando menos atenção do que ela estava acostumada. Nada no jogo ocorre por acidente.

Penso no interesse de uma mulher comigo como se fosse um fogo, e quando ele começa a apagar, é hora de remexer e atiçá-lo. Então, assim que a nota 11 estava pronta para se afastar e procurar alguém com quem conversar, eu me virei e mandei uma linda frase:

— Sabe de uma coisa? Quando olho para você posso ver exatamente como você era na escola, quando tinha uns 13 anos. E posso apostar que você não era tão expansiva e popular naquela época.

Claro, se tratava de um truísmo. Mas ela me fitou perplexa, se perguntando como era possível que soubesse aquilo. Para selar minha vitória, lancei mão de um último procedimento de leitura a frio destinado a neutralizar a beleza.

— Aposto que muita gente pensa que você é safada. Mas isso não é verdade. O fato é que você é tímida em muitos aspectos.

Ela começou a me olhar com aquela expressão de cão faminto, como os AS a chamam. Aquele olhar é a meta de toda abordagem. Seus olhos ficaram vidrados, as pupilas dilataram-se e ela apenas observou o movimento dos meus lábios, arrebatada e atraída. Notei, contudo, que quanto mais a nota 11 ficava interessada, mais a nota 10 me dava mole.

— Você é interessante — disse a nota 10, efusiva, pressionando seus seios contra meu corpo. Podia ver Mystery, Outbreak e o Matador of Love me fixando lá dos fundos. — Nós devíamos sair juntos em Los Angeles.

Ela se aproximou ainda mais e me deu um abraço apertado.

— Tudo bem, isso vai custar 30 dólares — eu disse a ela, me afastando. — Isso não é de graça.

Quanto mais você as repele, mais elas correm atrás de você.

— Eu amo esse cara — ela falou para a amiga. Depois, ela me perguntou se as duas podiam sair comigo na próxima vez que estivéssemos em Los Angeles.

— Claro — respondi. Mas, à medida que as palavras saíam da minha boca, eu me dei conta, tarde demais, de que deveria ter feito de minha hospitalidade algo a ser conquistado. Há tanta coisa a se lembrar e com que lidar durante um processo de sedução que é difícil fazer tudo de modo perfeito. Mas não importa. Ela me deu seu número de telefone e eu lhe dei o meu.

Você deve ter notado que eu não me referi a essas garotas pelos seus nomes. Isso é porque eu nunca me apresento durante uma conquista. Como Mystery me ensinara no primeiro workshop, eu aguardo que a mulher se apresente ou pergunte o meu nome. Dessa maneira, sei se está interessada. Então, enquanto trocávamos os números, percebi o primeiro IDI verdadeiro e descobri que a nota 10 era Rebekah e a nota 11 era Heather. Agora, era hora de separar as duas e ver se conseguia suficientes IDI para dar um beijo íntimo em Heather.

Um conhecido delas apareceu de repente e comprou três doses de uísque — para Heather, Rebekah e ele mesmo. Ergui minha mão vazia e olhei ao redor, fingindo estar magoado. Heather, que aos poucos eu percebia que era na verdade uma doce menina por baixo daquele exterior laboriosamente ornamentado, mordeu a isca.

— Não liga — disse ela, apontando para o amigo delas. — Ele é um grosso.

Quando ela chamou o barman e pediu que me servisse uma dose, Rebekah olhou-a com raiva e ganiu:

— Não se esqueça do nosso regulamento.

Eu sabia qual era o regulamento: garotas como aquelas adoram quando um cara paga uma bebida para elas. Mas David X havia me ensinado algo melhor: as garotas não respeitam os caras que pagam suas bebidas. Um verdadeiro artista da sedução sabe que nunca deve comprar bebida, almoço ou presentes para uma mulher com quem ainda não foi para a cama. Essas coisas são para os tolos.

— Nós prometemos que não pagaríamos nenhuma bebida nesta viagem — disse Rebekah.

— Mas vocês não estão pagando uma bebida para vocês mesmas — eu lhes disse. — Vocês estão pagando uma dose para mim. E eu sou diferente de todos os outros caras.

Não costumo ser realmente assim tão pretensioso, mas existem regras no jogo. E elas devem ser obedecidas, porque funcionam.

De repente, Mystery veio na minha direção e sussurrou no meu ouvido: "Isolar!"

— Quero mostrar uma coisa a você — eu disse a Heather, pegando na mão dela. Levei-a até uma mesa ali perto, fiz com que se sentasse e realizei uma experiência de PES. Atrás de mim, vi Mystery dando lentos socos na própria mão. Era um código: sinal de troca de fase, desacelerar e partir para matar.

Falei a ela sobre como fitar a alma e, com a música ambiente e uma dúzia de pessoas conversando à nossa volta, olhamos nos olhos e partilhamos um momento juntos. Na minha cabeça, eu a imaginava gordinha quando tinha seus 13 anos. Se começasse a pensar em como ela era realmente linda, ficaria nervoso demais para maculá-la com os meus lábios, o que eu estava quase tentando fazer.

Bem devagar, aproximei a minha cabeça da dela.

— Na boca não — ela disse calmamente.

Ergui meu dedo indicador e o coloquei sobre seus lábios, e então disse: "Shhhh." Depois a beijei. Nos lábios.

Teria sido o beijo mais lindo da minha vida. Mas eu estava tão envolvido no jogo da sedução que esqueci que estava usando um piercing no lábio. Com medo de que ele viesse a se soltar (ou pior, acabar na sua boca), eu me retraí, olhei outra vez nos olhos e então dei umas mordidinhas no seu lábio inferior.

Sua língua saiu voraz da boca.

— Ei, mais devagar — eu lhe disse, como se fosse ela que estivesse dando em cima de mim. A chave para a progressão física, David DeAngelo dissera em um de seus seminários, é dar dois passos para a frente e um para trás.

Demos uns amassos cuidadosamente e depois eu a devolvi para Rebekah no balcão do bar. Eu tinha um workshop para apoiar, então disse a elas que fora um prazer conhecê-las mas que eu tinha de voltar para meus amigos. Confirmamos nossos planos de passarmos um fim de semana juntos e eu me afastei com o coração feliz.

O Matador of Love foi o primeiro a vir falar comigo. Ele segurou minha mão e a beijou.

— Na Índia, ficam prostrados diante de pessoas como você — disse ele, agitando os braços de excitação. — Você me trouxe um outro significado para a vida. Foi a mesma coisa que assistir a uma jogada imperdível de John Elway. Todo mundo sabe do que ele é capaz, mas naquele instante ele faz questão de provar novamente. Você merece o grande prêmio.

Durante o resto da noite eu estava a todo vapor. As mulheres que sequer tinham me visto com as duas louras platinadas, que não eram irmãs, estavam dando mole. Elas podiam sentir.

Quando cruzei com Heather outra vez, perguntei:

— Você não é uma ladra, é?

— Não — respondeu ela.

Retirei meu colar e lentamente coloquei em volta de seu pescoço.

— Isso ainda me pertence — sussurrei, dando-lhe leves beijinhos. — Algo para você se lembrar desta noite. Mas vou querer de volta na próxima vez que nos vermos. É muito especial para mim.

Ao me afastar, eu sabia que tinha lhe proporcionado uma noite incrível.

Não me importava se eu tinha transado ou não, porque aquele era o jogo habilidosamente praticado. Exatamente aquilo pelo que eu tanto tinha lutado até então. Eu só não sabia que seria capaz de realizá-lo com tanta manha e que, durante o processo, estava criando uma fome que jamais poderia ser saciada.

Capítulo 3

Depois de outros dois meses de workshop, voei de volta a Los Angeles para descansar. Mas fiquei inquieto, sentado sozinho em casa. Havia bares e boates cheios de grupos a serem penetrados, cada um com uma potencial aventura. A compulsão para caçar consumia meu corpo como uma febre.

Felizmente, recebi um telefonema de Grimble. Ele estava no Whiskey Bar e encontrara Heidi Fleiss, antiga Madame Hollywood, que havia sido solta recentemente da penitenciária, onde cumprira pena por cafetinagem e evasão fiscal. Ela queria me conhecer.

Vesti um terno feito sob medida que comprara pouco tempo atrás, apanhei minha bolsa de acessórios e aspergi uma água-de-colônia diferente em cada pulso. Eu tinha a impressão de que não se tratava de um telefonema casual.

Quando cheguei, Grimble estava em pé ao lado dela no balcão. Ele estava usando a mesma camisa com motivos florais com a qual eu o conhecera, as cores desbotadas após tantas lavagens. Três botões estavam abertos, e seu peito sem pêlo parecia mais inflado do que nunca. Como um jogador de beisebol, ele parecia acreditar que aquela era sua camisa da sorte.

— Este é o Style — Grimble lhe disse, esboçando um sorriso duvidoso, o que era um pouco irritante para um amigo, mas para certo tipo de garota aquilo era excitante, sem dúvida. — O cara de quem eu estava falando.

Heidi era atraente, porém áspera, como somente as mulheres que têm que sobreviver sozinhas em Los Angeles são capazes de ser. Eu me perguntei se ele estaria tentando armar para eu ficar com ela. Ela me parecia uma estranha escolha. Tento evitar mulheres que já cumpriram pena.

Ela estendeu o braço e apertou minha mão com firmeza.

— Então — ela disse. — Mostre seus truques.

— Do que você está falando? — perguntei.

— Grimble estava falando que você é um artista da sedução. Ele me contou sobre o que você ensina. Mostre do que é capaz.

Lancei um olhar enfurecido para Grimble. Ele havia me traído.

— Por que você não mostra para ela? — perguntei a Grimble.

— É que eu estou com uma garota — respondeu ele, com um sorriso cruel, indicando uma pequena mulher hispânica com sapatos com saltos de dez centímetros. — Além do mais, ela pode me ver no *Elimidate*.

Grimble me dissera alguns meses antes que iria fazer um teste de suas habilidades de sedutor se candidatando para o programa de encontros chamado *Elimidate*. Mas eu não sabia que ele ia mesmo se submeter àquilo e, ainda por cima, que seria selecionado.

— Quando vai ao ar? — perguntei.

— Amanhã à noite.

— Quem ganhou?

— Não tenho permissão para falar sobre isso. Você vai ter que assistir.

Procurei algum indício em seu rosto, mas ele não revelava nada.

— Muito bem — disse Heidi. — Seduza uma garota então. Aposto que você é capaz de ganhar qualquer uma.

Ao que parecia, aquilo seria como se eu estivesse competindo em meu próprio *Elimidate* naquela noite. Eu estava exausto, após meses de viagens e constantes caçadas, mas não estava a fim de recusar o desafio.

Heidi olhou ao redor e se aproximou de três garotas que estavam sentadas no pátio, fumando. A batalha começara.

Eu penetrei num grupo de três que estava por perto — dois homens e uma dama que parecia uma apresentadora de jornal procurando a câmera —, usando o quebra-gelo da água-de-colônia. Em seguida, fiz a habitual pergunta para revelar os fatos: "Como vocês se conheceram?" Infelizmente, ela era casada com um dos caras do grupo.

Eu já estava a ponto de me afastar quando Heidi veio até nós.

— E então? — ela perguntou ao meu primeiro alvo. — Como você conheceu o Style?

— Acabamos de nos conhecer — ela respondeu.

— Parece que vocês são velhos amigos — disse Heidi com um sorriso condescendente. Em seguida, ela se virou para mim e sussurrou: — São uns chatos. Vamos embora.

Ao nos afastarmos, perguntei o que tinha rolado com o seu grupo de três meninas.

— Elas tinham todas 20 anos — respondeu ela. — Em meia hora eu faria delas profissionais.

Evidentemente, a sedução para Heidi Fleiss significava recrutar garotas para atender seus clientes.

Minutos depois, ela abordou outro grupo. Eu tinha que reconhecer: ela não temia as abordagens. Resolvi dar a ela uma aula de humildade com o meu incrível poder recém-descoberto.

Ela estava ajoelhada no chão em frente de duas mulheres com um leve brilho dourado empoando seus rostos. Falavam sobre restaurantes. Eu me aproximei com um novo quebra-gelo opinativo que inventara sobre um amigo cuja namorada não o deixava falar com sua ex dos tempos da faculdade.

— Vocês acham que ela está sendo justa? — perguntei. — Ou está sendo demasiadamente possessiva?

O lance era conseguir que as garotas cintilantes falassem entre si, mas Heidi se intrometeu:

— O cara devia simplesmente transar com as duas garotas. Quero dizer, eu dou logo na primeira noite.

Aquela frase devia fazer parte de seu procedimento, era a segunda vez que eu a ouvia de sua boca. Notei também que ela sempre se ajoelhava no chão após a abordagem, de maneira a não intimidar as garotas que estavam sentadas. Eu estava contente por Grimble ter-me chamado: Heidi Fleiss era uma de nós.

Nas últimas semanas, eu elaborara meu próprio procedimento. Era uma simples estrutura que me permitia determinar a direção na qual eu devia seguir para ganhar uma garota. Primeiro, quebra-gelo. Em seguida, demonstração de alto valor. Depois, construir um relacionamento e uma conexão emocional. E, por fim, criar uma conexão física.

Então, agora que eu tinha penetrado no grupo, era o momento de demonstrar valor e varrer Heidi dali. Apliquei um truque que tinha inventado logo após encontrar as falsas irmãs em Miami — o teste das melhores amigas.

— Tenho que perguntar uma coisa: há quanto tempo vocês se conhecem? — comecei.

— Há cerca de seis anos — respondeu uma delas.

— Eu tinha certeza absoluta.

— Como?

— Em vez de explicar, vou fazer com vocês o teste das melhores amigas.

As garotas se inclinaram na minha direção, empolgadas com a idéia de um teste inócuo. Nós na comunidade temos uma expressão para se referir a esse fenômeno: eu estava aplicando um "decodificador de gata". A maioria das mulheres, dizem, reage aos procedimentos envolvendo testes, jogos psicológicos, de adivinhação e leitura a frio, como os viciados reagem a drogas gratuitas.

— Pois bem — eu disse, como se fosse fazer uma pergunta séria. As duas se aproximaram ainda mais. — Vocês usam o mesmo xampu?

Elas se entreolharam, decidiram por uma resposta e se viraram para mim, abrindo a boca para falar.

— Não importa a resposta — eu interrompi. — Vocês já perderam esta.

— Mas nós não usamos o mesmo tipo de xampu — protestou uma delas.

— Mas olharam uma para a outra antes de responder. Estão vendo, se vocês não se conhecessem bem, teriam mantido contato visual comigo. Mas quando duas pessoas têm uma ligação, elas se olham e se comunicam quase telepaticamente antes de responder. Sequer precisam se falar.

As duas garotas se entreolharam outra vez.

— Estão vendo? — eu exclamei. — Estão fazendo isso agora mesmo.

Elas começaram a rir. Um belo ponto para Style.

Enquanto as duas me contavam como tinham se conhecido num avião no dia em que se mudavam para Los Angeles e haviam desde então se tornado inseparáveis, eu olhei para Heidi Fleiss ajoelhada ali inutilmente. As garotas pareciam ter se esquecido dela completamente.

Mas Heidi era persistente.

— Então — ela disse em voz alta. — Alguma de vocês vai para a cama com ele esta noite?

Ai.

Em uma única frase ela me humilhara. É claro que nenhuma das duas queria ir para a cama comigo — não ainda. Eu não alcançara nem a metade da minha seqüência, e mesmo que tivesse alcançado, aquele comentário teria, de qualquer maneira, me arruinado.

— Ei, eu não sou tão fácil assim — reagi, me recuperando um pouco tarde demais. — Primeiro preciso sentir confiança, conforto e sentir que há uma relação.

Heidi e eu saímos juntos dali. Ela me deu um tapa no ombro e sorriu.

— Se eu fosse embora daqui agora mesmo — disse ela —, as duas me seguiriam como dois patinhos atrás da mãe.

Segundos depois, ela já estava em outro grupo de duas pessoas. Corri em sua direção e a competição reiniciou. Ela estava sentada ao lado de um homem careca que dizia ser humorista, e uma mulher excessivamente pavoneada com longos cabelos de cor azul-chiclete, uma voz maliciosa e um senso de humor cruelmente inteligente. Seu nome era Hillary, e disse que estava atuando num espetáculo burlesco na noite seguinte numa boate chamada Echo. Ela era tão interessante que nem precisei aplicar meu jogo. Ficamos só conversando e eu peguei seu número de telefone bem na frente do acompanhante dela. Então,

Heidi os convidou para uma festa e deu seu número para a mulher. Ela não ia me deixar sair dali vitorioso.

— Em um dia eu a convenço a trabalhar para mim — disse Heidi. Era importante para ela ter sempre a última palavra.

Alguns nascem para ser cantor de rock. Outros nascem para ser professor.

— Eu nasci para ser cafetina — disse Heidi. — E sempre serei.

Toda vez que se afastava de um grupo, ela estava convencida de que poderia ter transformado as garotas em prostitutas ou as levado para sua casa — muito embora essas coisas houvessem ficado no seu passado. Quando saímos do bar naquela noite, tínhamos disputado todas as garotas do lugar. E descobri que havia uma tênue linha entre um cafetão e um sedutor.

Em seguida, Grimble e sua menina se aproximaram de mim rindo.

— Esta foi a coisa mais doentia que eu já vi — ele disse. — Não posso acreditar como você mudou. Parece um novo homem. — Ele me deu um beijinho na testa e depois mandou um neg. — Você se comportou muito bem, especialmente considerando que ela tinha a vantagem de ser reconhecida por todo mundo.

— É — respondi —, vamos ver se você faz melhor do que isso no seu *Elimidate* amanhã.

Capítulo 4

Era um dia memorável para a comunidade de sedução. Naquela noite, no *Elimidate*, Grimble enfrentaria outros três candidatos na disputa por uma modelo de lingerie chamada Alison. Todo nosso estilo de vida estava em jogo. Se ele vencesse, isso provaria que a comunidade realmente tinha uma vantagem social sobre os atletas e garanhões em relação aos quais tínhamos nos sentido inferiores durante toda a vida. Se perdesse, então não passávamos de uns nerds iludidos. A sina dos AS de todo o mundo estava nas mãos dele.

Sentei no sofá de Grimble e assisti ao programa com Twotimer. Enquanto os outros caras do programa tentavam bajular Alison, Grimble se encostava na cadeira e agia como se fosse ele o prêmio. Enquanto os outros caras se gabavam de como eram bem-sucedidos, Grimble seguia o conselho de seu novo guru e dizia ser um técnico de manutenção de isqueiros descartáveis. Ele sobreviveu à primeira eliminação.

Durante a segunda rodada, uma garçonete trouxe uma garrafa de champanhe para Alison na mesa, uma cortesia de Grimble. Ela ficou espantada, em especial devido ao fato de Grimble não ter até então se empenhado com o mesmo vigor que os outros dois. Ele escapou da segunda eliminação.

A rodada final era num salão de dança, o que eu sabia que seria decisivo, pois eu e Grimble tínhamos tido aulas de salsa juntos. Quando ele a fez mergulhar em direção ao chão e a resgatou novamente para seus braços, deixando-a sem fôlego, pude ler nos olhos da moça. Ele havia vencido.

— Parabéns — eu lhe disse. — Você honrou a boa reputação dos AS de todo o planeta.

— Pois é — ele respondeu com um sorriso presunçoso. — Nem todas as modelos são estúpidas.

Naquela noite, fomos ver a apresentação de Hillary. Desde que me sentira atraído por Jessica Nixon na escola, quando tinha 12 anos, as paixonites haviam sido parte constante da minha vida. Na verdade, toda mulher que encontrei parecia descartável e substituível. Eu estava enfrentando o paradoxo do sedutor:

quanto mais me tornava um ótimo sedutor, menos eu amava as mulheres. O sucesso já não era mais dar uma trepada ou arrumar uma namorada, mas sim a qualidade do meu desempenho. Os bares e as boates se transformaram, conforme Mystery havia me instruído no primeiro workshop, em apenas níveis diferentes de um videogame que eu tinha de superar.

Eu sabia que Hillary seria um desafio particular. Não apenas ela era esperta e cínica, como também havia me visto azarando as mulheres a noite toda com Heidi Fleiss.

Grimble e eu sentamos nos últimos lugares da Echo e assistimos ao strip-tease de Hillary. Ela estava vestida de gangster, com uma metralhadora água e um terno risca-de-giz bem justo ao corpo, por cima de uma calcinha combinando. Seu corpo possuía curvas clássicas que se adaptavam à forma artística. Quando me viu no fundo da platéia, ela se aproximou de modo afetado, sentou-se no meu colo e me acertou com sua arma de água. Eu estava a fim dela.

Em seguida, fui encontrá-la com sua irmã e dois amigos seus para beber num bar mexicano chamado El Carmen. Enquanto conversávamos, segurei a mão de Hillary. Ela retribuiu o contato com um leve aperto dos dedos. IDI. Grimble tinha razão: havia surgido um novo eu.

Ela deu um passo, aproximando-se ainda mais de mim. Meu coração martelava contra meu peito, como sempre acontece durante as duas partes de uma sedução que me deixam mais ansioso: a abordagem e o beijo.

Mas justamente quando eu estava a ponto de lhe falar sobre a evolução, os animais e as lutas dos leões, o desastre aconteceu. Andy Dick entrou no bar com um grupo de amigos. Um deles conhecia Hillary, então eles vieram sentar à nossa mesa — e de repente meu jogo evaporou. Nossa conexão ficou ofuscada. Havia um objeto mais brilhante, mais resplandecente no seu campo visual. Quando nos mexemos para dar lugar, Andy Dick deu um jeito de ficar entre nós dois, separando-me de Hillary.

Num segundo, ele já estava dando em cima dela. Isso acontece em Los Angeles: as celebridades atacam nossas mulheres. Nos meus tempos de TFM, certa noite no Whiskey Bar, eu fiquei desarmado observando sem reagir quando Robert Blake passou seu número de telefone para a garota que estava comigo. Mas agora eu era um AS, e um AS não ficava passivo assistindo uma celebridade molestar sua garota.

Por que eu estava constantemente enfrentando celebridades de tablóide para conseguir aquela garota?

Levantei e saí. Eu precisava pensar. Na noite anterior tinha sido capaz de dar trabalho a Heidi Fleiss, então agora deveria conseguir superar Andy Dick. Não iria ser fácil, porém, pois ele era demasiadamente espalhafatoso e detestável. Ficou claro, assim que chegou, porque ele se tornara uma estrela. O cara adorava atenção.

Minha única chance era me tornar mais interessante do que ele.

Grimble estava no lado de fora conversando com uma mulher com cabelos castanhos cacheados. Ele enfiou a mão no bolso e pegou uma caneta e um pedaço de papel. Estava a ponto de dar um número íntimo.

De repente, a menina se afastou de Grimble.

— Style?! — disse ela, me olhando com a expressão incrédula. Ela me parecia familiar. — Sou eu, Jackie.

Meu queixo caiu. Era a atriz de pés fedorentos de cujo quarto de hotel eu fugira. Minha primeira história de quase sucesso. Ou aquilo era uma miraculosa coincidência ou as presas estavam começando a escassear.

Conversei um instante com ela sobre seu curso de teatro, depois me desculpei e saí. Não podia perder mais tempo, cada minuto equivalia a um avanço de alguns centímetros da mão de Andy Dick sobre a coxa de Hillary. E eu tinha um plano para interromper aquilo.

Voltei à mesa, sentei-me e apliquei o teste de melhor amiga em Hillary e sua irmã, o que desviou para mim a atenção. Então, depois de falarmos sobre linguagem corporal, sugeri que fizéssemos o jogo da mentira. Nesse jogo, uma mulher apresenta quatro afirmações verdadeiras e uma falsa sobre sua casa ou seu carro. Entretanto, ela não pode fazê-lo em voz alta; apenas fica pensando nelas um bom tempo. E olhando a variação no movimento de seus olhos, geralmente é possível dizer qual é a falsa, porque as pessoas olham mais em diversas direções quando estão mentindo do que quando dizem a verdade. Durante todo o jogo, eu provoquei Hillary sem pena, até sua linguagem corporal se fechar para Andy Dick e se abrir para mim.

Andy perguntou qual era o meu trabalho (eu não me dei conta na hora, mas se tratava de um IDI) e eu respondi que era escritor. Ele falou que estava pensando também em escrever um livro. Logo, ele esqueceu completamente de Hillary e começou a me bombardear com perguntas, indagando se eu poderia ajudá-lo. Ele era meu fã. E, como diz Mystery, ganhe os homens e você ganhará as mulheres.

— Meu maior medo é ser considerado um chato — ele me disse.

Era este seu ponto fraco. Eu o vencera me mostrando mais interessante do que ele e ao ser valorizado por ele. A tática funcionara ainda melhor do que na noite anterior, com Heidi Fleiss. Simplesmente, eu ainda não havia percebido o quanto tinha funcionado bem.

Andy se aproximou de mim e sussurrou:
— Você é o quê? Hetero, bi ou gay?
— Hum... hetero.
— Eu sou bi — disse ele, soprando no meu ouvido. — É uma pena. A gente poderia ter se divertido um bocado.

Depois que Andy e seus amigos se foram, eu me aconcheguei outra vez a Hillary. Ela imediatamente me lançou o olhar de cão faminto. Peguei sua mão sob a mesa e senti o calor que emanava da sua palma, da sua coxa, da sua respiração. Ela ia ser minha naquela noite. Eu a conquistara.

Capítulo 5

Quando voltei da casa de Hillary na manhã seguinte, Dustin estava me esperando no meu apartamento. O rei dos naturais tinha voltado.

Mas o que ele estava fazendo no meu apartamento?

— Oi — ele disse, com sua voz suave, efeminada. Estava vestindo um casaco de tweed com grandes botões marrons, calça preta de poliéster e um gorro preto.

Fazia mais de um ano que eu não falava com Dustin, e isso fora antes de eu entrar na comunidade. A última coisa que eu ouvira sobre ele é que era gerente de uma boate na Rússia. Ele me mandara algumas fotos de suas namoradas: uma para cada noite da semana. Na verdade, ele se referia a elas como Segunda, Terça, Quarta e por aí vai.

— Como você entrou aqui?

— A proprietária, Louise, me deixou entrar. Ela é muito simpática. O filho dela também é escritor, você sabia?

Ele tinha um jeito para fazer as pessoas ficarem à vontade com ele.

— Aliás, é bom voltar a vê-lo — ele disse, dando-me um forte abraço.

Quando se afastou, seus olhos estavam marejados, como se fosse realmente bom voltar a me ver.

O sentimento era mútuo. Dustin tinha estado presente em minha mente todos os dias, quando comecei a aprender as artes da sedução. Enquanto Ross Jefriess precisava de modelos hipnóticos e verbais para convencer uma mulher a explorar suas fantasias com ele, Dustin era capaz de alcançar o mesmo resultado sem pronunciar sequer uma palavra. Ele era como uma tela masculina em branco, em que as mulheres projetavam seus desejos reprimidos — mesmo que ela não soubesse conscientemente quais eram estes antes de o encontrar. Nunca tive recursos para entender como ele funcionava antes, mas agora, com meu novo conhecimento, podia observá-lo em ação, fazer perguntas e, finalmente, moldar suas técnicas. Eu poderia introduzir toda uma nova escola de pensamento na comunidade de sedução.

— Não sei se falei a você sobre o que andei fazendo neste último ano — eu lhe disse. — Mas tenho saído com os maiores artistas da sedução do mundo. Minha vida mudou totalmente. Agora eu o entendo.

— Eu sei — respondeu ele. — Marko me contou.

Ele olhava para mim com seus grandes olhos úmidos e castanhos, os mesmos com que ele fitara as almas de incontáveis mulheres maravilhosas.

— Eu não... — ele fez uma pausa. — Eu não faço mais isso.

Olhei para ele, incrédulo de início. Mas, então, notei que o gorro na sua cabeça era um solidéu.

— Estou morando em Jerusalém agora — ele prosseguiu. — Num *yeshiva*. Uma escola religiosa.

— Você está brincando?

— Não. Faz oito meses que não faço sexo. Não é permitido.

Eu não conseguia acreditar no que estava ouvindo: o rei dos naturais adotara o celibato. Não podia ser verdade. Não era para isso que existiam penitenciárias? Elas davam aos homens comida, roupa, abrigo, televisão e ar fresco e os privavam das duas coisas que realmente importam: liberdade e mulher.

— Você pode pelo menos se masturbar?

— Não.

— É mesmo?

Depois de uma pausa, ele admitiu:

— Bem, às vezes, quando estou dormindo, tenho uns sonhos eróticos.

— Está vendo? Deus está tentando lhe dizer algo. Isso *tem* que sair de algum jeito.

Ele deu uma risada e um tapinha nas minhas costas. Seus gestos eram lentos e seu riso condescendente, como se tivesse superado espiritualmente o humor escrachado.

— Eu uso meu nome hebreu agora — ele disse. — Foi-me dado por um dos mais importantes rabinos de *yeshiva*. Eu me chamo Avisha.

Eu estava espantado. Como poderia Dustin se transformar tão bruscamente, passando de um gerente de boate para aluno rabínico — especialmente agora que eu precisava tanto dele?

— Então, o que fez você desistir das mulheres?

— Quando você consegue todas as mulheres que quer, todos os caras, mesmo que sejam ricos e famosos, olham para você de um modo diferente, porque você tem alguma coisa que eles não têm. Mas depois de algum tempo eu comecei a levar mulheres para casa e não sentir mais vontade de fazer sexo com elas. Só queria conversar. Então, a gente ficava falando a noite toda, criando um laço bem profundo entre nós, depois eu as acompanhava até o metrô pela manhã. Foi nesse ponto que comecei a mudar. Eu me dei conta de que as mulheres me validavam totalmente. As mulheres se tornaram deusas para mim, mas falsas deusas. Então, saí em busca do Deus verdadeiro.

Sentado em seu apartamento em Moscou, ele contou, começou a buscar orientação pela Internet, até deparar com a Torá e passar a lê-la. Após uma viagem reveladora para Jerusalém, ele retornou à Rússia e foi a uma festa num cassino onde mafiosos, negociantes corruptos e parasitas materialistas lhe deixaram enjoado, em comparação com as pessoas que encontrara em Israel. Então, ele fez as malas, abandonou suas sete namoradas e chegou em Jerusalém na véspera da Páscoa judaica.

— Eu passei aqui — disse ele — para pedir perdão por algumas das minhas ações passadas.

Eu não tinha a menor idéia do que ele estava falando. Ele sempre tinha sido um grande amigo.

— Eu idealizava um estilo de vida e um comportamento que eram corruptos — ele explicou. — Eu odiava a gentileza, a piedade, a dignidade e a intimidade humanas. Em vez disso, eu usava, degradava e explorava as mulheres. Só pensava no meu próprio prazer. Desprezava os bons instintos dentro de mim e dentro dos outros e tentava corromper todos que encontrava.

Enquanto ele falava, não pude me impedir de pensar que todas aquelas coisas pelas quais ele estava se desculpando eram as mesmas razões pelas quais eu ficara amigo dele para começar.

— Eu promovia e arrastava você nesse mundo da sedução como se o que fizesse fosse o ideal mais elevado ao qual uma pessoa devia se dedicar — ele prosseguiu. — Portanto, por toda minha culpa ao macular a bondade natural da sua alma, eu peço perdão.

Tudo aquilo fazia sentido intelectualmente. Mas eu nunca confiei nos extremos: fosse no uso de drogas, fanatismo religioso ou dietas de carbonatos. Havia algo estranho em relação a Dustin, ou Avisha. Ele tinha um vácuo que tentava preencher. Primeiro com mulheres, agora com religião. Eu o escutei, mas minha opinião era diferente.

— Aceito seu pedido de desculpa — eu lhe disse. — Mas com a advertência de que você não tem de que se desculpar.

Ele me olhou com ternura, mas não disse nada. Dava para ver porque ele era tão sedutor: eram aqueles olhos que brilhavam como a superfície de um lago na montanha, aquele intenso poder de foco, aquele jeito de fazer você acreditar que nada mais existia para ele senão o que você estava dizendo naquele exato momento.

— Pense nisso — eu continuei. — Se um cara quer melhorar suas chances de encontrar as mulheres, será preciso que passe por algumas mudanças. Acontece que as qualidades que uma mulher procura num homem são coisas boas. Quero dizer, eu me tornei mais confiante. Comecei a malhar e me alimentar de modo mais saudável. Estou entrando em contato com minhas emoções e aprendendo mais sobre a espiritualidade. Tornei-me uma pessoa mais divertida, uma pessoa otimista.

Ele olhou para mim, ouvindo pacientemente.

— E eu não só tenho mais sucesso com as mulheres agora, como também tenho mais sucesso em todo outro tipo de interação humana, seja negociando com a proprietária do meu apartamento, seja lidando com as cobranças suplementares do cartão de crédito.

Ele ainda me olhava.

— Então, eu acho que o que estou tentando dizer é que estou aprendendo como seduzir as mulheres, mas, no processo, estou me tornando um ser humano melhor.

Sua boca começou a se mover.

— Bem... — ele disse.

— Sim? O quê?

— Estarei eternamente ao seu lado como um amigo de verdade, e também para compensar o que fiz antes.

Ele não estava convencido. Foda-se ele. Eu ia tirar uma soneca.

— Você se importa se eu ficar alguns dias aqui? — ele perguntou.

— Tudo bem, mas vou viajar para a Austrália na quarta-feira.

— Você tem um despertador para me emprestar? Preciso rezar no nascer do sol.

Depois de encontrar para ele um pequeno despertador de viagem, ele remexeu na bolsa e apanhou um livro.

— Toma — ele disse. — Trouxe isso para você.

Era uma pequena edição em capa dura de um livro do século XVIII chamado *O caminho dos justos*, com uma anotação que ele fizera para mim na página do título. Era uma citação do Talmude:

> *Quando alguém destrói uma única vida, sua culpa é a mesma que se tivesse destruído todo o mundo; e quem resgata uma única vida tem o mesmo mérito que se tivesse salvado o mundo todo.*

Então ele estava tentando me salvar. Por quê? Eu estava me divertindo.

Capítulo 6

Mystery e eu caímos na estrada para uma outra viagem. O sol brilhava, o mapa era exato e havia uma prancha de surfe amarrada na capota daquele carro novinho alugado. Tínhamos cinco workshops vendidos em três cidades da Austrália. A boa vida, pelo menos para mim.

Mystery, contudo, estava de baixo astral. Fiz uma anotação mental de nunca mais voltar a fazer uma viagem de carro com ele. Antes de partirmos de Toronto, sua namorada, Patricia, dera-lhe um ultimato: casamento e filhos, ou adeus.

— Eu não faço sexo há cinco dias por causa dessa bobagem — disse Mystery quando chegamos à costa de Queensland. — Mas tenho me masturbado perdidamente vendo filmes pornôs de lésbicas. Acho que ando um pouco deprimido.

Após quatro anos de namoro, as metas ficaram divergentes. Mystery queria viajar pelo mundo como um ilusionista com duas adoráveis namoradas bissexuais; Patricia queria se instalar em Toronto com um homem sem outra mulher no meio. Que se danassem a celebridade e o estilo de vida alternativo.

— Não entendo as mulheres — ele se queixou. — Quer dizer, sei exatamente o que fazer para atraí-las. Mas, ainda assim, não consigo entendê-las.

Tínhamos vindo à Austrália porque Sweater, o aluno australiano mais velho do primeiro workshop de Mystery, nos convidara a passar uma semana com ele em Brisbane. Depois de quatro meses de caçada, ele enfim achara a mulher com quem queria se casar.

— Eu sou como um adolescente empolgado — exclamou Sweater quando entramos na sua garagem.

Ele não parecia em nada com o homem de meia-idade inseguro que eu conhecera no saguão do Roosevelt Hotel. Estava bronzeado, saudável e, o mais extraordinário, trazia sempre um sorriso irresistível e acolhedor.

Helena Rubinstein disse, certa vez: "Não existe mulher feia; apenas preguiçosa." Como a sociedade exige dos homens um padrão de beleza menos rígido do que das mulheres, isso é duas vezes mais verdadeiro em relação aos homens. Dê a um homem como Sweater — ou a qualquer outro — um bronzeado, uma melhor postura, dentes mais brancos, um regime para entrar em forma, roupas que lhe caiam bem, e ele está no bom caminho para se tornar bonito.

— Acabo de passar uma semana em Sidney com minha namorada — disse Sweater nos conduzindo até sua casa. — Nós nos falamos ao telefone umas sete vezes por dia. Pedi que se casasse comigo, antes de partir. Loucura, né? E, além do mais, ganhei meio milhão de dólares nesta semana com um seminário sobre mercado imobiliário. Portanto, a vida está simplesmente fantástica. Graças à comunidade, tenho saúde, diversão, dinheiro, amor e pessoas maravilhosas ao meu redor.

A casa de Sweater era clara e arejada, com vista para o rio Brisbane. Havia uma boa piscina e uma jacuzzi; havia três quartos no andar superior. No térreo, quatro empregados — todos rapazes australianos jovens e com ar empreendedor — estavam sentados, cada um atrás de um computador. Sweater não só os treinara para vender seus produtos — livros e cursos sobre investimentos em imóveis — como também os introduzira na comunidade de sedução. De dia, eles faziam Sweater ganhar dinheiro; de noite, eles saíam juntos, para caçar.

— Eu ainda estou me divertindo ajudando esses caras a arrumarem garotas, mas estou fora do mercado — disse Sweater, quando lhe perguntamos sobre sua decisão de sossegar com uma só mulher. — E até onde isso me diz respeito, estou me saindo superbem. Cheguei à conclusão de que, sem compromisso, não se consegue atingir profundidade em nada, seja num relacionamento, nos negócios ou num hobby.

De muitas maneiras, eu estava com inveja. Eu ainda não encontrara mulher alguma sobre a qual pudesse dizer aquilo.

O workshop de Mystery havia mudado nossas vidas. Sweater estava obscenamente rico e apaixonado; Extramask saíra recentemente da casa de seus pais e finalmente alcançara o orgasmo numa transa; e eu estava viajando pelo mundo ensinando aos homens uma técnica que eu desconhecia um ano atrás.

Mystery estava ainda mais estupefato com Sweater do que eu — menos pelo seu noivado do que pelo seu escritório doméstico. Quando não estava interrogando Sweater e seus empregados sobre a maneira de eles tocarem os negócios, ele ficava os observando trabalhar.

— É isso que eu quero — ele repetia para Sweater. — Você tem um ótimo ambiente social, e isso cria um bom ambiente de trabalho. Eu estou mofando em Toronto.

Quando estávamos voltando para o aeroporto, bronzeados e superexcitados, Mystery e eu planejamos nossa próxima aventura.

— Tenho um workshop individual marcado semana que vem em Toronto — disse Mystery. — O cara vai me pagar 1.500 dólares.

— Como ele vai conseguir o dinheiro?

A maioria dos clientes era formada por universitários que mal podiam pagar a tarifa padrão, que ele aumentara para 600 dólares, além de reduzir o número de noites de quatro para três.

— O pai dele é rico — disse Mystery. — Exoticoption, do workshop de Belgrado, tinha lhe falado sobre mim. Ele estuda na Universidade de Wisconsin. Acabou de começar a mandar seus posts on-line sob o nome de Papa.

A maior parte das conversas com Mystery envolvia planos: organização dos workshops, apresentação de um show de mágica de 90 minutos, criação de um website pornô no qual faríamos sexo com garotas vestidas de palhaço. Seu último plano era a tatuagem AS.

— Todos do Lounge vão querer essa tatuagem — disse ele quando nos separamos no aeroporto. — Será um coração no pulso direito, bem sobre as veias. Isso nos permitirá sermos identificados no campo. E será perfeito para um truque de ilusionismo; posso lhe ensinar a parar sua pulsação por dez segundos.

Alguns AS já tinham saído para fazer a tatuagem — incluindo Vision, o que foi certa surpresa, considerando que ele havia se mudado para Los Angeles a fim de se tornar ator. Ele nos enviara uma foto pela Internet. Mas havia um problema: a tatuagem ficara no lugar errado, e de cabeça para baixo. O coração deveria ter ficado sobre a veia, onde a pulsação pode ser sentida. Mas ele o colocara no centro do pulso, alguns centímetros alto demais, e voltado para dentro.

De qualquer maneira, era um voto de afirmação, um pacto de que essa sociedade de AS era para a vida toda.

Capítulo 7

E o dia chegou. Esta seria a viagem mais monumental na minha carreira de sedutor. Primeiro, eu iria para Toronto assistir ao workshop individual de Mystery com Papa. Em seguida, faríamos nossas tatuagens de AS, tomaríamos o ônibus para Nova York, onde se realizaria o primeiro seminário acadêmico de Mystery, e, finalmente, voaríamos para Bucareste, a fim de Mystery poder implantar seu chamado Projeto Êxtase. Ele queria voltar ao Leste europeu, encontrar duas mulheres bissexuais que quisessem uma vida melhor em outro país e seduzi-las. Pensava em lhes conseguir vistos de estudante, levá-las de volta ao Canadá e treiná-las para se tornarem strippers, namoradas e, por fim, assistentes de mágico.

Tatuagem e escravidão branca: foi onde me levou este processo de auto-aperfeiçoamento.

Saindo de casa, verifiquei minha caixa de correspondência. Junto às contas atrasadas de costume e informações sobre o aumento do seguro do carro, havia um cartão-postal do Muro das Lamentações em Jerusalém. "Seu nome hebreu é Tuvia." A caligrafia era de Dustin. "Vem da palavra Tov, ou bom. Seu oposto é Ra, ou mau. E em hebreu Tov também significa aquele que resiste, e Ra é aquele de vida curta. Assim, sua essência está conectada com um desejo de buscar e se associar àquele que resiste — o bom. Mas, às vezes, você fica preso ao mau ao longo do caminho."

Durante o vôo, eu reli o cartão-postal. Dustin estava tentando me passar uma mensagem de Deus. E talvez tivesse um bom argumento. Mas, por outro lado, resistia em mim aquele desejo, desde a adolescência, de ser capaz de seduzir todas as mulheres que eu quisesse. Agora eu estava realizando meu desejo. Isso era bom. Isso era Tov.

Mystery havia conseguido agora um lugar para morar com um AS chamado Nº 9, um engenheiro de software chinês que, graças aos assíduos conselhos de Mystery, se transformara num cara de aparência relativamente bacana. Eles moravam num apartamento apertado de dois quartos em cima de um cybercafé perto da Universidade de Toronto.

Como Nº 9 estava fora da cidade, coloquei minha bagagem no seu quarto e fui até a cozinha falar com Mystery. Patricia tinha rompido com ele, havia sido para valer dessa vez. E ele ficava muito tempo dentro do quarto, jogando um videogame chamado Morrowind e baixando vídeos pornôs de lésbicas. Sair de casa para os próximos workshops seria para ele uma boa terapia.

Havia três tipos de caras que se matriculavam para os workshops. Caras como Exoticopion, de Belgrado, que eram normais e bem-ajustados socialmente, mas que queriam ter maior escolha e flexibilidade para encontrar mulheres. Havia caras que eram austeros e focados na própria vida, como Cliff, incapazes sequer de usar um apelido como todo mundo. Esses tendiam a acumular uma quantidade enorme de conhecimento, mas tinham dificuldades em efetuar a menor mudança de comportamento. E havia pessoas como Papa — máquinas de abordar mulheres que contrabalançavam sua falta de habilidade social com a falta de receios sociais. As máquinas de abordar mulheres costumavam se aperfeiçoar mais rapidamente, bastando para isso obedecerem ao fluxograma do material que lhes era dado. Mas, logo que o material se esgotava, eles começavam a chafurdar.

E seria este o desafio de Papa. Ele era um estudante de direito chinês. Vestia uma camisa xadrez de abotoar e jeans que pareciam grandes demais para ele. Todos sempre pareciam chegar vestindo camisa xadrez de abotoar e jeans largos demais. E eles sempre iam embora vestindo camisas de cores berrantes, calças pretas apertadas, de tecido sintético, anéis de prata e óculos escuros prendendo os cabelos. Era o uniforme do jogador, destinado a transmitir sexualidade, que era, evidentemente, sinônimo de coisa ordinária.

Mystery e eu nos sentamos com Papa num café e fizemos as perguntas habituais: Qual é o seu placar? Qual você gostaria que fosse? Quais são os seus pontos fracos?

— Bem, eu costumava ser o arrimo social da minha fraternidade — começou ele. — Venho de uma família muito rica. Meu pai é reitor de uma universidade importante.

— Deixe-me interromper imediatamente — eu lhe disse. — Você está se qualificando para nós. Em vez de conquistar nossa admiração, o que está fazendo é expor um status inferior. Um homem rico não precisa contar que é rico.

Papa assentiu estupidamente. Sua cabeça parecia estar envolvida por uma neblina densa e invisível, o que fazia com que seu tempo de reação fosse um pouco mais lento do que o da maioria das pessoas. A impressão era de que ele não estava por inteiro ali diante de nós.

— Tudo bem se eu gravar tudo o que vocês disserem? — perguntou Papa, retirando com dificuldade um pequeno gravador digital do bolso.

Existem alguns maus hábitos que mantemos a vida toda — desde falhas de personalidade até equívocos de comportamento. E é papel dos pais e dos amigos, exceto por algumas broncas menos importantes, reforçar a convicção de que estamos bem sendo exatamente quem somos. Mas não basta ser você mesmo. É preciso ser você mesmo o melhor possível. E isso pode ser excepcionalmente difícil se você ainda não encontrou o melhor possível de si mesmo.

É por isso que os workshops eram assim tão transformadores de vida. Dizíamos a todos os alunos a primeira impressão que eles transmitiam. Não tínhamos medo de magoá-los. Corrigíamos cada gesto, frase e item de vestuário, pois sabíamos que não estavam vivendo à altura de seu potencial. Nenhum de nós é capaz. Ficamos emperrados em velhos padrões de pensamento e comportamento que podem ter sido eficazes quando tínhamos 12 meses ou 12 anos de idade, mas que agora só servem para nos impedir de avançar. E, embora aqueles à nossa volta possam não ter problema para corrigir nossas pequenas falhas, eles acabam deixando as maiores de lado, pois isso significaria atacar quem nós somos.

Mas o que somos realmente? Um monte de genes bons e maus misturados com bons e maus hábitos. E como não existem genes para a serenidade nem para a confiança, então ser afobado e inseguro é só uma questão de maus hábitos, o que pode ser mudado com adequada orientação e força de vontade.

E este era o ponto forte de Papa: força de vontade. Ele era filho único, acostumado a tomar as medidas necessárias para conseguir o que desejava. Demonstrei para ele uns dos meus melhores procedimentos — o quebra-gelo da namorada ciumenta, o teste da melhor amiga, o cubo, uma nova idéia que eu inventara envolvendo sorrisos na forma de um C, na forma de um U e as características de personalidade que cada um transmitia. Papa gravou todas as minhas palavras no seu aparelho digital. Mais tarde, as transcreveria, as memorizaria e, por fim, as usaria exatamente para seduzir Paris Hilton.

Eu deveria ter reconhecido os sinais na hora. Deveria ter percebido o que estava rolando. Aquilo não era uma aprendizagem; era clonagem. Mystery e eu saíamos viajando pelo mundo criando miniaturas de nós mesmos. E logo pagaríamos por isso.

Nossa primeira parada foi num lounge na Queen Street. Depois de observarmos Papa chegar junto em dois grupos diferentes, comecei a interagir. Por alguma razão, eu estava empolgado. Era só mais uma daquelas noites. Os olhos de todas as mulheres estavam sobre mim. Uma ruiva que estava lá com o noivo chegou a enfiar seu número de telefone no meu bolso. Imaginei que aquilo era o que chamam de aura do sedutor: eu estava irradiando alguma coisa especial. E que noite perfeita para isso, também — diante de um aluno.

Vi Papa conversando com uma garota bonita com cabelos castanhos curtos e um rosto arredondado que combinava perfeitamente com o dele. No entanto, ela não estava lhe dando atenção; seus olhos não paravam de piscar na minha direção. Isso é o que os AS, num de seus mais infames acrônimos, chamam de CapCam, que se traduz basicamente por um convite não-verbal de abordagem. (Literalmente, Convite de Abordagem Prévia, Convite de Abordagem Masculina.)

Quando Papa se afastou, eu disse alguma coisa para ela. Depois, não conseguia me lembrar exatamente o que dissera — e isso era um bom sinal, porque significava que eu estava internalizando o jogo, que estava me distanciando do material enlatado, que poderia avançar um pouco sem os mecanismos de treinamento. Depois de dois minutos, notei que ela estava me lançando aquele olhar de cão faminto, então mandei a pergunta:

— Você gostaria de me beijar?

— Bem, eu não estava pensando nisso antes — respondeu ela, mantendo o contato visual.

Tomei aquilo como um sim e me aproximei de seus lábios. Ela respondeu de modo entusiástico, enfiando a língua dentro da minha boca e pondo a mão na minha perna. Notei um flash atrás de mim. Papa tinha tirado uma foto.

Quando parei para recuperar o fôlego, ela sorriu e disse:

— Eu não tenho nenhum de seus discos, mas minhas amigas adoram sua música.

Minha resposta:

— Hum... Tudo bem.

Quem ela estava pensando que eu era?

Então ela sorriu outra vez e lambeu meu rosto como um cachorro. Talvez David DeAngelo tivesse razão com seus conselhos sobre treinamento canino.

Ela me olhou com expectativa, como se eu devesse começar a falar sobre música. Eu não queria corrigi-la e despojá-la da história que ela achava que ia ganhar ao me beijar, então delicadamente me desculpei. Ela me deu seu número de telefone e me disse para ligar quando voltasse para meu quarto de hotel.

Na saída, a recepcionista do lounge me chamou num canto e disse:

— Muito obrigada por ter vindo. Aqui está meu cartão. Avise se houver qualquer coisa em que possamos servi-lo.

— Quem vocês todos estão pensando que eu sou?

— Você não é o Moby?

Então, não era eu que estava arrasando naquela noite. Por causa da minha cabeça raspada, a recepcionista achara que eu era o Moby e dissera isso a metade das pessoas que estavam ali. Todo o tempo que eu consagrara à sedução podia ser detonado simplesmente pela fama. Para passar de fato ao próximo nível, eu precisaria acionar o mesmo comando de sedução que as celebridades — principalmente validação e direitos de vaidade —, sem ser famoso.

Suponho que um homem inferior teria se aproveitado da situação e prosseguido com a farsa. Mas eu não telefonei para ela. Eu não entrara naquele jogo para enganar as mulheres, mas para fazer com que gostassem de mim por mim mesmo — ou, ao menos, pelo meu novo eu.

Nas boates que se seguiram, observamos Papa em ação. Cada material que lhe demos, ele usou. Todos os erros que assinalamos, ele corrigiu imediatamente. A cada grupo bem-sucedido, ele parecia crescer alguns centímetros. Em vez de passar o verão estudando, ele me disse, tinha passado três meses trabalhando as habilidades da Sedução Veloz. Estava até se preparando para obter um certificado de hipnotizador com um dos mais respeitados professores nesse campo, Cal Banyan. Mas, até aquele workshop, ele nunca vira um AS de verdade em ação. Estava tão arrebatado que se matriculou para mais um workshop na hora.

Na nossa última noite com Papa, fomos a uma boate chamada Guvernment. Eu o empurrei para alguns grupos e o observei repetindo, como um robô, os quebra-gelos, procedimentos e negs que Mystery e eu havíamos lhe ensinado. E as mulheres agora estavam respondendo. Era incrível como umas poucas frases podiam ser eficazes — e também um tanto deprimentes. Uma das primeiras técnicas que os humoristas desenvolvem é um procedimento compacto de cinco minutos capaz de conquistar qualquer platéia. Mas depois de ver centenas de salas se encherem com risadas pontuais nos mesmos trechos, eles começam a perder o respeito pela platéia por se deixar manipular tão facilmente. Ser um artista da sedução significava se arriscar aos mesmos efeitos colaterais.

Quando Papa se foi para dormir um pouco antes de pegar o avião para casa, Mystery e eu ficamos no bar e continuamos a caçada. Grimble tinha me sugerido recentemente pegar todos os pedaços de papel com números de telefone que eu colecionara e colocá-los sob o tampo de vidro de uma mesa, como decoração. Mas enquanto eu contava essa idéia para Mystery, ele me interrompeu.

— Sistema de alerta de aproximação! — ele anunciou.

Quando as mulheres ficavam na frente de um homem, mas olhando para outro lado, especialmente quando não há uma boa razão para ela estar naquele lugar, isso aciona o que Mystery chama de sistema de alerta de aproximação. Isso significa que elas estão interessadas; que querem ser abordadas.

Mystery deu meia-volta e começou a conversar com uma loura delicada num vestido sem alças e uma morena musculosa com um lenço em volta da cabeça. Quando me apresentou a elas, disse que eu era um tremendo ilusionista. Estávamos praticando juntos há meses, então eu soube exatamente o que devia fazer: enganá-las com alguns truques de pseudomagia e algumas piadas prontas que aprendera na escola primária. No campo, aprende-se rapidamente que tudo que era engraçado aos 10 anos volta a ser engraçado depois.

Mystery trouxera uma câmera de vídeo, então começou a gravar a interação. As garotas não pareceram se importar. Quando ele isolou a morena, eu conversei com a loura. Seu nome era Caroline; sua amiga era Carly. Caroline morava no subúrbio, com a família. Sua meta na vida era ser enfermeira, mas atualmente estava trabalhando num restaurante da rede Hooters, apesar de seus seios serem pequenos como biscoitos e sua personalidade tímida e retraída.

A 70 centímetros de distância, o rosto de Caroline parecia branco feito mármore; a 30 centímetros, notei que era salpicado com pequeninas sardas. Um de seus dentes era torto. Havia uma marca vermelha na pele, sobre a clavícula, como se estivesse coçando. Tinha um cheiro de algodão. Uma manicure havia cuidado das suas unhas recentemente. Devia pesar um pouco mais de 50 quilos. Sua cor favorita era provavelmente o rosa.

Observei todas essas coisas enquanto minha boca se movia, recitando os procedimentos que eu aplicara com centenas de outras garotas antes. O que havia de diferente em relação a Caroline era que os procedimentos não pareciam estar funcionando. Simplesmente, eu não conseguia alcançar o que chamo de ponto de engate, que é quando uma mulher que você abordou resolve que ela aprecia sua companhia e não quer que você se vá. Embora estivesse a poucos centímetros de Caroline, um abismo de um quilômetro parecia nos separar.

Depois de assistir ao filme *Meu primeiro milhão*, sobre corretores inescrupulosos e frios, Mystery decidiu que os números de telefones eram antiecológicos — em outras palavras, um desperdício de papel. Nossa nova estratégia não era mais ligar para uma garota e marcar um encontro, mas já sair com ela na primeira noite — um encontro imediato — para um restaurante ou bar próximo dali. Mudar de jurisdição rapidamente tornou-se uma peça chave no jogo da sedução. Aquilo criava uma espécie de distorção do tempo: se você fosse para três locais diferentes com um grupo que acabara de conhecer, ao final da noite era como se vocês sempre tivessem se conhecido.

— Por que a gente não vai comer alguma coisa? — Mystery sugeriu.

Fomos até um restaurante próximo, de braços dados com nossos encontros imediatos. Durante a refeição, tudo de repente estalou para o grupo. Carly se sentiu suficientemente à vontade para liberar seu humor mordaz e Caroline começou a irradiar simpatia e calor. Não precisamos de procedimentos nem táticas. Apenas nos divertíamos uns com os outros. Juggler tinha razão: a boa risada era a melhor sedução.

Mais tarde, Carly nos convidou para irmos até sua casa e ligar para chamar um táxi. Ela morava bem na esquina. Acabara de se mudar e havia poucos móveis no apartamento, então Mystery e eu sentamos no chão. Não ligamos para pedir um táxi — e as garotas não nos lembraram de fazê-lo, o que interpretamos como um IDI.

Carly saiu da sala com Mystery logo em seguida, dando a Caroline permissão tácita para ficar comigo. Quando nos abraçamos, o abismo que nos separava no bar desapareceu. Caroline tinha as mãos gentis e suaves, seu corpo era frágil e generoso. Agora eu entendia por que tinha sido tão difícil estabelecer uma relação com ela logo que nos encontramos. Ela não se comunicava com palavras; ela se comunicava com sentimentos. Daria uma excelente enfermeira.

Depois de Caroline trazer alguns cobertores para deixar o chão um pouquinho confortável, eu comecei a lhe chupar. Fui acumulando seu orgasmo como Steve P. me ensinara, até ela parecer se derreter no chão. Mas quando fui pegar uma camisinha depois, ouvi as palavras que tinham tomado o lugar do "Vamos ser só amigos" em minha vida: "Mas acabamos de nos conhecer."

A sonoridade era muito mais doce, e não havia razão para apressar o sexo com Caroline, eu sabia que nos veríamos de novo.

Ela se deitou no meu ombro e apreciamos o crepúsculo. Estava com 19 anos, disse, e não fazia sexo há quase dois anos. O motivo: ela tinha um filho de 1 ano no subúrbio onde morava. Seu nome era Carter, e ela não estava disposta a ser mais uma mãe adolescente e negligente. Aquela era a primeira vez que passava uma noite fora de casa.

Quando acordamos na tarde seguinte, embaraçados com a paixão da véspera, Caroline sugeriu que tomássemos o café-da-manhã num bar ali ao lado.

Nos dias que se seguiram, devo ter assistido ao vídeo que Mystery gravou naquele café-da-manhã uma centena de vezes. No jantar, na noite anterior, os olhos azuis de Caroline estavam plácidos e distantes. Mas, no café-da-manhã, eles brilhavam e dançavam diante de mim. Sempre que eu dizia algo engraçado, mesmo quando não era tão engraçado assim, um sorriso imenso se espraiava no seu rosto. Alguma coisa se abrira no seu coração. Foi a primeira vez, eu percebi, que estabelecia uma conexão emocional com uma mulher desde que começara a seduzi-las regularmente.

Não existe um tipo particular de garota que me atraia, como alguns caras que têm fetiches por asiáticas ou preferem gordinhas. Porém, de todas as mulheres do mundo, o último tipo pelo qual jamais pensei que poderia me apaixonar era uma mãe solteira de 19 anos que trabalhava de garçonete. Mas o que é fantástico em relação ao coração é que ele não tem comando, apesar do que a razão possa pensar.

Depois de as garotas nos deixarem em casa, Mystery e eu estudamos os eventos da noite precedente, tentando entender o que fizéramos de certo e de errado. Independentemente do que Caroline e eu tínhamos pensado, Mystery não ganhou sequer um beijo de Carly, embora não tenha sido por não ter tentado. Carly tinha um namorado.

Mas ela estava, obviamente, atraída por Mystery, ainda que tivesse resistido a seus avanços. Então tramamos um plano: o boicote. Ele se baseava na minha experiência de Moby. Se as mulheres consideravam o sexo uma confirmação, Mystery raciocinou, por que não obter uma confirmação longe dela? Seu plano era ficar frio e ignorá-la, até que ela se sentisse tão mal que quisesse recuperar a intimidade com ele para as coisas voltarem ao normal.

Passamos o vídeo de Carly e Caroline para o computador de Mystery e passamos as seis horas seguintes editando-o para transformá-lo num vídeo de seis minutos. Quando acabamos, liguei para Caroline e ela veio nos buscar naquela noite.

Juggler estava na cidade, realizando um de seus workshops. Ele conhecera uma violinista de jazz sobrenaturalmente talentosa chamada Ingrid e estava saindo exclusivamente com ela. Assim, fomos todos juntos jantar.

— Vou sair desse negócio de sedução — disse Juggler. — Quero dedicar meu tempo a este relacionamento. — Ingrid apertou sua mão em aprovação. — Podem dizer que ela está me puxando pela coleira, mas eu sei que é uma escolha minha. Esses workshops são estressantes demais para Ingrid.

Era bom voltar a ver Juggler. Ele era um dos poucos artistas da sedução que não eram carentes, que não assustavam meus amigos da vida real, que me faziam rir e eram normais. E por essa razão eu não acreditava que ele fosse de fato um artista da sedução. Era simplesmente um conversador hábil e engraçado. Ele parecia especialmente espirituoso em comparação a Mystery, que estava nos dando gelo e fazendo com que o jantar ficasse embaraçoso. Se o plano de Mystery funcionasse, valeria a pena; caso contrário, ele era apenas um cretino.

Mais tarde, Mystery disse decididamente:

— Vamos até minha casa e eu vou mostrar o vídeo que fiz ontem à noite.

A vitória pertence a quem tem a realidade mais forte e as ações mais decisivas.

Enquanto assistíamos ao vídeo na casa de Mystery, Caroline não parava de sorrir. Depois de um tempo, eu a levei até o quarto de Nº 9 e nos deitamos na cama, lentamente despindo um ao outro. Seu corpo tremia com tanta emoção que parecia se dissipar sob o meu. Eu tinha a impressão de estar fazendo amor com uma nuvem. Quando ela gozou, não emitiu som algum.

Quando estávamos deitados depois, Caroline rolou afastando-se de mim. Ela ficou olhando para a parede e parecendo cada vez mais distante. Eu sabia no que ela estava pensando.

Quando lhe perguntei o que era, ela se pôs a chorar.

— Eu me entreguei rápido demais — ela soluçou. — Agora você não vai mais querer me ver.

Eram palavras muito doces, porque eram honestas demais. Deslizei meu braço sob seu corpo e fiz sua cabeça repousar sobre meu ombro. Primeiro, lhe disse que todo relacionamento apaixonado que eu já tivera havia começado de modo apaixonado. Era uma frase que eu aprendera com Mystery, mas eu acreditava nela realmente. Em segundo lugar, lhe disse que talvez ela de fato não devesse ter agido assim, mas ela estava a fim e carente também. Esta era uma frase que eu ouvira de Ross Jeffries, mas não acreditava nela. Terceiro: eu lhe disse que era mais maduro do que a maior parte das pessoas com quem ela estivera antes, portanto, não devia me julgar pelas suas experiências passadas. Era uma frase que eu aprendera com David X, porém acreditava nela. Finalmente, disse-lhe que ficaria triste se nunca voltasse a vê-la outra vez. Isso não era apenas uma fala decorada.

Quando enfim voltamos à sala da frente, encontramos Carly e Mystery agarrados sob um cobertor. A julgar pelas roupas espalhadas pelo chão, o boicote de Mystery funcionara com sucesso.

Caroline e eu nos aconchegamos no sofá ao lado deles e assistimos um episódio de *The Osbournes* no computador de Mystery, nos aquecendo na incandescência pós-coito. Foi um lindo momento. E não iria durar.

Capítulo 8

Não há nada mais forte para criar uma conexão do que seduzir as garotas com alguém. É a base de uma grande amizade. Porque depois, quando as garotas se vão, vocês podem, enfim, comemorar como queriam desde que as encontraram. É a comemoração mais agradável do mundo. Não é somente o som da celebração; é o som da fraternidade.

— Você sabe o que é foda mesmo? — indagou Mystery. — Eu posso estar me sentindo péssimo e, então, vou para a cama com uma garota e, pronto, estou de volta ao topo do mundo.

Estalo.

— Então? — perguntou Mystery.

— Então, o quê?

— Você está preparado para se entregar a esse estilo de vida?

— Pensei que já havia me entregado.

— Não, para a vida toda. Está no seu sangue, agora. Você e eu, temos que desafiar um ao outro. De todos os caras que já encontrei, você é meu único concorrente. Ninguém mais tem chances de chegar ao trono, a não ser você.

Quando eu era adolescente, ficava deitado na cama, rezando para Deus: "Por favor, não me deixe morrer antes de fazer sexo. Só quero saber como é." Mas agora tenho um sonho diferente. À noite, deitado na cama, peço a Deus apenas para ter a oportunidade de ser pai antes de morrer. Minha vida sempre foi orientada pelas experiências: viajar, aprender coisas novas, encontrar pessoas diferentes. Mas ter um filho é a experiência máxima: é para isso que estamos aqui. E, apesar de meu comportamento devasso, eu não tinha perdido isso de vista.

Ainda assim, ao mesmo tempo, viver as experiências também significa querer novidade e a aventura de sair com mulheres diferentes. Não consigo me imaginar escolhendo uma pessoa para toda a vida. Não que eu tenha medo de compromissos; é que eu tenho medo de discutir com alguém que amo para saber de quem é a vez de lavar a louça, ou perder a vontade de fazer sexo com a mulher deitada ao meu lado todas as noites, ou ficar em segundo plano no seu coração por causa dos filhos, ou ficar ressentido com alguém por limitar minha liberdade de ser egoísta.

Esse negócio de sedução nunca tinha sido destinado a semear meus desejos selvagens. Meus desejos sempre serão selvagens. E isso não é necessariamente algo que eu aprecie. Estou arruinando minhas chances de ser um pai legal. Se eu tivesse me casado com minha primeira namorada e tivéssemos tido filhos, eles estariam com, digamos, 8 e 10 anos agora. E eu seria um pai excelente, capaz de me relacionar com eles em praticamente todos os níveis. Mas agora é tarde demais. Quando meus filhos estiverem com 10 anos, estarei com uns 40 e tão alienado que eles vão zombar de meu gosto musical e me vencerão numa queda de braço.

E agora eu ia de fato arruinar minhas chances de casar: estava a ponto de me estigmatizar como um sedutor para o resto da vida.

Uma hora depois, Mystery e eu fomos até a Fineline Tattoo, na Kingston Road. Eu era mais esperto do que isso, pensei. Mas é fácil ser pego no momento, no aperto de mãos, na fraternidade.

Girei a maçaneta e empurrei a porta. Ela não abriu. Embora fossem 15h de uma segunda-feira, a loja estava fechada.

— Porra — esbravejou Mystery. — Vamos achar outro lugar.

Não sou uma pessoa supersticiosa, mas quando estou hesitante sobre uma idéia, basta uma leve corrente de ar para me empurrar para outra direção.

— Não posso fazer isso — eu disse.

— O que houve?

— Tenho um problema para assumir compromissos. Não acho sequer que possa me comprometer com uma tatuagem que significa uma isenção aos compromissos.

Minha natureza neurótica me salvou pela primeira vez.

Na noite seguinte, Caroline veio de carro até a casa de Mystery e nós saímos para comer sushi.

— Cadê Carly? — quis saber Mystery.

Caroline ficou vermelha e olhou para seu chá.

— Ela... não pôde vir. — respondeu ela. — Mas mandou um oi.

Pude ver a mudança na linguagem corporal de Mystery. Ele se deixou cair na cadeira e ficou ali amuado.

— Ela não disse o motivo? Houve algum problema?

— Bem... — disse Caroline. — Ela... ela saiu com o namorado.

O rosto de Mystery empalideceu.

— E por isso ela não veio?

— Carly disse que você e ela são muito diferentes, de qualquer maneira.

Mystery ficou quieto. Dez minutos se passaram sem que ele dissesse qualquer coisa. Sempre que perguntávamos algo para animá-lo, suas respostas eram monossilábicas. Não era que estivesse apaixonado por Carly; simplesmente odiava a rejeição. Estava agora experimentando o lado sombrio de seduzir uma garota que tinha namorado: elas, normalmente, voltavam para eles depois. E vendo Caroline e eu nos divertindo com a companhia um do outro, isso só o irritou ainda mais.

— Eu sou o maior artista da sedução do mundo — ele murmurou na minha direção. — Como é possível que eu não tenha uma namorada?

— Bem, talvez seja por ser o maior artista da sedução do mundo.

Após um longo período de silêncio, Mystery pediu a Caroline que o levasse até uma boate de strip-tease onde sua ex-namorada Patricia trabalhava. Ela o deixou no estacionamento e depois me levou para passar a noite na casa no subúrbio onde morava com a mãe, a irmã e o irmão. Seria a primeira vez que eu encontraria sua família.

Sua mãe nos cumprimentou na porta. Em seus braços, havia um bebê chorando — o bebê da minha namorada adolescente.

— Você quer segurá-lo? — perguntou Caroline.

Suponho que a reação estereotipada seria dizer que estava com medo, que a realidade desmoronava sobre mim e que eu queria sair dali.

Mas não fiz nada disso. Eu queria segurá-lo. Era uma sensação gostosa. Essa era a razão pela qual eu entrara naquele jogo — para ter esse tipo de aventura, segurar um bebê nos braços pela primeira vez e indagar: "O que a mãe dele está esperando de mim?"

Capítulo 9

Enquanto eu estava brincando de papai com Caroline, Mystery estava numa espiral.

Deixá-lo lá tinha sido uma péssima idéia. Ver Patricia havia acabado com ele. Não apenas ela não o queria de volta, mas também lhe dissera que estava saindo com outros caras.

— Ela está malhando três horas por dia — ele me disse pelo telefone. — Ela perdeu sete quilos e está com um corpinho nota 10, camarada. As mulheres são capazes de qualquer coisa quando estão furiosas. Merda.

— Não pense em como ela está bonita — eu o aconselhei. — Procure suas falhas e apague as coisas boas da sua cabeça. Assim será mais fácil.

— No plano intelectual eu sei disso, mas emocionalmente estou fodido. Me sinto como se estivesse sendo severamente castigado. Tudo desabou sobre mim quando a vi novamente. Aquele corpo quente com marca do biquíni. Era a stripper mais gostosa do pedaço. E não posso tê-la. Carly voltou para o namorado. E estou cansado de tentar fazer meu novo apê habitável. Para quê?

— Rapaz, você é um artista da sedução. Existem mais de cem Patricias lá fora. E você pode conquistá-las em uma só noite.

— Não sou um artista da sedução. Sou um amante. Eu amo as mulheres. Juro, nem penso mais em *ménage à trois*. Eu ficaria feliz se pudesse sossegar ao lado de Patricia agora. Estou com uma crise de abstinência de Patricia na mente. Sinto falta dela cada minuto do dia.

Mystery raramente pensava ou falava de Patricia, até ela o rejeitar. Agora estava obcecado. Suas próprias teorias sobre a atração se viraram contra ele e lhe deram um tapa na cara. Patricia estava efetuando um afastamento. Mas para ela aquilo não era uma técnica — era para valer.

Como um mágico acostumado a explorar a credulidade dos outros, Mystery não tinha paciência com nada que fosse espiritual ou sobrenatural. Sua religião era Darwin. Amor, para ele, era apenas um impulso evolucionário que permitia aos homens realizarem seus objetivos primários: sobreviver e procriar. Ele chamava isso impulso de acasalamento.

— É estranho como a impressão de acasalamento é forte — disse ele. — Eu me sinto tão só agora.

— Sabe de uma coisa? Amanhã nós passamos para apanhar você e nos divertir no subúrbio. Você vai se animar.

Caroline e eu colocamos Carter no carrinho e o empurramos até um parque ali perto. Quando me sentei num banco, pensei como eu e Mystery formávamos uma dupla patética de artistas da sedução. Os rapazes em todo o mundo achavam que estávamos dentro de banheiras de hidromassagem, cercados por modelos usando biquínis. Em vez disso, ele estava sozinho no apartamento, provavelmente chorando e vendo vídeos de lésbicas, e eu estava no subúrbio passeando com um bebê num carrinho.

De manhã, Caroline e eu fomos buscar Mystery na cidade. Ele não se barbeara desde a última vez que o vimos e pequenos tufos de barba cobriam seu rosto infantil e pálido. Estava com uma camiseta cinza que caía folgada sobre seu jeans.

— Por favor, não deixe sua família pedir para eu fazer truques de mágica — ele disse a Caroline.

Ainda assim, naquela noite, quando a mãe de Caroline perguntou o que ele fazia na vida, Mystery se lançou numa performance espetacular. Apresentou cada truque de ilusionismo — leitura da mente, levitação de garrafa, autolevitação, prestidigitação —, falando por dez minutos com uma rapidez e verve capazes de envergonhar qualquer outro ilusionista que eu já vira. Todos na sala ficaram encantados: a mãe de Caroline estava perplexa, sua irmã mais nova ficou espantada e seu irmão queria aprender a levitar giz para assustar os professores. Naquele instante, eu me dei conta de que Mystery tinha de fato talento para realizar seu sonho de se tornar um intrépido ilusionista superstar.

Quando a família de Caroline se recolheu, Mystery lhe perguntou se tinha algum comprimido para dormir.

— Só temos Tylenol nº 3, que é codeína — Caroline respondeu.

— Isso serve — disse Mystery. — Mas me dê todo o frasco. Eu tenho um nível de tolerância elevado.

Já pensando como enfermeira, Caroline trouxe quatro comprimidos. Mas não foram suficientes para derrubá-lo. Então, Caroline e eu dormimos e Mystery, aceso pela codeína, ficou a noite toda acordado, enviando posts para o Lounge de Mystery.

Capítulo 10

GRUPO MSN: Lounge de Mystery
ASSUNTO: Objetivos de vida
AUTOR: Mystery

Neste exato momento eu me encontro na casa de Caroline porque tenho estado triste em relação à Patricia. Caroline é a namorada de Style em Toronto, e isso deve ser difícil para ele. Ela é realmente linda, mas tem um filho. Style e Caroline se entendem superbem, mas eu entendo as limitações também. Droga.

Solução: ser justo. Ame-a, rapaz. Seja honesto com seus sentimentos e não a magoe, mas saiba que por estar enamorado você quer mais. A idéia de ter várias garotas em vários portos pode ser saudavelmente cultivada.

A família dela é ótima. Fiz algumas mágicas para sua irmã de 18 anos, que é uma gracinha, e para sua mãe e seu irmão durante 45 minutos. Foi divertido. Fiz uma leitura de signos para a mãe. Caroline é como minha irmã. Tenho um sentimento de afeto por ela e seu bebê. E é ótimo estar aqui com Style!

Depois, tomei codeína para dormir porque todos foram para a cama no horário normal e eu tenho dificuldades para dormir. Mas não dormi. Apenas senti amor. Não me entendam mal. Estou plenamente consciente que é efeito do Tylenol que tomei, mas é uma boa sensação assim mesmo. Adoro este Lounge. Caras, vocês são brilhantes. Espero que um dia possamos fazer uma superfesta.

E tudo isso vai se desgastar quando a codeína for mijada para fora, ah-ha.

Eis o que quero que aconteça no futuro: quero que nós nos tornemos amigos mais íntimos — vocês acham que podemos fazer isso? Grimble e Twotimer, o jogo de vocês é tão diferente do meu! Quero ir caçar com os dois um dia desses para tentar entender direito de onde vocês vêm.

Papa, seu jogo foi foda naquele dia. Foi ótimo fazer um workshop com você, e seja bem-vindo quando quiser, cara. Eu nem importo se você me telefonar todos os dias.

Eu pressinto esse Lounge, não como sendo dedicado à sedução, mas a alguma coisa maior: objetivos de vida. As mulheres representam grande parte disso, e nós trabalhamos juntos para ajudar uns aos outros a consegui-las. No entanto, gostaria de estender esse tópico para o dinheiro, status social e outras ambições.

Acho que uma das maiores dificuldades da vida é não ser capaz de partilhar seus problemas com honestidade. Portanto, exponham aqui suas questões e vocês terão uma centena de homens inteligentes e confiáveis para ajudá-los.

Da mesma forma, digam quais são suas metas e objetivos. Se não tiverem nenhum, agora é a hora de criá-los. Eu quero que todos fiquemos na boa e alcancemos nossa plena realização. Viagem, mulheres, dinheiro, status social, o que for. Vamos apoiar uns aos outros durante o percurso. Vamos todos trabalhar nos mesmos projetos e criar uma sinergia de nossos esforços, como uma corporação.

Quero ver Vinigarr[5] em seu próprio apartamento com um carro supermaneiro, grana no banco, uma babá gostosa tomando conta das crianças (uma babá que ele possa comer), uma dupla de garotas que o ame eternamente. Ele deveria possuir regiões de Nova York — com boates ou coisa parecida. Ele devia estar rodando por aí na sua própria limusine. Deveria ter sua própria agência de acompanhantes.

Papa, você explora seu pai. E o inimigo do melhor é o bom. Quero que você se concentre tanto quanto possível na fortuna quanto no domínio do relacionamento. Você tem o potencial para virar um multimilionário. Você precisa sair fora da sombra financeira de seu pai e não se deixar intimidar pelo sucesso dele. Imagine como aproveitar seu impulso sexual e usá-lo para criar um empreendimento bem-sucedido.

É disso que eu preciso: preciso completar meu material promocional para apresentar em rede de televisão um show especial de mágica de meia hora. Preciso de mais recursos para produzir isso. Não estou de sacanagem ou sonhando com a fama, quando digo que posso fazê-lo. Quem me conhece sabe que posso desempenhar esse papel até o fim. Assim que esse especial entrar no ar, posso montar um show em Las Vegas. Já tenho o espetáculo elaborado em detalhes.

Alguém interessado em ajudar? Pensem só no que vai rolar depois das festas! Vamos construir alguma coisa. Vamos explorar o fato que eu preciso de atenção (preciso fazer shows) todo dia ou não me sinto normal.

Isso não sai de graça tampouco. Não acredito. Trabalhem comigo e vocês serão pagos. Apenas me digam quais são seus objetivos primeiro, de modo que eu possa dar um sentido a essa merda toda! Cavalheiros, vamos meter a cara nos negócios.

— Mystery

P.S. Tenho lido *Pense e enriqueça*, de Napoleon Hill, e quero sugerir algo relacionado a isso. Se vocês se masturbam regularmente, isso pode logo viciar.

---

[5] Um antigo aluno de workshop do Brooklyn, Vinigarr é um pai solteiro que ganha a vida como motorista de uma agência de garotas de programa.

Esse vício vem na forma de uma regularidade diária que refreia seu desejo de sair. Isso também impede que aproveitem seus impulsos sexuais, que podem ser usados para motivá-los a trabalhar em projetos para criar fortuna.

Se vocês não estão trepando com regularidade (o que acontece a todos nós de tempos em tempos) não se masturbem até esfolarem o pau. Marquem um encontro com vocês mesmos. Punheta, só uma vez por semana. Se vocês tocaram uma hoje, marquem a próxima para daqui a sete dias. Se não conseguirem arrumar uma mulher até lá, ao menos terão alguma coisa pelo que esperar. Toquem uma maravilhosa punheta! Usem os melhores estímulos pornográficos e uma loção para as mãos. Aguardem com intensidade esse momento, assim não irão desperdiçar suas vidas se masturbando diariamente, se concentrando na dor de não ter uma namorada.

Enquanto isso, aproveitem seus impulsos sexuais e construam alguma coisa.

Capítulo 11

Na manhã seguinte ao post turbinado de codeína, Mystery estava jogado no banco de trás do carro de Caroline, enrolado em uma manta com os olhos encobertos por um chapéu que enfiara na cabeça. Além de nos pedir para ser levado até o apartamento de seus pais, ele nada mais disse, algo raro em se tratando dele. Lembrei-me de nossa viagem ao Leste europeu. Exceto que, dessa vez, Mystery não estava doente — pelo menos não fisicamente.

Estacionamos e tomamos o elevador até o apartamento da sua irmã, no 20º andar. Era um dois-quartos bagunçado, cheio de gente. A mãe de Mystery, uma alemã gorda, estava sentada numa poltrona surrada com motivos florais. Sua irmã, Martina, os dois filhos dela, o marido, Gary, se encontravam amontoados num sofá ao lado. O pai de Mystery estava trancado num apartamento quatro andares acima deles, doente do fígado depois de uma vida de bebedeira ininterrupta.

— Ei, o que houve que você não trouxe uma garota com você? — perguntou Shalyn, a sobrinha de 13 anos de Mystery, tirando onda com a cara dele. Ela sabia tudo sobre suas garotas. Com freqüência, ele usava suas sobrinhas como um procedimento para transmitir seu lado vulnerável e paternal às mulheres. Ele gostava de verdade das sobrinhas e parecia se animar um pouco ao vê-las.

O cunhado de Mystery, Gary, tocou no violão algumas baladas pop que ele mesmo compusera. A melhor delas era uma música chamada *Casanova's Child*, que Mystery cantou com ele num volume quase ensurdecedor. Ele parecia se identificar com o personagem.

Em seguida, eu e Caroline fomos embora. As meninas nos seguiram até a porta do elevador, rindo e gritando, seguidas por Mystery. De repente, a porta abriu violentamente e um homem, com colarinho de padre, lançou um olhar superior e duro para as garotas.

— Vocês não deviam fazer todo esse barulho no corredor — ele disse.

Mystery ficou roxo.

— E o que é que você vai fazer em relação a isso? — perguntou Mystery. — Porque eu acho que elas devem, sim. Nessa idade, é normal.

— Ora — retrucou o reverendo —, elas podem se divertir num lugar onde não perturbem os outros moradores.

— Vou lhe dizer uma coisa — respondeu Mystery. — Vou pegar uma faca e vamos ver quem vai estar aqui no corredor quando eu voltar.

Mystery voltou ao apartamento, enquanto nós todos trocamos olhares preocupados. Novamente, reconheci aquele comportamento da viagem na estrada. Lembrei-me do momento em que começou a vociferar ao atravessarmos a fronteira, depois de eu lhe dizer o que deveria fazer, desencadeando seus problemas com o pai.

O reverendo bateu sua porta e Caroline e eu escapamos no meio da confusão.

Capítulo 12

Eu não estava a fim de voltar para a casa de Caroline. A vida toda eu vivi nas cidades. Detesto os subúrbios. Como Andy Dick, meu maior medo era ficar entediado ou entediar os outros. As noites dos fins de semana não foram feitas para ficar sentado, assistindo a vídeos alugados na Blockbuster. Mas Caroline não podia ficar em Toronto. Não queria ficar longe do filho; não queria ser uma típica mãe adolescente.

Então, enquanto Caroline brincava com Carter no dia seguinte, verifiquei meu e-mail. Mystery e eu tínhamos mandado um post com um relatório de campo da noite com Carly e Caroline, alguns dias antes, e minha caixa de entrada estava cheia de mensagens de uns caras da Carolina do Norte, Polônia, Brasil, Croácia, Nova Zelândia e além. Estavam me procurando para pedir ajuda, assim como antes eu procurara Mystery.

Havia também duas mensagens de Mystery. Na primeira, ele escreveu que tinha brigado com a irmã por causa do incidente no corredor: "Ela avançou desferindo vários socos em mim. Tive que contê-la, segurando seu pescoço e jogando-a no chão. Depois saí e voltei para casa. Eu não estava aborrecido. Só queria fazer com que ela parasse de me agredir. Coisa estranha, né?"

O segundo dizia apenas o seguinte: "Estou me despedaçando. Estou com fome, minha cabeça dói, minha pele está ardendo, estou me entupindo de vídeos pornôs. Vou tomar uns soníferos porque se eu ficar acordado e sozinho a noite toda vou enlouquecer. Mal posso esperar para desaparecer. Estou muito perto de dizer foda-se e acabar com tudo. Essa vida não tem mais graça."

Ele estava perdendo a cabeça. E eu estava empacado no cu do mundo, Ontário, assistindo *Amigas para sempre*, com Britney Spears, ao lado de três adolescentes, uma das quais supostamente era minha namorada.

Na manhã seguinte, pedi a Caroline para me levar até a casa de Mystery.

— Você pode ficar comigo? — perguntei.

— Eu preciso voltar para o Carter — ela respondeu. — Não tenho dado muita atenção a ele, e não quero que mamãe pense que estou sendo negligente.

— Sua mãe quer que você saia e se divirta com seus amigos. É você mesma que está se pressionando.

Ela concordou em entrar e ficar por uma hora.

Subimos até o andar de Mystery e abrimos a porta. Ele estava sentado na cama assistindo *Inteligência artificial* no computador. Vestia a mesma camiseta cinza e o jeans com os quais o tínhamos visto na última vez. Seus braços estavam arranhados por causa da briga com a irmã.

Ele se virou para mim e começou a falar. Sua voz era fria e impassível.

— Eu estava pensando — ele disse. — Os robôs nesse filme têm interesses próprios, determinados. Eles estabelecem objetivos e, então, trabalham para alcançá-los. O filho robô busca a proteção com a mãe. O robô sexy persegue as mulheres. Quando ele é solto da jaula, parte para acasalar com mulheres de verdade novamente, porque é seu objetivo.

— Entendi... — Eu me inclinei na mesa do computador ao lado da cama. O quarto era do tamanho de um grande closet. As paredes estavam nuas. — E daí?

— E daí que — respondeu ele na mesma voz sepulcral —, qual é meu objetivo? E qual é o seu? Sou um menino robô, um robô sexy e um robô artista.

No chão, diante de sua cama, havia um prato pela metade de espaguete cru. Estilhaços de macarrão estavam espalhados pelo quarto. Ali perto, o restante de um telefone sem fio preto, que fora esmagado no chão. A bateria jazia inútil ao lado do aparelho.

— O que aconteceu? — perguntei.

— Detonei minha mãe e minha irmã. Elas não paravam de falar.

Quando Mystery, ou qualquer AS, entrava em pânico, só havia uma cura: sair para caçar e conhecer novas opções.

— Vamos nos pavonear e ir para uma boate de strip-tease esta noite — sugeri.

As boates de strippers eram o ponto fraco de Mystery. Ele tinha uma lista de regras para aplicar nessas boates que lhe haviam garantido pelo menos um número de telefone em cada uma. Entre essas regras havia: fazer amizade com o DJ; nunca pagar por uma dança ou bebida; nunca dar em cima, cumprimentar ou tocar nas strippers; ater-se ao substancial e mudar de assunto sempre que uma stripper começar a recitar histórias que ela conta para todos os caras.

— Não estou a fim de sair — ele disse. — Não faz sentido.

Ele parou o filme no computador e começou a concluir um e-mail inacabado.

— O que você está fazendo? — perguntei.

— Estou mandando uma mensagem para um aluno em Nova York para lhe dizer que o workshop foi cancelado. — Ele falava como se estivesse no piloto automático.

— Por que está fazendo isso? — Eu estava puto. Tinha deixado em suspenso um mês da minha vida para podermos ir para Nova York e Bucareste juntos. Já comprara até os bilhetes de avião. E agora, por conta de uma mistura de Steven Spielberg e efeito colateral de codeína, ele desistia?

— Não tem gente suficiente.

— Qual é? — eu disse. — Você já está ganhando 1.800 dólares. E tenho certeza de que outros caras vão se matricular na última hora. É Nova York, pelo amor de Deus. Ninguém se compromete a nada antecipadamente.

— Viver — ele suspirou — custa muito caro.

Aquilo estava ficando demasiadamente melodramático para mim. O cara era um buraco negro procurando atenção. Foda-se.

— Você é um egoísta de merda — exclamei. — E quanto a nossos bilhetes para Bucareste?

— Você pode ir, se quiser. Estou cancelando todos os shows, agentes, seminários, workshops e viagens. Estou parando com tudo. Não quero ficar conhecido como sendo um Ross Jeffries.

Dei um coice na cômoda. Eu tenho o pavio longo, mas quando ele chega no final, eu explodo. Embora meu pai talvez não tivesse me ensinado muito sobre as mulheres, pelo menos isso ele me ensinara.

Um frasco laranja com etiqueta caiu no chão, espalhando os comprimidos. Peguei e dei uma olhada. A palavra Rivotril estava no rótulo.

— O que é isso?

— São os comprimidos antidepressivos de minha irmã. Eles servem mais como soníferos do que como antidepressivos. — Sua voz fria, clínica.

Concluí que aquilo não estava fazendo muito bem a ele. Então, deixei apenas três comprimidos no frasco e coloquei o restante no meu bolso. Não queria que ele tivesse uma overdose.

Mystery acessou o Party Poker, um site de jogos de azar on-line, e começou a jogar mecanicamente. O Mystery que eu conhecia era uma pessoa lógica demais para apostar.

— O que você está fazendo? — perguntei. Mas não esperei a resposta. — Deixa pra lá.

Bati a porta do quarto e achei Caroline na sala.

— Vamos voltar para sua casa — eu lhe disse.

Ela deu um sorriso frágil de simpatia. Não sabia o que dizer. Naquele momento, eu a odiei. Ela me pareceu inútil.

Capítulo 13

Então voltamos para a casa da Caroline, no subúrbio — para sua mãe, seu irmão, sua irmã, seu filho e seus filmes de Britney Spears.

Dava para sentir que eu estava virando um fardo para ela e um modo de afastá-la do seu filho. E ela sabia que estava se tornando entediante para mim. E não era o fato de ela ficar se agitando em torno do filho que me incomodava; era sua total falta de iniciativa. Aqueles dias e noites encarcerado na sua casa sem fazer nada estavam me deixando nervoso. Eu me recusava a aceitar que havia tempo para tudo.

Uma das primeiras regras da sedução é que uma garota pode se desapaixonar com a mesma rapidez com que se apaixonou por você. Isso acontece todas as noites. As garotas que acariciam nosso peito e tiram um sarro na boate com a gente depois de dois minutos vão nos deixar na mesma velocidade, por algo maior ou um negócio melhor. É assim a vida na prática. E eu entendia isso.

Durante um workshop em São Francisco, eu tinha passado a noite na casa de uma advogada chamada Anne. Na sua mesa-de-cabeceira havia um livrinho escrito por um cara chamado Joel Kramer. Insone, resolvi folhear as páginas. Ele explicava da melhor maneira as emoções que Caroline e eu estávamos sentindo: nós temos essa idéia de que o amor deve durar para sempre. Mas o amor não é assim. É uma energia de fluxos livres que vêm e vão quando bem desejam. Algumas vezes, fica a vida toda; outras vezes, só um segundo, um dia, um mês ou um ano. Mas não se surpreenda quando for embora, tampouco. Apenas fique feliz por ter tido a oportunidade de experimentá-lo.

A paráfrase está meio vaga, mas sua idéia reverberou em minha cabeça quando voltei a passar uma noite na cama com Caroline. Inicialmente, eu tinha memorizado aquela passagem para usá-la como um procedimento. Nunca pensei que ela pudesse se aplicar à minha própria vida. O amor devia ser, provavelmente, algo que as mulheres perseguiam, não os homens.

Passei o dia seguinte cuidando de passagens de avião e planos de viagem. Mantive meu vôo para o Leste europeu, mas em vez de assistir Mystery caçando escravas bissexuais resolvi encontrar um grupo de AS que acabara de surgir na Croácia. Eu estava me correspondendo com um deles, chamado Badboy, desde que ingressara na comunidade.

Uma das razões pelas quais me tornei escritor foi que, ao contrário de começar uma banda, dirigir filmes ou atuar numa produção teatral, você pode fazer isso sozinho.

Seu sucesso e seu fracasso dependem inteiramente de você. Nunca confiei nas colaborações, porque a maioria das pessoas neste mundo não é concludente. Não acabam aquilo que começam; não vivem aquilo com que sonham; sabotam seu próprio progresso porque têm medo de não acharem o que procuram. Eu havia idolatrado Mystery. Tinha desejado ser ele. Mas, como a maior parte das pessoas — ou mais do que a maior parte —, ele era seu próprio pior inimigo.

Quando verifiquei as mensagens da comunidade da sedução naquele dia, havia uma nova de Mystery. Seu título: "O Último Post de Mystery."

Não escreverei mais aqui. Só queria agradecer pelas lembranças e desejar boa sorte a todos vocês.
Seu amigo,
Mystery

Fui até o site de Mystery e ele já havia sido fechado. É impressionante como anos de esforços podem ser rapidamente demolidos.

Uma hora depois, meu celular tocou. Era o Papa.

— Estou assustado — ele disse.

— Eu também. Não sei se trata de um clamor pedindo atenção ou se é para valer.

— Eu me sinto da mesma maneira que Mystery. — Sua voz parecia fraca e longínqua. — Minha vida está indo por água abaixo. Só penso no jogo. Não abri um livro desde o começo do ano letivo. E preciso conseguir entrar para a faculdade de direito.

Papa não era exceção. Havia alguma coisa na comunidade que acabava consumindo a vida das pessoas. Especialmente agora. Antes de Mystery começar com seus workshops, era apenas um vício on-line. Agora, todo mundo estava viajando pelo país e indo à caça juntos. Não era somente um estilo de vida; era uma doença. Quanto mais tempo você dedicava a isso, melhor você ficava. E quanto melhor ficava, mais viciado se tornava. Uns caras, que nunca tinham ido a uma boate, agora entravam ali como se fossem superstars, e saíam com o bolso cheio de números de telefone e garotas no braço. Depois, como uma camada de açúcar sobre o bolo, eles podiam escrever relatórios de campo e se vangloriar com os demais membros da comunidade. Havia pessoas deixando seus empregos e largando os estudos para poderem se dedicar ao jogo. Tal era o poder e a atração provocados pelo sucesso com as mulheres.

— Uma das coisas que atraem as mulheres é o estilo de vida e o sucesso — eu disse a Papa. — Imagine como esse jogo seria fácil se você fosse um poderoso advogado no mundo dos espetáculos com clientes célebres. Ao entrar para uma faculdade de direito você, provavelmente, estará aperfeiçoando seu jogo.

— Sei — ele disse. — Mas eu preciso criar prioridades. Adoro esse jogo, mas agora está se tornando muito mais uma droga para mim.

A depressão de Mystery não estava afetando apenas sua própria vida, mas as vidas de todos que o admiravam e tentavam ser como ele. Alguns, como Papa, ainda estavam no meio desse processo, agora imitando sua espiral descendente.

— Todo mundo que se deixa absorver demais no jogo acaba ficando deprimido — disse ele. — Ross Jeffries, Mystery, eu. Quero aprender o jogo de Mystery, mas não à custa da minha vida.

O problema era que aquela epifania estava vindo tarde demais para Papa. Ele já se matriculara nos seminários de David X e David DeAngelo. Isso tudo significava que iria faltar a um bocado de aulas.

— Meu pai me telefonou ontem — prosseguiu Papa. — Ele está realmente preocupado comigo. Estou me dedicando ao jogo desde o início do ano, deixando de lado meus estudos, minhas finanças e minha família.

— Você tem que aprender a equilibrar as coisas, cara. A sedução deveria ser somente um hobby glorioso.

Era um sábio conselho. Um que eu mesmo deveria seguir.

Depois de desligar, liguei para Mystery. Ele queria me dar sua motocicleta. Queria dar seu computador para Patricia. E queria dar os truques de ilusionismo que inventara para seu show de 90 minutos para um mágico local.

— Você não pode dar os truques que deram tanto trabalho a você — protestei. — Você pode precisar deles mais tarde.

— São apenas ilusões. Eu não sou bom em nada, exceto em enganar as pessoas. Eu nunca quis ser um impostor, por isso estou parando com tudo.

Eu não precisava ser um orientador vocacional do colégio para reconhecer aqueles sinais de advertência. Se não os observasse com seriedade, mais tarde poderia me arrepender. Eu não podia dar as costas enquanto meu mentor pulava de um penhasco — mesmo que fosse um penhasco que ele próprio inventara. Certa vez, eu tive uma amiga cujo ex-namorado estava sempre ameaçando se matar. Um dia ela não atendeu seu pedido de socorro. Ele atirou em si mesmo no jardim de casa uma hora depois.

Conforme Mystery observara em seu post energizado de codeína, nós dispúnhamos de uma valiosa rede. O Lounge punha em contato cirurgiões, estudantes, guarda-costas, diretores de cinema, personal trainers, programadores de software, recepcionistas e psiquiatras. Então, eu telefonei para Doc.

Doc descobrira a comunidade quando Mystery se matriculou, de onda, num seminário sobre encontros amorosos que Doc ministrava no anexo do departamento de ensino. Mystery ouviu pacientemente enquanto Doc apresentava dicas e táticas que eram do nível de um TFM, comparadas à tecnologia da comunidade. Em seguida, ele conversou com Doc, que confessou não ser exatamente um homem que fazia sucesso com as mulheres. Então Mystery saiu com ele numa noite na cidade, ensinou-lhe o Método Mystery e deu-lhe acesso ao Lounge. Agora, Doc era um monstro com seu próprio harém. Seu apelido vinha de seu doutorado em psicologia. Então, liguei e pedi ajuda.

Ele me sugeriu que fizesse ao Mystery as seguintes perguntas, exatamente nesta ordem:

— *Você está tão mal que se sente capaz de desistir de tudo?*
— *Você tem pensado muito na morte?*
— *Você pensa em ferir a si mesmo ou fazer algo destrutivo?*
— *Você está pensando em suicídio?*
— *Como você o faria?*
— *O que o impede de fazer isso?*
— *Você acha possível que venha a fazê-lo nas próximas 24 horas?*

Eu anotei as perguntas numa folha de papel, dobrei-a em quatro e coloquei-a no meu bolso. Aquilo seria minha cola. Meu procedimento.

Capítulo 14

Quando cheguei na casa de Mystery, ele estava no processo de desmontar sua cama. Seus movimentos eram mecânicos. Assim como suas respostas.

STYLE: O que você está fazendo?

MYSTERY: Vou dar esta cama para minha irmã. Eu amo minha irmã e ela merece uma cama melhor.

STYLE: Você está tão mal que se sente capaz de desistir de tudo?

MYSTERY: Estou. É a futilidade de tudo. É mimética. Se você entende o que é mimética, então você entende que tudo isso é fútil. Não faz sentido.

STYLE: Mas você tem um intelecto superior. Seu desenvolvimento é um dever.

MYSTERY: Não importa. Vou extirpar meus genes dessa existência.

STYLE: Você tem pensado muito na morte?

MYSTERY: O tempo todo.

STYLE: Está pensando em se ferir ou fazer alguma coisa destrutiva?

MYSTERY: Estou. Essa história de viver é uma merda sem fim.

STYLE: Você está pensando em suicídio?

MYSTERY: Estou.

STYLE: Como você o faria?

MYSTERY: Afogamento, porque é o que mais me apavora.

STYLE: O que o impede de fazê-lo?

MYSTERY: Tenho que dar minhas coisas. Eu derrubei o computador de Patricia e o quebrei. Então, quero lhe dar o meu. Ela precisa de um computador.

STYLE: Ela se importou com isso?

MYSTERY: Não. Na verdade, não.

STYLE: Ela ficou furiosa por você o ter quebrado?

MYSTERY: Não.

STYLE: Você acha que vai acabar com a vida nas próximas 24 horas?

MYSTERY: Por que você está me perguntando tudo isso?

STYLE: Porque sou seu amigo e estou preocupado com você.

[Toque de campainha na porta]

STYLE: Quem é?

VOZ NO INTERFONE: Olá, aqui é Tyler Durden. Vim por causa de Mystery. Sou um fã do que ele escreve e queria saber se podia conhecê-lo.

STYLE: Agora não é uma boa hora para isso.

VOZ NO INTERFONE: Mas estou vindo de Kingston.

STYLE: Lamento, cara. Ele não pode ver ninguém. Ele está, er, doente.

Capítulo 15

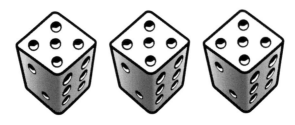

Deixei Mystery no quarto, fui até a cozinha e liguei para a telefonista a fim de descobrir o número da casa dos pais dele. Seu nome na vida real era Erik von Markovik, mas isso era apenas mais um ilusionismo. Ele mudara legalmente seu nome de batismo original: Erik Horvat-Markovic.

O telefone tocou uma, duas, três vezes. Um homem atendeu. Sua voz era áspera e seus modos bruscos. Era o pai de Mystery.

— Oi, sou um amigo de seu filho Erik.

— Que é você?

— Eu sou Neil. Amigo de Erik. E eu queria...

— Não volte a ligar para cá! — vociferou ele.

— Mas ele está precisando...

Clique. O imbecil desligou.

Só havia uma outra pessoa para a qual eu poderia telefonar. Voltei para o quarto de Mystery. Ele estava engolindo um comprimido com um copo de água. Seu rosto estava vermelho e desfigurado, como se estivesse chorando lágrimas invisíveis.

— O que você acabou de tomar? — perguntei.

— Uns comprimidos para dormir — ele respondeu.

— Quantos? — Merda, eu ia ter que chamar uma ambulância.

— Dois.

— Por que você fez isso?

— Quando estou acordado, a vida é um saco. Tudo é muito fútil. Quando estou dormindo, eu sonho. — Ele começava a soar como Marlon Brando em *Apocalypse Now*. — Ontem sonhei que estava voando num DeLorean. Como aquele carro em *De Volta para o Futuro*. E havia um monte de fios em volta de nós. Eu estava com minha irmã. E ela estava dirigindo. Nós passamos por cima dos fios. E eu vi minha vida lá embaixo.

— Ouça — eu lhe disse —, preciso do número do telefone da Patricia.

Então suas lágrimas começaram a escorrer. Ele parecia um grande bebê. Um grande bebê prestes a se matar.

— Você pode me dar o telefone da Patricia? — pedi outra vez, bem devagar, gentilmente, como se falasse a uma criança.

Ele me deu o número, devagar, gentilmente, como uma criança.

Eu esperava que Patricia não desligasse na minha cara, que não tivesse eliminado Mystery inteiramente de sua vida, que tivesse uma solução.

Ela respondeu no primeiro toque. Como namorada, Mystery pudera contar com ela. Mas na verdade ela fazia parte de um sistema invisível de apoio. Seu efeito estabilizador só foi percebido depois que ela partiu.

A voz de Patricia era um pouco máscula, com um leve sotaque romeno. Não parecia ser excessivamente inteligente, mas gostava de Mystery. Havia compaixão e preocupação em sua voz.

— Ele já tentou se suicidar antes — disse ela. — O melhor que você pode fazer é ligar para a mãe e a irmã dele. Elas, provavelmente, vão conseguir interná-lo.

— Para sempre?

— Não, só até ele melhorar.

A porta do quarto de Mystery se abriu bruscamente. E ele apareceu na sala. Ele passou por mim e foi até a porta.

— Ei! — eu gritei para ele. — Onde está indo?

Ele se virou por um instante e me fixou com um olhar vazio e insensível.

— Foi bom ter conhecido você, camarada — ele disse, depois me deu as costas.

— Onde você está indo?

— Vou matar meu pai e depois me suicidar — foram suas últimas palavras, antes de abrir a porta da frente e a fechar suavemente ao sair.

Capítulo 16

Eu saí na captura de Mystery. Ele estava descendo as escadas devagar, como um sonâmbulo. Passei à sua frente e bloqueei o caminho.

— Ei. — Puxei a manga de sua camisa. — Vamos voltar lá para cima. Falei com sua irmã. Ela está vindo para cá. Espere só mais um pouco.

Ele hesitou por um instante, sem saber se devia ou não confiar em mim. Estava dócil, parecia incapaz de fazer mal a uma mosca. Acompanhei-o até em cima, sussurrando palavras de encorajamento no seu ouvido. Quando entramos, liguei de novo para sua família.

"Ele vai ficar legal", pensei. "Desde que não seja seu pai que atenda."

Sua mãe atendeu. Ela disse que chegaria em meia hora.

Ele se sentou na cozinha e esperou. O sonífero parecia começar a fazer efeito. Ele ficou olhando para a parede e murmurando trechos de filosofia evolutiva, mimética e teorias do jogo. A conclusão daqueles resmungos era sempre a mesma: "Fútil."

Sua mãe chegou, com sua irmã atrás. No instante em que o viram, elas empalideceram.

— Não imaginava que era tão sério assim — disse Martina.

Ela fez sua mala, enquanto a mãe descia com ele. Ele a seguia passivamente, insensível ao resto do mundo.

Eles saíram do prédio e se dirigiram para o carro que em seguida o levaria para a enfermaria psiquiátrica do Humber River Regional Hospital. No momento em que sua mãe lhe abriu a porta do veículo, um grupo de quatro garotas saiu de dentro de um carro que acabara de estacionar diante deles. Por um segundo, uma centelha de vida cintilou nos olhos de Mystery.

Eu o observei, esperando ouvi-lo dizer aquelas seis palavras mágicas: "Este grupo é seu ou meu?" Assim, eu saberia que estava tudo bem.

Mas seus olhos se ofuscaram novamente. Sua mãe o ajudou a entrar no carro, levantando suas pernas e colocando-as para dentro, e em seguida batendo a porta.

Vi-o através da janela, as quatro louras refletidas no seu rosto. Sua expressão estava pálida e exangue. Ele olhava para o vazio, a boca fechada, o queixo imóvel, seu piercing no lábio brilhando furiosamente à luz da tarde fria.

As garotas olhavam o cardápio de um restaurante japonês. Elas riam. Era um som maravilhoso. O som da vida. Eu esperava que Mystery pudesse ouvi-lo.

Capítulo 17

O colapso nervoso de Mystery provocou uma crise de fé e auto-exame na comunidade. Tínhamos todos ficado tão profundamente submersos naquele jogo que aquilo estava fodendo com nossas vidas.

Papa estava caindo fora da faculdade. Um AS de São Francisco chamado Adonis tinha sido despedido de seu emprego numa agência de publicidade quando descobriram que andava passando tempo demais conectado ao Lounge de Mystery. E minha escrita havia praticamente parado por completo. Mesmo Vision se tornara tão viciado no grupo de discussão sobre sedução que deu seu cabo DSL para um companheiro de quarto, lhe determinando: "Não me devolva isso antes de duas semanas."

Enquanto isso, a comunidade crescia exponencialmente. A cada dia, mais novatos se inscreviam no site. Eram garotos — alguns ainda no ensino médio — que procuravam os AS pedindo conselhos não apenas sobre sedução e socialização, mas sobre tudo. Queriam saber para qual faculdade deveriam se candidatar; se deviam parar de tomar os remédios prescritos pelos seus psiquiatras; se deviam se masturbar, usar camisinha, tomar drogas, fugir de casa. Queriam saber o que ler, pensar e fazer para serem como nós.

Uma dessas almas perdidas era um estudante libanês baixinho e sarado de vinte e poucos anos, conhecido como Prizer. Ele era de El Paso e nunca beijara uma garota. Pedia conselho sobre como ficar à vontade perto das mulheres, então lhe dissemos que, primeiro, ele precisava fazer amigas. E, segundo, devia experimentar o sexo, e não ser muito exigente em relação à amante. Ele obedeceu ao pé da letra.

Observem alguns trechos de seus relatórios de campo:

GRUPO MSN: Lounge de Mystery
ASSUNTO: Relatório de campo — Perdendo minha virgindade em Juarez
AUTOR: Prizer

Resolvi experimentar o que era de fato o sexo, então atravessei a fronteira para Juarez. Como se tratava de uma prostituta, acho que não pode ser considerado tecnicamente um jogo de sedução. Mas creio que isso vai me ajudar no jogo, porque ficarei menos desesperado. Eu tive dificuldades para manter a ereção, exceto quando eu estava excitado, chupando sua boceta ou fazendo um 69. Era a minha primeiríssima vez. Agora que não sou mais virgem, vocês acham que as garotas vão me achar mais atraente?

GRUPO MSN: Lounge de Mystery
ASSUNTO: Relatório de campo — Mais uma noite em Juarez
AUTOR: Prizer

Fiz sexo novamente em Juarez. Agora posso contar quatro putas na minha lista. Ela até engoliu meu gozo, mas ainda não consegui ejacular durante a transa. Isso é normal? De qualquer maneira, o que eu fiz dessa vez para ajudar minha preparação foi fingir que ela era minha namorada. Mas quando quis comer sua bunda, ela me cobrou mais 5 dólares. Foi uma coisa estúpida. De qualquer modo, estou escrevendo este relatório porque estou achando que posso aperfeiçoar ainda mais minhas caçadas se gastar mais dinheiro com as putas em Juarez durante talvez seis meses, em vez de pagar por workshops e e-books e essas merdas. É muito mais direto. Vocês acham que fazendo mais sexo posso melhorar minhas chances no jogo e aumentar meu nível de confiança?

Depois de todo mundo na comunidade punir Prizer por ter enviado relatórios de campo sobre prostitutas, ele foi o primeiro a me procurar pedindo ajuda. Então chegou uma nota de Cityprc, de Rhode Island. Depois vieram apelos de dezenas de outros que eu não conhecia. Todos me ofereciam dinheiro para ensinar-lhes a arte da sedução. Queriam tomar um avião imediatamente; queriam pagar minha passagem de avião para ir até eles; estavam prontos a pagar qualquer preço só para ver um verdadeiro AS em ação.

Com Mystery internado na ala de psiquiatria do Humber Hospital e Juggler tão envolvido em seu RLP a ponto de fechar seu site, os aspirantes estavam famintos. E, de algum modo, eu me tornara o guru deles. Todos os meus posts em que eu explicava meus procedimentos e comentava minhas noites no campo não haviam sido somente um modo de aprender e partilhar; eles haviam funcionado também como uma espécie de publicidade.

Mas a sedução é uma arte sombria. Seus segredos vêm com um preço, e todos o estávamos pagando, fosse em sanidade, estudo, trabalho, dinheiro, saúde, moralidade ou perda do próprio ego. Até podíamos ser considerados super-homens nas boates, mas por dentro estávamos apodrecendo.

— Eu estava usando você e Mystery como modelos para mim — disse Papa quando liguei para saber como ele estava. — Eu preciso ser eu mesmo. Tenho tanto potencial para o sucesso e estou jogando tudo pelos ares. Eu costumava ser um estudante nota 10.

Ele planejava um período de abstinência em relação à sedução e para começar cancelaria todos os seminários para os quais tinha se inscrito.

— Também parei de telefonar para as GG, até colocar minha vida em ordem. Se elas ligarem para mim, vou dizer que preciso arrumar minha vida antes de sair com elas. Eu escolho a vida. Não quero ser o jogo.

— Você precisa tratar a faculdade e os estudos como trata a sedução.

— Sei — ele disse, como se acabasse de ter uma epifania. — Vou arrumar parceiros na faculdade. Vou usar pivôs para os estudos e fazer um corpo a corpo íntimo com as provas.

— Aí você está exagerando. Mas, humm, pode ser bom para você.

— Eu me sinto livre — ele exclamou. — Uau!

E eu gostaria de dizer que todos nós nos sentíamos assim, que todos tínhamos percebido que havíamos sido consumidos e extraviados de nossos sentidos, que tínhamos equilibrado nossas vidas e estabelecido nossas prioridades, que relegávamos a sedução a um mero hobby glorioso.

Mas existe um conceito em hipnose chamado fracionamento. E ele diz que se uma pessoa sob hipnose é retirada do transe e depois colocada de volta, o transe será ainda mais profundo e mais poderoso.

E assim era com a sedução. Todos saíamos por um momento — tínhamos aberto nossos olhos e visto a luz do mundo real. Mas depois voltávamos a mergulhar, ainda mais profundamente do que antes — e numa extensão que nenhum de nós poderia ter imaginado.

Sexto Passo
Crie uma conexão EMOCIONAL

"As pessoas costumavam olhar para o pátio do recreio e dizer que os meninos estavam jogando bola e as meninas não estavam fazendo nada. Mas as meninas não estavam sem fazer nada — elas estavam conversando. Conversavam sobre o mundo. E se tornaram especialistas nisso, de um modo que os meninos não foram capazes."

— Carol Gilligan,
Voz diferente: psicologia da diferença entre homens e mulheres da infância à idade adulta

Capítulo 1

Petra era uma garota checa de 19 anos, cabelos longos e castanhos, um corpinho dourado de modelo e não sabia mais do que uma dúzia de palavras em inglês. Conheci-a junto com sua prima na ilha de Hvar, na Croácia, com um AS de Seattle chamado Nightlight9. Mostramos nossos truques de mágica para elas. Elas nos ofereceram pipoca. Em um pedaço de papel, desenhamos um relógio com a hora que devíamos nos encontrar naquela noite. Elas vieram ao encontro e nos levaram pelas mãos até uma pequena praia deserta. Elas retiraram toda a roupa, exceto as calcinhas e os tênis, e depois correram para a água. Nós as seguimos e transamos com elas, enquanto as duas trocavam idéias em checo.

Anya era uma dominatrix croata de 22 anos que passava as férias com sua irmã mais nova. Ela irradiava confiança, sensualidade e boa educação; sua irmã era o oposto. Nightlight9 e eu as conhecemos na cidade praiana da Croácia chamada Vodice. Naquela noite, elas escaparam de seus pais e passeamos na beira do mar até acharmos um barco à vela atracado. Entramos no barco e fizemos sexo na cozinha. Deixei 20 euros pela garrafa de vinho que bebemos.

Carrie era uma garçonete de 19 anos que trabalhava no Dublin's, em Los Angeles. Ela se aproximou de mim e me cumprimentou pelos dreads; eu esqueci de dizer que estava usando uma peruca rastafari de onda. Encontrei com ela no dia seguinte totalmente careca, mas ainda assim acabamos indo para a cama. Quando lhe enviei um e-mail no dia seguinte para lhe dizer que havia deixado seus anéis na minha casa, ela respondeu: "Eu não uso anéis. Não são meus."

Martine era uma loura de espírito livre que conheci em Nova York, com sua pele leitosa, seus lábios untados de vermelho e uma camiseta com um desenho decalcado no peito. Eu havia penetrado tantos grupos que nem me lembro o que lhe disse. Na noite seguinte, fomos para um bar. Levei comigo duas outras garotas, assim ela teria que lutar para me conquistar. Por um instante, me senti culpado por isso. Mas só por um instante. No balcão do bar, perguntei-lhe se ela era boa de cama, numa escala de 1 a 10. No meu quarto de hotel, eu descobri. Era uma nota 7.

Laranya era uma princesa judaico-americana no corpo de uma indiana. Eu a conhecera na faculdade e estagiamos no mesmo jornal semanal. Ela era a estagiária mais gostosa; eu era o estagiário mais tímido. Mas quando voltei a vê-la, anos mais tarde, em Los Angeles, Style levou-a para sair. A primeira coisa que ela disse quando acordamos juntos foi: "É inacreditável como você mudou." Eu achava a mesma coisa.

Stacy era uma anoréxica de 28 anos que conheci em Chicago. Durante uma longa correspondência pela Internet, ela me seduziu com sua inteligência, candura e poesia. Quando finalmente veio me visitar, fiquei decepcionado ao descobrir que era desajeitada e nada eloqüente. É provável que ela tenha sentido o mesmo em relação a mim. Assim mesmo, levei-a logo para o meu quarto e começamos a nos beijar. Quando coloquei o dedo dentro dela, senti um filete de carne separando sua vagina como uma rede de tênis. Era seu hímen. Eu lhe disse que não queria ser aquele que lhe tiraria a virgindade. Foi quando me dei conta de que ser um AS, às vezes, significava dizer não.

Yana era uma mulher russa mais velha, com traços finos e excelente aplicação de silicone nos seios. Nós nos conhecemos num bar em Malibu. Ela me disse que era seu aniversário, mas não revelou sua idade. Eu achava que devia estar com uns 45, mas não o disse em voz alta. Como presente, eu seria seu menino brinquedo. Ela agarrou minha bunda e eu falei que cobrava um extra por aquilo. Duas noites depois, tomamos um coquetel e fomos para minha casa. Ela disse que não estava mais a fim de sexo, que procurava algo mais profundo. Mas fizemos sexo naquela noite. Brincamos de teatro. Eu era o professor, ela era a aluna desobediente. Foi idéia dela.

Uma outra era uma garota asiática bêbada com seios grandes, cercada por três garotas asiáticas sóbrias com seios pequenos. Não consigo me lembrar do seu nome. Ela pensou que eu fosse gay. Conversamos por uns 15 minutos, depois eu a levei pela mão até o banheiro. Fizemos sexo oral um no outro e nunca voltamos a nos falar. Foi superestimado.

Jill era uma executiva australiana que um amigo AS me apresentou. Seus cabelos eram louros e espetados, calças de pele de leopardo e uma voraz energia sexual. Nós trepamos dentro da BMW dela com o teto arriado e as pernas para fora. Quando perguntei quando ela sentiu pela primeira vez vontade de me beijar, ela respondeu: "Assim que o vi." Nenhuma mulher jamais me dissera aquilo antes.

Sarah era uma agenciadora de elenco com uns 40 anos que conheci no lounge do hotel Casa Del Mar, em Santa Mônica. Ela parecia limpa e radiante, como se acabasse de sair de um anúncio de xampu — mesmo sob a luz mortiça do meu elevador, onde, uma hora depois de nos encontrarmos, fizemos amor. Ela não parava de perguntar onde estavam as câmeras. Eu não sabia se ela estava com medo de ser flagrada ou excitada com essa possibilidade. Provavelmente, as duas coisas.

Hea e Randi eram duas meninas que eu encontrara na boate Highlands. Hea era uma jovem roqueira indie com pinta de nerd que tinha um namorado. Randi era uma linda atriz, com o sorriso mais lascivo que já vi, e tinha um namorado também. Foi preciso um mês para convencer Hea a trair o namorado; com Randi bastou um dia.

Mika era uma japonesa que eu conheci no Jamba Juice. Ela parecia um suco de frutas turbinado. Eu, um suco de frutas cheio de proteínas. Fiquei intrigado. Quando fizemos sexo, descobri que ela não gostava de raspar seus pêlos pubianos. Na manhã seguinte, ela me contou que deixava os cabelos crescerem para doá-los a crianças com câncer. Fiquei surpreso. "Elas usam seus pêlos pubianos na cabeça?" Ela respondeu que estava falando dos cabelos que tinha na cabeça.

Ani era uma stripper que malhava duas horas por dia, viciada em cirurgia plástica. Seus cabelos eram vermelho-metálico e seu batom tinha a mesma cor. Depois de fazermos sexo, ela me disse: "Eu dominei a arte da visualização." Quando lhe pedi para explicar, ela me contou que, já que os homens são visuais, ela se certifica de que tudo que faz na cama pareça audacioso. Mas quando começou a desenvolver sentimentos por mim, descobriu que não era mais capaz de fazer sexo porque as emoções abriam feridas causadas pelo abuso sexual que sofrera quando criança. A visualização acabou aí.

Maya era uma mulher de cabelos pretos que fazia a dança do ventre e que eu paquerei em uma de suas performances. Quando nossos caminhos se cruzaram, um mês depois, ela ainda se lembrava de mim. Convidei-a ao meu apartamento na noite seguinte. O carro dela estava na oficina, então me ofereci para pagar o táxi. Em meia hora ela chegou.

Alexis era uma gerente de loja de roupas que parecia ter feito parte de uma banda New Wave dos anos 1980. Susanna era uma estilista recém-divorciada que queria redescobrir a sexualidade. Doris era uma mulher casada cuja vida sexual se extinguira. Nadia era uma bibliotecária com o talento de uma atriz pornô; acho que se pode aprender um bocado de coisas nos livros. Todas as quatro eram o resultado de uma experiência: eu tentei inventar um procedimento perfeito para usar nos anúncios pessoais dos jornais. Após vários fracassos, consegui. O segredo, eu descobri, era parecer um imbecil egoísta no anúncio e depois um cavalheiro fascinante e tranqüilo pessoalmente.

Maggie e Linda eram irmãs; elas não se falam mais. Anne era uma garota francesa que não falava sequer uma palavra em inglês. Jessica era uma traça de livros que conheci quando fui chamado para fazer parte de um júri no tribunal. Faryal me ajudou a chamar um caminhão de reboque quando meu carro enguiçou. Stef estava distribuindo prospectos de uma boate de strip-tease no Sunset Boulevard. Susan era a irmã de um amigo. Tanya era minha vizinha.

Meus sonhos haviam se tornado realidade. As mulheres não eram mais um desafio para mim. Elas eram um prazer.

Nos meses que se seguiram à crise nervosa de Mystery, eu alcançara uma nova etapa no jogo. Logo que conseguia o número de telefone de uma mulher, ficava fácil encontrá-la e fazer sexo com ela. No passado, eu era muito obcecado em tentar conseguir alguma garota para, na verdade, recuar um passo, avaliar a situação e agir apropriadamente. Agora, após um ano acumulando experiência e conhecimento, conseguira me livrar de mim mesmo. Eu entendia o processo de atração e os sinais que as mulheres transmitiam. Eu conseguia ver tudo na íntegra.

Quando conversava com uma mulher, podia reconhecer o ponto específico no qual ela começava a se sentir atraída por mim, mesmo que ela agisse de modo distante ou não se sentisse à vontade. Eu sabia a hora de falar e a hora de calar; quando empurrar e quando puxar; quando provocar e quando ser sincero; quando beijá-la e quando dizer que estávamos indo rápido demais.

Quaisquer provas, desafios ou objeção que uma mulher lançava no meu caminho, eu sabia como reagir. Quando Maya, a dançarina do ventre, me escreveu dizendo "Obrigada pelos orgasmos múltiplos. Telefone e veremos quando você vai me levar para jantar. Você ainda me deve pela corrida de táxi e eu estou muito a fim de marcar um verdadeiro encontro com você", não imaginei que estivesse sendo uma vadia ou insistente de modo algum. Ela estava apenas tentando obter comprovação por ter dado para mim tão rapidamente, e ao mesmo tempo verificava até que ponto conseguia me controlar. Sequer precisei pensar em uma resposta.

"Vou lhe dizer uma coisa", eu escrevi. "Eu vou reembolsar o táxi, e então você pode me levar para jantar por conta de todos aqueles orgasmos." Ela me levou para jantar.

Eu havia visto a matriz.

Eu *era* Mystery.

Capítulo 2

QUEM É O MELHOR "AS"?

Por Thundercat
Da Toca da Sedução de Thundercat

Tudo bem, então está rolando um debate devastador há algum tempo sobre quem é o melhor artista da sedução por aqui.

Obviamente, há um bocado de egos envolvidos nessa avaliação, e cada um tem sua própria opinião sobre quem é de fato o melhor. Na verdade, isso é tão subjetivo que não acho realmente que um dia encontraremos uma resposta clara e honesta para essa pergunta. É como perguntar quem é o melhor guerreiro ou soldado numa guerra. Mas isso não impede algumas pessoas de categorizar os caras em nossa pequena comunidade como os melhores. Então resolvi classificar os maiores AS em atividade atualmente.

Style é absolutamente, com toda honestidade, o melhor no jogo hoje em dia. Esse cara é, provavelmente, o filho-da-puta mais malvado, sorrateiro e manipulador que eu já vi em atividade. O negócio é o seguinte: esse cara se aproxima voando abaixo do alcance do radar, e é por isso que é tão perigoso. Sua sutileza é tão espantosa que, antes de perceber, você já está se submetendo a ele e dando-lhe total controle sobre você. E tem mais, ele faz isso com os caras e com as garotas. Ninguém está a salvo.

Para dar uma idéia de como Style é incrível, ele inventou a maior parte das técnicas que um bocado de caras importantes estão usando e ensinando. Sua natureza é maquiavélica e ele é alguém que eu admiro e, ao mesmo tempo, temo. Acrescente a isso o fato de que sua aparência é bem mediana e o resultado é o mais poderoso Jedi. O melhor de todos.

Capítulo 3

Foi quando viajei para a Croácia, após a crise nervosa de Mystery, que me dei conta de que tudo tinha mudado. Eu não estava mais naquele jogo para conhecer mulheres; eu estava no jogo para guiar os homens. Dois dos artistas da sedução croatas que estavam me hospedando haviam até raspado a cabeça, imitando minha aparência que eles tinham visto na Internet.

Apesar de minha aversão a ser um guru, eu havia, sem dúvida, me tornado um. Quando eu falava com uma mulher, a sala ficava em silêncio. Os caras se aproximavam para ouvir o que eu estava dizendo, anotando em caderninhos minhas palavras e consignando-as na memória.

Ao voltar para casa, assisti a Ross Jeffries apresentando uma variação de meu quebra-gelo da namorada ciumenta (sobre a mulher que não quer que seu namorado fale com uma ex do tempo da faculdade), seguido de uma falsa restrição de tempo. Depois disso, ele chegou a me enviar uma mensagem pedindo uma cópia do meu procedimento de evolução e troca de fase. Ele estava se modelando a mim. E planejava expor essas técnicas em seus seminários.

Então apareceu a classificação de AS de Thundercat e eu estava em primeiro lugar. Eu já não podia mais dizer que era um aprendiz. Neil Strauss estava oficialmente morto. Aos olhos daqueles homens, eu era Style, o rei dos desnaturados. No mundo todo, as pessoas usavam minhas piadas, minhas réplicas mordazes, minhas frases, minhas palavras para encontrar, beijar e comer as garotas.

Eu superara minha meta.

Antigamente, eu era apenas o parceiro de Mystery, ou o discípulo de Ross, ou o sujeito hipnotizado de Steve P. Agora eu tinha que provar meu valor toda vez que saía. Os caras da comunidade perguntavam às minhas costas: "Como é o Style? Ele é bom mesmo?" Se eu não abordasse um grupo de garotas e me desse bem com a mais gostosa delas em 15 minutos, eles achavam que eu era uma fraude. Antes de entrar para a comunidade, eu tinha temido falhar diante das mulheres. Agora, eu temia falhar na frente dos homens.

E a pressão funcionava em mão dupla: eu também comecei a desenvolver expectativas insensatas em relação a mim mesmo. Se eu estivesse num restaurante italiano e houvesse uma mulher fascinante sentada a algumas mesas da minha, eu me sentia um fracasso se não a caçasse. Se eu estivesse indo até a lavanderia e uma modelo-garçonete-aspirante a atriz passasse por mim, eu me sentia um hipócrita se não quebrasse o gelo com ela. E quando antes me bastava simplesmente conversar com uma estranha, na época em que era um TFM, agora eu precisava levá-la para a cama em no máximo uma semana.

Embora soubesse que meu novo estado de espírito estava seriamente pervertido, eu me sentia de muitas maneiras mais ético como um AS do que como um TFM. Parte do aprendizado não se restringia apenas a memorizar quebra-gelos, conseguir o telefone e executar táticas de construção de relacionamento, mas dedicava-se a aprender como ser honesto com uma mulher em relação ao que eu esperava delas e o que deviam esperar de mim. Não era mais necessário iludir uma mulher lhe dizendo que eu queria um relacionamento, quando de fato queria apenas dar uma trepada; ou fingir ser seu amigo, quando na verdade a queria apenas nua na minha frente; ou deixar ela pensar que estávamos vivendo uma relação monogâmica, quando eu estava saindo com outras mulheres ao mesmo tempo.

Eu, finalmente, internalizara a idéia de que as mulheres não querem sempre um relacionamento. Na verdade, uma vez liberadas, as necessidades físicas de uma mulher são, com freqüência, mais vorazes do que as de um homem. Simplesmente, existem certas barreiras e obstáculos programados que devem ser superados a fim de ela se sentir suficientemente à vontade para se entregar. Eu fiquei bom nesse jogo porque entendi que a meta do AS resumia-se apenas em não acionar seu mecanismo de paralisação ou de reação assustada.

[Enquanto escrevo isto, olho para o alto e vejo, juro por Deus, uma garota montada sobre mim. Ela é loura e usa uma camiseta sem manga com um sutiã preto por baixo. Ela sorri para mim. Estou dentro dela.

Ela morde o lábio inferior enquanto esfrega seu clitóris no meu osso pélvico. Posso ouvi-la arfando. Ela se sustenta com uma das mãos na minha coxa e a outra delicadamente sobre o computador.

— Você sabe que eu fico toda excitada quando você está digitando — ela acabou de dizer. — Posso chupar você por alguns momentos?

Foda-se a imagem estereotipada do escritor. Esta é uma nova. Posso trabalhar e me divertir ao mesmo tempo. Isso me lembra de algo que Steve P. disse sobre sempre estar dentro da sua própria realidade. Todos somos apena um hóspede nela. Portanto, se é hora de trabalhar e você quer transar comigo, ora, bem-vinda à minha realidade.

Acho que ela está quase gozando. Está sim.gozando. Que bom para ela.][6]

Assim, cada momento de uma sedução é destinado a prever e desarmar as objeções — pelo menos, quando estamos falando de um jogo duro, em oposição ao xeque-mate imediato.

O quebra-gelo, por exemplo, é casual. Não é percebido como uma tentativa de sedução. Você está apenas sendo um desconhecido simpático quando se aproxima e pergunta a ela e seus amigos: "Minha vizinha acabou de comprar dois cachorros e quer que eu os batize com os nomes de uma dupla pop dos anos 1980 ou 1990. Vocês têm alguma idéia?"

Aí você cria para si mesmo uma falsa restrição de tempo. "Só posso ficar um segundo", você lhes diz ao se aproximar, "porque meus amigos estão me esperando."

À medida que você interage, dê atenção às pessoas que são as mais prováveis de excluí-lo — um homem ciumento, amigas superprotetoras. Faça com que eles se sintam bem à vontade enquanto os desafia, provoca e manda um neg para o alvo. Se ela o interromper, por exemplo, diga: "Uau. Ela é sempre assim? Como é que vocês lidam com isso?" Se ela parecer chocada, faça com que se aproxime novamente através de um leve elogio. Isso é o que eu chamo de puxa-empurra — deixando-a fazer suposições, afastando-a e, depois, rapidamente, a trazendo para mais perto.

Depois de acabarem de dar opiniões sobre nomes para cachorros (Milli & Vanilli, Hall & Oates, Dre & Snoop — já ouvi todos), então você passa à demonstração de valor. Faça com as garotas o teste de melhor amiga ou lhes ensine alguma coisa sobre linguagem corporal ou análise de caligrafia. Em seguida, finja que precisa voltar até seus amigos.

Agora elas não querem que você se vá. Você foi aceito. Você lhes mostrou que é a pessoa mais interessante e divertida na sala. Esse é o ponto de fisgada: agora pode relaxar e curtir a companhia delas. Pode ouvir o que dizem, descobrir sobre suas vidas e estabelecer uma verdadeira conexão.

No melhor cenário, você pode levar o grupo ou seu alvo para um encontro imediato em outro bar, boate, cafeteria ou festa. Agora você faz parte do grupo. Você pode ficar tranqüilo, caçoar, brincar e criar um laço com seu alvo, que está ficando atraída por você depois dos seus negs e de conquistar e liderar o grupo dela. Quando chegar a hora de ir embora, diga ao alvo que você se perdeu de seus amigos e precisa de uma carona para casa. Isso dará à mulher uma oportunidade

---

[6] Esta parte do texto não foi editada ou corrigida de modo a preservar sua autenticidade.

de ficar sozinha com você, sem deixar suas amigas saberem que ela planeja ir para a cama com você. (Se a logística parecer demasiadamente difícil, consiga seu telefone e faça planos para saírem na próxima semana.)

Quando ela o deixar em casa, convide-a para lhe mostrar aquilo sobre o que estavam falando (um site, uma música, um livro, um videoclipe, uma camisa, uma bola de boliche ou qualquer outra coisa). Mas, primeiro, dê-lhe mais uma falsa restrição de tempo: diga-lhe que você tem de dormir mais cedo, porque há um monte de trabalho a fazer no dia seguinte. Diga: "Você só poderá ficar uns 15 minutos, depois vou ter de pô-la para fora." A essa altura, vocês dois talvez já saibam se vai rolar sexo, mas você ainda precisa jogar duro, assim ela poderá dizer a si mesma mais tarde que aquilo simplesmente aconteceu.

Mostre seu apartamento. Sirva-lhe uma bebida. Diga que está morrendo de vontade de lhe mostrar um videoclipe de cinco minutos realmente muito engraçado. Infelizmente a televisão na sua sala de estar enguiçou, mas há outra no quarto.

Evidentemente, não há cadeiras no quarto, apenas a cama. Quando ela sentar na cama, posicione-se o mais longe possível dela. Permita-lhe sentir-se à vontade, talvez até confusa, achando que você não está dando em cima dela. Se tocá-la, retraia-se em seguida. Continue usando uma combinação de restrição de tempo e de puxa-empurra a fim de amplificar sua atração. Continue dizendo que ela terá que partir em breve.

Então, quando sentir vontade, diga que gosta do perfume dela. Cheire-a lentamente da base do pescoço até embaixo da orelha. É nesse momento que você efetua um procedimento de troca de fase evolutiva: cheire-a, dê uma mordidinha no seu braço, deixe-a morder o seu pescoço, morda-lhe o pescoço e, então, a beije. A menos que ela o ataque com avidez, enquanto você prossegue sua escalada física, continue falando para manter a mente da garota ocupada e recue um pouco antes de ela começar a ficar embaraçada. Você deve ser sempre o primeiro a objetar. A isso chamamos "roubar sua estrutura". A meta agora é simplesmente excitá-la, sem deixar que se sinta pressionada, usada ou desconfortável.

Você a acaricia, retira a blusa dela, ela retira sua camisa, você começa a soltar seu sutiã. O que é isso? Ela está impedindo que você vá além disso? Os AS têm um nome para isso — resistência de última hora, ou RUH. Recue um ou dois passos, depois prossiga. Lave, enxágue, repita. Não é de verdade. Trata-se apenas de uma DAV — defesa antivadia. Ela não quer que você pense que é uma mulher fácil. Então você a afaga, conversa com ela. Ela faz perguntas bobas, como quantos irmãos você tem; você responde honestamente fazendo com que ela se sinta outra vez à vontade. Então comece por cima: beije-a, remova o sutiã. Desta vez ela não o retém. Chupe seus seios. Ela se inclina num arrepio. Está excitada agora. Ela sobe em cima de você e começa a se esfregar. Seu pau está duro. Você está excitado. Você a quer.

Levante-a e comece a desabotoar sua calça. Ela afasta suas mãos. "Tem razão, isso é muito mau", você concorda, respirando forte no seu ouvido. "A gente não devia estar fazendo isso."

Mais beijos e carícias. As mãos voltam à sua calça. Lave, enxágüe, repita. Mas ela ainda o retém. Então você apaga as velas, acende a luz, desliga o som e arruína a atmosfera. Em seguida, pegue seu laptop e verifique se há mensagens, enquanto ela fica ali, confusa. Isso é chamado de boicote. Ela estava se sentindo bem um minuto atrás, curtindo a atenção que recebia, os carinhos e a intimidade do quarto; agora você está levando isso embora.

Ela se aproxima e começa a beijar seu peito, tentando reconquistá-lo. Você fecha o computador, apaga a luz e retribui suas carícias. Alcança sua calça. Ela o detém novamente. Ela diz que vocês acabaram de se conhecer. Diga que a entende. Acenda a luz outra vez. Ela pergunta o que você está fazendo. Você responde que quando uma mulher diz não, você respeita sua escolha, mas funciona como se um botão dentro de você fosse acionado e tudo é desativado. Você não está aborrecido. Diga-lhe isso num tom de voz casual. Ela rola para cima de você com um lamúrio brincalhão. "Não."

Ela quer sexo. Tudo o que precisa saber agora é se você vai telefonar para ela depois disso, de modo que se sinta bem com o que fez — mesmo que ela não queira de fato voltar a vê-lo. Faça com que ela saiba disso.

Depois lhe diga:

— Tire sua calça.

Ela o faz. Você se divertem e dão um ao outro vários orgasmos ao longo da noite, pela manhã e talvez por muitos anos.

Então, numa certa manhã, ela pergunta com quantas mulheres você já esteve.

Este é o único momento em que você está autorizado a mentir.

Capítulo 4

Enquanto comunidade, nós alcançamos um novo patamar de arrogância.

— Estou começando a me sentir como se estivesse caçando coelhos com um morteiro — disse Maddash, um ex-aluno.

Ele tinha acabado de realizar uma das mais improváveis caçadas na história da comunidade. Uma funcionária de escritório em Chicago chamada Jackie Kim enviara por acidente a resenha extremamente crítica de um cara com quem saíra para todos os seus contatos. O texto era tão superficial quanto os de alguns AS.

"Então, como é que eu fico... nesse encontro", escreveu ela. "O carro, o dinheiro, o emprego, o belo apartamento, o barco — que por sinal só tem lugar para seis pessoas, então não acho isso muito incrível —, seu maneirismo e seus ótimos beijos vão, provavelmente, me levar a um novo encontro. Mas uma coisa eu posso dizer agora, a menos que ele corte o cabelo e me mande presentes, isso não me levará a outra coisa senão meu primeiro amigo de 31 anos."

O post tornou-se um fenômeno na Internet, circulando por todo o mundo e noticiado no *Chicago Tribune*. Uma das pessoas que recebeu esse e-mail foi Maddash, que imediatamente enviou-lhe uma resposta simpática. Jackie escreveu novamente para ele, dizendo que sua mensagem a fizera ganhar o dia e que a relia a cada vez que recebia um e-mail cruel. Mais algumas mensagens, uma troca de fotos e um encontro depois, ela estava na cama de Maddash. Não foram precisos presentes, barcos, cortes de cabelo. Simplesmente pura sedução.

O sucesso de Maddash desencadeou um surto de imitações dessa caçada dentro da comunidade. De repente, o simples fato de sair para um bar e trazer uma mulher para casa começou a parecer algo demasiadamente habitual e fácil.

Vision contratou uma acompanhante e lhe pagou 350 dólares por uma hora. Seu objetivo era parecer tão interessante e sedutor que ela pagaria a ele para passarem as próximas horas juntos. Ele conseguiu extrair dela 80 dólares, na base de 20 por hora. Eles continuaram a se ver depois disso, sem cobrar tarifas.

Grimble seduziu uma garota de 19 anos que foi vender revistas na sua porta. Apesar de estar usando cueca e um suéter imundo, ele a comeu em menos de uma hora. E sequer comprou uma revista.

Depois de ouvir sobre as atitudes de Maddash, Vision e Grimble, todos os AS que tinham se desiludido com a comunidade após a crise nervosa de Mystery voltaram para o jogo com toda força. E com mais força ainda veio Papa.

A promessa de Papa de estudar para ingressar na faculdade de direito durou um mês. Então ele resolveu viajar de carro pelo país, visitando todos os AS que podia. Todas as semanas, ele me mandava sua agenda: estava se dirigindo para Chicago na quarta-feira para passar um tempo com Orion e Maddash; depois seguiria para Michigan a fim de encontrar Juggler; finalmente, passaria o fim de semana em Toronto, com Captain BL (um AS surdo) e Nº 9. Na semana seguinte estaria em Montreal, saindo com Cliff e David X. Na outra, estaria descendo pela costa da Califórnia, de São Francisco até San Diego. Quanto aos AS de outras cidades — Londres, Tóquio, Amsterdã —, com freqüência se comunicava com eles pelo telefone ou pela Internet.

Depois de um tempo, eu já não sabia mais se ele estava aprendendo o jogo ou apenas tentando construir seu círculo social. Acho que tampouco ele sabia. Na verdade, estava só imitando o que me vira fazer: viajar pelo mundo, encontrar diferentes AS, tornar-se o melhor.

Havia um AS novato, em particular, com quem Papa estabeleceu uma estreita ligação: um canadense de 22 anos que descobrira a cena da sedução quando sua mãe deparou, sem querer, com um site de sedução. Ele chamava a si mesmo Tyler Durden, por conta de um personagem arredio no filme *Clube da Luta*. E como um vírus ou um demagogo (escolha sua comparação), ele acabaria mudando a trajetória da comunidade e de todos dentro dela.

Ele era um estudante de filosofia da Queens University, em Kingston, Ontário. Fora isso, não se sabia muito sobre ele — e jamais seria descoberto. Ele alegava ter sido um dos maiores traficantes de droga em Kingston. Alegava vir de uma família rica. Alegava ter trabalhos muito sérios de filosofia publicados em jornais acadêmicos. Alegava ter sido fisiculturista. Mas ninguém tinha certeza de nada.

Tyler invadiu o território da sedução como um furacão. Antes de alguém conseguir encontrá-lo, uma coisa era certa: ele era obcecado num nível muito superior ao que já tínhamos visto. Ele leu todos os posts — mais de mil páginas — escritos por todos os mestres AS no jogo. E também devorava a lista de livros recomendados — desde *Utilizando a programação neurolingüística* até *Dominando seu eu oculto* — numa rapidez extraordinária. Era um viciado em conhecimento.

Em poucos meses, ele consumira praticamente todas as informações relevantes sobre sedução e reinventara a si mesmo, como uma autoridade auto-suficiente, produzindo ensaios de fluxo de consciência e relatórios de campo cheios de feitos e presunção.

Como tachinhas atraídas por um ímã, os rapazes interessados em sedução se acercaram dele. Ele era um arauto maníaco, um guru instantâneo do faça-você-mesmo. E logo se transformou no homem de confiança de Papa. Juntando-se a Papa em sua jornada de interação com todo sedutor de apelido imbecil. E um deles, naturalmente, fui eu.

Tyler Durden me enviava mensagens constantemente. O cara era um chato persistente, como suponho que eu mesmo havia sido. Parecia orgulhar-se de ser um provocador.

Durante anos, TFM nervosos recém-chegados à comunidade receberam a missão de novatos. Isso envolvia simplesmente tomar uma ducha, vestir-se bem, ir até o shopping center mais próximo e sorrir e dizer "Oi" para toda mulher que passasse. Muitos TFM achavam que isso não apenas ajudava a superar a timidez, mas também que algumas mulheres parariam para conversar com eles.

Tyler Durden defendia um novo tipo de missão. Ele o chamava de Projeto Caos, em homenagem ao *Clube da luta*. E a ordem era se aproximar rapidamente de uma mulher atraente e — antes mesmo de emitir uma palavra — dar uma ligeira conferida no seu corpo, tocar na sua cabeça com alguma coisa macia, ou abordá-la fisicamente de alguma outra maneira brincalhona.

Nos circuitos da sedução, a maior parte das pessoas não pensa. Elas obedecem. Se eu dissesse que pílulas anticoncepcionais me ajudavam no jogo, eles todos fariam fila nas farmácias para consegui-las. Então, depois de ler sobre o Projeto Caos, centenas de caçadores em todo o mundo começaram a esbarrar nas mulheres nos supermercados com os carrinhos de compra e as atingiam com seus sacos de apetrechos de ginástica. Isso não era sedução, era brincadeira de criança.

E nesse ponto estava seu atrativo: Tyler Durden fazia a sedução parecer algo divertido e subversivo — diferente, digamos, da Sedução Rápida, que exigia um dever de casa, memorizar rotinas e até exercícios de meditação.

Ainda assim, havia nele algo de anormal. Vision o colocara para fora de casa após descobrir que ele era um hóspede repulsivo e ingrato, exigindo constantemente que lhe fossem mostrados novos procedimentos. E embora os relatórios de campo de Tyler fossem engraçados e interessantes, toda vez que tinha a opção de ir para a cama com uma mulher, ele parecia desistir.

Capítulo 5

GRUPO MSN: Lounge de Mystery
ASSUNTO: Relatório de campo — Aproximação Rápida
AUTOR: Tyler Durden

Ok, isso aconteceu há menos de 15 minutos, e não posso contar para mais ninguém, a não ser para vocês, rapazes.

Eu estava me sentido entediado hoje, então fui ao shopping de Rideau Centre, em Ottawa, esperando encontrar novas GGs para sair à noite, pois meus amigos TFM estavam todos com suas namoradas.

Percorri o shopping e não consegui achar nenhuma GG que valesse mais de 7,5, e isso me deixou bem irritado.

Estava pronto para ir embora quando vi uma ruiva deliciosa, trabalhando numa lanchonete Booster Juice — nota 7,5, como todas as demais que estavam por lá.

Pedi um suco e eis o que aconteceu:

TD: Qual é o melhor de manga: furacão de manga ou brisa de manga?
GG: Furacão de manga.
TD: Impressionante. Me traz o brisa.
GG: Com algum aditivo?
TD: Como assim?
GG: Aquelas coisas no menu na parede.
TD: Ah, então posso colocar vitaminas e energizantes e tal? Impressionante! Vou me sentir um novo homem depois de beber isso. É isso aí.
GG: Ah-ha.
TD: Toca aqui!
GG: Ok! (*Ela aperta minha mão.*) Uau! Esta foi a melhor coisa que me aconteceu hoje.
TD: Você está de saco cheio, né?
GG: Estou, esse trabalho é muito chato.
TD: Bem, sabe o que mais?
GG: O quê?

TD: Eu te amo.
GG: Ah-ha. Tá certo. Eu te amo também.
TD: Impressionante! Vamos nos casar. É possível encontrar o amor nos lugares mais estranhos, como aqui.
GG: Ah-ha.
TD: Espere um pouco. Já sei, feche os olhos.
GG: Por quê?
TD: Apenas faça o que estou dizendo.
GG: Você vai roubar o dinheiro do caixa ou coisa parecida?
TD: Não, nada disso. Juro. Não esqueça, eu te amo.
GG: Tá certo. (*Ela fecha os olhos.*)

O balcão era bem amplo. Então me inclinei como se fosse o super-homem voando e a beijei.

Assim que acabei, ela começou a gritar feito uma porra-louca.

GG: Aaaaahhhhh! Aaaaahhhh!

Todo mundo começou a olhar para mim. Ela parecia ter pirado, berrando como uma maluca, agitando os braços e tal.

Eu estava pensando: "Puta que pariu, sabia que isso ia dar errado um dia. Merda. Devia ter esperado mais algum IDI. Merda, pensei que fosse o bastante. Nunca mais vou fazer isso!"

TD: Ei, eu disse que te amava antes.
GG: Aaaahhh! Aaaahhh!
TD: Hum, você está bem?
GG: Aaaahhh!
TD: Tudo bem com você?
GG: Tudo bem. São 5 dólares e 31 centavos. Aaahhh!

Ela estava tentando se recompor falando, mas continuava berrando intermitentemente.

TD: Por favor, se acalme.
GG: Hum, sim. Eu estou bem. Qual é o seu nome?
TD: Por favor, não chame a polícia por causa disso.
GG: Não, não. É só para registrar no computador. Eu pergunto isso a todo mundo.

TD: Ok, me chamo Tyler.
GG: Uau, que nome incrível.
TD: Obrigado. Qual é o seu?
GG: Lauren.
TD: Gostei.
GG: Nossa! Esta foi a coisa mais impressionante que me aconteceu na vida toda!
TD: Legal!
GG: Meu Deus, você é incrível. Minha nossa! Eu te amo! Isso foi incrível, cara!
TD: O prazer foi meu. Prometo que volto outro dia. E vou pedir para você fechar os olhos outra vez.
GG: Você vai fazer mais do que isso? (*Piscada de olho, sugerindo sexo, eu acho.*)
TD: Não vou deixar você na mão. Você sabe que eu te amo.
GG: Vou ficar esperando.
TD: Pô, parece legal aí atrás. Me mostre como é aí nos bastidores.
GG: Tudo bem. Chega mais.

Eu estava pensando: "Caramba, não posso acreditar!" Apalpei meu bolso do casaco, ainda me restavam duas camisinhas excelentes que Orion havia me dado no último fim de semana, caso fossem necessárias.

Então, de repente, amarelei. Me senti assim: "Não vou conseguir! Conheci essa mina há dois minutos!"

Havia pelo menos umas 50 pessoas olhando para mim, vendo a garota abrir a porta para eu entrar. Todo mundo me encarando, se perguntando: "Mas o que é isso?" E aquilo estava me deixando sem graça. Pensando bem agora, eu poderia ter feito aquilo. Mas, naquele momento, eu estava perplexo. Então, eu disse:

TD: Eh, na verdade eu estou na maior pressa.
GG: Posso voltar a te ver?
TD: Bem, eu estou indo embora amanhã.
GG: Que tal depois do meu turno?
TD: Eh... é que meus amigos estão me esperando. Mas eu volto amanhã e nós podemos sair.
GG: Ótimo. Minha nossa, isso foi incrível! Uau!

Então me virei e fui embora.

— TD

Capítulo 6

Mystery estava de volta.

Nº 9, que morava com ele, me ligou e disse que Mystery tivera alta do hospital e estava com a família. Esperava que voltasse para o apartamento na semana seguinte, quando Tyler Durden chegaria para um workshop individual. Provavelmente, era cedo demais para retomar as aulas, mas Mystery precisava pagar o aluguel — e Tyler estava decidido a encontrá-lo.

— Saí dessa estranha jornada emocional com alguns modelos cognitivos inacreditáveis — Mystery me disse alguns dias depois.

Sua voz estava novamente clara como a de Anthony Robbins, sua mente, lúcida. A vida parecia ter reconquistado sua importância. Todavia, algo havia mudado. Ele estava de algum modo maníaco — mais do que antes —, porém de uma maneira distinta. Ele não havia de fato voltado; ele havia se transformado.

— Minhas metas de vida estão estabelecidas — prosseguiu ele. — As cenouras motivacionais estão todas corretamente balançando à minha frente. Neste ano, criarei uma fundação para acabar com Copperfield. Resolvi destruí-lo. Eu sou um superstar. Meu cérebro se metamorfoseou numa borboleta.

Perguntei-lhe se estava sob medicação. Ele respondeu que não.

— Eu pensei um bocado sobre isso — continuou. — Eu só fico deprimido quando me isolo. Veja o que me deixou assim: a ruptura com Patricia, novas gatas caducando e nodoando,[7] a carreira estagnada e a solidão dentro do apartamento sem ter com quem conversar. Então é preciso elaborar um ambiente com pessoas que possam me motivar — algo como a casa de Sweater, na Austrália. Podemos todos nos motivar uns aos outros. Quando eu estava no hospital, fiz um monte de anotações sobre essa idéia. Mostrei-as para meu psiquiatra. Até ele ficou impressionado. Vou chamar isso de Projeto Hollywood.

---

[7] Caducando e nodoando ocorrem quando uma mulher pára de retornar as ligações telefônicas. Ver Glossário.

Foi naquele instante que ouvi pela primeira vez a expressão Projeto Hollywood. Na hora, não pensei muito no assunto. Calculei que acabaria como o Projeto Êxtase: mais um esquema natimorto, fadado à lata de lixo da masturbação mental.

— Estou brilhando — prosseguiu ele. — Posso ver isso agora. Sou um superstar, assim como sou alto. Simplesmente, sou um superstar que se segura. Gostaria que você viesse ser uma estrela comigo.

Era bom ter Mystery de volta. Mesmo com defeito, ele tinha um certo charme. Algumas pessoas chamariam isso de narcisismo, e não estariam equivocadas, mas pelo menos ele via grandiosidade refletida não apenas no espelho, mas também no potencial daqueles que o cercavam. Era isso que fizera dele um professor tão influente.

— Cara, já sou uma estrela, pelo menos dentro da comunidade — eu lhe disse. — Enquanto você não estava aqui, fui eleito o maior artista da sedução, superando até você. É uma loucura. Um rapaz da Inglaterra, que eu nunca vira antes, ligou para mim outro dia e disse que finge ser eu quando está trepando com uma mulher. Isso o faz sentir-se mais poderoso. O que você acha disso?

Estava ficando cada vez mais difícil viver com aquela fama. Um de nossos antigos alunos, Supastar, um professor da Carolina do Sul tremendamente bonito, escrevera recentemente: "Quando eu morrer e for para o céu dos artistas da sedução, Style estará lá esperando por mim, pois ele é o deus da sedução."

Mystery riu ao ouvir aquilo.

— Isso é algo que você terá que encarar — disse ele. — Você criou seu próprio alter ego.

Capítulo 7

Mystery queria me reservar por três meses seguidos. Pretendia agendar workshops em Londres, Amsterdã, Toronto, Montreal, Vancouver, Austin, Los Angeles, Boston, San Diego e Rio de Janeiro.

Mas eu não podia assumir compromisso para aquelas datas. Eu precisava ressuscitar minha carreira. Havia algo que eu costumava fazer antes de me tornar um artista da sedução em tempo integral — ou, como os rapazes me chamavam agora, um AMS (artista mestre da sedução). Esse algo se chamava escrever. Em algum ponto, numa outra vida, eu costumava acordar de manhã, sentar-me à mesa, antes mesmo de comer ou tomar uma ducha, e cozinhar na minha própria imundice enquanto digitava num computador, sem conseguir ir para a cama com ninguém.

Agora que eu dominava toda essa questão de mulheres, era preciso devolver o equilíbrio às demais partes da minha vida. Todas aquelas caçadas estavam começando a afetar meu cérebro. Eu estava ficando dependente demais da atenção feminina, permitindo que isso se tornasse meu único motivo para sair de casa, além da necessidade de me alimentar. No processo de desumanizar o sexo oposto, eu estava também desumanizando a mim mesmo.

Então eu disse a Mystery que ia interromper toda aquela história de caçar mulheres. Eu estava no momento saindo com oito garotas em Los Angeles. Minha agenda estava plena. Havia Nadia, Maya, Mika, Hea, Carrie, Hillary, Suzanna e Jill. Elas tinham necessidades, e nada me acorrentando a elas. Sabiam que eu estava saindo com outras. E, provavelmente, elas estavam saindo com outros caras. Eu não sabia, não me importava e não perguntava nada. Tudo o que me importava era que quando ligava para elas elas vinham. E quando elas ligavam para mim, eu ia. Todos íamos.

O que eu não disse a Mystery foi que não confiava mais nele. Não estava a fim de reservar meu tempo e comprar passagens de avião para que ele voltasse a me deixar na mão. Eu não era nenhuma babá. Confiança, eu sempre dizia às mulheres, era algo a ser conquistado. E ele teria de conquistar minha confiança outra vez.

Mystery não precisou de muito tempo para encontrar dois parceiros dispostos e entusiastas para me substituírem: Tyler Durden e Papa. Aquilo não me surpreendeu. Desde que Mystery saíra do hospital, os dois estavam sempre em Toronto, hospedados no seu apartamento, absorvendo todo fragmento de informação sobre sedução de seu cérebro.

Mystery telefonava todo dia para me manter a par de seu progresso.

Ele dizia:

— Dei uma lição em Tyler Durden com meu jogo. No começo ele foi um babaca, mas superamos isso e ele concordou em se tornar meu aluno.

Ele dizia:

— Finalmente descobri a fórmula para entrar em harmonia com uma mulher. Está preparado? — Longa pausa. — Harmonia é igual a confiança mais bem-estar!

Ele dizia:

— Quando você conhecer Tyler Durden, não espere gostar dele. Espere apenas tolerá-lo. Ele faz racionalizações constantemente.

— Então, por que você sai com ele?

— Ele telefona e diz que vem passar o fim de semana comigo e eu deixo ele vir. Ele é como um espinho que me faz sair de casa.

— Então posso deixá-lo ficar aqui em casa quando vier para a cidade com Papa?

— Ele faz parte da família dos AS. Pense nele apenas como um primo irritante que peida o tempo todo.

Uma semana depois, Papa e Tyler Durden estavam à minha porta.

Papa parecia de algum modo legal. Vestia uma jaqueta de couro, óculos escuros sobre a testa e uma camisa de algodão cara para fora da calça jeans. Atrás dele estava o ser humano mais pálido sem ser albino que eu já vira. Um topete louro-alaranjado saltava de sua cabeça oval como uma cenoura sem casca. O queixo empinado, seu sorriso parecia uma peça de plástico avulsa e suas feições eram planas, como se estivessem pressionadas por uma meia transparente. Embora reivindicasse na Internet ser um ávido halterofilista, seu corpo e seu rosto eram flácidos. Tecnicamente, era uma pessoa baixa. Parecia apenas dotado de uma maciez genética.

Ele me cumprimentou com a cabeça ao entrar. Nenhuma palavra de saudação e, como um animal assustado, não me olhou nos olhos. Não confio nas pessoas que não me olham nos olhos. Mas lhe concedi o benefício da dúvida. Talvez estivesse nervoso, tentando causar uma primeira impressão favorável. Em seus textos, ele fazia constantes referências às minhas mensagens e técnicas. Eles me olhavam com respeito. Eles todos faziam isso. Porém, a maioria mostrava-se humilde. Tyler Durden reagia a seu desconforto se mostrando indiferente e arrogante. Ótimo. O Bono do U2 também faz isso. Problema deles.

Quando saímos para jantar, Tyler se abriu. Na verdade, ele falava sem parar. Gostava de falar em círculos, em torno de um ponto, em vez de ir direto ao assunto. Era vítima de uma doença chamada pensar demais. Minha cabeça girava ao ouvir sua voz.

— Eu estava dando em cima de uma garota chamada Michelle — ele estava dizendo. — Estava dando em cima dela com vontade. Dando a porra toda de mim mesmo, cara. — E, nesse ponto, ele levantou a cabeça, cerrou os lábios, ergueu as sobrancelhas e começou a assentir. O gesto pretendia transmitir como estava dando em cima da garota com vontade, mas parecia algo estranho, artificial. — Então, um cara se aproxima dela e diz assim: "Michelle, você está tão linda. Está explosiva." Então ela olha para mim e diz: — Nesse ponto ele abriu um sorriso malicioso e falou num falsete lamurriento para imitá-la. — "Odeio quando os caras fazem isso. Agora nunca poderei gostar dele. Só gosto dos caras que não me querem. Odeio os caras que me querem. Odeio."

Depois de uma hora de bobagens, comecei a entender Tyler Durden. A interação com seres humanos para ele era um programa. O comportamento era determinado por molduras e congruências, situações e confirmações, além de outros princípios psicológicos fragmentados. E ele queria ser o Mágico de Oz: o cara por trás da cortina, manipulando as cordas que faziam todos ao seu redor pensar que ele era o poderoso e impávido mestre do reino.

Eu saquei isso. E gostei de ter sacado.

Agora, o contexto era o seguinte: ele cresceu sendo uma pessoa fisicamente pequena e mentalmente lenta para sua idade, segundo ele próprio. Seu pai, um técnico de futebol americano, lhe impunha altos padrões que nunca conseguia alcançar. Estes foram todos os dados biográficos que consegui obter. Parecia um bocado de informação vindo dele. E eu ainda não sabia se era verídico.

Toda hora que a garçonete vinha até nossa mesa, Tyler Durden queria que eu demonstrasse um procedimento nela.

— Use o quebra-gelo da namorada ciumenta — dizia ele.

— Mostre uma DIV[8] — dizia ele.

---

[8] Abreviatura para demonstração interativa de valor. Ver Glossário.

— Faça um IV⁹ — dizia ele.

Eu me lembrei de como Tyler Durden importunava constantemente Vision, pedindo procedimentos e materiais. Agora entendia por que Vision o expulsara de casa. Ele parecia não perceber a humanidade dentro de nós. Não se importava com o tipo de trabalho que fazíamos, de onde vínhamos, o que pensávamos sobre a cultura, a política e o mundo.

Havia uma distinção que ele parecia não compreender: nós não éramos somente AS. Éramos pessoas.

---

[9] Abreviatura para inferir valores. Ver Glossário.

Capítulo 8

Depois do jantar, eu tinha um plano especial para a noite com Tyler Durden e Papa. Hillary, a dançarina burlesca de cabelos azuis, que eu tinha disputado com Heidi Fleiss e Andy Dick, estava se apresentando no Spider Club, em Hollywood. Então, convidei outras garotas para nos encontrarem lá, incluindo Laurie, a irlandesa que me inspirara na criação do procedimento de troca de fase evolutiva. Imaginei que Tyler gostaria de conhecer Grimble, então o convidei também.

Quando chegamos, Laurie e suas amigas estavam sentadas junto ao balcão. Praticamente, todos os homens estavam olhando para elas, tentando acumular coragem para se aproximarem. Apresentei-as a Tyler. Depois de cumprimentá-las, ele sentou-se e não disse mais nada. Durante dez minutos, ele manteve aquele desconfortável silêncio. Era a primeira vez que ficava calado naquela noite.

Quando eu as apresentei a Papa, ele ressuscitou imediatamente. Retirando os óculos escuros da cabeça, ele os colocou em Laurie — uma jogada que Mystery ensinara a ele em Toronto, quando lhe perguntou como evitar que um alvo se afastasse, quando estivesse sendo ignorada. Em seguida, começou a aplicar meus procedimentos de demonstração de valor sobre sorrisos em forma de C e sorrisos em forma de U.

Gostei de ver o progresso que Papa fizera. Pessoas que fazem julgamentos de valor gostam de dizer que ou você *tem* atitude ou não tem. E dá para saber instantaneamente, basta olhar para uma pessoa e dizer. Durante toda a minha vida, eu pensara que aquilo era algo que nascia com as pessoas. Entretanto, toda a comunidade afirmava que era algo que podia ser aprendido. Embora ainda houvesse alguma coisa de mecânica em Papa, ele estava começando a conseguir. Ele agia como um robô.

Enquanto Papa entretinha as meninas, Tyler Durden e eu fomos para outra sala assistir Hillary dançando. Ela estava dentro de uma gaiola, agitando dois leques de pluma sobre o corpo. Um relance dos ombros aqui, um relance das pernas lá, seu corpo era espetacular. Uma pena que eu nunca mais iria para a cama com ela novamente.

— Por que você não falou nada com Laurie e com as amigas dela? — perguntei a Tyler.

— Eu não sabia quais os procedimentos que você já usou com elas — respondeu ele —, e eu não queria repeti-los.

— Cara, você não pode lançar mão de sua própria personalidade?

Agora Hillary estava usando apenas tapa-seios de plumas e calcinha. Sua pele era tão macia! Mas seu nariz parecia um bico. Na última vez que a vira, ela dissera que estava com um surto de herpes, e eu não consegui transar com ela.

— Vamos para outro lugar — disse Tyler, me cutucando.

— Por quê? Está cheio de garotas por aqui.

Ela agira corretamente, me dizendo que estava com herpes. Era melhor do que guardar segredo e me deixar pegar. Eu não podia puni-la por ser honesta. Mas agora eu estava louco para transar com ela.

— Quero ver você em ação num lugar onde não conhece ninguém — me provocou Tyler.

Ela cobriu o corpo com um leque de penas, passando-o entre as pernas, e jogou a calcinha para a platéia. Um trapo voador cheio de herpes. Um rapaz com pinta de intelectual com costeletas apanhou-a. Depois, amassou-a na mão e agitou-a no ar, excitado com seu pequeno troféu venéreo.

Alguém bateu no meu ombro. Era Grimble, usando sua camisa da sorte.

— E aí, rapaz, o que você conta?

— Nada de novo. O que você acha de acompanhar Tyler Durden até o Saddle Ranch?

— Você não vem? — perguntou Tyler. — Eu estava muito a fim de ver você em ação.

— Estou cansado, cara.

— Se você vier, eu farei minha imitação de Mystery, falando o quanto ele sente a falta de sua alma gêmea Style. É uma verdadeira diversão.

— Obrigado, mas não estou a fim.

Fui até uma mesa e me sentei à frente de Hillary.

— Quem são aqueles dois fracassados que estavam com você — ela perguntou.

— São dois artistas da sedução.

— Quem diria.

— É, são jovens ainda. Estão aprendendo. Precisam de algum tempo.

Ela segurou os cílios postiços esquerdos com a ponta dos dedos e depois os removeu bem devagar.

— Quer ir até o El Carmen? — ela perguntou, antes de retirar os cílios direitos.

Se eu fosse, teria que dormir com ela. Fazia parte do acordo.

— Não, estou a fim de ir para casa.

Eu queria me testar em todos os aspectos. Eu estava neurótico demais para ficar promíscuo.

Capítulo 9

Apesar de tudo, eu queria gostar de Tyler Durden. Todos pareciam querer.

À medida que ele e Papa percorriam o país, servindo de parceiros para Mystery, os relatos sobre suas habilidades eram extraordinários. Talvez ele tivesse apenas ficado nervoso com minha presença. Ou, quem sabe, tivesse se aperfeiçoado após ser obrigado a demonstrar sua perícia diante de tantos alunos, como ocorrera comigo. Resolvi lhe conceder o benefício da dúvida.

Havia tendências dentro da comunidade. Ross Jeffries e a Sedução Rápida dominavam os circuitos da sedução quando eu comecei, um ano antes. Então o Método Mystery assumiu o poder, seguido por David DeAngelo e o engraçado arrogante. Atualmente, a dupla Tyler Durden e Papa estava em ascensão.

O mais engraçado era que embora os métodos mudassem constantemente, as mulheres, não. A comunidade ainda era tão secreta que poucas mulheres, talvez nenhuma, sabiam o que estávamos fazendo. Eram tendências que não tinham nada a ver com as mulheres, mas com o ego dos homens.

E um dos maiores egos de todos eles, Ross Jeffries, estava ficando para trás. Embora a Sedução Rápida ainda tivesse muito a oferecer, ela parecia tão arcaica para a nova geração dos membros da comunidade quanto comprar flores para as garotas e dividir um milkshake na lanchonete. E Ross não estava feliz com isso. Não havia muita coisa que o deixasse feliz. Descobri isso certa noite, quando voltei para casa e achei a seguinte mensagem na minha secretária eletrônica:

Oi, Style, é o Ross. Estou num péssimo humor. Agora é meia-noite e dez. Normalmente, quando estou com este mau humor, telefono para pessoas de quem não gosto e esculhambo com elas. Mas não vou fazer isso. Vou apenas dizer que isso não é justo. Você não vai morrer se me levar a algumas festas, camarada, embora eu ache que você me deve muito mais do que isso.

Se você não o fizer, não vou ficar zangado. Simplesmente vou eliminá-lo da comunidade da Sedução Rápida e de tudo mais. Vou mesmo. Então pense como meu trabalho mudou sua vida e pense no que você deu em troca e o que havia prometido dar. Simplesmente não é justo. Espero que você valha mais do que isso. Se isso parece um desafio, que assim seja.

Eu entendi o que ele estava dizendo. Eu andava ignorando-o completamente desde a última festa em que tínhamos estado juntos. Ele teria que suprimir a imagem dele próprio cheirando a bunda de Carmen Electra da minha cabeça para que eu voltasse a levá-lo a uma festa.

Mas, assim mesmo, telefonei para Ross algumas noites depois e o convidei para jantar por conta dos velhos tempos. Ele não estava enfezado como eu pensava que estaria, principalmente porque sua mente estava tomada por outra pessoa: Tyler Durden.

— Aquele cara me deixa nervoso — disse Ross. — Há algo de assustador na sua falta de calor humano. Não ficaria surpreso se, cedo ou tarde, ele romper com Mystery e passar a dar aulas sozinho. Ele fica embaraçado diante das pessoas que têm mais poder do que ele. Além disso, ele já está se dizendo melhor do que Mystery.

Embora eu tenha considerado o comentário resultado da paranóia competitiva de Ross, Tyler Durden não demorou a provar que ele estava certo.

E foi minha culpa, segundo Mystery.

— Esses workshops não têm mais graça — queixou-se Mystery. Ele estava me ligando de Nova Jersey, onde tinha se hospedado com Tyler Durden e Papa na casa de um AS chamado Garvelous, um inventor de brinquedos. — Trata-se apenas de um trabalho. Esses lances só são divertidos quando você vem junto, porque aí servimos de parceiros um do outro.

Fiquei lisonjeado, embora os workshops não devessem ser divertidos; como o nome dizia, aquilo era trabalho.

— Além do mais, meus objetivos estão mudando — prosseguiu ele. — No começo era para atrair atenção. Agora, acho que estou atrás do amor. Quero um relacionamento em que possa ver um passarinho azul. Quero uma mulher a quem possa respeitar pela sua arte, como uma cantora ou uma stripper supergostosa.

A ruptura inevitável veio logo em seguida.

Mystery voou para a Inglaterra e Holanda com Tyler e Papa para mais uma rodada de workshops. Quando voltou, deixando uma ótima impressão e pedidos de novas performances, Tyler e Durden ficaram para administrar alguns workshops e satisfazer a demanda. Eles estavam de férias na universidade e ensinar aos homens como conquistar mulheres lhes parecia muito mais interessante como emprego temporário do que servir sorvetes ou trabalhar como vendedor em lojas de roupas infantis.

Mystery telefonou assim que chegou em Toronto.

— Meu pai está com câncer no pulmão, está no fim. É estranho, mas a primeira pessoa com quem eu quis falar foi você.

— E como você está se sentindo com relação a isso?

— Não estou transtornado, mas minha mãe estava chorando, e é a primeira vez que a vejo chorando. Papai sempre quis que derramassem uísque em seu túmulo, então meu irmão disse: "Espero que ele não se incomode se eu filtrá-lo com minha bexiga antes."

Mystery começou a rir. Tentei forçar uma risadinha para confortá-lo. Mas não consegui. A imagem não era engraçada para ninguém que não odiasse o cara.

Enquanto isso, Tyler Durden e Papa estavam a todo vapor na Europa. No começo, grande parte do que ensinavam era material de Mystery. Mas isso mudou certa noite, em Londres, quando começaram a usar seu próprio material nos espaços abertos de Leicester Square, ponto de encontro para mochileiros, clubbers, turistas, jogadores e bêbados. Foi lá que nasceu o MAG.

O MAG é o macho alfa do grupo, um espinho constante nos pés dos caçadores. Nada há de mais humilhante do que ter um playboy do ensino médio fedendo a álcool sacaneando você pelas costas e fazendo pouco dos trajes de pavão que você está usando na frente das garotas que você está tentando conquistar. É um lembrete constante de que você não é um cara muito popular, que você é apenas um nerd enrustido disfarçado.

Tyler Durden deve ter sido o maior de todos os nerds enrustidos de todos nós. Mas o que lhe faltava em leveza e charme ele compensava com análise. Era um desconstrutor social e um microempreendedor comportamental. Era capaz de observar uma interação humana e a decompor nos elementos físicos, verbais, sociais e psicológicos que a alimentavam. E aplicar um anti-MAG — ou eliminar um concorrente empata-foda da parada — agradava seu lado subversivo; roubar uma mulher de um mané do tipo que costumava sacaneá-lo na escola tinha um sabor muito mais doce do que simplesmente seduzir uma garota sentada sozinha num bar.

Então ele ficava observando a linguagem corporal que os MAG usavam para reduzir seu status no meio de um grupo; analisava o contato visual que costumavam usar para sugerir às garotas que ele era uma aberração; estudava o modo como eles lhe davam tapinhas nos ombros com tanta força que acabavam fazendo com que perdesse o equilíbrio. Em pouco tempo, ele estava passando mais tempo no campo examinando os MAG do que caçando mulheres, até acabar lenta e esmeradamente criando uma nova ordem social — na qual, parafraseando o músico Boyd Rice, o forte vive à custa do fraco e o esperto vive à custas do forte.

Agora, nada poderia deter os AS. Eles podiam roubar as garotas bem diante dos olhos incrédulos dos seus namorados, por mais que fossem grandes como um armário. Eles estavam penetrando num terreno perigoso.

Capítulo 10

GRUPO MSN: Lounge de Mystery
ASSUNTO: Táticas de MAG
AUTOR: Tyler Durden

Seguem alguns lances que tenho praticado recentemente e que são bastante divertidos.

A maior parte disso aprendi com europeus, tentando roubar as garotas deles e evitar que eles roubassem as minhas. Os caras aqui não dão moleza, como a maioria dos caras na América do Norte. Muitos têm malícia. Então, tenho tentado descobrir um modo de superá-los.

Tudo o que segue foi testado provavelmente centenas de vezes.

MAG: Ei, garotas, qual é a boa?

AS: Ei, cara (*erga a mão no ar, como se estivesse desistindo*), posso lhe dar cem dólares agora se você levar essas garotas daqui.

(As garotas dirão: "Não, não. Nós gostamos de você AS." E elas darão risinhos e rastejarão aos seus pés, o que imediatamente desarmará o cara.)

MAG: (*Dando sinais de que quer briga.*)

AS: Ah-ha, você parece que quer arrumar uma briga comigo. Ah-ha. Tudo bem. Espere um pouco. Só um segundo. Tenho uma idéia ainda melhor. Primeiro fazemos uma queda de braço. Depois flexões com um braço só. Finalmente, exibimos nossos músculos.

(Então, comece a flexão e diga: "Senhoritas?" Elas começarão a dizer como você é forte. O MAG vai parecer um imbecil pois você fará com que ele pareça estar se esforçando demais para impressionar as garotas com sua superioridade física.)

MAG: Ei, cara, continue falando. Vamos ouvir sua conversa. Ganhe essas garotas, cara. Você está se dando bem.

AS: Ei, você sabe que eu preciso tentar impressionar caras legais de Londres como você (ou com essas camisas de jogador de rúgbi, sapatos engraxados ou seja lá qual for a circunstância). Vocês são foda.

(O negócio é desarmá-los com o pouco conhecimento que tiver deles, mesmo que não seja relevante. Ele se sentirá embaraçado e sua linguagem corporal vai demonstrar isso.)

MAG: Este volume na sua camisa é um músculo? Rapaz, você vai precisar de proteção. Todos os caras vão cair em cima de você.

AS: Cara, por isso é que eu me aproximei de você. Preciso de você, rapaz. Olhando para você, logo vi que nasceu para me proteger.

(Na verdade, alguém disse isso para mim. E, para ser honesto, foi uma boa humilhação. Então, diante de um MAG que conhece o jogo, você tem que ir mais fundo. Coloque-o na posição de alguém se esforçando para ser seu amigo ou brinque dizendo que vai contratá-lo para tarefas que são inferiores à sua capacidade. Diga: "Você parece um comediante, mas não precisa ser engraçado para eu gostar de você." Ou: "Rapaz, isso é ótimo. Você devia fazer o design do meu website ou coisa parecida.")

MAG: (Começa a tocar em você para mostrar domínio.)

AS: Ah-ha, cara. Eu não me amarro em homem. Olha só, tem uma boate gay logo ali. Tire a mão da mercadoria, rapaz.

(As garotas vão rir dele, e depois ele começa a provar a você que não é gay.)

MAG: (Começa a encarar você)

AS: (Silêncio.)

(Não reaja. Apenas fique ali, calmo. Se ele insistir em se mostrar superior a você e você não reagir, finalmente ele parecerá inferior, porque está se esforçando demais para obter sua atenção. Um outro truque é fazer gestos como se quisesse sair dali com seus olhos nas garotas — imite os gestos que elas fazem uma com a outra quando estiver numa situação adversa —, e elas sairão dali com você.)

Aqui estão alguns indicadores.

Se um MAG estiver com as garotas que estou paquerando, o objetivo é neutralizá-lo. Se ele tiver acabado de conhecê-las, a meta é varrê-lo dali.

Os MAG funcionam melhor com a linguagem corporal adequada. Quando disser essas frases, produza um grande sorriso. Se possível, dê-lhe uma cotovelada no peito ou um tapa nas costas com bastante força para fazê-lo cuspir o que estiver bebendo. Tudo isso fazendo de conta que está sendo simpático. E então (isso aconteceu comigo) diga a ele: "O jogo foi justo, camarada", e estenda a mão para ele. Quando ele for apertá-la, retire-a no último instante. Trate-o constantemente como um idiota.

Também, você pode usar o trabalho de um MAG. Ele limpa o terreno, você invade. Isso é algo que faço muito. Deixo um cara conquistar uma menina e aumento a temperatura de persuasão dela, depois chego e supero o cara. Digo que ele assusta as garotas e depois as afasto dele. As garotas já estão excitadas, por conta do MAG. Posso fazer isso em cerca de 90% dos grupos que abordo quando um MAG está falando com uma garota.

Divirtam-se.

— TD

Capítulo 11

Quando as resenhas de Tyler Durden e Papa sobre os workshops de Londres chegaram até a Lista de Cliff, Mystery sentiu-se ultrajado. Ele não ficou aborrecido com a história de MAG. A dupla merecia um crédito por isso. Ele se aborreceu porque Tyler Durden e Papa criaram seu próprio website e uma companhia concorrente. Mystery batizara seus seminários Dinâmica Social. Eles batizaram seus workshops Verdadeira Dinâmica Social.

Papa ficara tão obcecado em iniciar seu negócio de sedução quanto tinha ficado em relação à caçada. Ele copiou o modelo de Mystery ao pé da letra. Mystery cobrava 600 dólares. O mesmo cobravam Tyler e Papa. Mystery começava suas aulas às 8h30 e as concluía às 14h30. Tyler e Papa fizeram o mesmo.

Embora Tyler Durden e Papa dissessem que Mystery dera sua permissão para que criassem seus próprios workshops, Mystery alegou que eles usaram sua lista de clientes sem pedir autorização. Quando eles a esgotaram, saíram e falaram com os clientes da Sedução Rápida, dando início a um negócio a partir dos discípulos de Ross Jeffries. E quando Ross começou a desconfiar, eles inauguraram seus próprios covis em todas as regiões, começando com o PLAY (Grupo Yahoo de Jogadores de Los Angeles, em inglês) no sul da Califórnia.

Quando Mystery limitou seus workshops a seis participantes, Tyler e Papa passaram a aceitar 12. A caçada virou uma anarquia, mas eles estavam rolando no dinheiro. Em cada workshop, Papa selecionava um aluno, mesmo se o cara fosse virgem, e fazia dele um instrutor convidado no workshop seguinte. Logo, Papa tinha sua própria gangue de parceiros — Jlaix, um campeão de karaokê de São Francisco; Sickboy, um cara de Nova York que trabalhava com moda; e até mesmo Extramask — que participava de todos os workshops.

Apesar de tudo isso, Mystery continuou deixando que Tyler e Papa ficassem em sua casa e roubassem suas idéias sempre que estavam em Toronto. Quando lhe perguntei a razão, ele respondeu: "Mantenha seus amigos por perto e seus inimigos ainda mais perto." Com um clichê maravilhoso assim, eu achei que ele sabia o que estava fazendo.

Sexto Passo: CRIE UMA CONEXÃO EMOCIONAL

Enquanto isso, após assistir ao sucesso de Tyler e Papa, duas coisas aconteceram dentro da comunidade. A primeira foi que todo mundo podia realizar seu próprio workshop. Não era necessário nenhum talento especial para apontar duas garotas para um cara e dizer: "Vai até elas." A segunda foi que a demanda por workshops ficou mais elástica. Os caras estavam dispostos a investir qualquer quantia de dinheiro para resolver um problema.

Mystery cometera um erro crucial: ele não estabelecera com seus alunos um acordo de sigilo. E agora o gênio saíra da lâmpada. Todos se tocaram que aquelas horas passadas estudando e praticando a sedução — mais tempo do que passavam com a família, na escola, no trabalho e com amigos da vida real — tinham mais aplicações do que manter saudável a indústria profilática. Éramos os criadores e beneficiários de um corpo de conhecimentos que estava a anos-luz além do resto do mundo do acasalamento. Tínhamos desenvolvido um paradigma inteiramente novo das relações sexuais — capaz de dar aos homens o controle, ou pelo menos a ilusão de ter o controle. Havia um mercado para isso.

Orion, o cretino que criara os vídeos *Conexões Mágicas*, começou a realizar workshops diurnos em shopping centers e nos campi das universidades.

Em seguida, dois AS chamados Harmless e Schematic começaram a anunciar seus próprios workshops, o que foi uma surpresa para todos, considerando que Schematic perdera a virgindade apenas um mês antes.

Um dos croatas que eu conhecera, Badboy, um AS carismático que mancava e só usava parcialmente o braço esquerdo, depois de ser atingido por um tiro durante a guerra, abriu uma empresa chamada Playboy Lifestyle. Os alunos voavam até Zagrebe para treinar como ser um macho alfa. Os exercícios incluíam socos na barriga de Badboy gritando: "Foda-se, Badboy!" o mais alto possível. O salário médio na Croácia era de 400 dólares; seus workshops custavam 850 por aluno.

Wilder e Sensei, ambos graduados no Método Mystery, realizavam workshops individuais em São Francisco. Um website misterioso apareceu, oferecendo um livro chamado *Explicando os golpes de neg*. Vision saiu de seu emprego para organizar workshops individuais. Um dos empregados de Sweater criou um website de sedução e uma linha de produtos. Três universitários de Londres — Angel, Ryobi e Lockstock — passaram a dar workshops chamados Interação de Impacto. E até Prizer, o comedor de prostitutas do outro lado da fronteira, produziu um DVD desconexo com um curso, *Sedução para iniciantes*, que parecia uma comédia involuntária.

Finalmente, Grimble e Twotimer entraram na dança, cada um deles desenvolvendo seu próprio método de sedução e escrevendo um e-book sobre isso.

Grimble ganhou 15 mil dólares na semana em que foi lançado. Twotimer embolsou 6 mil dólares.

A comunidade estava florescendo com novas empresas.

Eu percebi que era hora de mudar. Aquilo estava ficando grande demais. A tampa ia explodir.

Eu estava há um ano e meio na comunidade, desde o primeiro workshop de Mystery. Era o momento de fazer valer meus direitos sobre a subcultura da sedução, antes que algum escritor o fizesse na minha frente. Era hora de me revelar. Era hora de eu lembrar que não era só um AS; eu era um escritor. Tinha uma carreira. Então telefonei para um editor que eu conhecia na seção "Style" do *The New York Times*. O nome da seção parecia apropriado para a situação.

Ninguém jamais colocava seu nome verdadeiro na Internet; chamávamos uns aos outros pelos apelidos. Mesmo Ross Jeffries e David DeAngelo eram pseudônimos. Nossos empregos e identidades na vida real não tinham importância. Assim, todos na comunidade me conheciam como Style. Poucos, ou quase ninguém, sabiam meu nome de verdade ou que eu escrevia para o *Times*.

Não foi fácil colocar a história no jornal. Foram necessários dois meses de reuniões com os editores, escrevendo esboço em cima de esboço. Eles queriam mais ceticismo. Queriam provas dos poderes dos vários gurus. Queriam que a estranheza inerente das técnicas fosse reconhecida. Pareciam ter dificuldades para acreditar que aquelas pessoas — e aquele mundo — realmente existiam.

Capítulo 12

Na noite anterior à publicação da história sobre minha vida dupla como artista da sedução, dormi mal. Eu tinha criado aquele personagem, Style; agora, num texto jornalístico de duas mil palavras, estava pronto para matá-lo. Tinha certeza de que todo mundo na comunidade ficaria enfurecido com aquela traição. Tive pesadelos de caçadores se reunindo em volta da minha casa com tochas para me queimarem vivo.

Mas nenhuma quantidade de preocupações e receios poderia ter me preparado para aquela reação: não houve nenhuma.

Claro, houve um pouco de dor de barriga com a possibilidade de a comunidade ser exposta e potencialmente arruinada. Algumas pessoas não apreciaram o tom da matéria, e Mystery ficou ressentido por ter sido chamado de artista da sedução, em vez de "artista venusiano", seu último neologismo. Mas a credibilidade de Style saiu ilesa: ele estava tão entranhado na comunidade que, para seus membros, ele era primeiro um artista da sedução, depois, um jornalista. Em vez de ficarem ofendidos com Neil Strauss por ter penetrado na sua comunidade, eles ficaram orgulhosos por Style ter conseguido publicar um artigo no *The New York Times*.

Fiquei perplexo. Não havia assassinado Style. Apenas o deixara mais forte. Os membros da comunidade procuravam meu nome no Google e encomendavam meus livros na Amazon, escrevendo longos posts com detalhes sobre minha carreira. Quando lhes pedi para manter separadas minhas identidades on-line e verdadeira — especialmente porque não queria que as mulheres que eu conhecera procurassem os relatórios de campo que eu escrevera sobre elas —, eles, na verdade, concordaram. Eu ainda estava no comando.

Ainda mais surpreendente era que eu não queria abandonar a subcultura. Agora, eu era um mentor para aqueles rapazes e tinha um papel a desempenhar. Havia amizades que queria manter. Embora tivesse alcançado amplamente minha meta como artista da sedução, junto com isso eu encontrara, acidentalmente, um sentido de camaradagem e pertencimento que não conseguira durante toda a vida. Quisesse ou não, eu era agora parte integral da comunidade. Os rapazes estavam certos em não se sentirem chocados ou traídos. Eu era um deles.

Quanto às mulheres na minha vida, o artigo também teve pouco efeito. Eu já lhes havia contado sobre a comunidade e meu envolvimento com ela. E, desta forma, descobri um fenômeno curioso. Se eu contasse para uma mulher que era um artista da sedução antes de ir para a cama com ela, ela ainda assim queria fazer sexo comigo, mas me faria esperar mais uma ou duas semanas para ter certeza de que era diferente das outras. Se eu dissesse a uma mulher que era um artista da sedução depois de dormir com ela, normalmente ela ficava curiosa e achava divertida toda aquela idéia, e, acima de tudo, convencida de que eu não usara nenhuma tática com ela. Entretanto, sua tolerância à comunidade durava somente até eu romper com ela ou pararmos de sair juntos, quando então passava a usar isso contra mim. O problema em ser um artista da sedução é que conceitos, tais como sinceridade, autenticidade, confiança e afinidade, eram importantes para as mulheres. E todas as técnicas, que eram tão eficazes no início de uma relação, violavam todos os princípios necessários para mantê-la.

Pouco depois de o artigo ser publicado, recebi um telefonema de Will Dana, editor da *Rolling Stone*.

— Estamos fazendo uma matéria de capa sobre o Tom Cruise — ele me disse.

— Isso é ótimo — eu falei.

— É mesmo. Ele quer que você a escreva.

— Você se incomoda em repetir? Ele *quem*?

— Tom Cruise pediu especificamente que fosse você.

— Por quê? Eu nunca entrevistei um ator antes.

— Ele leu o artigo que você escreveu no *Times* sobre aquela história de artistas da sedução. Você pode perguntar a ele, quando vê-lo. No momento, ele se encontra na Europa procurando locações para o próximo *Missão: Impossível*. Mas ele quer fazer um curso de acrobacia em motocicleta com você, assim que voltar.

— O que é um curso de acrobacia em motocicleta?

— Onde você aprende a andar de motocicleta só com a roda traseira.

— Parece legal. Estou nessa.

Esqueci de dizer a Will que nunca tinha andado de moto na vida. De qualquer maneira, aquilo ocupava uma posição importante entre as habilidades relacionadas à arte da sedução que eu ainda queria aprender — logo acima das aulas de improvisação e abaixo de defesa pessoal.

Sétimo Passo
RETIRE-SE PARA UM LOCAL DE SEDUÇÃO

"Entre nossos análogos estruturalmente mais próximos — os primatas — o macho não alimenta a fêmea. Carregando o filhote, abrindo caminho laboriosamente, ela provém sua própria subsistência. O macho pode lutar para defendê-la, mas ele não a alimenta."

— Margaret Mead

Macho e fêmea

Capítulo 1

Ele foi a primeira pessoa que conheci, desde que ingressara na comunidade de sedução, que não me decepcionou.

Seu nome era Tom Cruise.

— Isso vai ser incrível, cara — ele me disse quando o encontrei na escola de acrobacias de moto. Ele sorriu, me cumprimentou pela minha audácia e deu uma cotovelada cordial no meu peito. Era exatamente o tipo de gesto de MAG que Tyler Durden descrevera em Londres.

Ele estava vestindo uma roupa de couro preta de motociclista e trazia um capacete da mesma cor debaixo do braço, com um cavanhaque de dois dias no queixo.

— Estou treinando para saltar sobre um trailer — disse ele, apontando para um que se encontrava bem ao lado da pista. — Vai ser um maior do que aquele. Mas não é tão difícil assim. — Ele observou o veículo por um instante, visualizando a façanha. — Quero dizer, saltar não é difícil. O problema é a aterrizagem.

Erguendo a mão esquerda, ele me deu um tapinha no meu ombro.

Tom Cruise era o espécime perfeito. Era o MAG que Tyler Durden, Mystery e todos os outros dentro da comunidade tentavam emular. Ele possuía uma habilidade natural para se manter sob controle, física e mentalmente, em qualquer situação social, sem parecer fazer qualquer esforço. E era a encarnação viva de todas as seis das cinco características de Mystery de um macho alfa. Praticamente todo mundo na comunidade estudara seus filmes para aprender sua linguagem corporal e usava regularmente a terminologia de *Top Gun* em campo. Havia tanta coisa que eu queria lhe perguntar. Mas, antes, era preciso confirmar algo.

— E, então, o que o levou a me escolher para esse artigo?

A poeira subiu na pista e foi soprada sobre nós quando colocamos nossos capacetes de motociclistas debaixo dos braços.

— Eu li seu artigo no *The New York Times* — ele respondeu. — Aquele em que você escreveu sobre os caras chegando em mulheres.

Então era verdade.

Ele fez uma pausa e franziu os olhos, mostrando que estava falando sobre um assunto sério. Seu olho esquerdo estava um pouco mais fechado do que o direito, dando a impressão de profunda intensidade.

— Vem cá, aquele cara sobre o qual você escreveu disse realmente que o personagem de *Magnólia* se baseou nele? É isso que ele disse?

Ele estava falando de Ross Jeffries. Uma das pretensões de Ross à fama era que ele era a inspiração para Frank T. J. Mackey no filme *Magnólia*, de Paul Thomas Anderson. Mackey era o personagem interpretado por Tom Cruise: um mestre de sedução arrogante com questões paternas mal resolvidas, que utiliza um fone de ouvido durante seus seminários e ordena os alunos a "respeitarem o pau".

— Ele não devia fazer isso — prosseguiu Cruise, colocando um tablete de sal na boca e o engolindo com um pouco de água. — Isso não é correto. Não é verdade. Foi uma invenção de PTA. — PTA era o Paul Thomas Anderson. — Aquele cara não tem nada a ver com Mackey. Ele não é Mackey. — Parecia importante para ele que aquilo ficasse claro. — Eu trabalhei com Paul Thomas Anderson durante quatro meses e posso dizer que não me inspirei naquele cara.[10]

Cruise me fez sentar em sua motocicleta Triumph de mil cilindradas e me ensinou a dar partida e passar as marchas. Depois, ele deu uma volta na pista, erguendo a roda dianteira, ao passo que eu apenas consegui andar a 10 quilômetros por hora em sua moto de última geração. Em seguida, ele me levou até seu trailer. As paredes estavam cobertas de fotos das crianças que ele e sua ex-esposa, Nicole Kidman, tinham adotado.

— Esse tal de Jeffries se tornou mais parecido com Mackey depois do filme? — perguntou ele.

— Ele é arrogante e megalomaníaco como Mackey. Mas não é um macho alfa como Mackey.

— Vou dizer uma coisa para você — continuou ele, sentando-se sobre uma mesa repleta de canapés e frios. — Quando fiz aquele monólogo como Mackey, nós não dissemos nada à platéia. E os caras foram ficando animados, à medida que eu falava. Então, no final do dia, eu e PTA tivemos que voltar ao palco e dizer: "Ouçam. Só queremos dizer que o que esse personagem está fazendo e dizendo não é bom. E não é legal."

Então, veio a lição. Primeiro Dustin; agora Tom Cruise. Eu não conseguia entender. O que havia de errado em aprender a conquistar as mulheres? É para isso que estamos aqui. É assim que as espécies sobrevivem. Tudo que eu queria era

---

[10] Quando perguntado como inventara o personagem de T. J. Mackey numa entrevista na *Creative Screenwriting* em 2000, contudo, Paul Thomas Anderson mencionou ter pesquisado Ross Jeffries.

uma margem evolutiva. Então, por que não trabalhar em cima disso e aprender a fazê-lo bem, como eu fizera em tudo mais na minha vida? Quem disse que você pode aprender a andar de moto e não pode aprender a interagir com as mulheres? Eu só precisava que alguém me mostrasse como dar partida no motor e passar as marchas. E eu não estava fazendo mal a ninguém. Nenhuma mulher reclamara depois de eu ter ido para a cama com elas, ninguém estava sendo enganado, ninguém estava se machucando. Elas queriam ser seduzidas. Todo mundo quer ser seduzido. Isso nos faz sentirmos necessários.

— Inventamos todo aquele discurso porque os caras estavam ouvindo o que dizíamos, acreditando e entrando na onda. Então PTA e eu dissemos: "Ei, gente, pelo amor de Deus, vamos devagar."

Veja, eu quis lhe dizer, a sedução é sedutora. Mas não pude, pois quando mencionou aquilo, Cruise soltou uma risada. E Cruise não ri como todo mundo. Sua risada toma conta do ambiente. Começa normalmente, um riso comum segundo qualquer padrão. Você começa a rir também. Mas aí, quando a graça começa a diluir, você pára de rir. Mas, nesse ponto, sua risada começa a crescer. E ele olha você bem nos olhos. *Ah-ha AH-HA heh heh*. E você tenta recomeçar a rir, junto com ele, pois acha que é isso que deve fazer. Mas o riso não sai direito, porque não é natural. Ele emite então algumas palavras, entre os soluços — "Não dá para acreditar", no caso. E em seguida pára, abruptamente como começou, e você se sente aliviado.

— Muito bem — eu lhe disse, depois daquela risada sem graça. — Para você é fácil dizer isso.

Passamos a semana seguinte juntos, visitando vários prédios da Cientologia. Não é segredo que Tom Cruise é membro da Igreja da Cientologia — uma religião, grupo de auto-ajuda, caridade, culto e filosofia, iniciada pelo escritor de ficção científica L. Ron Hubbard nos anos 1950. Mas Cruise nunca levara um jornalista para dentro daquele mundo antes.

Quanto mais eu aprendia sobre L. Ron Hubbard, mais me dava conta de que ele tinha a mesma personalidade que Mystery, Ross Jeffries e Tyler Durden. Eles eram megalômanos cruelmente espertos, que sabiam como sintetizar uma grande quantidade de conhecimento e experiência em categorias de personalidade, depois a vendiam para as pessoas que não achavam que estavam conseguindo o que queriam da vida. Eram alunos obcecados com os princípios que regem o comportamento humano. Mas a ética e a motivação para a utilização desses princípios os transformavam em figuras controversas.

No nosso último dia juntos, Cruise me levou para conhecer o Centro de Celebridades da Cientologia em Hollywood, onde vi uma sala cheia de alunos sendo treinados a usar dispositivos capazes de calcular o grau de condutividade da pele. Quando pessoas curiosas entram na igreja, colocam nelas esses dispositivos e lhes fazem várias perguntas. Em seguida, o entrevistador examina os resultados e lhes explica os motivos para ingressarem na Igreja da Cientologia e como resolver seus problemas.

Os alunos são colocados aos pares na sala de aula, interpretando as várias possibilidades que podem ocorrer durante uma entrevista. Havia livros enormes abertos diante deles. Tudo que o entrevistador (ou auditor, em termos cientológicos) diz — todas as reações a todas contingências — estava contido naqueles livros. Nada era deixado por conta do acaso. Nenhum possível convertido poderia escapar de suas mãos.

O que estavam ensaiando, eu percebi, era uma forma de sedução. Sem uma estrutura rígida, sem procedimentos ensaiados, ou táticas para solucionar problemas não haveria recrutamento.

Uma das minhas maiores frustrações com as caçadas era ter de repetir as mesmas frases inúmeras vezes. Eu estava cansado de perguntar às garotas se elas acreditavam em feitiços ou se queriam fazer o teste da melhor amiga, ou se tinham notado que seus narizes mexiam quando elas riam. Queria apenas chegar num grupo e dizer: "Gostem de mim, eu sou o Style!"

Mas, depois de observar os auditores, comecei a pensar que, talvez, os procedimentos não fossem, afinal de contas, como bicicletas de rodinhas; eles eram as próprias motocicletas. Toda forma de demagogia depende deles. Religião é sedução. Política é sedução. A vida é sedução.

Todos os dias, temos nossos procedimentos, nos quais confiamos para fazer com que as pessoas gostem de nós, ou para conseguir o que queremos, ou para fazer alguém rir, ou para suportar mais um dia sem deixar as pessoas descobrirem os pensamentos sórdidos que nos ocorrem em relação a elas.

Depois da visita, eu e Cruise almoçamos no restaurante do Centro de Celebridades. Ele estava bem barbeado, o rosto corado, vestindo uma camiseta verdeescuro que lhe caía no corpo feito uma luva. Diante de um bom pedaço de bife, ele argumentava seus valores. Ele acreditava na importância de aprender coisas novas, fazer o trabalho que exigiam dele e só competir consigo mesmo. Era um cara cheio de força de vontade, bem equilibrado e resoluto. Toda reflexão que precisava ser feita, todo distúrbio que devia ser solucionado, toda questão que devia ser abordada, eram antes resolvidos num diálogo entre Tom Cruise e ele próprio.

— Não sou o tipo de pessoa que aceita conselho dos outros — disse ele. — Sou o tipo de cara que pensa sobre uma coisa, e se eu sei que é certo, não vou perguntar a ninguém. Não digo "Rapaz, o que você acha disso?". Tomo todas as decisões sozinho — na minha carreira, na minha vida.

Cruise se inclinou em sua cadeira, apoiando os cotovelos nos joelhos. Ficou bem baixo, a cabeça no mesmo nível da superfície da mesa. Enquanto falava, ele gesticulava com a mesma sutileza com que abria e fechava os olhos. O cara nascera para vender coisas: filmes, ele próprio, cientologia, você. Sempre que eu fazia uma autocrítica, ou me desculpava, ele pulava no meu pescoço.

— Eu lamento — eu disse em dado momento, discutindo um artigo que eu escrevera —, não foi minha intenção parecer com um desses caras que escrevem.

— Por que você está se desculpando? Por que não ser como um desses caras que escrevem? Quem são esses caras? São pessoas talentosas que escrevem sobre assuntos pelos quais outras pessoas se interessam. Não, você não quer ser um desses caras criativos e expressivos — arrematou ele, zombando de mim.

Ele tinha razão. Eu tinha achado que estava cansado de gurus, mas eu precisava de mais um. Tom Cruise estava me ensinando mais sobre o jogo interior do que Mystery, Ross Jeffries, Steve P. ou meu pai jamais fizeram.

Ele se levantou e bateu vigorosamente com o punho na mesa — bem no estilo MAG.

— Por que você não quer ser como um desses caras? Seja um deles, cara. Sinceramente. Isso é legal.

Tudo bem. Cruise diz que é legal, então caso encerrado.

Enquanto conversávamos, me dei conta de que, entre todas as pessoas que conhecera em toda a vida, nenhuma tinha a cabeça mais no lugar do que Tom Cruise. E esta era uma conclusão perturbadora, porque praticamente toda idéia expressa por ele podia ser encontrada em algum lugar dentro dos vários textos de L. Ron Hubbard.

Descobri isso quando o assistente pessoal de Cruise na cientologia trouxe um pesado livro vermelho até a mesa. Ele o abriu na página com o código de honra da cientologia e nós o discutimos, tópico por tópico — dê um bom exemplo, cumpra suas obrigações, nunca precise de elogio, aprovação ou solidariedade, não comprometa sua própria realidade.

Quando Cruise me prometeu enviar um convite para a festa de gala anual da cientologia, comecei a achar que aquilo não tinha nada a ver com o artigo que eu escrevera para a *Rolling Stone*. Tratava-se apenas de mais uma conversão à cientologia. Se fosse verdade, ele escolhera a pessoa errada. No máximo, ele estava me apresentando a um novo conjunto de conhecimentos que eu poderia aproveitar, como os textos de Joseph Campbell ou os ensinamentos de Buda ou as letras das músicas de Jay-Z.

Após nossa refeição e sessão de estudo, Cruise me convidou à sala do presidente para conhecer sua mãe, que estava fazendo um curso ali naquele prédio.

— Deixe-me perguntar mais uma coisa sobre o artigo que você escreveu — ele me disse enquanto caminhávamos. — Grande parte daquilo está relacionada ao controle das pessoas e à manipulação de situações. Você imagina todo o empenho que está sendo dedicado a isso? Se pegassem todo esse esforço e o direcionassem para algo construtivo, quem sabe o que poderiam realizar.

A entrevista terminara. O artigo foi publicado. E Tom Cruise e eu nos encontraríamos novamente. Eu já seria outra pessoa, mas ele seria a mesma. Ele nunca mudaria. Ele era um MAG, e me demonstrara isso. No entanto, não conseguira me converter.

Ele tinha sua Igreja. Eu tinha a minha.

Capítulo 2

Minha Igreja, porém, ainda precisava ser construída.

Tom Cruise estava certo: todo nosso esforço precisava ser aplicado em algo construtivo, algo maior do que nós mesmos. Eu tinha sentido, após escrever o artigo para o *Times,* que meu trabalho dentro da comunidade não estava concluído, que aquilo tudo estava levando a algum lugar. Agora eu sabia aonde: Projeto Hollywood, nossa igreja das pernas abertas.

A epifania me veio no dia de meu aniversário. Uns AS organizaram uma festa para mim numa boate de Hollywood chamada Highlands. Convidaram praticamente todo mundo que eu conhecia e havia encontrado no último ano. Vieram cerca de cem convidados, mais umas 200 outras pessoas que apareceram na boate só porque era sábado à noite. Até os grandes nomes da comunidade estavam lá: Rick H., Ross Jeffries, Steve P., Grimble, Bart Baggett (especialista em caligrafias), Vision e Arte (que protagoniza sua própria linha de vídeos de técnicas sexuais).

Apesar de todas as feras presentes na boate, não havia concorrência para mim, pois naquela noite eu era o cara. Vesti-me como um dândi, com um longo paletó preto de um só botão no alto e uma camisa bege com mangas bufantes. E eu estava cercado de mulheres: amizades coloridas, amigas e desconhecidas. Não conseguia manter uma conversa por mais de dois minutos, pois as pessoas vinham falar comigo constantemente. Não tive tempo de praticar meu jogo.

As mulheres me cumprimentavam pela minha aparência, meu corpo e até minha bunda. Quatro garotas diferentes me passaram seus telefones durante a noite. Uma delas disse que precisava encontrar com o namorado, mas em seguida escaparia e festejaria comigo; a outra me deu não só seu número de telefone, mas também seu endereço completo. Havia garotas que eu ainda não conhecia e duas delas sequer estavam ali por conta de meu aniversário. Eu não precisava dos procedimentos, destruidores de namorados ou parceiros. Só precisava de um bolso bem amplo para guardar todos aqueles pedaços de papel.

Além disso, duas estrelas pornôs que um amigo trouxera com ele se apresentaram a mim. Uma delas se chamava Devon ou Deven; a outra tinha dentes grandes. Conversamos durante meia hora e elas pareciam suplicantes. A noite me lembrava daquela vez em Toronto, quando todo mundo pensou que eu era o Moby — só que dessa vez sabiam que eu era o Style.

Mystery desenvolvera recentemente uma outra teoria de interação social. Basicamente, ela estabelece que as mulheres estão sempre julgando o valor de um homem a fim de determinar se isso pode ajudá-las nos seus objetivos de vida de sobreviver e multiplicar. No mundo microcósmico que havíamos criado em Highlands, naquela noite, eu tinha o maior valor social dentro da boate. E, assim como a maioria dos homens se sente atraída num modo pavloviano por tudo que é magro, tem cabelos louros e peitos grandes, as mulheres tendem a reagir ao status e à comprovação social.

No final, levei para casa uma stripper mignon e maliciosa com olhos arregalados chamada Johanna. Quando estava na minha cama, me acariciando sob a camisa, ela perguntou:

— O que você faz na vida?

— O quê? — respondi. Não acreditei que pudesse fazer tal pergunta, mas ela parecia necessitar daquela informação para explicar meu sucesso na festa e sua atração por mim.

— O que você faz? — perguntou outra vez.

E foi então que tive a epifania: caçar é para fracassados.

Em determinado momento, a caçada se tornou a meta da sedução. Mas a questão naquele jogo não é se aperfeiçoar na caçada. Quando estamos caçando, toda noite é uma nova experiência. Estamos apenas constituindo um conjunto de habilidades. O que me proporcionou aquela trepada no dia do meu aniversário não foi a caçada, mas meu estilo de vida. E construir um estilo de vida é uma façanha acumulativa. Tudo que se faz tem seu valor e o aproxima de sua meta.

O estilo de vida certo é algo a ser usado, não discutido. Dinheiro, fama e aparência, embora importantes, não são necessários. É, em vez disso, algo mais urgente: senhoritas, abandonem suas vidas entediantes, mundanas e incompletas, e penetrem no meu mundo excitante, cheio de pessoas interessantes, novas experiências, bons momentos, vida fácil e sonhos realizados.

As caçadas eram para os aprendizes, não para os praticantes do jogo. Estava na hora de levar aquela irmandade ao próximo nível, hora de extrair nossos recursos e elaborar um estilo de vida no qual as mulheres viessem até nós. Estava na hora do Projeto Hollywood.

Capítulo 3

Mystery tomou um avião para me encontrar na cidade. Tudo que ele precisou foi da palavra "Venha".

Ele era a única pessoa com quem eu podia conversar, que não temia se arriscar para fazer as mudanças que o conduziriam até seus sonhos. Todo mundo que eu conhecia sempre dizia: "Mais tarde"; Mystery dizia: "Agora." E aquela era uma palavra inebriante para mim — porque mais tarde, sempre que eu ouvia isso, a tradução era "Nunca".

— A hora é esta, Style — disse ele ao chegar no meu apartamento em Santa Mônica. — Vamos criar essa porra. As caçadas são para os fracassados. Quero dizer, claro, é melhor ser um fracassado que come alguém do que não comer ninguém, mas estamos falando no nível dos campeões agora.

Eu sabia que ele entenderia.

Segundo os livros que eu tinha lido, todos os problemas humanos se encaixam em uma das três categorias: saúde, riqueza e relacionamentos, cada uma da qual com seu componente interno e externo. No último ano e meio, tínhamos nos concentrado somente em relacionamentos. Agora era hora de abrir fogo totalmente. Era hora de encarar os devaneios confusos de Mystery à base de codeína e unir forças para trabalharmos juntos. Éramos maiores do que a soma de nossos paus.

O primeiro passo para tornar o Projeto Hollywood uma realidade era achar uma mansão em Hollywood Hills, de preferência com quartos para os hóspedes, uma jacuzzi bem grande, e que ficasse nas proximidades das boates de Sunset Boulevard. Em seguida, precisávamos selecionar os melhores dentro da comunidade para morar conosco.

Talvez eu não devesse confiar novamente em Mystery. Mas desta vez eu não ficaria dependente dele. Seu nome não ficaria no contrato. Tampouco o meu, aliás. Encontraríamos uma terceira parte que assumiria o risco e a responsabilidade.

Encontramos esse terceiro elemento morando no Furama Hotel. O nome dele era Papa. Suas notas o tinham deixado fora do curso de direito e então, em vez disso, ele se matriculou em Loyola Marymount, Los Angeles, para estudar administração. No dia que se mudou de Wisconsin para Los Angeles, ele largou sua bagagem no quarto do hotel, próximo ao aeroporto, e tomou um táxi até meu apartamento, onde Mystery, com seus quase 2m, estava dormindo no meu sofá de 1,70m.

— As três pessoas mais influentes na minha vida — Papa nos disse ao sentar-se no sofá, aos pés de Mystery —, foram vocês dois e meu pai.

Os cabelos de Papa agora estavam eriçados e cheios de gel, sua aparência era a de quem acabou de malhar. Deixei-o conversando com Mystery na sala e desci para comprar o jantar num restaurante de comida caribenha.

Quando voltei, Papa tinha se transformado no empresário de Mystery.

— Você tem certeza do que está fazendo? — perguntei a Mystery.

Não podia acreditar que ele fosse deixar um ex-protegido que se tornara concorrente virar seu empresário. Mystery era um inovador. Se Ross Jeffries era o Elvis da sedução, Mystery era os Beatles. Tyler e Papa eram apenas os New York Dolls. Eram impetuosos, eram barulhentos e todo mundo pensava que eram gays.

— Papa gosta dos negócios e eu posso dar workshops todos os fins de semana — respondeu Mystery. — Assim, tudo que eu preciso fazer é ir até lá.

Papa, com sua mania de trabalhar em rede, estava em contato constante com praticamente todos os caçadores importantes. Conhecia os presidentes de todas as tocas de AS e estava em todas as listas de correspondência da sedução. Com apenas alguns e-mails e telefonemas, poderia recrutar uma dúzia de alunos em qualquer lugar do mundo.

— Não tem como sair perdendo — insistiu Papa.

Desde que ele ingressara nesse negócio da sedução, esta era sua frase favorita. Ele era mais esperto do que eu havia pensado. Ele ia se tornar o intermediário para os maiores artistas da sedução da comunidade. E todos o deixariam fazê-lo, porque a maioria dos artistas da sedução tem o mesmo defeito fatal: são preguiçosos demais para lidar sozinhos com assuntos práticos.

Na verdade, nós não convidamos Papa para ingressar conosco no Projeto Hollywood naquele dia. Isso aconteceu apenas porque ele estava disposto a encarar aquele trabalho. Havia uma agência imobiliária do outro lado da rua e Papa foi até lá e achou um corretor chamado Joe. Corretores não ganham muito dinheiro alugando imóveis, mas Papa conseguiu convencer Joe a trabalhar para nós prometendo-lhe em troca ensinar a ele o jogo.

— Ele nos levará para visitar algumas casas amanhã — disse Papa, quando o encontramos no lobby do Hotel Furama, naquela tarde. — Tem três lugares dos quais realmente eu gosto. Uma mansão em Mulholland Drive, uma casa antiga perto de Sunset e uma supermansão, com dez quartos, quadra de tênis e uma boate embutida.

— Bem, prefiro a supermansão — eu lhe disse. — Quanto custa?
— Cinqüenta mil por mês.
— Esqueça.

O rosto de Papa ficou sombrio. Ele não gostava de ouvir um não. Era filho único.

Ele desapareceu no seu quarto de hotel e voltou meia hora depois com uma folha de papel nas mãos. Sobre ela, havia esboçado um plano para ganhar 50 mil dólares por mês. Realizaríamos uma festa semanal na boate e ganharíamos 8 mil com os ingressos e 5 mil com bebidas mensalmente; diversos seminários sobre estilo de vida e sedução arrecadariam 20 mil; ofereceríamos aulas de tênis que resultariam em 2 mil por mês e os residentes pagariam um aluguel de 1.500 cada.

Aquilo era totalmente impraticável. Não fazia sentido gastar todos os nossos rendimentos em despesas com moradia. Mas era impressionante. Papa iria fazer o Projeto Hollywood acontecer, de um jeito ou de outro. Comecei a entender por que Mystery queria trabalhar com Papa. Ele era um de nós: era um espírito empreendedor. Tinha iniciativa. E, diferente de Mystery, concluía o que iniciava.

Como um artista da sedução, Papa também parecia digno do Projeto Hollywood. Havia provado seu destemor no campo várias vezes, desde que o conhecemos em Toronto. E provaria isso mais uma vez no dia seguinte, quando seduziu Paris Hilton numa lanchonete de tacos.

Capítulo 4

GRUPO MSN: Lounge de Mystery
ASSUNTO: Relatório de campo — A sedução de Paris Hilton
AUTOR: Papa

Hoje, fui com Style, Mystery e nosso corretor de imóveis visitar nossa potencial mansão, a antiga casa de Dean Martin em Hollywood Hills. Estou apaixonado pelo lugar e mal posso esperar para fechar o negócio. Ficaremos no topo do mundo, literal e figurativamente. Quando se está lá, tudo é perfeito.

A casa fica a poucos passos de um fast-food mexicano, então fomos até lá para almoçar. Depois que fizemos nossos pedidos, encontramos uma mesa do lado de fora. De repente, nosso corretor se inclinou na minha direção e sussurrou:

> **CORRETOR:** Sabe, acabei de ver Paris Hilton entrar na lanchonete. Acho que está pedindo um burrito. Por que você não vai até lá e a seduz?
> **PAPA:** É mesmo?
> **STYLE:** Ei, se você entrar lá, não olhe na direção dela.
> **PAPA:** Tudo bem, vou até lá.

Levantei, entrei na lanchonete e vi uma loura gostosa se servindo de molho. Então pensei: "Um molho cairia bem." Tenho me preparado para este momento e agora é hora de conseguir o que eu mereço. Então caminhei até onde ela estava e fingi que aquilo era pura coincidência. Servi-me de molho e então olhei de lado, dando início à conversa com o quebra-gelo de Style da namorada ciumenta.

> **PAPA:** Ei, estou precisando de uma opinião feminina sobre alguma coisa.
> **PARIS:** *(Sorri e desvia o olhar.)* Ok.
> **PAPA:** Você sairia com um cara que ainda é amigo da ex-namorada dele?
> **PARIS:** Sairia. Acho eu. Sim, claro.

Comecei a me afastar e então me virei e continuei a conversa.

> **PAPA:** Hum... Na verdade é uma pergunta dupla.
> **PARIS:** *(Sorrisos e risadinhas.)*

PAPA: Imagine que você estivesse saindo com um cara que ainda fosse amigo da antiga namorada dele. E você estivesse de mudança para morar com ele, mas houvesse retratos dessa ex-namorada em cima de uma cômoda — não nua, apenas fotos normais e algumas cartas.

PARIS: Ah. Aí eu me livraria disso tudo. Colocaria tudo dentro de uma caixa.

Interrompi-a e prossegui com o quebra-gelo.

PAPA: Você acha que é falta de sensibilidade da parte dela querer que ele se livre das fotografias?

PARIS: Mas, claro. Eu costumava sair com um cara que fez isso e eu o dispensei.

PAPA: Uau! A razão pela qual estou perguntando é que eu tenho uma amiga na mesma situação e ela queimou tudo.

PARIS: É isso que eu devia ter feito. (Sorrisos.)

PAPA: Ah, legal.

Paris acabou de se servir de molho e começou a se afastar.

PAPA: Ei, sabe de uma coisa, você parece uma versão em cartum da Britney Spears. Talvez seja por causa de seus dentes.

Paris pôs o recipiente de molho sobre a mesa, olhou para mim e sorriu. Então eu apliquei o procedimento de Style sobre os sorrisos em forma de C e em forma de U.

PAPA: É isso! São dentes iguais aos de Britney. Bom, foi isso que minha ex-namorada me disse. Quero dizer, ela tem uma teoria segundo a qual as garotas que têm dentes numa forma de C, como Britney Spears, são consideradas boas meninas, não importa com quantos caras elas saiam ao mesmo tempo. Você tem os dentes na mesma forma.

PARIS: (Entusiasmada e sorrindo.) É mesmo?

PAPA: Ei, quero dizer, olhe só para os sorrisos das garotas nas capas de revistas. Elas têm o mesmo tipo de dentes. Bom, pelo menos foi o que ela disse. Ela chegou a fazer uma operação dentária porque seus dentes tinham a forma de U, como Christina Aguilera. Ela disse que dentes na forma de U são tidos como inamistosos, e é por isso que Christina Aguilera tem uma reputação de menina má e a Britney, não.

PARIS: (Sorrisos.) Uau!

Fomos até o balcão e ela apanhou seu lanche. Fiz menção de ir embora, mas não pensem que vou deixar Paris sem aplicar o jogo adequado. Com sua comida na mão, ela estava a ponto de sair da lanchonete, era preciso detê-la. Olhei-a de lado e continuei a conversa.

> PAPA: Tenho uma intuição em relação a você.
> PARIS: Qual é?

Ela olhou para mim.

> PAPA: Sabe, posso dizer coisas profundas sobre você fazendo apenas três perguntas.
> PARIS: É mesmo?
> PAPA: Verdade. Vem sentar aqui um instante.
> PARIS: Ok, beleza.

Sentamos num lugar próximo e ela colocou seu taco sobre a mesa, sorrindo. Eu sabia que estava no bom caminho e era hora de começar a jogar seriamente. Nos 15 minutos que se seguiram, falamos um pouco sobre Hollywood e outras trivialidades. Fiz algumas avaliações, apliquei o modelo da Sedução Rápida e lhe contei algumas histórias para me valorizar.

> PAPA: Sabe, um amigo me ensinou uma técnica de visualização fascinante chamada o Cubo. Ele está ali sentado, e acabamos de comprar aquela casa (apontando na direção de Hollywood Hills). Eu estava morando num hotel nas últimas dez semanas, e é horrível.
> PARIS: Verdade? Qual é o hotel?
> PAPA: O Furama.
> PARIS: (Assentindo com a cabeça.) Sei, eu moro mais para cima, na Kings Road.
> PAPA: Legal. Seremos vizinhos. Estou me mudando para uma casa na Londonderry. É um lugar incrível, e já estou apaixonado pelo lugar. Eu e meu amigo estamos pensando em transformá-lo num local para as pessoas irem depois das festas.
> PARIS: Legaaal.
> PAPA: Muito bem, está preparada para o Cubo?
> PARIS: Estou, claro. (Sorrisos.)

PAPA: *(Progredindo na escalada do sim.)* Antes de começar, preciso fazer algumas perguntas. Você é inteligente?

PARIS: Sim.

PAPA: Você é intuitiva?

PARIS: Sim.

PAPA: Tem boa imaginação?

PARIS: Sim.

PAPA: Ok, ótimo! Vamos em frente. Imagine que você está dirigindo no deserto e vê um cubo. Qual é o tamanho desse cubo?

PARIS: É bem grande.

PAPA: De que tamanho?

PARIS: Grande como um hotel.

Embora eu soubesse quem era ela, não abri o jogo dizendo que ela era uma Hilton.

PAPA: Humm... interessante. Muito bem, de que cor?

PARIS: Rosa.

PAPA: Bacana. Dá para ver através dele ou ele é sólido?

PARIS: Dá para ver por dentro.

PAPA: Beleza! Agora vamos acrescentar uma escada. Onde está a escada em relação ao cubo?

PARIS: Está apoiada contra o cubo, entrando no meio dele.

PAPA: Ah! Eu esperava que dissesse isso.

PARIS: É mesmo? *(Sorrisos e risadinhas.)*

PAPA: É, sim. Então, vamos acrescentar mais uma coisa a esse quadro. Vamos adicionar um cavalo. Onde está o cavalo em relação às outras coisas nessa cena?

PARIS: Está dormindo.

PAPA: Onde ele está dormindo?

PARIS: Na frente do cubo.

PAPA: Uau, interessante. *(Pausa.)* Muito bem. Está pronta para descobrir o que significa isso tudo? *(Pausa.)* Não significa nada! Não, estou brincando. O cubo representa o que você pensa de si mesma. É seu ego. Agora o cubo é bem grande. Você tem muita confiança em si mesma. Não que ele seja enorme. Quero dizer, não é que seu ego seja enorme, mas você, sem dúvida, tem um bocado de confiança. E, também, seu cubo é rosa.

PARIS: É minha cor predileta.

PAPA: Muito bem. O rosa é também uma cor divertida e brilhante, e você a escolheu porque traz dentro de si a mesma espécie de energia. Você é o tipo de pessoa que realmente gosta de se divertir e festejar, mas é também o tipo de pessoa que apenas gosta de estar com outras pessoas.

PARIS: Sim.

PAPA: E seu cubo é algo que permite que você veja através. Isso representa a forma como as pessoas interagem com você, porque você é do tipo de pessoa que, mesmo quando encontra as pessoas pela primeira vez, elas podem ver você por dentro. Você, de fato, cria uma conexão com as pessoas, e isso é incrível.

PARIS: Como você se chama?

PAPA: Papa. E você?

PARIS: Paris.

PAPA: Beleza. Eu sinto que a gente tem um bocado de coisas sobre as quais conversar.

PARIS: Sim.

PAPA: A gente deveria realmente sair junto um dia.

PARIS: É mesmo, a gente devia.

PAPA: Olhe aqui.

Eu lhe dei um pedaço de papel e uma caneta. Ela escreveu seu primeiro nome e seu sobrenome, depois me devolveu, esperando me impressionar e obter uma reação deslumbrada. Mas não esbocei qualquer reação, como se não tivesse a menor idéia de quem ela era. Depois lhe entreguei de volta.

PAPA: Tome.

PARIS: Ok. Posso escrever aqui?

PAPA: Pode.

PARIS: Este é o número do meu celular.

PAPA: Ok.

PARIS: É. Com certeza a gente devia se encontrar.

PAPA: Claro. Vai ser incrível. A gente se vê, menina.

Caminhei até a mesa onde os caras estavam, no lado de fora.

STYLE: Belo trabalho, cara. Ninguém cumprimenta o Papa, pois ela pode ver. Bom trabalho, irmão.

CORRETOR: Você está de parabéns, irmão.

Expliquei aos rapazes o que acontecera. Foi incrível. Sei que é assim que as coisas vão ser. Faz sentido que eu tenha esbarrado com Paris Hilton, agora que estou no Projeto Hollywood.

    Mystery, essa é minha. Portanto, afaste-se quando Paris vier ao nosso cafofo a fim de encontrar o Papa.

Saudações,
Papa

Capítulo 5

Cada palavra que Papa dissera a Paris tinha vindo de mim: o quebra-gelo da namorada ciumenta, o procedimento dos sorrisos em forma de C e em forma de U. Até mesmo a história do Cubo era exatamente a mesma que ele gravara no seu primeiro workshop comigo e com Mystery, sem contar o modo de dizer "Interessante" e "Legal". Era um excelente robô e acabara de superar quem o programara.

Voltamos andando para casa a fim de encontrar os proprietários e assinar a papelada. Antigo lar de Dean Martin (e depois do comediante Eddie Griffin), a casa ficava bem acima do restaurante Mel's Diner, em Sunset Boulevard. O aluguel mensal era 36 mil dólares mais barato que o da supermansão, e a uma pequena distância das boates de Sunset Boulevard.

A sala de estar parecia um alojamento de esquiadores. Havia uma lareira, uma pista de dança, um pé-direito de 9 metros, paredes revestidas de madeira e um grande bar num dos cantos. O espaço era facilmente capaz de receber algumas centenas de pessoas para seminários e festas. Havia dois quartos ao lado da sala de estar no térreo. Do lado de fora de ambos os quartos havia uma escada conduzindo a um outro quarto. E, além disso, havia um quarto pequeno de empregada ao lado da cozinha.

A jóia da coroa naquela casa era o quintal de vários pisos. Em um nível, havia dois pátios sob sombras de palmeiras e limoeiros. No segundo havia um terraço de tijolos com uma piscina na forma de um amendoim, uma jacuzzi, uma área para refeição, uma geladeira e uma churrasqueira. Atrás, uma colina com um caminho que levava até uma plataforma isolada no alto do terreno. De lá, podia-se ver as luzes e os enormes outdoors de Hollywood. O lugar era como um ímã para as garotas. Não havia como dar errado.

Papa colocou o nome no contrato. Isso, além de pagar a maior parte do aluguel, deu-lhe o direito de usar o quarto principal, que era equipado com uma plataforma elevada para a cama, janelas amplas e uma lareira. O banheiro possuía uma ducha circular cercada de vidro, dois closets e uma jacuzzi com capacidade para três pessoas.

As possibilidades eram ilimitadas. Papa imaginava que poderia alugar o local para festas, após a entrega do Grammy, lançamentos de filmes e eventos empresariais. Ele não caçava mais as mulheres quando saía; em vez disso, caçava promotores e celebridades, tentando estabelecer contatos para as festas no Projeto Hollywood. Ele chegava a usar táticas de Sedução Rápida e PNL tentando convencer as pessoas a investirem na casa.

No seu tempo livre, ele fazia lances para comprar camas de bronzeamento, projetores de filme, mesas de sinuca e postes para as strippers no eBay. Ele queria fazer do Projeto Hollywood um lugar onde Paris Hilton gostaria de ir todos os fins de semana para festejar.

Havia ainda dois quartos que precisavam ser ocupados, então os oferecemos no Lounge de Mystery. A reação foi incrível: todos os queriam.

"Todas as garotas fazem fila aqui, todos os rapazes, do outro lado. Estou vendo que a sua está andando. Vejo que a minha está ficando para trás."

— Ani Di Franco
The Story

Capítulo 1

Na primeira noite, ficamos todos sentados dentro da jacuzzi até a pele começar a se soltar de nossos corpos, admirando as palmeiras de nossa nova moradia e as luzes das boates de Hollywood para onde iríamos em breve. Mystery cantou toda a trilha sonora de *Jesus Cristo Superstar* para o céu noturno. Papa nos falou sobre seu plano de utilizar a casa para festas das principais celebridades de Hollywood. E Herbal nos serviu coquetéis de melancia. Não havia garotas, e nós não precisávamos de nenhuma para confirmar nosso valor. Essa noite era só para os rapazes. Havíamos conseguido. O Projeto Hollywood não era mais apenas uma fantasia.

— Nossos feitos tornarão esta casa famosa — previu Mystery, enquanto estávamos todos ali sentados com sorrisos felizes no rosto. — As pessoas passarão pela porta e dirão: "Esta é a casa das celebridades de Hollywood: Style, Mystery, Papa e Herbal. Aqui eles construíram suas carreiras e realizaram festas que deixavam todos invejosos."

Herbal era o quarto habitante. Ele era um AS de Austin, alto, pálido, equilibrado, que se enfeitava pintando as unhas de prateado e vestindo roupas sempre brancas. Como o restante de nós, ele era um nerd reformado. Mas possuía uma casa no Texas, uma Mercedes Benz S600, um Rolex, um escritório em Sunset Boulevard ao qual nunca ia e um robô aspirador de pó. Eram pertences impressionantes para alguém de sua idade. Ele conseguira tudo aquilo numa operação suspeita num cassino, onde contratara outras pessoas para apostar para ele. No seu tempo livre — que era basicamente o tempo todo — ele explorava cavernas, gravava músicas rap extremamente cativantes e surfava pela Internet em busca de artigos incomuns para comprar e nunca usar.

Mystery insistiu que todos em casa tivessem uma identidade — assim, tínhamos um mágico, um escritor, um apostador e um homem de negócios. Era uma combinação que viria a se revelar mais dramática que a do mais sensacionalista reality show.

Após alguns dias, Papa trouxe um quinto locatário, Playboy, que ficou com o quarto de empregada. Playboy era um promotor de festas de Nova York que conquistou minha admiração quando me disse que tinha trabalhado para a Companhia de Dança de Merce Cunningham. Era geneticamente boa-pinta — alto e esbelto, com espessos cabelos negros —, mas tinha o mau hábito de usar longos e espalhafatosos lenços em volta do pescoço e calças na altura do umbigo. Ele tinha largado seu emprego para morar conosco, então Papa o contratou para trabalhar para a Verdadeira Dinâmica Social, em troca do aluguel.

E, então, veio o Xaneus. Ele morava numa tenda no quintal.

Xaneus era um jogador de futebol universitário, baixo e forte, que viera do Colorado e implorara para morar na casa. Ele disse que dormiria em qualquer lugar e faria qualquer coisa. Então Papa armou uma tenda para ele, pediu que pagasse os serviços gerais, cuidasse da limpeza da casa e o acolheu na Verdadeira Dinâmica Social como estagiário.

Nas duas primeiras semanas, tudo que fizemos foi admirar a casa. Tínhamos conseguido; tínhamos vencido o sistema. Tínhamos a casa mais desejável em West Hollywood. E não nos faltara sorte com os locatários. Herbal conseguira organizar uma Conferência de Cúpula de Artistas da Sedução — a primeira anual — em nossa casa para o mês seguinte.

Em nossa primeira reunião em casa, estabelecemos uma estrutura para o Projeto Hollywood, colocando Papa como responsável pelas atividades sociais e Herbal cuidando das finanças. Em seguida fizemos as regras: não poderia haver hóspedes em casa sem nossa aprovação por mais de um mês; qualquer um que realizasse um seminário na sala de estar tinha de contribuir para o fundo residencial com 10% de comissão; e as mulheres que outros AS trouxessem para casa não poderiam ser paqueradas. Todas estas regras logo seriam quebradas.

Inicialmente, me diverti vivendo com o pessoal, largando meu mundo introvertido de escritor e fazendo parte de um todo que era maior do que a soma de suas partes. Todas as manhãs, eu acordava e via Herbal e Mystery lançando moedas dentro de baldes de gelo no meio da sala de estar, ou saltando de uma escadinha sobre uma pilha de travesseiros. Eram como dois moleques em busca de um playground.

— Tenho a impressão de que você e eu nos tornaremos grandes amigos, Herbal — Mystery disse para Herbal, certa manhã.

Quando Playboy deu a primeira festa na casa, apareceram 500 pessoas. Estávamos dando um ótimo exemplo — talvez não para nossos vizinhos, mas pelo menos para a comunidade. Em um mês, já tínhamos franquias.

Um grupo de AS se mudou para a velha casa de Herbal e a batizaram de Projeto Austin.

Alguns de nossos antigos alunos em São Francisco alugaram uma casa de cinco quartos em Chinatown e realizaram seminários de sedução na sala de estar, dando luz ao Projeto São Francisco.

Vários universitários em Perth, Austrália, conseguiram uma casa e iniciaram o Projeto Perth, abordando uma centena de mulheres nos primeiros dias no campus.

E quatro AS que Mystery e eu havíamos treinado em Sidney alugaram um apartamento perto da praia com um elevador que se abria diretamente numa boate abaixo. Era o Projeto Sidney.

Ninguém entendera o potencial de toda aquela comunidade de sedução, o poder criado pelos laços dos caras falando sobre mulheres. Tínhamos manicures, tínhamos mansões e tínhamos o jogo. Estávamos prontos para contaminar o mundo como uma doença.

Capítulo 2

No meu primeiro mês no Projeto Hollywood, totalmente por acidente, minha realidade sexual foi escancarada. Assim como o primeiro workshop de Mystery abrira meus olhos para o que era possível dentro de um bar, essa última série de eventos abriu meus olhos para tudo o que era possível sobre uma cama.

E tudo isso aconteceu porque Herbal não me deixou dormir durante toda uma semana.

— Já ouviu falar na dieta do sono? — Herbal me perguntou, ao sentarmos um dia no Mel's Diner. — Descobri isso na Internet.

Quando não tinha o que fazer, Herbal descobria um bocado de coisas na Internet: uma limusine no e-Bay que ele queria comprar para a casa, lençóis de cama baratos, uma nova e melhor maneira de dobrar camisas e uma empresa que vendia pingüins como bicho de estimação (mas quando resolveu encomendar um pingüim para a casa, descobriu que se tratava de um site de piadas).

— Basicamente — ele continuou —, é uma maneira de treinar seu corpo a sobreviver com apenas duas horas de sono diárias.

— Como funciona?

— Eles fizeram pesquisas científicas e, em vez de dormir oito horas, todas as noites, o que você precisa fazer é tirar um cochilo de 20 minutos a cada quatro horas.

Aquilo me interessou. Com seis horas extras por dia eu teria tempo para escrever mais, me divertir mais, ler mais, me exercitar mais, sair mais e aprender todas as outras habilidades dos AS para as quais nunca tinha tempo.

— Tem alguma cilada por trás disso?

— Bom — disse Herbal —, são precisos dez dias para se acostumar. E não é fácil. Mas assim que superar essa fase difícil, as sonecas se tornam totalmente naturais. As pessoas dizem que se sentem com mais energia, embora se surpreendam também querendo beber um bocado de suco, por algum motivo.

Exatamente como aquela vez em que Marko sugeriu que fôssemos para Moldávia, não hesitei em concordar. Eu não tinha nada a perder se não funcionasse, exceto dez dias de sono.

Fizemos um estoque de videogames e DVD e instruímos os outros habitantes da casa a nos ajudarem a manter a disciplina. Dormir em excesso ou pular uma soneca estragaria toda a experiência, e teríamos de começar de novo. Como um incentivo a mais para ficar acordado, eu convidava umas garotas para irem lá em casa a cada dia.

Eu estava saindo com umas dez garotas diferentes agora. Elas eram o que os AS chamam de RMLP — relações múltiplas de longo prazo. Diferente dos TFM, eu nunca mentia para essas garotas. Todas sabiam que eu saía com outras. E para minha surpresa, ainda que isso não as deixasse contentes, nenhuma delas me abandonou. Uma das conquistas mais importantes que fiz nesse jogo foi com um livro de auto-aperfeiçoamento Huna que Ross Jeffries me recomendou: *Controlando seu eu oculto*. Com ele aprendi a noção de que "O mundo é o que você pensa que ele é". Em outras palavras, se você acredita que precisa ter um harém e que ter um harém é normal, as mulheres concordarão com isso. É simplesmente sua realidade. Todavia, se você quiser um harém, mas secretamente sentir que isso é desleal e antiético, você nunca terá um.

A única mulher que não se sentia inteiramente à vontade com isso era uma espanhola baixinha, efervescente e cheia de curvas, chamada Isabel, que tinha o hábito de contorcer o nariz como um rato à procura de queijo.

— Eu só vou para a cama com uma pessoa de cada vez — ela me dizia constantemente. — E gostaria que você fizesse o mesmo.

No quarto dia da experiência do sono, convidei Hea, a indie que conheci em Highlands, para vir me manter acordado. Ela era pequenina, como um chihuahua, e usava enormes óculos escuros. Ainda assim, havia algo de profundamente sexy nela, como se lhe faltasse apenas um sapatinho de vidro para se tornar uma princesa. O potencial para a beleza age como um atrativo para a maioria dos homens, como se fosse uma beleza real. Quando as mulheres saem com seus cabelos, maquiagem, unhas e roupas meticulosamente arrumados, é também para impressionar outras mulheres. Os homens, embora certamente gostem disso, não se enfeitam por causa de outros homens: temos a imaginação ativa. Estamos constantemente despindo as mulheres assim com as vestindo para ver se elas satisfazem nosso ideal feminino. Hea, então, era uma garota que as outras mulheres ignoravam, ainda que todos os homens a desejassem. Podíamos ver seu potencial.

Quando Hea chegou, Herbal e eu a cumprimentamos na porta, com os olhos injetados, as barbas por fazer e arrastando os pés. A dieta do sono estava cobrando seu preço. Nossos bons modos e nossa maturidade foram os primeiros a partir.

Nós a levamos até o quarto de Herbal, fizemos com que se sentasse no chão e jogamos videogames durante uma hora para ficarmos acordados.

Quando a campainha soou outra vez, me arrastei até a porta para abri-la e vi Isabel.

— Eu estava dançando com alguns amigos no Barfly — ela disse, torcendo o nariz. — Então, como estava na vizinhança, resolvi dar uma passada por aqui.

— Você sabe que eu detesto visitas inesperadas. — Eu sempre dizia às minhas RMPLs para ligarem antes de virem me visitar, no caso de uma coisa dessas acontecer. Dei um suspiro e deixei-a entrar. Pareceu-me rude impedi-la. — Mas é bom ver você, eu acho.

Levei-a até o quarto de Herbal e a apresentei a todos. Isabel sentou-se no chão, ao lado de Hea. Sua intuição não falhou. Ela olhou Hea de cima a baixo e então perguntou:

— Como foi que você conheceu Style?

Eu tinha a impressão de que não se tratava de uma visita casual, mas de um ataque sorrateiro. Então saí do quarto e fui procurar Mystery. Estava cansado de dramas.

— Cara — eu disse —, tô ferrado. Isabel e Hea vão se atracar. Como eu faço para me livrar delas?

— Tenho uma idéia melhor — ele disse. — Faça um *ménage à trois*.

— Você está brincando?

— Não. Um dos meus alunos me contou uma técnica que usou certa vez para fazer um *ménage à trois*. Você deveria tentar. Apenas sugira uma massagem a três e veja o que acontece.

— Parece uma aposta arriscada. — Eu não queria mais um desastre, como o incidente com as gêmeas e a banheira.

— Você não está fazendo uma aposta arriscada. Apenas correndo um risco. Uma aposta é um acaso, um risco é calculado. Se duas garotas estão na sua casa ouvindo o que você diz e lhe dando IDI, as chances de que algo pode acontecer estão a seu favor.

Mystery era capaz de ser bastante persuasivo. Durante todo o processo de sedução, eu havia tentado usar roupas e adotar comportamentos que nunca tiveram nada a ver comigo. Algumas vezes havia funcionado, então os conservei; outros não, e eu os descartei. Decidi me arriscar. Estava disposto a correr o risco de perdê-las.

Voltei arrastando os pés até o quarto de Herbal.

— Ei, pessoal — eu disse entre bocejos. — Tenho que mostrar para vocês esses filmes que eu e Mystery fizemos. São hilários.

Inspirado em nosso vídeo com Carly e Caroline em Montreal, Mystery passara a filmar nossas viagens e aventuras, editando-as na forma de curtas engraçados de dez minutos.

Levei-as para o meu quarto. Não havia cadeiras, é claro, só a cama. Então nos instalamos enquanto eu lhes mostrava um vídeo que Mystery fizera de nossa viagem à Austrália.

Quando o filme acabou, controlei meus nervos e me arrisquei.

— Eu acabei de ter uma experiência muito divertida — disse para elas. — Fui até San Diego visitar meu amigo Steve P., que é um guru e um xamã. E ele fez com que dois de seus alunos realizassem em mim o que chamou de massagem dupla de indução. Suas mãos se moviam em perfeita sincronia nas minhas costas. E como a mente consciente não pode processar todos esses movimentos, ela se desconecta e você se sente como se houvesse 3 mil mãos massageando suas costas. Foi incrível.

Se você descrever qualquer coisa com entusiasmo e congruência, as pessoas ficam a fim de experimentar — especialmente se não lhes der a oportunidade de dizer não.

— Deite sobre o seu ventre — eu disse a Isabel. Como ela era a mais provável a sentir ciúmes, eu sabia que precisávamos massageá-la primeiro. Eu me ajoelhei no seu lado direito e posicionei Hea à esquerda, dizendo-lhe para acompanhar exatamente meus movimentos.

Quando acabamos de massagear suas costas, retirei minha camisa e deitei sobre minha barriga. As garotas se posicionaram cada uma de um lado e começaram a me massagear — hesitantes, primeiro, depois mais confiantes. À medida que as duas se inclinavam sobre mim, suas mãos descrevendo círculos sobre as omoplatas, senti que a energia dentro do quarto começava a se expandir. A natureza sexual daquela situação estava começando a se manifestar nelas.

Aquilo podia muito bem vir a funcionar.

Quando foi a vez de Hea, ela retirou sua blusa e deitou de bruços. Desta vez, tornei a massagem mais erótica, esfregando o interior de suas coxas e os flancos de seus seios.

Após a massagem, Hea continuou deitada na mesma posição enquanto Isabela e eu nos inclinamos sobre ela. Era o momento decisivo. Eu tinha que aumentar a temperatura.

Eu estava tão nervoso que minhas mãos começaram a tremer, exatamente como no meu almoço humilhante com Elisa na escola. Aproximei o rosto de Isabel do meu e comecei a beijá-la. Enquanto nos beijávamos, fui me abaixando até que nossos corpos ficassem praticamente sobre o de Hea, que ficara presa sob nós. Em seguida, virei o rosto de Hea para mim e comecei a beijá-la. Ela retribuiu. Estava funcionando.

Delicadamente, aproximei a boca de Isabel das nossas. Assim que os lábios de Hea e de Isabel se tocaram, a centelha da tensão sexual, que pairava sobre nós durante a massagem, explodiu. Elas se agarraram como se estivessem esperando por isso o tempo todo. Mas não estavam. Tinham se comportado como rivais, menos de uma hora antes. Eu não entendia — mas tampouco precisava entender.

Hea tirou a blusa de Isabel e ambos começamos a beijar seus seios. Retiramos sua calça e passamos a lamber a parte interna de suas coxas até sua espinha dorsal se curvar. Hea se livrou da sua calça e começou a retirar a minha.

Quando a ajudei com o zíper, olhei para o relógio. Eram 2h. Meu coração congelou. Tinham se passado quatro horas desde meu último cochilo. Não podia ir dormir no meio do primeiro *ménage à trois* da minha vida. Mas, se não o fizesse, os últimos quatro dias de privação de sono teriam sido em vão.

— Ei — eu falei para elas. — Detesto fazer isso, mas preciso tirar minha soneca de 20 minutos agora. Vocês podem fazer o mesmo se quiserem.

Com Isabel de um lado e Hea do outro, adormeci imediatamente. Sonhei que as ruas eram água e eu estava nadando nelas. Quando o alarme tocou, puxei as duas para cima de mim e começamos a brincar de novo.

Mas desta vez Isabel refugou.

— Isso é muito esquisito — disse ela.

— É totalmente esquisito — concordei. — Eu estava pensando a mesma coisa. Mas é uma nova experiência, por isso vale a pena.

Ela concordou e sorriu, retirando minha cueca. As duas começaram a passar a mão sobre mim e eu me inclinei e fiquei observando. Queria guardar aquela imagem na minha mente para usá-la no futuro.

No entanto, quando Hea começou a chupar meu pau, o corpo de Isabel ficou tenso. Lembrei de algo que Rick H. dissera sobre *ménages* num seminário de David DeAngelo: a experiência deve ser dedicada ao prazer de sua namorada, não ao seu. Ela é o cão que conduz o trenó — foram as palavras que ele usou — e seu principal objetivo é se certificar de que ela esteja sempre se sentindo confortável, se sentindo bem.

— Você está gostando? — perguntei ao cão que conduzia o trenó.

— Não muito — ela respondeu.

Afastei a cabeça de Hea e ficamos deitados, conversando e brincando, até a hora do meu novo cochilo. Não fiz sexo com Hea naquela noite; sabia que Isabel não conseguiria suportar me ver dentro de uma outra mulher. Aquilo já havia sido um grande passo para ela.

Na noite seguinte, eu estava ainda mais exausto. Herbal e eu ficamos sentados na sala de estar assistindo *Ligações perigosas* para não cairmos no sono, mas não parávamos de cochilar num devaneio que durava frações de segundo. São os chamados microssonos: nossos corpos precisavam tanto de descanso que adormeciam sorrateiramente sempre que nos distraíamos.

— Essa idéia de dieta do sono foi uma péssima idéia — eu disse a Herbal.

— Continue tentando — respondeu ele. — No final vai valer a pena.

Eu comprei vários frascos de vitamina para ajudar a amparar meu sistema imunológico, mas não conseguia lembrar quais havia tomado e quando. Felizmente, Nadia estava vindo em breve. Ela era outra das minhas RMLP, a bibliotecária sexy que eu conhecera durante minhas experiências individuais. Ela apareceu após um show burlesco das Suicide Girls na Knitting Factory, acompanhada de uma garota chamada Barbara, cuja franja preta me lembrava a de Bettie Page.

Servi-lhes uma bebida e sentamos juntos no sofá. Embora Barbara tivesse um namorado, percebi que era muito carinhosa com Nadia. Parecia sentir-se atraída por ela. Então achei que valia a pena lhe dar a oportunidade de expressar aquele afeto.

Pedi licença para tirar minha muito necessária soneca — sonhei que estava abandonado e nu num campo sem fim coberto de neve — e então as chamei para meu quarto a fim de assistirmos alguns filmes. Depois disso, dei início à massagem dupla de indução. E para minha surpresa funcionou novamente. No momento em que elas começaram a se beijar, as duas se devoraram como Isabel e Hea. Então, não havia sido apenas mero acidente na noite passada.

Ao contrário de Isabel, Nadia conduzia o trenó sem questões de ciúme. Quando penetrei Nadia, Barbara se ajoelhou atrás de mim e começou a lamber meu saco. Eu queria esperar para comer Barbara também, mas não houve como. O que estava acontecendo superava tanto as expectativas mais loucas que eu tinha quando ingressei na comunidade, que simplesmente não pude me conter. Não era mais possível. E acabei nunca fazendo sexo com Barbara.

Isso é que os AS chamam de um problema de qualidade.

Durante o último ano e meio, eu passara um bocado de tempo cuidando da minha aparência, minha energia, minha atitude e minha situação. Ainda assim, agora, quando todas essas qualidades se encontravam em seu nível mais baixo — aparentava ser e me sentia um merda —, eu tivera os dois dias mais sexualmente decadentes da minha vida. Havia uma lição a tirar: quanto menos você parece estar tentando, melhores são os resultados.

No dia seguinte, Herbal e eu estávamos sentados na sala de estar com uma tigela de pedras de gelo no colo, que esfregávamos no corpo a cada dois minutos para despertar nosso organismo e nos manter acordados. O processo de ajuste ao sono estava se revelando mais difícil do que tínhamos imaginado. Comecei a me preocupar, achando que estávamos desperdiçando nosso tempo. Afinal de contas, aquela dieta do sono não havia sido comprovada cientificamente.

— É melhor que haja um arco-íris no final desse túnel — balbuciei para Herbal. — Quero dizer, estamos buscando o pote de ouro ao final do arco-íris e sequer sabemos se ele existe, ou se o arco-íris tem de fato um fim.

Herbal pareceu espantado; eu o despertara de um microssono.

— Tive um sonho com minhocas de gelatina — ele disse, inarticuladamente. — Tinha alguém cortando ursinhos de gelatina em pedacinhos para fazer minhocas de gelatina.

Depois de mais dois ciclos de cochilo, minha cabeça começou a doer e meus olhos se recusavam a se abrir mais do que a metade. Tomávamos banho frio, dávamos tapas um na cara do outro, corríamos pela sala de estar, tentando acertar um ao outro com vassouras. Mas nada funcionava.

Quando apalpei meus dentes para verificar os brackets, soube que ultrapassara a fronteira da razão. Eu não usava aparelhos para os dentes desde a escola secundária.

— Vou dormir — disse Herbal finalmente.

— Não podemos — eu falei. — Se você for dormir, não conseguirei sozinho.

— Cuidado com os palitos de dente — ele me disse.

Estávamos perdendo a razão. Ele acabara de sucumbir num microssono. Sonho e realidade estavam se confundindo.

Mas depois de uma soneca de 20 minutos não consegui tirar Herbal da cama. Ele se recusava a abrir os olhos. Eu não podia continuar sozinho, então me arrastei até o segundo andar e mergulhei no sono mais doce da minha vida. E apesar de ter fracassado na experiência, eu alcançara um novo patamar na minha vida.

Sei que deveria ser humilde em relação à massagem dupla de indução e fazer de conta que tinha sido mais um passo para baixo no meu caminho de degradação. Mas descobrir o segredo de um *ménage à trois* era como achar a Pedra Filosofal da sedução. Tão logo o procedimento da massagem dupla de indução foi desenvolvido e partilhado, os AS de todo o mundo começaram a praticar o *ménage à trois*. Era como bater o recorde de velocidade. Aquela massagem, em última análise, garantiria minha primeira posição na lista dos AS de Thundercat pelo segundo ano consecutivo.

O Projeto Hollywood já era um sucesso.

Capítulo 3

E então Tyler Durden chegou.

Parecia ter se submetido a um bronzeamento artificial.

— Sei que não causei boa impressão em Los Angeles — disse ele, apertando minha mão. Desta vez, ele até me olhou nos olhos por um segundo.

Estava vestindo uma camisa elegante branca e preta, com cordas cruzadas na altura do peito, como um espartilho. Não era extravagante; era o tipo de camisa que eu poderia ter comprado.

— A inteligência social é algo que tenho dificuldades em adotar — continuou, acho que se desculpando. — Ainda estou me esforçando. Posso passar por um cara egocêntrico, quando me distraio. Não é legal. Suponho que deveria estar mais preparado para, como Mystery sempre diz, aprender a seduzir os homens.

Era humilde de sua parte. Ele fizera dezenas de workshops desde que nos conhecemos, e eu acompanhara seu progresso pela rede. Seus alunos diziam que, agora, ele concorria com Mystery em suas proezas de sedutor. Eu estava disposto a lhe dar uma segunda chance: talvez tivesse de fato feito algum esforço para melhorar. Era essa a idéia defendida pela comunidade, afinal de contas. Como ambos seguíamos para Las Vegas para atuar como parceiros de Mystery no workshop que ele daria no fim de semana, eu estava ansioso para saber se as histórias sobre suas proezas em campo eram verdadeiras.

Tyler seguiu para o quarto de Papa, com sua bolsa a tiracolo. Com a paixão recém-descoberta de Papa pelos negócios e a luta de Tyler Durden para ser o melhor artista da sedução da comunidade, eles formavam uma equipe perfeita.

Em nossa casa, agora, se encontravam os AS mais admirados. Claro, até onde consigo me lembrar, Tyler Durden nunca havia sido aceito como residente. Não havia espaço para mais ninguém. Contudo, Papa tomara a iniciativa de convidá-lo, convertendo um de nossos closets dos banheiros num quarto extra, colocando um colchão no assoalho.

Ainda não tínhamos móveis. Apenas um monte de almofadas que havíamos comprado para cobrir o chão da pista de dança. Naquela noite, Playboy trouxe um projetor para nos mostrar alguns filmes no teto e todos deitamos sobre as almofadas para assistir *Ânsia de amar*.

Em seguida, Tyler Durden me dirigiu a palavra.

— Seus arquivos têm sido realmente influentes no meu jogo — ele disse. Minhas mensagens sobre sedução haviam sido reunidas em um grande arquivo e colocados on-line junto com os de Mystery e de Ross Jeffries. — O que há de melhor no meu jogo eu extraí dali.

Era difícil escapar de uma conversa com Tyler Durden. Quando não estava praticando seu jogo, ele ficava falando sobre o assunto.

— Tenho experimentado dizer às pessoas que sou você, quando estou em ação — ele disse.

— O que você quer dizer com isso?

— Eu digo que sou Neil Strauss e que escrevo para a *Rolling Stone*.

— E consegue algum resultado com isso? — A idéia de aquele maluco convencido sair por aí dizendo às pessoas que era eu virou meu estômago, mas tentei agir com indiferença.

— Depende. Às vezes, acham que estou mentindo. Às vezes, as garotas dizem imediatamente: "Oh, meu Deus, a gente deveria sair junto." E outras garotas, quando conto a elas essa cascata, me dispensam, porque parece que estou me gabando.

— Deixe eu lhe dizer uma coisa. Eu escrevo há mais de uma década, e isso nunca me ajudou a levar sequer uma mulher para a cama. Escritores não são legais ou sexy. Não há nenhuma comprovação social só porque você está saindo com um escritor. Pelo menos, tem sido assim comigo. Por que você acha que eu ingressei na comunidade? Mas estou lisonjeado que você tenha tentado.

Naquele fim de semana, Tyler Durden, Mystery e eu fomos para Las Vegas. Papa havia inscrito dez alunos para Mystery, o que era um número excelente para um workshop previsto para seis pessoas. Nós os levamos ao Hard Rock Casino. Em geral, na primeira noite, os alunos observam os instrutores em ação.

Como AS, Tyler Durden tinha melhorado bastante, desde a última vez que o vira em Los Angeles, quando ele não conversou com mulher nenhuma. Quando o vi paquerando um grupo de moças, me aproximei e escutei. Ele estava falando sobre Mystery.

— Estão vendo aquele cara com uma cartola? — ele dizia para elas. — Ele precisa de um bocado de atenção, então ele diz coisas doloridas para as pessoas, só para fazê-las gostarem dele. Então, tentem animá-lo, pois ele precisa de ajuda.

Ele estava entregando o jogo de Mystery — neutralizando os negs.

— Ele gosta de fazer truques de mágica para que as pessoas o aceitem — prosseguiu ele. — Então sejam simpáticas e finjam que isso as deixa excitadas. Ele faz um bocado de festas de aniversário infantil.

Agora ele estava neutralizando os procedimentos de demonstração de valor de Mystery.

Depois de Tyler Durden se afastar do grupo, eu perguntei o que ele estava fazendo.

— Eu e Papa desenvolvemos um bocado de novas técnicas para tirar você e Mystery da jogada — ele respondeu.

— E o que você fala sobre mim? — perguntei, tentando fingir que não estava transtornado.

Tyler Durden começou a rir.

— Nós dizemos: "Aquele é o Style. Na verdade ele tem 45 anos, mas parece bem mais jovem. Ele é tão bonito. É uma espécie de Elmer Fudd."

Eu o encarei, perplexo. Ele estava fazendo um anti-MAG com seus colegas AS. Aquilo era diabólico.

— Você pode fazer o mesmo comigo — disse Tyler. — Pode dizer que eu pareço com o Pillsbury Doughboy.

Engoli minha repugnância e pensei: "O que o Tom Cruise faria?"

— Mas eu não quero fazer isso com você, cara — respondi, seguindo meu próprio conselho e lhe dando um grande sorriso, como se achasse aquilo muito engraçado. — Esta é a diferença entre nós: eu gosto de me cercar de pessoas que são melhores do que eu porque gosto de ser motivado e desafiado. Você, por outro lado, quer se tornar a melhor pessoa num ambiente eliminando quem seja melhor do que você.

— É, talvez você tenha razão — disse ele.

Mais tarde percebi que eu só tinha parcialmente razão. Tyler Durden gostava de eliminar a concorrência. Mas não antes de espremer toda informação útil dessas pessoas.

No restante do fim de semana, sempre que eu falava com alguém, homem ou mulher, Tyler Durden ficara rondando à minha volta, tentando descobrir as regras e os modelos por trás de tudo o que eu dizia e que me dava uma posição dominante no grupo. Ele estudara meu arquivo. Agora estava estudando minha personalidade. Logo ele, sem dúvida, saberia mais de mim do que eu mesmo. E depois, como ocorreu com os MAGs na Leicester Square, ele viraria minhas palavras e maneirismos contra mim.

Ao final da noite, vi duas gatas sentadas ao lado do balcão, no Peacock Lounge: uma morena alta e esquisita, com seios grandes incongruentemente falsos, e uma loura e baixa, com cara de sapeca, usando uma boina branca. Seu corpo era pequeno, roliço e curvado.

— A loura é uma estrela de filme pornô — disse Mystery. Ele era um especialista. — Chama-se Faith. Ela é sua.

Apesar do ano e meio que passara com a comunidade, apesar de ser supostamente o melhor, eu me sentia intimidado diante de uma linda mulher.

Meu antigo TFM estava sempre me ameaçando, sussurrando que tudo que eu aprendera estava errado, que estava venerando falsos deuses, que todo aquele jogo não passava de masturbação mental.

Mas me forcei a me aproximar assim mesmo, só para provar àquela vozinha TFM na minha cabeça que ela estava enganada. Assim que abri a boca, passei ao piloto automático.

Comecei com o quebra-gelo da namorada ciumenta.

Dei a mim mesmo uma restrição de tempo.

Lancei uns negs sobre sua voz rouca.

Fiz o teste da melhor amiga.

Sorriso em forma de C contra sorriso em forma de U.

Teste do PES.

— Há tantas coisas que posso aprender com você — disse Faith.

— Nós amamos você — se derramou sua amiga esquisita.

Elas estavam comendo nas minhas mãos. Eu não passo de um Elmer Fudd meio nerd, cuspindo as baboseiras que inventei, e aquelas duas garotas, cujos seios juntos pesam mais do que eu, estavam me encarando extasiadas. Não havia nada a temer. Nenhum outro cara ali tinha as ferramentas de que eu dispunha.

Preciso matar esse TFM interior. Quando ele vai morrer?

Fiz sinal para Mystery para me ajudar com os obstáculos. Assim que ele sentou-se ao lado da esquisitona, voltei ao piloto automático.

Evolução de troca de fase.

Odor.

Puxar cabelo.

Morder o braço.

Morder o pescoço.

— Qual a nota que você merece, quando se trata de beijar, de 1 a 10?

De repente, Faith pulou da cadeira.

— Estou ficando muito excitada — ela disse. — Preciso ir embora.

Não consegui entender se ela estava apenas dando uma desculpa, porque eu cometera algum engano num dado momento, ou se eu era realmente bom demais.

Aproximei-me de um outro grupo ali perto — duas hippies. Logo fui aceito. Dez minutos de conversa, porém, e Faith reapareceu, segurou minha mão e disse: "Vamos até o banheiro."

Fomos até o toalete do Peacock Lounge e ela abaixou a tampa do vaso e me fez sentar. Enquanto desabotoava minha calça, ela disse: "Você me deixa muito excitada, intelectual e sexualmente."

— Eu sei — respondi.

— Como?

— Senti a noite toda que havia uma conexão entre nós. Mesmo quando eu estava conversando com aquelas duas garotas, vi que você estava olhando para mim.

Ela se ajoelhou no chão, envolveu com a mão meu pau ainda flácido e o colocou dentro da boca. Mas eu não consegui uma ereção. Fiquei surpreso.

Levantei e a pressionei contra a parede bruscamente. Segurei seu pescoço com as mãos e a beijei, como eu vira Sin fazer com uma mulher na sua casa, quando eu ainda era um TFM. Depois retirei sua calça, fiz com que sentasse sobre o vaso, deixando-a próxima do orgasmo; mas ela de repente mudou de posição e voltou a chupar meu pau.

— Quero que você goze na minha boca — ela disse.

Mas eu ainda não tinha conseguido uma ereção. Isso nunca me acontecera antes. Quero dizer, fiquei de pau duro agora, me lembrando disso.

— Quero penetrar você — falei para ela, num último esforço para fazer meu sangue fluir para o lugar certo.

Ela se levantou e se virou. Retirei uma camisinha do bolso e pensei em todas as mulheres lindas que eu abordara naquela noite. Meu pau começou a ficar duro. Ela sentou-se sobre mim, suas costas contra minha barriga, que é a pior posição para um pau parcialmente duro. Assim que eu estava a meio caminho dentro dela, o pau amoleceu novamente. Não conseguia saber se era por causa dos dois uísques com Coca-Cola que bebera naquela noite, se era pela falta das preliminares, o fator intimidação por me encontrar com uma estrela de filme pornô, ou pelo fato de ter me masturbado mais cedo naquele dia.

Quando saímos do banheiro, a metade dos alunos estava lá esperando um relatório sobre a trepada. Uma das hippies com quem conversara antes entrou no banheiro e voltou com minha camisinha embrulhada num lenço de papel. Todos estavam celebrando uma façanha que não acontecera de fato.

Eu não consegui olhar nos olhos de Faith depois disso. Eu havia feito pose de um cara misterioso, fascinante e sexualmente vigoroso. E agora, na hora da verdade, as mentiras me esmagavam, revelando um magricela careca com o pau broxa.

Capítulo 4

Na última noite do workshop de Las Vegas, Tyler Durden ganhou uma recepcionista chamada Stacy no Hard Rock Café. Era uma loura vampiresca que gostava de nu-metal. Quando seu turno terminou, Stacy nos encontrou no cassino e trouxe com ela sua companheira de quarto, Tammy, que possuía uma beleza serena, era gordinha e exalava um odor de chiclete.

Eu estava usando um casaco ridículo de pele de cobra; Mystery usava sua cartola e botas de salto alto, calça preta e uma camiseta preta com um letreiro digital vermelho com a palavra "Mystery" escrita no peito. Mesmo para Las Vegas, ele estava espalhafatoso.

Em poucos minutos, Tyler Durden estava fazendo um anti-MAG de Mystery para Stacy.

— Ele se veste dessa maneira e as pessoas acham graça — ele lhe disse. — Eu sempre lhe digo que não precisa agir assim para as pessoas o aceitarem.

Os alunos vagavam pelo ambiente para falar com as mulheres e eu me encostei no balcão para observá-los. Depois de um tempo, Stacy se aproximou de mim. Ela estivera me assistindo, enquanto eu realizava o workshop, e observando minha pura comprovação social (comande os homens e você comandará as mulheres), ficou interessada. Enquanto conversávamos, ela criou um contato visual comigo. Seus dedos brincavam com os cabelos. Ela procurava desculpas para tocar no meu braço. Ela se inclinava sobre mim quando eu me afastava. Lá estavam todos os IDI. Eu podia sentir o ar formigando ao nosso redor, como sempre acontece quando um beijo está acumulando energia.

Eu sabia que aquilo era errado. Ela era a garota de Tyler Durden. Existe um código de ética entre os AS: o primeiro a se aproximar de um alvo tem a preferência, até que a garota se submeta ou que o AS desista. Mas um AS também não deve fazer um anti-MAG com seu parceiro. Se Tyler Durden estava dizendo para as mulheres que eu era Elmer Fudd, então Elmer Fudd podia caçar seus coelhos.

Afaguei seus cabelos e ela sorriu.

Perguntei se ela gostaria de me beijar.

Ela disse que sim.

Então nos beijamos.

Então, um clarão de cabelos louro-avermelhados surgiu no meu campo de visão. Era o sr. Pisa na Bola. E estava puto.

— Vem comigo — disse Tyler Durden, agarrando o braço dela.

Eu comecei a me desculpar. O que eu tinha feito estava errado, e eu sabia, obviamente. Mas quando aquela bolha de atração e paixão se desenvolve entre você e uma garota, a lógica vai para o espaço e o instinto assume o comando. Eu tinha estragado tudo. Claro, ele fizera um anti-MAG em relação a mim. Mas duas ações erradas não resultam numa coisa certa. Eu me senti muito mal.

No entanto, meu consolo não estava longe dali. Tyler levou Stacy para nosso quarto de hotel deixando a amiga dela, Tammy, para trás. Em cinco minutos estávamos nos beijando. Eu não conseguia acreditar como era fácil. Ela era a sexta garota que se entregava para mim naquele fim de semana.

Mystery, enquanto isso, conquistara uma stripper escassamente vestida chamada Angela que, em suas estimativas, era nota 10,5. Então resolvemos encerrar o workshop — eram 2h e os alunos tinham tido o bastante pelo dinheiro que gastaram — e levamos nossas garotas para um clube noturno chamado Dre's.

Quando caminhávamos até o ponto de táxi, Mystery parou e olhou para si mesmo no espelho do cassino.

— A vitória é deliciosa — disse ele, sorrindo para seu reflexo, que retribuiu o sorriso.

Dentro do táxi, Angela sentou-se no colo de Mystery, olhando para ele, a saia puxada para cima. Antes mesmo de sairmos do estacionamento, eles estavam se agarrando. Ela mordeu os lábios antes de começarem a se beijar. Cada vez que suas bocas se separavam, ela soltava um doce lamento. Ela chupou os dedos dele. Estava fazendo uma performance para ele, para nós, para todos na rua e para Deus, lá em cima. Todos por quem passávamos gritavam e assobiavam. Em resposta a isso, ela se curvou para trás e puxou a calcinha branca para o lado, revelando seus pêlos pubianos aparados na forma de uma lágrima perfeita. Mystery enfiou um dedo nela. Ele estava examinando. Ela estava aprovada. Ambos estavam prontos. Formavam um par perfeito, ignorando completamente um ao outro.

Às 5h, quando Angela voltou para Los Angeles, Mystery, Tammy e eu tomamos um táxi e voltamos para o quarto de hotel que estávamos dividindo com Tyler Durden, no Luxor. Desabei na cama com Tammy e começamos a nos beijar. Mystery estava na outra cama. Tyler na poltrona, com Stacy no colo.

Tammy retirou a blusa e o sutiã e então eu abaixei minha calça. Ela agarrou meu pau e começou a esfregá-lo para cima e para baixo, com um movimento do pulso. Sua boca foi ajudar as mãos. Desta vez meu equipamento funcionou sem problema. Acho que a combinação de uísque, atriz pornô e banheiro tinha sido clichê demais, até mesmo para mim.

Tammy tirou a calça e eu peguei uma camisinha no bolso. Mas depois de um minuto dentro dela eu parei. Os rapazes estavam lá. Estavam nos observando, ou talvez estivessem tentando não olhar. Eu não tinha a menor idéia; estava com medo de olhar para eles. Eu nunca havia feito sexo com outros caras dentro do quarto, muito menos com AS.

Tammy não parecia ter o menor escrúpulo quanto a isso. De qualquer forma, peguei-a e levei-a para o banheiro e abri o chuveiro. Apertei-a contra a porta do boxe, pressionando seus seios contra o vidro, e a comi por trás. Cinco minutos depois, a porta do banheiro foi escancarada e um flash espocou. Mystery, Tyler Durden e Stacy estavam lá, tirando fotografias.

Tudo que pensei foi: "Vão usar isso contra mim." Só mais tarde me dei conta de que estavam apenas querendo uma lembrança daqueles momentos incríveis em Las Vegas. Assim como ocorrera com o artigo no *The New York Times*, eu era o único a me preocupar com aquela exposição. Eles estavam apenas se divertindo à minha custa. Era preciso que eu enfiasse na minha cabeça que aqueles caras não estavam nem aí para o escritor Neil Strauss. Estavam tão entranhados na comunidade que nada que viesse de fora os preocupava ou parecia real. Os jornais só apareciam no radar deles se falassem sobre os hábitos de acasalamento de animais num artigo científico. Se houvesse um desastre em algum lugar do mundo, aquilo seria apenas material para um procedimento de como aproveitar o momento, pois ninguém sabia o que poderia acontecer depois.

Em seguida, as garotas nos convidaram para tomar o café-da-manhã na casa delas. Fizemos nossas malas e fomos até seu apartamento, onde comemos o melhor bacon com ovos de nossas vidas. Tyler Durden e Mystery sentaram no sofá e conversaram abertamente sobre o negócio da sedução. Pude ver que estavam começando a se estranhar. Mystery não parava de tratá-lo como um antigo aluno; Tyler Durden sentia que havia superado seu mestre e estava apresentando um método totalmente novo e original de sedução.

O sol surgiu e eu não estava a fim de falar sobre sedução, quando tinha uma garota de verdade com quem poderia estar transando. Então Tammy me levou até seu quarto e chupou meu pau. Depois, eu dormi durante duas horas, antes de pegar o avião e voltar para casa.

Havia alguma coisa em relação à sua cama — a maneira como ocupava o quarto, sua brancura imaculada, a suavidade dos lençóis, a espessura dos travesseiros, as colchas esticadas sobre o colchão — que era inebriante. Eu sempre adorei os quartos de mulheres. São suaves e têm um cheiro doce, como deve ter o paraíso.

Capítulo 5

Mystery e Tyler Durden só sairiam de Las Vegas à noite, então ficaram com as garotas e eu tomei um táxi sozinho para o aeroporto. No vôo de volta para casa, tive um sonho:

Eu conquisto uma mulher e vou para a casa dela. Ela me leva até seu quarto e tenho de enfrentar uma resistência de última hora durante um tempão. A noite toda, fica naquele puxa e empurra, submissão e resistência. Finalmente, desisto e vou dormir.

De manhã, estou sentado num sofá da sua sala. A garota que mora com ela, uma latina com batom vermelho chamativo, saracoteia e diz: "Lamento, minha colega não está a fim de sexo, mas você pode ficar comigo, se quiser."

Ela senta no sofá e abre as pernas. Não está usando nada abaixo da cintura. Ela repete a oferta. Eu aceito.

Seu batom mancha meu rosto enquanto nos beijamos. Mas quando chega a hora de fazer sexo, embora meu pau pareça duro, não está bem rígido. Tenho a impressão de estar enfiando um muffin dentro dela.

Em seguida, meu alvo inicial aparece. É assim que eu a chamo em meu sonho: meu alvo. Tento esconder minha boca manchada de batom quando ela se aproxima. Posso ouvir sua amiga rindo em algum lugar atrás de mim. E sei que acabei de fracassar num teste programado, enganando a mulher que me levou até ali. Agora, ela nunca vai gostar de mim, pois sabe como eu sou realmente.

Naquela noite, as duas dão uma festa. Mystery está dando em cima do meu alvo. Ele lhe oferece um abridor de porta de garagem. Quando ninguém está olhando, eu o apanho e saio. Fico apertando o abridor na mão, imaginando que uma porta se abrirá em algum lugar, com um presente espetacular para ela.

Enquanto estou indagando, Mystery vem para fora procurar a garota. Acontece que o presente era parte do procedimento — um modo de fazer com que ela saísse de casa secretamente. Apertando um botão, eu acabei chamando Mystery. Desço correndo pela rua a toda velocidade, mas em segundos Mystery consegue me alcançar. Suas pernas são tão compridas que eu não chego a ser um desafio para ele.

— Estou pau da vida com você por ter dado em cima do meu alvo — eu lhe digo.

— Você teve sua chance com ela e não aconteceu nada — responde ele. — A janela se fechou, agora é minha vez.

Quando eu acordo, consigo entender a parte do meu sonho sobre o teste. Eu falhei ao beijar o alvo de Tyler Durden. E depois de meu desastre com a atriz pornô, a impotência se explica por si mesma. Mas não consegui entender a parte em que Mystery dá em cima do meu alvo — isso é, até eu voltar para casa e Mystery me telefonar.

— Espero que não se importe — diz ele —, mas Tammy acabou de me pagar um boquete e engoliu todo meu gozo.

Em algum lugar, dentro do estômago dela, meu esperma se mistura com o de Mystery.

— Eu não me importo — digo. E não me importava mesmo. Faz parte da amizade, uma competição divertida entre AS. — Apenas não esqueça que eu fui o primeiro.

Tyler Durden, contudo, não vê as coisas assim. Para ele não se tratou de uma competição divertida. Era sua vida.

Ele nunca me perdoaria por ter tirado um sarro com seu alvo.

Capítulo 6

A questão era as mulheres; o resultado, os homens.

Em vez de modelos em biquínis tomando sol no Projeto Hollywood o dia todo, o que tínhamos eram adolescentes metidos, executivos de óculos, estudantes gorduchos, milionários solitários, atores esforçados, taxistas frustrados e programadores de computador — um bocado de programadores. Eles entravam pela porta como TFM e saíam conhecendo o jogo.

Todas as sextas-feiras, quando eles chegavam, Mystery, ou Tyler Durden, ficava diante da pilha de almofadas e lhes ensinava quase sempre os mesmos quebra-gelos, dicas de linguagem corporal e procedimentos de demonstração de valor. No sábado à tarde, todos iam fazer compras em Melrose. Compravam as mesmas botas plataformas, camisas listradas pretas e brancas com franjas nas laterais. Compravam os mesmos anéis, colares, chapéus e óculos escuros. Depois iam se bronzear.

Estávamos criando um exército.

À noite, eles desciam para Sunset Strip, como um enxame de abelhas. Mesmo quando o workshop e o seminário acabavam, os alunos ficavam pelas boates do Sunset meses a fio, praticando o jogo. Dava para identificá-los de longe pelas botas e franjas das camisas. Ficavam em grupos, zanzando em busca de mulheres e enviando emissários para dizer: "Ei, preciso de uma opinião feminina sobre um assunto."

Até nas noites em que não havia workshops, os caras, com suas roupas extravagantes, vindos de um raio de 150 quilômetros, se reuniam em nossa sala de estar até a hora de ir embora. Às 2h30, eles se rencontravam outra vez — ou acompanhados de garotas bêbadas e risonhas de Orange County, que levavam para a jacuzzi, para a varanda, para os closets e para a pilha de almofadas, ou então de mãos vazias, examinando suas abordagens até de madrugada. Não paravam de falar sobre o assunto.

— Sabe por que minha habilidade é melhor do que a de todos os meus amigos? — disse Tyler Durden certa tarde, ao sentarmos a uma mesa do Mel's. — Por uma simples razão.

— Você é mais sensível? — perguntei.

— Não, porque eu ajo rápido! — disse ele cheio de si.

Ele queria dizer com isso que bombardeava a garota com frase após frase, procedimento atrás de procedimento, sem sequer esperar uma resposta.

— Outra noite, uma garota estava fugindo e eu gritei um procedimento para ela. Ela voltou feito um bumerangue. Não me importo com as convenções sociais. Eu saio esmurrando. Tem que ser assim. É imbatível.

— Eu não faço isso — eu lhe disse.

Havia caras que conquistavam namoradas perseguindo-as até que elas se cansavam e concordavam com um encontro. Mas eu não era um perseguidor. Tampouco saía esmurrando. Tudo o que fazia era lhe dar a oportunidade de gostar de mim, e ela gostava ou não. Geralmente sim.

— Você fica forçando, forçando e isso não pode funcionar — prosseguiu Tyler Durden. — Se a garota fica puta comigo, eu mudo meu tom de voz e me desculpo, dizendo que não sou socialmente ajustado.

Eu observava Tyler Durden falando. Pois, apesar de toda sua conversa sobre mulheres, raramente eu o via com uma.

— Talvez, a razão pela qual eu não consiga muitos relacionamentos — disse ele, quando saímos do restaurante — é que eu não gosto de sexo oral.

— Dar ou receber?

— Ambos.

Foi aí que me dei conta de que Tyler Durden não estava na comunidade para ir para a cama com as mulheres. Era o poder que o motivava.

As motivações de Papa eram mais difíceis de determinar. Originalmente, ele entrara no jogo por causa das mulheres. Quando nos mudamos para o Projeto Hollywood, ele considerou transformar seu quarto numa toca de sultão equipada com alta tecnologia e um harém ao alcance de um telefonema. Falou em conseguir uma cama que fosse como um trono, um centro de entretenimento doméstico para os ricos, um bar ao lado da lareira e cortinas penduradas do teto.

Mas não foi nisso que seu quarto se transformou. Quando voltei do Mel's com Tyler Durden, Mystery estava no quarto de Papa, discutindo.

— Você está dando mais alunos para Tyler Durden do que para mim — Mystery dizia.

— Estou tentando fazer com que funcione para todos — protestou Papa. Aquela expressão parecia mais vazia a cada vez que ele a usava.

Quando olhei para seu quarto, fiquei assustado. Quase não havia móveis, apenas sacos de dormir e travesseiros no chão. As mulheres têm um nome para quartos assim: fim de caso.

— Quem está morando aqui? — eu perguntei.

— Alguns caras do VDS.[11]

— Quantos?

— Bem, neste momento, Tyler Durden e Sickboy estão dentro do closet no meu banheiro. E três recrutas do quartel estão dormindo no quarto.

— Para alguém ficar aqui por mais de um mês, ele tem de ser aprovado por todos, conforme concordamos na reunião. Já tem gente demais nesta casa.

— Fantástico — disse Papa.

— Se estão usando os recursos da casa, deveriam estar pagando — disse Mystery.

Papa olhou para ele com ar confuso.

— Não consigo falar com esse cara — Mystery disse para mim. — Ele fica sentado olhando para você e diz: "Fantástico." Ele é passivo demais.

— Isso não é verdade — reagiu Papa. — Você acha que pode me tratar assim porque eu era um antigo aluno. — Eu nunca vira Papa transtornado antes. Ele não se exaltava, como a maioria das pessoas; em vez disso, sua voz ficava abafada. Em algum lugar dentro dele, havia uma pessoa emotiva e verdadeira esperando ser libertada.

Depois daquele dia, Papa parou de entrar em casa pela porta da frente. Em vez disso, para evitar Mystery, ele dava a volta até o pátio e subia pela escada que levava até uma porta no seu banheiro. Todos os seus convidados faziam a mesma coisa.

---

[11] Abreviatura para Verdadeira Dinâmica Social. Ver Glossário.

Capítulo 7

Meu pai morreu quando eu tinha 40 anos
E eu não consegui sequer chorar
Não porque não o amasse
Não porque ele não tentasse
Eu já chorara por coisas menores
Uísque, sofrimento e beleza
Mas ele merecia uma lágrima melhor
E eu não estava pronto para isso

A música soava dentro da sala de estar. Mystery estava deitado sobre a pilha de almofadas com seu computador sobre o peito. Estava tocando *The Randall Knife*, de Guy Clark, sem parar.

Parecia carente de atenção. Então me aproximei para lhe dar um pouco.

— Meu pai morreu — disse ele, com uma voz fria. Era difícil dizer se estava triste ou não. — Estava na hora. Aconteceu muito rápido. Teve mais um ataque, depois morreu, hoje às 10h.

Sentei-me ao seu lado e o ouvi falar. Ele era um observador passivo de si próprio, desconstruindo analiticamente suas emoções à medida que as sentia.

— Embora estivesse preparado para isso, é estranho. É como quando Johnny Cash morreu. Você sabia que ia acontecer, mas ainda assim foi um choque.

Mystery odiara o pai durante a vida toda e inúmeras vezes desejou sua morte. Mas, agora que acontecera, não sabia como se sentir. Parecia confuso por sentir-se um pouco triste, apesar de si mesmo.

— As únicas vezes que nos sentíamos próximos eram quando aparecia uma mulher gostosa na tevê — disse ele. — Aí ele olhava para mim e eu olhava para ele e, silenciosamente, a apreciávamos juntos.

Alguns dias depois, realizamos a primeira Conferência Anual dos Artistas da Sedução. AS de todos os cantos do mundo vieram se apresentar e centenas de TFM se reuniram em nossa sala de estar. Nossos co-locatários Playboy e Xaneus, que Papa e Tyler Durden estavam treinando para se tornarem instrutores, abriram a sessão.

Enquanto Playboy falava sobre linguagem corporal, eu me lembrei de Belgrado e do primeiro workshop que realizei com Mystery. Lembrei-me de Exoticoption e Sasha, supertranqüilos, passeando pela rua, e do humor de Jerry. Eu adorava aqueles caras. Eu me preocupava com eles. Queria que conseguissem transar com as mulheres. Enviei e-mails para eles durante meses depois, verificando seu progresso.

Agora, eu olhava pela sala e via indigência, fome e desespero. Uns caras carecas com cavanhaques — miniversões e versões ampliadas de mim mesmo — me pediram para tirar foto com eles. Outros, bonitos, que podiam ter sido modelos, clamavam por conselhos sobre penteados e roupas, e depois me pediam para tirar minha foto também.

Dois irmãos com pinta de bandidos — ambos virgens — trouxeram a irmã. Era uma menina com cara de levada, de seus 19 anos e olhos grandes, seios gelatinosos e vestida à moda hip-hop. Graças aos irmãos, ela conhecia tudo sobre o jogo. Quando os caras a abordavam com frases arrogantes e engraçadas, ela dizia para eles: "Não vem com esse papo de David DeAngelo pra cima de mim. Já conheço essa história." Ela se apresentou como sendo Min, depois pediu para que eu posasse numa foto com ela.

— Sou uma grande fã de seus posts — disse ela.

— Você os leu? — perguntei, surpreso.

— Claro — respondeu, mordendo o lábio.

Para minha apresentação, eu trouxera cinco das garotas com quem andava saindo. Apliquei uns procedimentos nelas e as usei como um painel de especialistas para criticar as roupas e a linguagem corporal de vários pretensos AS na platéia. Fui amplamente aplaudido.

Em seguida, sentei em nosso recém-comprado sofá vermelho-sangue, ao lado de Papa, Tyler Durden e alguns de seus alunos. Estavam discutindo o vídeo de Mystery e eu seduzindo Caroline e Carly. Não sei como, Gunwitch se apoderara dele e o colocara na Internet, despedaçando o que restava do meu anonimato.

— É genial — Papa estava dizendo. — Tyler Durden transformou em ciência tudo o que Style faz. Ele chama isso de Stylemag.

— Como é que é? — perguntou um dos alunos.

— É um tipo de controle de estrutura — respondeu Tyler Durden. A estrutura é um termo PNL: é a perspectiva pela qual alguém vê o mundo. A estrutura, ou realidade subjetiva, do mais forte tende a dominar uma interação. — Style possui todos esses modos realmente sutis de manter o controle da estrutura fazendo com que as pessoas se qualifiquem para ele. Ele se certifica de que o foco esteja sempre sobre ele. Estou escrevendo um post sobre isso.

— Isso é espantoso — eu disse.

De repente, Papa, Tyler Durden e os alunos começaram a rir.

— Esse é o tipo de coisa que você faz — disse Papa. — Tyler está escrevendo sobre isso.

— O quê? Eu só disse "espantoso". É por isso que acho hilariante. Sério, mal posso esperar para ler.

Eles riram novamente. Evidentemente, eu estava aplicando neles um Stylemag.

— Está vendo — disse Tyler Durden. — Você usa a curiosidade como uma estrutura para conseguir harmonia e fazer a outra pessoa perder valor social. Quando você demonstra aprovação assim, isso lhe dá autoridade e faz com que os outros queiram buscar sua confirmação. Estamos ensinando isso.

— Bobagem — eu respondi. — Agora, toda vez que eu disser alguma coisa, as pessoas vão pensar que estou aplicando um procedimento da Verdadeira Dinâmica Social.

Eles começaram a rir novamente. E foi então que eu percebi que estava fodido: aquilo tudo que Tyler Durden estava escrevendo não era nada do que eu aprendera na comunidade. Aquilo era parte de mim e de quem eu era de verdade. E embora ele tivesse entendido mal minhas intenções — aquela era sua estrutura, seu modo de ver o mundo —, ele apreendera meus maneirismos. Ele estava apanhando os fundamentos da minha personalidade, dando-lhes nomes e os transformando em procedimentos. Ele ia acabar pegando minha alma e iria espalhá-la pela Sunset Strip.

Capítulo 8

No último dia da conferência, Mystery teve uma idéia explosiva: aumentaria o preço de seu workshop de 600 para 1.500 dólares. Queria que Papa alterasse o website para refletir o aumento.

— Isso não faz sentido — protestou Papa. — O mercado não vai suportar isso.

Papa já praticamente não saía mais. Em vez disso, passava as noites trabalhando no site da Verdadeira Dinâmica Social e programas afiliados na Internet. Desde que havíamos nos mudado para aquela casa, eu só o vira com uma mulher uma única vez.

— É meu método — disse Mystery. — As pessoas vão pagar. Já pensei em tudo.

— Não é praticável. — Papa disse isso olhando na direção do peito de Mystery. Ele não gostava de confronto.

— Isso é inaceitável!

Mystery saiu andando pesadamente pela sala de estar, onde Extramask estava fazendo sua apresentação. Extramask chegara uma semana antes do seminário e estava dormindo em algum lugar da casa — eu não sabia ao certo onde, já que Papa não tinha mais espaço nos closets para enfiar as pessoas. Eu mal conversara com Extramask desde sua chegada. Ele estava sempre no quarto de Papa trabalhando para a Verdadeira Dinâmica Social, ou servindo de parceiro para Tyler Durden, ou então na rua.

Observei-o por alguns minutos. Ele vestia um casaco de couro agora, com uma camiseta rasgada por baixo e uma gravata frouxa. Estava falando para os alunos que só perdera a virgindade — e segurara a mão de uma garota — com 26 anos e meio. Ele também se tornara um guru. E, nesse processo, ele perdera a inocência de quando o encontramos pela primeira vez.

— Eu faço um bocado de coisas com meu celular, e ele nem funciona — disse ele com o aparelho na mão. — Fico falando, fingindo que sou o cara, especialmente quando não estou à vontade numa boate. Seu telefone celular é seu melhor parceiro.

Extramask fez uma excelente apresentação com seu senso de humor excêntrico. Gostaria que ele tivesse passado mais tempo trabalhando na sua carreira de comediante em vez de ensinar sedução. Diferente de Mystery e Tyler Durden, ele não nascera para aquilo.

Segui Mystery até a cozinha. Ele estava debruçado no balcão, esperando por mim.

— Papa tem feito workshops nas minhas costas — disse ele, irado. — Me disseram que o viram no Highlands com seis caras no fim de semana passado.

Pulei sobre o balcão e fiquei sentado de modo que nossos olhos se mantivessem no mesmo nível.

— Deixe eu contar a você o que mais está acontecendo — disse ele.

Pensei que ele ia se queixar de Papa, mas em vez disso estava a fim de falar sobre Patricia. Ela estava saindo com um cara afro-americano que conhecera num clube de strip-tease, e agora estava esperando um bebê dele. E embora não tivesse planos de se casar com ele, ela queria ficar com a criança. Seu relógio biológico estava disparando.

— Estou tentando ver isso de uma forma objetiva — prosseguiu Mystery, sentando numa cadeira ao lado da mesa que ninguém usava. — Não estou aborrecido. Mas estou magoado. Estou com vontade de matar o bebê e matar o cara.

Dentre as leituras necessárias de todo AS estavam livros sobre teoria evolutiva: *The Red Queen*, de Matt Ridley, *O gene egoísta*, de Richard Dawkins, *Guerra do esperma*, de Robin Baker. Basta lê-los para entender porque as mulheres gostam dos panacas, porque os homens querem tantas parceiras sexuais e porque tantos homens traem suas esposas. Ao mesmo tempo, porém, você entende que os impulsos violentos que a maioria de nós reprime com sucesso são de fato normais e naturais. Para Mystery, um darwinista inato, esses livros lhe deram uma justificativa intelectual para suas emoções anti-sociais e seu desejo de ferir o organismo que se acasalara com sua mulher. Não era uma coisa saudável.

Tyler Durden entrou na cozinha e viu Mystery cabisbaixo à mesa.

— Então, sabe o que você precisa fazer? — ele perguntou a Mystery. — Você precisa sair à caça.

Caçar era a solução de Tyler Durden para tudo: ele realmente acreditava nisso. Conquistar as mulheres era a cura para todos os problemas — depressão, inércia, animosidade, dores de barriga, piolhos. Embora eu tivesse me mudado para aquela casa para criar um estilo de vida, para Tyler Durden a caça era o único estilo de vida. Ele nunca saía para encontros. Em vez disso, levava as mulheres para as boates em Sunset e geralmente as dispensava para paquerar outras garotas.

— Você precisa sair de casa — continuou Tyler. — Saia com Style hoje à noite. Vocês têm um jogo infalível. Vocês podem encontrar novas namoradas duas vezes mais gostosas do que Patricia.

Em seguida, os irmãos virgens entraram na cozinha, com a irmã, Min, e um AS de cabeça raspada de reboque. Parecia que sempre que eu estava numa convenção, um pequeno grupo se reunia e eu acabava tendo que ouvir elogios.

— Você fez a melhor apresentação do dia — disse o AS careca. — Você foi tão gentil e elegante com aquelas garotas. Foi como assistir a uma linda dança coreografada.

— Obrigado. Qual é o seu nome?

— Eu sou o Stylechild.

Pela primeira vez em meses, eu não soube o que dizer.

— Escolhi esse nome em sua homenagem.

Quando ele me contou sobre sua vida azarada e sua descoberta da comunidade e meus posts, vi Min me olhando de um jeito malicioso. Conscientemente, tomei a decisão de não cortejá-la, pois era isso que todos os caras do seminário estavam fazendo. Além das garotas que eu usara em minha apresentação, ela havia sido a única mulher na casa durante todo o fim de semana.

Naquela noite, no Saddle Ranch, os olhos de Min continuavam fixos em mim. Eu precisava dizer alguma coisa, mas precisava ser algo que ela não tivesse lido on-line ou ouvido de seus irmãos.

— Ouça — eu lhe disse finalmente —, estou pensando em me inscrever para cavalgar o touro mecânico. Por que você não vem comigo?

Isso não era uma frase feita: eu estava de fato a fim de cavalgar. De várias maneiras, aquela atividade me lembrava o jogo. Havia 11 estágios, desde o ridiculamente fácil até o diabolicamente difícil. E desde que colocara os olhos naquele touro, minha meta havia sido tentar o estágio mais difícil — o 11 mítico. Até então, eu só conseguira chegar até o 10.

Era uma ambição totalmente insensata, sem nenhuma aplicação prática. Mas basta fazer um homem médio sentar em frente de alguma coisa meio intrigante e explicar-lhe que existe um sistema de classificação em que ele pode ir melhorando com o tempo, e ele se tornará obcecado. Daí a popularidade dos videogames, das artes marciais, do RPG e da comunidade de sedução.

Pedi ao vaqueiro para colocar a máquina no nível 11, dei-lhe uma gorjeta de cinco dólares para me certificar de que ele não pegaria pesado comigo, passei pelo portão e montei no touro. Eu estava usando calça de couro — não para me mostrar, mas para me ajudar a ficar colado às laterais da máquina. Na primeira vez que eu cavalgara, minhas coxas ficaram roxas no dia seguinte, e eu mal podia andar. Entendi como uma mulher devia se sentir após trepar com um cara de 150 quilos.

Instalei-me com firmeza na sela, apertei minhas pernas contra o flanco do touro e ergui a mão, fazendo sinal de que estava pronto. Num instante, a máquina ganhou vida, fazendo meu corpo vibrar tão rapidamente que perdi o foco da visão. Lembro a impressão de que meu cérebro estava saindo fora do meu crânio, meus quadris sacudindo como nunca, minhas pernas se soltando, minhas juntas se movendo violentamente sobre a sela no ritmo do touro. Mas exatamente quando estava quase caindo para o lado, o touro parou. Eu conseguira me segurar sobre ele durante sete segundos.

No começo, fiquei orgulhoso, me sentindo como se tivesse conquistado algo — muito embora aquilo não fosse nada. Não mudaria minha vida, ou a vida de ninguém à minha volta tampouco. Comecei a pensar por que dera tanta importância àquilo. Em poucos minutos, me senti tomado de remorso.

Em seguida, Min disse que estava cansada e me pediu para acompanhá-la de volta até o Projeto Hollywood.

Voltando devagar para casa, de braços dados, ela me falou sobre seus irmãos mais velhos e de como era difícil para eles aprender o jogo.

— Eles são muito protetores e ficam loucos quando saio com alguém — ela disse. — Mas acho que ficam com ciúmes porque eles não conseguem sair com ninguém.

Quando voltamos para o Projeto Hollywood, levei-a para a jacuzzi.

— Meu último namorado era um cara supergentil que fazia tudo para me agradar — prosseguiu ela. — Mas eu não gostava dele. Ele me deixava nervosa. Depois que comecei a ler o material de sedução dos meus irmãos, entendi por que não me sentia atraída por ele ou por qualquer outro cara na escola. Eles são muito maçantes. Não sabem como ser arrogantes, engraçados.

Eu me despi, ficando só de samba-canção, e pulei dentro da água, aliviando as dores que o touro me deixara. Ela entrou na banheira só de calcinha e sutiã. Seu corpo era magro e delicado, como o de uma marionete. Segurei suas mãos e a puxei na minha direção. Ela montou sobre minhas pernas e começamos a nos beijar. Tirei seu sutiã e coloquei a boca nos seus seios. Depois, carreguei-a nua e molhada para meu quarto, coloquei uma camisinha e penetrei-a lentamente. Não houve RUH. De tanto olharem para mim, seus irmãos a haviam lançado nos meus braços.

Ela foi minha primeira groupie. E não seria a última. Toda essa história de AS estava ficando grande demais. Com tantos novos empreendimentos de sedução concorrendo agressivamente, fazendo anúncios na Internet, a comunidade estava crescendo exponencialmente, sobretudo no sul da Califórnia, onde a Sunset Strip estava se transformando diante de nossos olhos.

Nenhuma mulher estava segura. Workshops de 15 alunos vagavam pela cidade, como gangues. Bandos de antigos alunos patrulhavam todas as boates — a Standard Dublin's, a Saddle Ranch, a Myagi's. Quando os bares fechavam, às 2h, todos invadiam o Mel's, instalando-se em qualquer mesa onde houvesse uma mulher. Levavam mulheres para casa aos montes.

E todos estavam usando meu material. Praticavam o Stylemag e aplicavam o quebra-gelo do teste da melhor amiga como se fossem abelhas. Em toda boate, eu via suas cabeças raspadas, seus cavanhaques diabólicos, seus sapatos parecidos com os que eu tinha comprado na semana anterior. Mini-eus por todos os lados. E não havia nada que eu pudesse fazer em relação a isso.

Capítulo 9

GRUPO MSN: Lounge de Mystery
ASSUNTO: Minha programação de abordagem
AUTOR: Adonis

Depois de ser despedido do meu emprego (por passar tanto tempo no Lounge), me mudei para L.A. na semana passada a fim de me dedicar integralmente a dominar o jogo. Sempre me senti um estranho por ser virgem e uma espécie de nerd de computador, então escolhi o sábado e decidi realizar cem abordagens num único dia. Vou começar no Melrose, entre La Brea e Fairfax, na parte da tarde. Imagino que possa fazer dez abordagens por hora durante cinco horas, resultando em 50 abordagens. (Alguém sabe o nome da loja onde vendem botas New Rock?) Em seguida, vou tomar um banho e seguir para Sunset e cobrir quatro bares (Dublin's, Miyagi's, Saddle Ranch e o Standard), realizando de 12 a 15 abordagens em cada um deles. Não deve ser difícil alcançar as cem abordagens. Mesmo que eu quebre a cara em todas, pelo menos vencerei meu medo de ser rejeitado.

— Adonis

GRUPO MSN: Lounge de Mystery
ASSUNTO: 125 abordagens
AUTOR: Adonis

Rapazes, este sábado eu arrebentei. Consegui fazer 125 abordagens. Foi fenomenal. Antes de sair, ouvi a série de fitas Confiança Ilimitada, de Ross Jeffries. Elas realmente me ajudaram. Eu me senti um gigante feito de diamantes, assim ninguém poderia me machucar.

O quebra-gelo que usei foi a VDS clássica: "Quem mente mais, homens ou mulheres?" Primeiro, as GG me olharam de modo estranho, como se eu estivesse fazendo uma pesquisa. Mas começou realmente a funcionar para mim no Saddle Ranch. Acho que apliquei o quebra-gelo em todas as mulheres que estavam lá. Uma GG8 me deu seu e-mail, mas insisti para conseguir o número do telefone e acabei arruinando tudo. Merda! Lição aprendida. Em seguida, fui para a Standard, e já estavam rolando dois workshops lá. Praticamente, todas as mulheres já haviam sido abordadas com o "Quem mente mais", então passei a atacá-las lá fora.

Recomendo a todos que estiverem começando que façam isso. (Mas certifiquem-se primeiro de usar suas botas New Rock!) Resolvi tentar chegar a mil abordagens antes do final do mês. Meus quebra-gelos vão ser arrasadores e nunca mais ficarei ressentido em relação às mulheres e nunca mais terei medo do poder delas para me fazerem sentir inadequado.

— Adonis

GRUPO MSN: Lounge de Mystery
ASSUNTO: Minha milésima abordagem
AUTOR: Adonis

Mantive a contagem de todas as abordagens que fiz e, conforme prometido, acabei de chegar à milésima — e ainda faltam quatro dias para acabar o mês!

Posso dizer, após mil abordagens, que só existem algumas maneiras de ser rejeitado ou ignorado. Não machuca mais nem um pouco, porque, como poderia alguém que é completamente desconhecido controlar sua auto-estima?

Outra coisa que aprendi é a desafiar ou intrigar uma GG de cara, em vez de tentar ser lógico e fatual. Posso permanecer com elas agora de 10 a 15 minutos. Tenho praticado também o Stylemag, o que era difícil no início. Mas agora estou achando mais fácil controlar um alvo, apesar de meu tamanho (tenho 1,70m). Consigo até isolar o alvo e aplicar o cubo algumas vezes, e consigo o número do telefone. Sinto-me como se tivesse me transformado numa outra pessoa, mais confiante, sem receios sociais. Antes, eu era tão inseguro e preocupado que as pessoas me evitavam; agora, quando ando pelas ruas, sei que sou radiante. As GG podem sentir isso. Recomendo vivamente que todos tentem isso. Vale a pena.

No próximo mês, vou dominar o jogo do telefone — mil telefonemas. Se continuar assim, devo conseguir dar uma trepada até o final do ano.

— Adonis

Capítulo 10

GRUPO MSN: Lounge de Mystery
ASSUNTO: Você é um robô social?
AUTOR: Style

Vocês perceberam como há alguma coisa estranha em relação a um bocado de caras na comunidade?

É como se, bastando olhar para eles, você pudesse dizer que está faltando alguma coisa. Eles não parecem totalmente humanos.

Alguns desses caras até se saem bem em campo. Têm reações formidáveis — às vezes, conseguem até telefones e trepadas —, mas parecem nunca conseguir uma namorada.

Você é um deles?

Para descobrir, faça a si mesmo as seguintes perguntas:

* Você entra em pânico se fica sem "material" durante uma conversa com uma mulher?

* Você acha que tudo o que uma mulher lhe diz que não seja 100% positivo é um "teste de provocação"?

* Você vê todos os outros homens que estão interagindo com uma mulher como um MAG que deve ser destruído?

* Você é incapaz de falar sobre uma mulher sem antes se perguntar: "Qual é a nota dela?"

* Você chama as mulheres em sua vida com as quais você não está fazendo sexo de "pivô", em vez de amigas?

* Se você estiver com uma mulher numa locação não-social, como uma reunião de negócios ou uma clínica de repouso, sente uma estranha descarga de adrenalina e se sente obrigado a dar em cima dela?

* Você parou de ver valor em coisas que não estão relacionadas à sedução, tais como livros, filmes, amigos, família, trabalho, estudo, comida e água?

* Sua auto-estima está constantemente dependendo das reações das mulheres?

Então você pode ser um robô social.

A maior parte dos caçadores que conheço é um robô social. Isso é particularmente verdade entre aqueles que descobrem a comunidade na adolescência ou aos vinte e poucos anos. Pelo fato de não terem tido muita experiência no mundo real, eles aprenderam a se socializar quase inteiramente através de regras e teorias que leram on-line e aprenderam nos workshops. Talvez eles nunca voltem a ser normais. Após uns 20 minutos interessantes com muitos desses robôs sociais, a mulher começa a se dar conta de que não está rolando mais nada entre eles. E então ele envia um post, queixando-se da instabilidade das mulheres.

Os fóruns da Internet e o estilo de vida da sedução podem lhe oferecer muito — a mim ofereceram um bocado —, mas também podem tomar um bocado da gente. Você pode acabar se tornando uma pessoa unidimensional. Começa a pensar que todo mundo à sua volta é um robô social também e começa a interpretar exageradamente suas ações.

A solução é lembrar que o melhor jeito de conquistar uma mulher é ter algo melhor a fazer do que conquistar uma mulher. Alguns caras desistem de tudo — estudos, trabalho e, mesmo, da namorada — para aprender o jogo. Mas são essas coisas que nos fazem seres completos e intensificam nossa atratividade para o sexo oposto. Então coloque outra vez sua vida em equilíbrio. Se você puder fazer algo de si mesmo, as mulheres vão correr atrás de você, e o que você aprendeu aqui o deixará preparado para lidar com elas.

— Style

Capítulo 11

— Eu não posso simplesmente dizer aos alunos para não virem ao seu workshop.

Mystery e Papa estavam discutindo novamente.

— Você matriculou alunos demais — disse Mystery, erguendo as mãos, exasperado. — Não tem graça para mim. E não é justo com eles.

— E você está estragando a imagem do meu negócio. — A voz de Papa estava abafada, com uma frustração contida.

— Ótimo — berrou Mystery. — Então retire meu nome do site. Nossa relação profissional está acabada. Não quero ter nada a ver com a Verdadeira Dinâmica Social.

Era um relacionamento condenado, desde o começo.

No dia seguinte, Herbal se ofereceu para ser sócio de Mystery. Parecia que ele estava na moita o tempo todo, esperando aquele momento para se envolver no negócio de sedução. Desde que chegara à casa, não estivera sequer com uma mulher, além de Sima, uma ex-RMLP de Mystery que se mudara de Toronto para Los Angeles. Quando Mystery e Sima começaram a se desentender, logo após a chegada dela à cidade, ela passou a dar IDI para Herbal. Em vez de ficar aborrecido, Mystery fez com que Herbal se sentasse e lhe contou tudo o que ele precisava saber para dar em cima dela. Herbal e Sima acabaram na maior sacanagem naquela noite. Depois disso, a amizade de Mystery e Herbal foi ficando mais forte. Mas eles pareciam ignorar algo que todo mundo ali havia percebido: tinham estabelecido um precedente negativo.

Assim que Herbal começou a trabalhar para Mystery, a casa realmente se dividiu. Havia a Verdadeira Dinâmica Social, acampada no quarto de Papa, e o Método Mystery, que ocupava o resto da casa.

Eu era a única pessoa sob aquele teto que não estava na folha de pagamento de nenhum deles. Mas isso não bastou para fazer Papa parar de me tratar mal, como fazia com Herbal e Mystery. Eu era culpado por associação. Se acontecia de Papa e eu nos cruzarmos quando ele entrava pelos fundos da casa, ele passava dizendo um alô frio e não me olhava nos olhos.

Ele não estava transtornado. Apenas estava funcionando em algum tipo de programa que não me incluía. O curioso é que a maior parte dos robôs não programa a si mesmos.

Enquanto isso, todas as regras que havíamos estabelecido na reunião da casa — aprovação necessária dos convidados, dar para a casa uma porcentagem dos seminários, não dar em cima da mulher de outro AS — estavam sendo ignoradas. Não fazíamos mais a menor idéia de quantos alunos, caçadores e instrutores Papa estava enfiando no seu quarto. Eles passavam correndo pela casa como ratos exibidos. Não nos preocupávamos mais em trancar as portas.

Seus últimos recrutas eram dois caras que pareciam versões mais jovens dele mesmo. Ninguém sabia como se chamavam. Eram conhecidos apenas como mini-Papas.

Os mini-Papas eram tão frios comigo quanto o próprio Papa, mas estavam sempre por lá. Observavam-me a cada movimento, como se fosse uma missão que tivessem recebido. Às vezes, eu os via sentados no Mel's Diner com Tyler Durden. Os três falando sobre mim.

— Ele vai reposicionar seu corpo para direcionar a conversa para ele.

— Ele vai sair às vezes para mostrar sarcasmo.

— Se você fizer uma piada, ele vai exagerá-la para roubar os méritos.

— Se alguém lhe pedir para efetuar um procedimento, ele dirá: "No campo", assim será a vez dele e será mais apreciado.

Eles não estavam me criticando. Estavam tentando me copiar. Ainda assim, estranhamente, não agiam mais como se fossem meus amigos. Queriam apenas escutar e absorver, fazendo anotações. Era desumanizante. Mas, outra vez, nenhum deles naquela casa parecia inteiramente humano, para começar.

Eu precisava sair dali.

Felizmente, a *Rolling Stone* queria que eu abordasse um outro assunto. Seu nome era Courtney Love.

A entrevista estava marcada para durar uma hora no escritório da Virgin Records, em Nova York. Courtney estava no auge da sua infâmia na época. Naquela semana, ela expusera os seios no programa de David Letterman; aparecera na capa do *New York Post* com um dos seios na boca de um desconhecido, em frente ao Wendy's; e fora presa por ter supostamente atingido um fã na cabeça com um pedestal de microfone, durante um concerto. Além disso, estava enfrentando uma acusação de porte de drogas e perdera recentemente a custódia da filha. A matéria da *Rolling Stone* era a primeira entrevista que concordara em dar, desde que todos esses problemas se abateram sobre ela.

Quando a encontrei na Virgin, Courtney estava usando um vestido preto com uma faixa elegantemente envolvendo seu busto. Seus lábios estavam pintados de vermelho. Considerando o número de manchetes horríveis nos tablóides com seu nome, Courtney parecia bem — pálida, magra, como uma estátua. Logo, porém, a faixa se soltou e ficou pendurada atrás dela como um rabo e o batom manchou sua boca. Parecia uma metáfora da sua vida: desfiando-se constantemente.

— Se vocês estão esperando que eu morra, vai ser preciso esperar muito tempo — ela começou. Eu era a imprensa; eu era o inimigo. — Minha avó só morreu com 102 anos.

Isso é o que um AS chama de proteção de filha-da-mãe. Não era nada pessoal, apenas um mecanismo de autodefesa. Não podia deixar que aquilo me intimidasse. Era preciso conseguir certa harmonia e lhe mostrar que eu era um humano, não apenas mais um jornalista vampiro.

— Eu ainda tenho pesadelos com minha avó — eu lhe disse —, porque, na última chance que tive de vê-la viva, tínhamos planejado ir ao Art Institute, de Chicago. E a deixei esperando porque eu estava a fim de dormir até tarde.

Conversamos um pouco sobre nossas famílias. Ela não gostava muito da dela.

Agora estávamos chegando a algum lugar.

À medida que a entrevista prosseguia, eu alcancei o ponto de fisgada. Ela olhou para mim e as paredes vieram abaixo. Seu rosto ficou vermelho, os músculos de sua face ficaram tensos e as lágrimas começaram a escorrer.

— Preciso que me salvem — soluçou ela. — Você precisa me salvar.

Agora estávamos em harmonia.

Harmonia é igual a confiança mais conforto.

Quando nossa hora chegou ao fim, Courtney sugeriu que trocássemos número de telefone. Ela disse que me ligaria mais tarde naquela noite para continuar a entrevista. Fiquei aliviado, porque nossa conversa de uma hora num escritório de gravadora não me deu chances de extrair um perfil muito interessante. Tom Cruise, pelo menos, me levara para uma volta de moto e um passeio no seu centro de cientologia.

Naquela noite, encontrei alguns antigos amigos de faculdade numa área de Manhattan. Eu não os via desde que tinha ingressado na comunidade e eles mal me reconheceram. Passaram meia hora falando como eu costumava ser desajeitado e introvertido. Em seguida, a conversa passou para trabalho e filmes. Tentei contribuir, mas tive dificuldade para me concentrar nas palavras. Elas fluíam para dentro dos meus ouvidos e se acumulavam neles como se fossem cera. Senti que não tinha mais nada a ver com eles. Felizmente, uma mulher poderosa com pernas que pareciam troncos de árvore e seios artificiais incríveis passou pela nossa mesa. Ela era 30 centímetros mais alta do que eu e estava meio bêbada.

— Você viu uma garota com um chapéu preto de caubói? — perguntou ela num sotaque alemão sincopado.

— Fique aqui com a gente — eu sugeri. — Somos mais divertidos que seus amigos.

Era uma frase que eu aprendera com David DeAngelo. E funcionou. Meus amigos olharam espantados quando ela sentou e pediu um cigarro.

Durante o restante da noite, a poderosa e eu conversamos. De vez em quando, ela me arrastava até o banheiro, onde eu a observava cheirando cocaína como se fosse um aspirador de pó.

— Você assiste *Sex in the City*? — ela me perguntou, ao sairmos do banheiro pela terceira vez naquela noite.

— Às vezes — respondi.

— Acabei de ganhar uma pérola — disse ela com orgulho teutônico.

— Que legal. — Não sabia o que ela queria dizer com aquilo.

— É bacana. Com aquelas contas.

— Sei, elas são incríveis.

Eu estava totalmente confuso. Mas me agradava ouvir sua voz. O desnível entre seu sotaque áspero e seus lábios esponjosos. Talvez estivesse falando de bolinhas tailandesas. Que bom para ela.

Eu parei e me inclinei contra a parede do corredor pelo qual estávamos passando.

— Que nota você dá para seus beijos, de 1 a 10?

— Nota 10 — respondeu. — Gosto de beijos suaves, lentos, provocantes. Detesto quando alguém enfia a língua na minha garganta.

— Sei, eu tinha uma namorada que fazia isso. Era como beijar uma vaca.

— Eu sou ótima em boquetes — ela disse.

— Meus respeitos.

Aquela resposta de duas palavras eu levara meses para achar. Algumas mulheres gostam de fazer comentários extremamente sexuais após conhecerem um homem. É um teste de provocação. Se o cara ficar embaraçado, ele fracassa; se morder a isca e ficar excitado, ou responder algo com teor sexual, também fracassa. Depois de assistir o personagem inglês Ali G na televisão, descobri a solução: apenas olhe-a nos olhos, concorde em silêncio e, com um sorriso discreto no rosto, diga "Meus respeitos", num tom brincalhão. Agora eu tinha respostas para quase todos os desafios que uma mulher pudesse colocar à minha frente. Mas aquilo não era bem um desafio — era um xeque-mate. Minha missão agora era simplesmente não dizer nada de errado.

Fiquei em silêncio e produzi o que os AS chamam de olhar triangular, olhando lentamente seu olho esquerdo, depois o direito e, então os lábios, para criar uma sugestiva tensão sexual.

Ela se atirou nos meus braços. Em seguida, enfiou a língua na minha boca, como uma vaca. Depois se afastou.

— Falar sobre beijo me deixa excitada — ela disse.

— Vamos sair daqui — eu sugeri, me afastando da parede.

Tomamos o elevador para o térreo e fiz sinal para um táxi. Ela deu um endereço em East Village para o motorista. Acho que estávamos indo para sua casa.

Ela montou sobre mim no banco traseiro e liberou seu seio volumoso da blusa. Acho que era para eu chupá-lo.

Chegamos à sua casa e subimos a escada. Ela acendeu a luz, que despejou uma claridade parda e baça sobre a sala, e colocou *Goats Head Soup*, dos Rolling Stones, para tocar.

— Vou só colocar minha pérola — ela disse.

— Mal posso esperar — sussurrei. E era verdade.

Enquanto fiquei ali, me dei conta de que esquecera de me despedir de meus amigos. Na verdade, eu os ignorara a noite toda. As caçadas haviam colocado uma cortina de poliéster entre mim e meu passado. Mas quando minha nova amiga surgiu com sua pérola, percebi, no calor do momento, que valera a pena. A pérola não tinha nada a ver com bolinhas tailandesas. Era uma calcinha com uma abertura e uma corrente de bolas de metal ligando a parte da frente com a parte de trás, passando pela sua boceta.

Ela, provavelmente, saíra de casa naquela noite esperando encontrar alguém para levar para casa e poder mostrá-la. Prestativo, esfreguei as bolas delicadamente contra os lábios e o clitóris. Imaginei que eram para aquilo que serviam, embora não tivesse tanta certeza porque, um minuto depois, as bolas se soltaram da calcinha. A corrente ficou pendurada entre suas pernas como uma corda.

Tudo aquilo por causa de sua pérola nova.

— Vou me trocar — ela disse.

Não parecia zangada. Uma boa cafungada de cocaína às vezes faz esse efeito.

Ela retornou com umas botas pretas de couro que subiam até os joelhos, deitou-se no sofá e deu mais uma cheirada num frasco de cocaína. Em seguida, ergueu o frasco sobre o peito e derramou uma pequena quantidade na crista de seu seio esquerdo.

Não sou fã das drogas. Faz parte de ser um AS aprender a se controlar, assim não precisa de drogas ou álcool para curtir um bom momento. Mas se era para cheirar cocaína, aquele era o bom momento.

Toda mulher é diferente na cama. Cada uma tem seu próprio gosto, peculiaridade e fantasias. E a parte aparente de uma pessoa nunca indica exatamente a tempestade furiosa ou a calmaria mortal que se encontra por baixo. Alcançar esse momento de impetuosa verdade — de entrega, honestidade e revelação — era a parte favorita do jogo para mim. Eu adorava ver a nova pessoa que emergia na cama e, depois, conversar com essa nova pessoa, após nosso orgasmo mútuo. Acho que, simplesmente, eu gosto de pessoas.

Inclinei-me sobre seu seio e meti minha narina esquerda. Eu temia aquilo: não queria ficar acordado a noite toda e tinha a impressão de que a cocaína não ajudava um cavalheiro a manter o poder.

Não que eu fosse um cavalheiro.

E, então, meu telefone tocou.

— Preciso atender — eu lhe disse. Dei um salto, espalhando cocaína para tudo que era lado e apanhei meu celular. Eu tinha a impressão que sabia quem estava ligando.

— Ei, você pode vir até aqui? — Era Courtney Love. — Veja se consegue arrumar algumas agulhas de acupuntura em Chinatown. Das grandes, que machucam mais. E também um pouco de álcool e cotonetes.

Capítulo 12

— Esta é para a vesícula — disse Courtney, enfiando uma agulha de acupuntura na minha perna.

— Ai, isso não deveria ser feito por um profissional autorizado?

— Faço isso desde que era jovem — respondeu ela. — Mas você é a primeira pessoa em que faço em algum tempo. — Ela girou a agulha. — Me diga se sentir alguma coisa.

Então senti uma descarga elétrica na minha perna. Muito bem. Basta.

Minha entrevista de uma hora com Courtney Love havia se transformado numa festa do cabide surreal. Exceto para buscar comida, não saí de seu loft em Chinatown durante as 72 horas seguintes. O lugar tinha 1.500 metros quadrados e era ocupado apenas por uma cama, um aparelho de televisão e um sofá.

Vestida com uma camiseta e uma calça de ginástica, Courtney estava se escondendo — dos paparazzi, do seu empresário, do governo, do banco, de um homem, dela mesma. Eu estava só de cueca sobre seu sofá, com uma dúzia de agulhas enfiadas em mim. Com o tempo, o chão em volta de sua cama foi ficando cheio de migalhas de pão, pontas de cigarros, roupas, embalagens de comida, agulhas e garrafas de cerveja; enquanto isso, suas unhas dos pés e das mãos mudaram de cor várias vezes. Até atender o telefone a assustava, podia ser alguém ligando para ela com "alguma notícia de merda sobre uma porra qualquer".

Estávamos sós, nós dois: um jornalista e uma estrela do rock, um jogador e um joguete.

Ela colocou *Boogie Nights* no DVD player, depois pulou na cama, se cobrindo com um cobertor todo manchado.

— Eu sempre pergunto ao cara com quem estou saindo: "Qual o seu maior medo?" — ela disse. — Meu último namorado disse que era ser levado pela correnteza, o que pelo que eu entendi é o que está fazendo agora. O diretor de vídeos por quem estou atualmente obcecada disse que era o fracasso. E eu estou vivendo o meu: medo de perder o poder.

De todos os problemas da vida de Courtney, o que parecia consumi-la mais era o romantismo. O diretor de vídeos não estava retornando seus telefonemas.

Era um problema comum a todas as mulheres, pouco importa a aparência ou a fama que tivessem.

— Eu tenho uma teoria — ela disse. — Você tem que dormir três vezes com um cara para ele se apaixonar por você. E eu só dormi com ele duas vezes. Preciso fazer isso mais uma vez.

Esse diretor havia conquistado seu coração com a estratégia do puxa-empurra. Ele a trazia de volta para casa, dava-lhe uns amassos ao lado da porta e depois dizia que não podia entrar. Por acidente ou destino, ele estava seguindo a técnica de David DeAngelo de dois passos à frente e um para trás.

— Se quiser conquistá-lo — eu disse —, leia *A arte da sedução*, de Robert Greene. Você aprenderá algumas estratégias.

Ela apagou o cigarro no chão.

— Preciso de toda ajuda que puder conseguir.

A arte da sedução era uma leitura clássica dos AS, assim como o outro livro de Greene, *As 48 leis do poder*. No primeiro, Greene estudava as maiores seduções da história e da literatura em busca de temas comuns. Seu livro classificava diferentes tipos de sedutores (entre eles, os libertinos, os amantes ideais e os naturais); alvos (mulheres dramáticas, salvadoras e estrelas apagadas) e técnicas, todas lidando com a filosofia da comunidade (aborde indiretamente, envie sinais dúbios, pareça ser um objeto de desejo, isole a vítima).

— Como você conhece esse livro? — perguntou ela.

— Passei o último ano e meio saindo com os maiores artistas da sedução do mundo.

Ela sentou na cama.

— Conta para mim, conta para mim — gritou, como uma garotinha de escola.

Falar sobre sedução era melhor do que a alternativa: sempre que a conversa se voltava para seus problemas com a justiça, a imprensa e custódia de sua filha, seus olhos se enchiam de lágrimas.

Ela escutou extasiada enquanto eu lhe contava sobre a comunidade e o Projeto Hollywood. Não era fácil manter uma conversa séria com uma dúzia de agulhas de acupuntura enfiadas no meu corpo.

— Quero encontrar esses caras — disse ela, excitada. — Você acha que eles são tão bons quanto Warren Beaty?

— Não sei. Nunca o encontrei.

Courtney saiu da cama e esfregou óleo de patchuli em volta das agulhas dos meus pés e do meu peito.

— Vou dizer uma coisa a você, ele é gostoso.

— Eu adoraria saber como ele age.

— Ele é incrível. Uma vez, me ligou e disse: "Oi, sou eu", como se eu devesse saber quem era. Em seguida, tentou me convencer a ir até sua casa naquela noite. Quando finalmente eu concordei, ele riu e disse que estava em Paris. O cara é totalmente louco. Ele assoa o nariz e entrega o lenço sujo para a garota com quem está saindo.

Aquilo era um neg. Warren Beatty usava negs com as mulheres. Todo AS — conscientemente ou não — utiliza os mesmos princípios. A diferença entre os da comunidade e os lobos solitários, como Warren Beatty (quando era solteiro), Brett Ratner e David Blaine, é que nós damos nomes às nossas técnicas e partilhamos as informações.

— Não sei qual é o problema com esse diretor — Courtney estava dizendo. — Minha boceta é mágica. Você me come e se torna um rei. Eu faço reis.

(Tradução: se você a come, você fica famoso.)

Ela começou a retirar as agulhas do meu corpo. Alívio.

— Você tem que colocar uma na cabeça. A sensação é ótima.

— Não, obrigado. Por hoje, chega.

— Você tem que experimentar. É ótimo para o fígado.

— Meu fígado está muito bem. Obrigado.

Ela jogou as agulhas no chão.

— Beleza. Então, vou sair e comprar um pouco de cereal de arroz para nós.

Ela arrancou a camiseta rosa e ficou de pé na minha frente, com os seios expostos.

— Meus seios são naturais, mas com um lifting de silicone — disse ela, pondo-se sobre mim e mostrando uma cicatriz sob o peito esquerdo. — Você sabe quanto vale uma foto dos meus peitos? Nove mil dólares.

— Então seus problemas estão resolvidos — sugeri.

— Isso não basta nem para eu entrar pela porta do escritório do meu advogado — respondeu ela, vestindo um baby-doll.

Quando voltou da loja, estava vermelha de empolgação. Apanhou um bolo de café na bolsa e o dividiu em dois, deixando uma trilha pelo chão até chegar à segurança da cama.

— Vamos fazer uma aposta — ela disse.

— Qual?

— Aposto que você consegue fazer esse diretor voltar para mim.

— Duvido que eu consiga. Se ele não está retornando suas ligações, ele não está interessado.

— Ele chegou a negar no *Post* que tivesse dormido comigo. — Ela me deu a metade do bolo com seus dedos de unhas negras. — Mas eu gosto de desafios.

— Muito bem, se você o conseguir de volta, você é uma artista da sedução melhor do que eu.

— Então vamos apostar — ela insistiu.

— Apostar o quê?

— Se eu não conseguir, eu dou para você durante uma semana, onde você quiser.

Olhei para ela sem expressão nenhuma. Estava tão perplexo que tive dificuldades para processar minhas palavras.

— Ou, então — prosseguiu ela —, você poderá escolher o segundo nome do meu próximo filho. Você quem sabe.

— Ok.

— Mas tem uma condição: quero uma hora de consulta com cada um dos artistas da sedução com quem você está morando.

Quando chegou a hora de ir embora e pegar meu avião, Courtney saiu da cama e me deu um beijo de despedida.

— Eu só preciso de uma trepada — ela disse, enquanto aguardava o elevador que me levaria para fora de seu loft. — Só preciso de um cara bem durão que venha até aqui e me foda.

Eu sabia que podia ser esse cara. Os IDI estavam lá. Mas existe um código de honra entre os AS, existe um código de honra entre os jogadores e existe um código de honra entre os jornalistas. E fazer sexo com ela seria violar todos os três.

O que eu disse para Dustin naquela manhã no meu apartamento era de fato verdade: o aprendizado da sedução tinha me enriquecido muito mais do que só a vida sexual. As técnicas que eu aprendera na comunidade me fizeram um entrevistador bem mais habilidoso. Descobri o quanto eu tinha melhorado quando me pediram para entrevistar Britney Spears.

Capítulo 13

Você enfrentou muita pressão para fazer este disco?
Como assim, agora?

Houve muita pressão da sua parte e da gravadora para conseguir um grande hit desta vez?
Não tenho a menor idéia.

Você não sabe?
Não tenho a menor idéia.

Ouvi dizer que você fez uma faixa com o DFA que não foi incluída no seu novo CD. Por quê?
O que é DFA?

São dois produtores de Nova York, James Murphy e Tim Goldsworthy, que assinam como DFA. Isso lhe diz alguma coisa?
É, acho que eles fizeram alguma coisa.

Minha entrevista com Britney Spears não estava dando em nada. Olhei para ela, cruzando as pernas, impaciente ao meu lado no sofá do quarto do hotel. Ela não estava nem aí. Eram apenas algumas horas reservadas na sua agenda, e ela estava tolerando aquilo, mas com dificuldade.

Seus cabelos estavam enfiados dentro de um capuz branco e suas coxas pareciam querer saltar do jeans azul desbotado. Era uma das mulheres mais desejadas no mundo. Mas, em pessoa, parecia uma sulista carola alimentada a cereais. Seu rosto era lindo, leve e perfeitamente maquiado, mas havia algo de masculino nela. Como um ícone sexual, ela era uma pessoa impassível e, eu imaginava, solitária.

Uma luz acendeu no meu cérebro.

Só havia um meio de salvar minha entrevista: eu tinha que dar em cima dela. Não importava em que país eu me encontrasse, ou qual fosse a idade, classe ou raça da mulher com quem estivesse, o jogo sempre funcionava. Além do mais, eu não tinha nada a perder me arriscando com Britney Spears. A entrevista não podia ficar mais maçante do que estava. Talvez conseguisse até uma boa citação que poderia ser publicada.

Dobrei minha lista de perguntas e coloquei-a no bolso. Tinha de tratá-la como qualquer outra garota de boate com problemas de carência de atenção.

O primeiro passo era fisgar sua atenção.

— Vou dizer uma coisa sobre você que provavelmente as outras pessoas não sabem — comecei. — As pessoas, às vezes, a consideram tímida ou vadia fora do palco, ainda que você não seja nada disso.

— Você tem toda razão — ela reagiu.

— Quer saber por quê?

— Quero.

Eu estava criando o que chamamos de escada do sim, conquistando sua atenção fazendo perguntas que requerem, obviamente, uma resposta afirmativa.

— Estou observando seus olhos enquanto você fala e, cada vez que você pensa, eles se viram para baixo, à esquerda. Isso significa que você é uma pessoa cinestésica. Alguém que vive em seus sentimentos.

— Oh, meu Deus — ela exclamou. — Isso é totalmente verdadeiro.

Claro que era. Era um dos procedimentos de demonstração de valor que eu criara. O olho se dirige para uma de sete posições diferentes quando a pessoa está pensando: cada posição significa que a pessoa está tendo acesso a uma parte diferente do cérebro.

Enquanto eu lhe ensinava a interpretar diferentes tipos de movimento dos olhos, ela se agarrava a cada palavra. Ela descruzou as pernas e se inclinou na minha direção.

O jogo havia começado.

— Eu não sabia — ela disse. — Quem disse isso a você?

Eu quis lhe dizer: "Uma sociedade internacional secreta de artistas da sedução."

— É algo que observei, de tanto fazer entrevistas — respondi. — Na verdade, ao observar a direção para qual as pessoas movem seus olhos, quando falam com a gente, você pode saber se estão ou não dizendo a verdade.

— Então você pode saber se estou mentindo? — Ela estava me olhando de um modo totalmente diferente agora. Eu não era mais um jornalista. Eu era alguém com quem ela podia aprender algo, alguém que lhe dava valor. Eu havia demonstrado autoridade sobre seu mundo.

— Posso saber pelo movimento de seus olhos, pelo seu contato visual, pela sua maneira de falar e pela sua linguagem corporal. Há várias maneiras de saber.

— Estou precisando de algumas aulas de psicologia — ela disse com afetuosa gravidade. — Seria tão interessante para mim, estudar as pessoas. — Estava funcionando. Ela se abria aos poucos. E continuava falando. — De repente, você encontra alguém, ou, então, sai com um namorado e pensa assim: "Será que ele está mentindo agora?" Minha nossa!

Estava na hora de acionar a artilharia pesada.

— Vou lhe mostrar uma coisa bem interessante e, depois, voltamos à entrevista — eu disse, criando uma restrição de tempo. — É uma experiência. Vou tentar adivinhar uma coisa que está em seu pensamento.

Então lancei mão de um simples truque psicológico; como se diz no xadrez, sacrificar uma pedra para conseguir uma vantagem: adivinhar as iniciais de um velho amigo com quem ela teve alguma ligação emocional — alguém que eu não conhecia e de quem nunca ouvia falar. As iniciais eram G.C. E consegui acertar uma das duas letras. Era um novo procedimento que eu ainda estava aprendendo, mas foi o bastante para ela.

— Não acredito. Como você fez isso? Provavelmente, eu tenho tantas barreiras à minha frente, foi por isso que você não acertou as duas letras — ela disse. — Vamos tentar mais uma vez.

— Por que você não experimenta desta vez?

— Tenho medo. — Ela pôs um dedo na boca e mordeu a pele. Seus dentes eram lindos. Tinham realmente a forma perfeita de um C. — Não consigo.

Ela já não era mais Britney Spears. Era apenas um alvo, um alvo solitário. Ou, como Robert Greene a classificaria em sua exposição de vítimas de um sedutor, era uma líder solitária.

— Vamos tornar as coisas mais fáceis — eu disse. — Vou escrever um número. E será um número entre 1 e 10. O que eu quero é que você não pense em nada. É preciso que você confie em seus instintos. Não é necessário nenhuma habilidade especial para ler as mentes. Apenas acalme sua conversa interior e ouça com atenção seus sentimentos.

Escrevi um número num pedaço de papel e entreguei-lhe, virado para baixo.

— Agora, diga — eu lhe pedi —, o primeiro número que vier à sua cabeça.

— E se eu errar? — ela perguntou. — Provavelmente vou errar.

Isso é o chamamos em campo de uma garota BAE — ela tinha baixa autoestima.

— Qual você acha que é?

— Sete — ela disse.
— Agora vire o papel — eu he disse.
Lentamente ela virou o pedaço de papel, como se tivesse com medo de olhar, em seguida o levou até a altura dos olhos e viu um grande número 7.

Ela soltou um grito, deu um pulo no sofá e saiu correndo até o espelho do quarto do hotel. Estava boquiaberta ao olhar seu reflexo no espelho.

— Oh, meu Deus — disse para seu reflexo. — Eu fiz isso.

Era como se tivesse que olhar para sua imagem no espelho para ter certeza de que o que acabara de acontecer era verdade.

— Uau — ela exclamou. — Eu consegui. — Parecia uma garotinha vendo a Britney Spears pela primeira vez. Ela era sua própria fã.

— Eu tinha certeza de que era 7! — ela disse, voltando a galope para o sofá. Claro que sabia. Aquele era o primeiro truque de mágica que eu aprendera com Mystery: se alguém tiver que escolher um número de 1 a 10, 70% das vezes — especialmente se sofrer uma pressão — o número será o 7.

Pois é, eu a enganara. Mas sua auto-estima precisava de um impulso ainda maior.

— Está vendo — eu lhe disse —, por dentro, você já sabe todas as respostas. Simplesmente, a sociedade ensina você a pensar demais. — Eu realmente acreditava no que acabara de dizer.

— Que entrevista legal — ela exclamou. — Estou gostando desta entrevista! É a melhor entrevista da minha vida!

Então ela virou o rosto na minha direção, olhou-me nos olhos e perguntou:
— Podemos desligar o gravador?

Nos 15 minutos seguintes, conversamos sobre espiritualidade, textos e nossas vidas. Ela era apenas uma garotinha perdida atravessando uma puberdade emocional tardia. Estava em busca de alguma coisa real a que se agarrar, algo mais profundo do que a fama pop e a bajulação dos manipuladores. Eu demonstrara valor e agora estávamos passando para a fase de harmonia na sedução. Talvez Mystery estivesse certo: todos os relacionamentos humanos obedecem à mesma fórmula.

Harmonia é igual a confiança mais conforto.

No entanto, eu tinha um trabalho a fazer. Religuei o gravador e refiz as perguntas que já fizera no início da entrevista, mais as outras que eu tinha preparado. Desta vez, ela me deu respostas de verdade, respostas que poderiam ser publicadas.

Quando nossa hora acabou, eu desliguei o gravador.

— Sabe? — ela disse. — Tudo que acontece tem uma razão.

— Eu acredito realmente nisso — concordei.

— Eu também. — Ela tocou no meu ombro e um sorriso amplo se desenhou no seu rosto. — Gostaria que a gente trocasse nossos números de telefone.

Capítulo 14

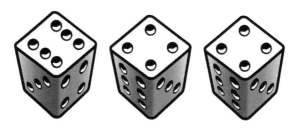

Quando nosso tempo acabou, Britney saiu do quarto para mudar de roupa para a entrevista seguinte, à MTV. Quinze minutos depois, ela voltou com sua RP.

Quando ela sentou em frente às câmeras, sua agente me olhou de um modo estranho.

— Sabe que ela nunca fez isso com um jornalista antes? — ela disse.

— É mesmo? — perguntei.

— Ela disse que foi como se vocês dois estivessem destinados a se encontrar.

Quando a entrevista da MTV começou, sua agente e eu ficamos um ao lado do outro em silêncio.

— Então, você curtiu um bocado ontem à noite — perguntou o entrevistador.

— É, foi mesmo — respondeu Britney.

— Qual foi a vibração na boate quando você entrou, surpreendendo todo mundo?

— Oh, foi uma loucura.

— E você se divertiu bastante?

De repente, Britney se levantou.

— Isso não está funcionando — ela disse à equipe de TV. — Não está funcionando.

Depois, levantou-se e caminhou até a porta, deixando a equipe e seus assistentes confusos. Quando passou por mim, com o canto dos lábios virado para cima, ela me lançou um sorriso de cumplicidade. Eu tinha tocado alguma coisa dentro dela. Havia algo de mais profundo em Britney Spears do que a máquina pop exigia dela.

O jogo, eu percebi, funciona melhor com as celebridades do que com as pessoas comuns. Porque as estrelas são tão protegidas e suas interações são tão limitadas que uma demonstração de valor o ou o neg certo tem dez vezes mais força.

Nos dias que se seguiram, pensei com freqüência sobre o que acontecera. Eu não tinha ilusões: Britney Spears não se sentia atraída por mim. Não estava me considerando como um par em potencial. Mas eu lhe despertara interesse. E isso era um passo na direção certa. A sedução é um processo linear: capturar a imaginação, primeiro, e o coração, depois.

Interesse mais atração mais sedução igual a sexo.

Claro, talvez aquilo fosse somente auto-hipnose. Podia ser que ela trocasse números de telefone com todo jornalista para fazer com que ele se sentisse especial e garantir assim uma boa matéria. Ela, provavelmente, tinha um serviço de respostas instalado naquele número específico para jornalistas ingênuos que achavam que tinham conquistado a artista. Ou talvez fosse um esquema da RP para fazer os jornalistas pensarem que tinham alguma ligação com os artistas. Talvez fosse eu a presa da caçada, não ela.

Eu nunca saberia a verdade.

Todos os dias, eu olhava para seu número, mas não conseguia ligar. Disse a mim mesmo que estaria atravessando a fronteira jornalística: se ela não gostasse da matéria que eu estava escrevendo (o que era bastante possível), eu não queria que ela saísse falando que eu escrevera um artigo desfavorável porque ela não me telefonara.

— Simplesmente, ligue para ela — me dizia Mystery constantemente. — O que você tem a perder? Diga a ela: "Dá para você fingir que não é Britney Spears? Vamos fazer uns lances bem loucos, e ninguém poderá pegar a gente. Vamos usar perucas, subir até os letreiros de Hollywood e tocar neles para termos sorte."

— Se eu a tivesse conhecido socialmente, tudo bem. Mas trata-se de um compromisso profissional.

— Agora você está praticando o jogo em outro nível. Quando o artigo estiver concluído, não será mais um compromisso profissional. Então, ligue para ela.

Mas eu não conseguia. Se tivesse sido Dalene Kurtis, a Coelhinha do Ano, eu teria ligado imediatamente. Eu não temia mais as mulheres como ela. Conhecia meu valor. Provara isso várias vezes desde que a encontrara. Mas Britney Spears?

A auto-estima de uma pessoa só pode crescer até certo ponto em um ano e meio.

Nono Passo
FAÇA UMA CONEXÃO FÍSICA

"E você acha que o amor, morando numa casa tão feia, pode prosperar por muito tempo?"

⋯⋯⋯⋯⋯⋯⋯⋯⋯⋯⋯⋯⋯⋯⋯⋯⋯

— Edna St. Vincent Millay

"E você acha que o amor"

Capítulo 1

Bastou uma única mulher para demolir o Projeto Hollywood.

Pela aparência, Katya era a perfeita garota festeira. Ela gostava de beber, dançar, transar e ficar doidona, não necessariamente nesta ordem. Mas Katya — talvez por inocência, talvez por vingança, talvez por verdadeiro amor — superava no jogo todos os AS da casa. Todos aqueles anos de estudo, todos aqueles procedimentos memorizados e modelos aprendidos, todas aquelas botas plataforma New Rock não eram páreo para uma mulher rejeitada.

Quando voltei de Nova York, Mystery tinha um workshop agendado em Los Angeles. Estava cobrando 1.500 dólares agora — e os caras estavam pagando. Ele tinha cinco alunos, garantindo-lhe um lucro saudável para um fim de semana de conversa e caçada. Katya era somente uma das mulheres que ele paquerara enquanto demonstrava o jogo no workshop. Ele a conhecera num bar de Hollywood chamado Star Shoes. Ela estava bastante bêbada então e muito possivelmente chapada.

Segunda-feira era o dia do telefone no Projeto Hollywood. Todos ligavam para os números que tinham conseguido no fim de semana anterior para ver o que tinha funcionado e o que não tinha. Quando Mystery telefonou, a única pessoa que atendeu foi Katya. Se Katya não estivesse em casa e uma das outras garotas de Mystery tivesse atendido ao telefone, nossas vidas teriam sido diferentes.

Apesar de nossa suposta habilidade, o acasalamento depende um bocado de sorte. As mulheres se encontram em diferentes pontos de sua vida quando as conhecemos. Podem estar procurando um namorado, uma trepada de uma noite só, um marido, uma foda vingativa. Ou podem não estar procurando nada, pois estão com um relacionamento feliz ou se recuperando de um outro, emocionalmente destrutivo.

Katya estava, provavelmente, buscando um lugar para morar.

Quando Mystery ligou, Katya não conseguia se lembrar de tê-lo conhecido. Assim mesmo, depois de conversarem por meia hora (ou construção de conforto, como Mystery o colocava), ela concordou em vir vê-lo.

— Vista-se de modo casual — Mystery lhe pediu. — Só posso dar uma saída por uma ou duas horas.

Usar as palavras "casual" e "saída", além da restrição de tempo, fazia parte da sua estratégia de transformar a visita num evento de baixa pressão. É um jeito muito melhor de fazer alguém comprometer seu tempo com um estranho do que o estilo TFM de convidar para jantar, o que pode ser um encontro doloroso e arrastado envolvendo duas pessoas que podem não ter nada em comum e terão que ficar se aturando por uma noite toda em meio a conversas desajeitadas.

Katya chegou naquela noite vestindo um casaco de lã e puxando uma pequena e invocada Terrier chamada Lily. Katya e Lily logo ficaram à vontade. A primeira desabou sobre as almofadas e a segunda fez cocô no tapete.

Mystery saiu do seu quarto em jeans, uma camiseta branca de mangas longas e seus cabelos presos num rabo-de-cavalo.

— Vou conectar meu computador ao projetor e mostrar a você alguns filmes que fiz — ele disse.

— Não se preocupe, não tem problema — respondeu Katya com sotaque russo ritmado. Ela tinha uma argola balançando no nariz, bochechas gordinhas que cintilavam e cabelos louros que se agitavam, intensificando sua beleza.

Mystery reduziu a luminosidade da sala e mostrou seus filmes feitos em casa. Eles estavam se tornando um procedimento popular dentro de casa porque nos permitiam transmitir qualidades positivas sobre nós mesmos e nossos amigos sem sequer termos de abrir a boca. Após a sessão de cinema, Mystery e Katya se massagearam e ficaram se beijando. No segundo encontro, três dias depois, após um bocado de RUH, eles fecharam um acordo.

— Estou me mudando do meu apartamento — ela disse depois a Mystery. — Será que Lily pode ficar aqui enquanto eu vou para Las Vegas neste fim de semana?

Deixar Lily lá em casa era uma tática astuta porque, enquanto Katya estivesse fora, todos nós ficaríamos apegados à adorável cadelinha — e, por extensão, à sua dona também. Suas personalidades eram semelhantes: ambas eram animadas e enérgicas, e gostavam de lamber o rosto de Mystery.

Quando Katya voltou de Las Vegas, Mystery ajudou-a a se mudar da antiga casa.

— Acho que é totalmente ridículo você alugar um novo apartamento, sabendo que vai passar a maior parte do tempo comigo — ele lhe disse. — Por que, então, você não se muda apenas para meu quarto?

Tudo que ela tinha como pertence eram duas bolsas de pano grosso, um estojo de maquiagem, Lily e uma caminhonete Mazda abarrotada de roupas e sapatos. Até onde se sabia, ela não tinha emprego ou fonte de renda, embora tivesse posado como modelo para alguns calendários baratos de roupa de banho. À noite, ela ia à escola aprender maquiagem para efeitos especiais. Todas as noites, após as aulas, ela ficava andando pela casa com falsas queimaduras no pescoço, um cérebro artificial saindo de uma ferida na sua testa, ou com manchas na pele como se fosse uma mulher de 90 anos.

Katya logo se integrou ao tecido da casa. Propôs atuar como pivô nos workshops de Papa; colocava delineador em volta dos olhos de Herbal, antes de ele sair à noite; limpava a cozinha que, preguiçosos demais, nunca o fazíamos; ia às compras com Xaneus e agia como recepcionista nas festas organizadas por Playboy. Ela tinha uma surpreendente habilidade para ficar amiga de todo mundo, embora sua motivação fosse incerta: talvez fosse autenticamente alguém que amava as pessoas, talvez gostasse de não pagar aluguel. De qualquer forma, ela estava dando àquele lar seus primeiros raios de calor e camaradagem, desde a noite em que mudamos para lá e sentamos na jacuzzi, sonhando juntos com o futuro. Eu gostava dela. Todos nós gostávamos dela. Até deixamos que seu irmão, um garoto de 16 anos, cabelos engruvinhados e síndrome de Tourette, dormir na pilha de almofadas por uma semana.

Mystery estava particularmente feliz consigo mesmo. Ele não saía seriamente com ninguém desde Patricia.

— Eu estou de fato amarrado na minha namorada — disse ele com orgulho certa noite, mostrando as fotos de Katya no calendário de roupas de banho para um grupo de sedutores que estava por lá. — Penso nela constantemente, como quando se tem um filho. Tenho um instinto protetor muito forte. Preciso tomar conta desta garota e me certificar de que ela está em segurança.

Mais tarde, naquela noite, enquanto Herbal preparava um churrasco, Katya e eu sentamos na jacuzzi, tomando uma garrafa de vinho.

— Estou com o maior medo — ela disse.

— Do quê? — eu perguntei, embora soubesse muito bem o motivo.

— Estou começando a ficar apaixonada por Mystery.

— Bem, ele é um cara talentoso e surpreendente.

— É sim. Nunca me deixei apaixonar dessa maneira. Ainda não sei muita coisa sobre ele. Estou preocupada.

Depois ficou calada. Queria que eu dissesse alguma coisa, a alertasse, caso estivesse cometendo um erro.

Eu não disse nada.

Alguns dias depois, Mystery, Katya e eu voamos para Las Vegas. Depois de trocarmos de roupa para sairmos à noite, ele começou a falar sobre seu assunto preferido.

— Estou realmente amarrado nessa garota. Ela é até bissexual. Tem um casal com quem ela dorme em Nova Orleans. — Depois de colocar delineador em torno dos olhos, ele pôs um chapéu preto de caubói que comprara na Austrália e se admirou no espelho. — Sinto que estou me acasalando.

Jantamos no Mr. Lucky, no Hard Rock Casino, onde Katya engoliu duas taças de champanhe; depois atravessamos a rua até o Club Paradise, um local de strip-tease, onde ela secou mais duas taças de champanhe.

Quando a garçonete veio até a mesa, Katya comentou com Mystery: "Como ela é gostosa." Mystery examinou a garçonete. Era uma latina garbosa com longos cabelos negros refletindo as luzes do palco e um corpo bem compacto que ameaçava rasgar sua roupa justa.

— Já viu um filme chamado *Poltergeist*? — Mystery perguntou. Aquilo mexeu com ela. Mas ele disse que eles não poderiam se dar bem. Em seguida quis saber no que ela era famosa. — Todo mundo é famoso por alguma coisa — disse ele. A partir daí, a garçonete passou a parar em nossa mesa toda hora para flertar com Mystery.

— Eu adoraria ver essa garota — Mystery disse para Katya — chupando você.

— Você só quer trepar com ela — reagiu Katya, falando entre os dentes.

Suponho que seja difícil para qualquer mulher, especialmente se estiver bêbada, ver os mesmos procedimentos usados com ela serem aplicados em outra mulher. E com sucesso.

Katya ficou em pé de repente e partiu decidida para o balcão do bar. Mystery a seguiu, tentando acalmá-la. Como ela se recusava a ouvi-lo, ele saiu apressado da boate, como uma criança transtornada. Embora Katya fosse bissexual, Mystery ainda não estava fazendo *ménages à trois*. Ele cometia o mesmo engano a cada vez: pressionava demais. Seria preciso que seguisse o conselho de Rick H. e fizesse da experiência a fantasia dela, não a dele.

Quando acordei, tomei um avião para casa, deixando os dois sozinhos no quarto do hotel, pois o vôo deles era noturno.

Algumas horas depois, recebi um telefonema.

— Oi, é Katya.

— Oi. Algo errado?

— Não. Mystery quer se casar comigo. Ele se ajoelhou no Hard Rock e pediu minha mão. Todo mundo aplaudiu. Foi tão bonito. O que eu devo fazer?

A única razão que consegui achar para Mystery querer casar era que assim ele poderia obter a nacionalidade americana. Mas Katya não era uma cidadã americana. Ela ainda tinha seu passaporte russo.

— Não se precipite — eu a aconselhei. — Apenas fiquem noivos. Ou, se quiser, eles fazem cerimônias de compromisso nas capelas daí. Faça isso. Depois, passem algum tempo juntos e vejam se isso é algo que vocês dois querem mesmo fazer.

Mystery agarrou o telefone.

— Ei, cara, você vai ficar muito puto comigo. Vamos nos casar. Eu amo essa garota. Ela é louca. Estamos indo para a capela, tchau.

O cara era um idiota.

Naquela noite, Mystery carregou Katya pela porta do Projeto Hollywood murmurando: "Lá vem a noiva..."

Eles se conheciam há três semanas.

— Olhe meu anel — disse Katya. — Não é lindo?

— Nossos anéis custaram 8 mil dólares — disse Mystery, cheio de orgulho.

Esse era todo o dinheiro que ele tinha. Embora estivesse cheio da grana por conta de seus workshops, ele adorava brinquedos de adulto — computadores, câmeras digitais, agendas eletrônicas, basicamente qualquer coisa que tivesse um chip dentro.

— Toda essa história de casamento — Mystery me disse, enquanto Katya estava no banheiro — é o melhor de todos os procedimentos. Agora ela me ama. Ela fica excitada me chamando de marido. É como uma distorção cronológica.

— Rapaz, este é o pior procedimento que já vi — respondi. — Porque você só pode executá-lo uma vez.

Mystery deu um passo na minha direção e tirou o anel.

— Vou lhe contar um segredo — sussurrou, colocando o anel na minha mão. — Nós não casamos de verdade.

Se qualquer outro AS me dissesse que tinha casado com uma garota que acabara de conhecer em Las Vegas, eu saberia que era uma brincadeira. Mas Mystery era tão obstinado e imprevisível que eu lhe dera o benefício da dúvida — ou, mais exatamente, o prejuízo da dúvida.

— É, depois que você saiu, passamos por uma joalheria no Hard Rock e resolvemos fingir que estávamos casados. Então comprei dois anéis por 100 dólares. Ela é uma excelente mentirosa. Enganou você direitinho.

— Vocês dois são grandes ilusionistas.

— Não fale para Katya que eu contei. Acho que ela está realmente se divertindo com isso. Num nível emocional, é o mesmo que se estivéssemos casados para ela.

Mystery tinha razão: percepção é realidade. Nos dias que se seguiram, o relacionamento entre eles mudou inteiramente. Começaram a se comportar de fato como um velho casal.

Agora que estava morando com uma mulher, Mystery não sentia mais necessidade de sair. Para ele, boates eram para caçadas. Para Katya, contudo, elas eram para dançar. Então, ela começou a ir para as boates sem ele. Depois de um tempo, Mystery mal saía do seu quarto ou, para ser mais correto, saía sequer da sua cama. Difícil dizer se era por preguiça ou se estava à beira de uma depressão.

Existe um modelo para artistas da sedução que se chama pedra contra ouro. É um discurso que um homem faz para uma mulher com quem está saindo, quando ela pára de fazer sexo com ele. Ele lhe diz que mulheres num relacionamento querem pedras (ou diamantes), ao passo que os homens procuram ouro. Pedras, para uma mulher, são noites maravilhosas, atenção romântica e conexão emocional. Ouro, para um homem, é sexo. Se você só der ouro para a mulher e só pedra para o homem, nenhum dos dois ficará satisfeito. Deve haver uma troca. E Katya estava dando ouro para Mystery, mas ele não estava lhe dando pedras. Ele já não saía mais com ela.

Não demorou muito para ficarem ressentidos um com outro.

Ele dizia:

— Ela fica bêbada todas as noites. Isso está me deixando louco.

Ela dizia:

— Quando o conheci, ele tinha muitos planos e ambições. Agora não sai mais da cama. Não faz sentido.

Ele dizia:

— Ela nunca pára de falar. Está sempre reclamando de alguma coisa sem sentido e subindo pelas paredes.

Ela dizia:

— Eu encho a cara toda noite porque não quero viver uma realidade que é tão triste.

Mystery precisava de uma garota mais passiva. Katya precisava de um homem mais ativo. E isso entristecia todos nós; depois de viver numa casa cheia de homens por tantos meses, tínhamos ficado apegados à sua energia positiva e seu alto astral.

Mystery aprendera tudo que havia para ser aprendido sobre sedução, porém, nada sobre como manter um relacionamento. Ele tinha aquela linda criatura, cheia de brilho e de vida, e estava jogando tudo pela janela.

Logo, uma outra mulher, com um tipo de brilho diferente, entraria no Projeto Hollywood.

Eu recebi a mensagem de texto às 23h39: "Posso ficar na sua casa? Eles retomaram meu carro por falta de pagamento e pior, cê nem imagina. Preciso não ficar sozinha."

Era Courtney Love.

Capítulo 2

Bati na porta do apartamento funcional de Courtney, em West Los Angeles.

— Entre, está aberta.

Courtney estava sentada no chão, no meio de um mar de contas do American Express e extratos bancários, com um marca-texto amarelo na mão. Estava usando um vestido Marc Jacobs abotoado na lateral. Um botão estava faltando.

— Não consigo mais olhar para isso — ela gemeu. — Há tantos empréstimos aqui dos quais eu nunca tomei conhecimento e sequer aprovei.

Ela se levantou e jogou a conta do American Express sobre a mesa. A metade dos itens estava marcada de amarelo, com observações escritas com caneta preta nas margens.

— Se eu ficar aqui, vou voltar para as drogas — berrou ela.

Ela não tinha um empresário, e tomar conta de seus próprios negócios era algo que ela não conseguia fazer.

— Não quero ficar sozinha — implorou ela. — Preciso de um lugar para ficar alguns dias. E depois largo do seu pé, prometo.

— Tudo bem. — Imaginei que ela não tinha se aborrecido com a matéria que eu escrevera para a *Rolling Stone*. — Herbal falou que você poderia dormir no quarto dele. Só quero lhe prevenir de uma coisa: você não está indo para uma casa comum.

— Eu sei. Quero conhecer os artistas da sedução. Talvez eles possam me ajudar.

Desci as escadas e amarrei sua mala de 30 quilos na traseira de meu Corvette.

— Você também precisa saber que o irmão de Katya está morando conosco — eu lhe disse. — E se ele parece um pouco estranho é porque tem síndrome de Tourette.

— É quando a pessoa começa a berrar "Merda! Caralho!" incontrolavelmente?

— É. Algo parecido.

Estacionei o carro na garagem e arrastei sua mala para cima. A primeira pessoa que vi lá dentro foi Herbal, saindo da cozinha.

— Oi, caralho de merda — Courtney disse para ele.

— Não — eu lhe disse. — Não é ele o irmão de Katya.

O irmão dela saiu da cozinha logo depois, bebendo uma Coca-Cola.

— Oi, caralho de merda — Courtney disse para ele.

Depois, ela deu um passo para trás e pisou no rabo de Lily, que começou a ganir ruidosamente.

— Vá se foder — ela disse para a cadela.

Aqueles iam ser dias interessantes.

Mostrei-lhe a casa e depois lhe dei boa-noite. Dois minutos depois, ela entrou no meu quarto.

— Preciso de uma escova de dentes — disse, entrando no meu banheiro.

— Tem uma limpa no armário de remédios — berrei para ela.

— Esta serve — respondeu ela, pegando a minha escova velha na pia.

Havia algo de terno em relação a ela. Ela possuía uma característica que quase todos os artistas da sedução desejavam, mas não tinham: ela simplesmente não queria saber de porra nenhuma.

Na manhã seguinte, desci a escada e a encontrei na sala de estar, fumando um cigarro e vestida apenas com uma caríssima calcinha de seda japonesa. Seu corpo estava coberto com marcas escuras, como se tivesse rolado sobre carvão.

Naquelas condições, ela conheceu o resto dos moradores da casa.

— Eu costumava cavalgar com seu pai — Papa lhe contou, quando foi apresentado a ela.

Courtney fez uma cara feia.

— Se você chamar aquele homem de meu pai outra vez lhe dou uma porrada!

Ela não estava tentando parecer má — apenas vivia e reagia no momento —, mas Papa não aceitava bem as agressões. Tudo o que Papa queria quando assinou o contrato do Projeto Hollywood era conviver com as celebridades. Mas agora que ele estava morando com uma — na verdade, a mulher de maior notoriedade no país naquela época —, ele estava petrificado com ela. A partir daquele dia, ele passou a evitá-la, como fazia com todos que não fizessem parte do negócio de sedução.

Em seguida, Courtney conheceu Katya.

— Acabei de fazer um teste de gravidez — Katya lhe disse, franzindo os lábios numa expressão infantil de autopiedade. — O resultado foi positivo.

— Você deve ter essa criança — disse Courtney. — É a coisa mais linda do mundo.

Eu estava vivendo num reality show surreal.

Capítulo 3

Mystery se ajoelhou na frente de Katya e beijou sua barriga.

— Se quiser ter o bebê, ficando, ou não, juntos para sempre, eu apoiarei sua decisão. Vai ser um lindo bebê.

Vindo do pátio, o sol penetrava na cozinha, iluminando uma estreita fileira de formigas que passava pela alvenaria da parede até a lata de lixo transbordante. Antes de se levantar, Mystery lambeu o dedo e passou a saliva no meio da fila. As formigas saíram correndo em todas as direções.

— Não consigo acreditar que você queira que eu guarde a criança — replicou Katya, com sua voz alegre, porém desdenhosa. — Você é tão estranho. Está agindo como se fôssemos casados.

As formigas voltaram a formar uma fileira. Logo a ordem foi restaurada. Era difícil dizer que acabara de haver uma catástrofe.

— Eu amo você — disse Mystery, sua voz sem emoção. — E você sabe qual é minha missão na vida: sobreviver e reproduzir. Portanto, não vejo nenhum problema em termos o bebê. Estou disposto a cumprir com minha parte nessa obrigação.

Nossa casa não se auto-organizava como a fileira de formigas. Não havia uma cadeia de comando ou uma estrutura tácita. O caminho químico invisível que seguíamos cheirava a hormônio masculino. E seu estado natural é a desordem.

A tarde toda Mystery e Katya brigaram para saber se ela devia ou não fazer um aborto, e quem pagaria por isso. Esses assuntos, porém, não eram uma decisão de grupo. Katya e Mystery foram até uma clínica de aborto três dias depois.

— Sabe o quê? — Katya exclamou quando voltou. — Eu não estou grávida.

Ela deu um salto no ar e bateu palmas, agradecendo sua sorte. Mystery estava atrás dela, mostrando o dedo médio. Sua expressão era de puro ódio. Eu nunca o vira demonstrar tamanha raiva para com uma mulher antes.

Algumas horas depois, encontrei Katya no bar se servindo uma taça de Chardonnay. Depois outra. Depois outra.

— Mystery não quer sair do quarto e não quer trepar — ela se queixou. — Então vou curtir uma noitada hoje sem ele.

— Você merece.

— Venha, beba comigo — ela me convidou.

— Tudo bem.

— Sem preocupações, sem problemas. — Ela sorveu um gole de vinho e sentou ao meu lado no sofá.

— Uau — disse ela. — Você tem malhado bastante. Seus braços estão fortes.

— Obrigado. — Uma coisa que eu aprendera no último ano e meio era como acolher um elogio. Diga apenas "Obrigado". É a única resposta que uma pessoa confiante pode dar.

Ela se aproximou de mim e apertou meu bíceps.

— Você é a única pessoa nesta casa com quem posso conversar. — Seu rosto estava a alguns centímetros do meu.

Senti aquele formigamento de energia, o mesmo que sentira um pouco antes de beijar a recepcionista de Tyler Durden no Hard Rock.

— Olha isso — disse ela, levantando a blusa. — Eu tenho um arranhão aqui.

— Que bom.

— Aqui. Sente só.

Ela pegou minha mão e a puxou até seu seio. Aquilo estava de fato acontecendo.

— Está bem, foi legal conversar com você, mas tenho que subir para meu quarto e escovar meu gato agora.

— Mas você não tem um gato — ela murmurou.

Dei a volta por trás da casa e entrei no quarto de Mystery pela porta do pátio. Ele estava deitado em cima da cama com sua calça jeans e um laptop sobre a barriga. Estava assistindo *De volta para o futuro II*.

— Quando estava na escola, eu queria me matar porque não tinha nenhuma razão para continuar vivendo — ele disse. — Então eu ouvi dizer que *De volta para o futuro II* estrearia em 23 dias. Eu tinha um calendário e marcava cada dia, até a data do filme. Foi única coisa que me impediu de me matar.

Ele fez uma pausa no filme e ergueu o laptop da barriga.

— Quando o assisti e ouvi a música de abertura, eu gritei, rapaz. Aquela era minha razão de viver. Conheço todos as parafernálias associadas ao filme. — Ele apanhou a caixa do DVD e me mostrou a capa. — Já toquei nesse carro.

Eu sentei no pé da cama. Ninguém quer ser o portador de más notícias. Apanhei a caixa do DVD e olhei para ela. Mystery gosta de filmes como *Academia de gênios*, *O jovem Einstein* e *Karatê Kid*. Eu gosto de Werner Herzog, Lars Von Trier e Pixar. Isso não queria dizer que eu era melhor do que ele; significava somente que éramos tipos diferentes de nerds.

— Rapaz — eu lhe disse, — sua mulher está dando em cima de mim.

— Isso não me surpreende. Ela deu em cima do Playboy, mais cedo.

— E você não vai fazer nada em relação a isso?

— Eu não me importo. Ela pode fazer o que quiser.

— Bom, pelo menos ela não está grávida.

— Veja bem: ela é uma tremenda idiota. Não houve nenhum teste de gravidez. Foi um teste de ovulação. Ela comprou a caixa errada na farmácia. Fez o teste três vezes e em todas deu positivo. Então, tudo o que ela descobriu foi que, aos 23 anos de idade, ela ainda está ovulando.

— Ouça, cara — eu percebi que havia arranhões no seu braço. — Você está afastando essa mulher de você. Se ela está dando em cima de todo mundo nesta casa, é só porque está querendo se vingar de você. É pedra contra ouro, cara. Você não tem lhe dado pedras.

— É. Ela é uma alcoólatra sem nada na cabeça. — Ele fez uma pausa, fechou os olhos por um instante e aquiesceu melancolicamente. — Mas aquele corpo... sua bunda é nota 10.

Quando saí do quarto de Mystery, Katya não estava mais na sala de estar. A porta do quarto de Papa estava aberta e ela estava aninhada no corpo dele sobre a cama — sem a blusa.

Retornei ao meu quarto e esperei. Uma hora depois, caiu a tempestade. Vozes berrando, portas batendo e vidros se partindo.

Alguém bateu na minha porta.

Era Courtney.

— As pessoas que moram aqui sempre fazem todo esse esporro?

Quem era ela para falar.

Segui Courtney até o quarto de Herbal. Herbal estava dormindo sobre as almofadas, enquanto Courtney ocupasse seu quarto. Roupas, livros e cinzas de cigarros estavam espalhados pelo chão. Uma vela queimava ao pé da cama, a chama ardendo alguns centímetros abaixo da colcha. Um de seus vestidos estava sobre uma lâmpada para criar um clima. E todos os quatro catálogos de telefone da casa estavam abertos sobre a cama, com as páginas rasgadas. Olhei as páginas destacadas. Eram listas de advogados.

O barulho vindo do quarto de Mystery foi ficando mais alto.

— Vamos ver o que está acontecendo — ela sugeriu.

Eu não queria me envolver. Não queria arrumar a bagunça de ninguém. A porra daquela responsabilidade não era minha.

Fomos até o banheiro de Mystery. Katya estava ajoelhada no chão com as mãos no pescoço, como se tivesse engasgado. Seu irmão estava inclinado sobre ela, segurando um inalador para asma na sua boca. Mystery estava um pouco afastado, olhando furiosamente para Katya.

— Vamos chamar uma ambulância? — perguntei.

— Eles vão prendê-la porque está cheia de drogas no organismo — disse Mystery com desdém.

Katya olhou para cima e o encarou.

Se ela tinha presença de espírito para encarar Mystery, então, obviamente, não estava morrendo.

Quando finalmente Katya emergiu do quarto de Mystery, seu rosto vermelho e úmido, Courtney segurou sua mão e a levou até um sofá na sala de estar. Ela sentou-se ao seu lado, ainda segurando sua mão, e lhe falou sobre os abortos que fizera e sobre a beleza do nascimento de uma criança. Olhei para aquele par improvável sentado ali. Courtney era, ao mesmo tempo, a mãe e a filha do Projeto Hollywood.

Ela era também, provavelmente, a pessoa mais sã naquela casa. E este era um pensamento assustador.

Capítulo 4

Na manhã seguinte, Courtney saiu exaltada do quarto numa hora atipicamente cedo. Estava usando uma camisola Agent Provocateur.

— O quê? O que está acontecendo? — perguntou esfregando seus olhos sonolentos. — Tive um pesadelo. Não sabia onde estava. — Ela olhou ao redor: para mim, para Katya, dormindo no sofá, e o irmão de Katya e Herbal, roncando a alguns centímetros um do outro sobre a pilha de almofadas. — Todos são bacanas — ela comentou aliviada. — Ninguém é mau, aqui. Tudo bem.

Ela retornou para o quarto e bateu a porta. Poucos minutos depois, um motorista chegou em casa.

— Onde está Courtney? — ele perguntou.

— Dormindo — respondi.

— Ela tem uma audiência no tribunal em uma hora.

Ele bateu na sua porta e entrou. Pouco depois, um bocado de vestidos saiu voando do quarto de Courtney, seguido pela dona deles.

— Preciso achar alguma coisa para vestir no tribunal — disse ela, experimentando várias roupas, entrando e saindo do banheiro para ver o resultado no espelho. Por fim, saiu de casa num vestido preto sem alças que pertencia a Katya, óculos escuros de 8 dólares de Herbal e o livro *As 48 leis do poder*, de Robert Greene, sob o braço direito.

— É um vestido realmente bobo, porque se trata de um processo bobo — ela diria mais tarde aos repórteres no tribunal.

Enquanto estava fora, inspecionamos os danos. Havia queimaduras de cigarro no lençol de Herbal, e a parede atrás da porta estava destruída, por conta das batidas constantes. Havia vestígios de um líquido indefinível no chão, velas ainda acesas e roupas penduradas sobre todas as luminárias.

Na cozinha, as portas da geladeira e dos armários estavam todas abertas. Duas jarras de manteiga de amendoim e uma de geléia estavam sobre a mesa da cozinha, as tampas jogadas no chão. Porções de manteiga de amendoim escorriam da mesa, dos armários e das prateleiras da geladeira. Em vez de abrir as embalagens de pão usando a abertura prevista para tal fim, ela rasgara as extremidades, abrindo-as como se fosse um animal. Ela não dava a mínima. Estava com fome, comia. Esta era uma outra qualidade admirada pelos artistas da sedução: ela podia agir como uma troglodita.

Quando Courtney voltou do tribunal, sentou-se no meio dos artistas da sedução e planejou sua aparição naquela noite no *Tonight Show*, de Jay Leno. Mystery e Herbal a instruíram sobre conceitos como comprovação social e noções de PNL, como composição de estilo. Ela precisava de uma recomposição. Sua composição atual, como todo mundo a via, era a de uma mulher louca. Mas, tendo vivido conosco por duas semanas, sabíamos que ela estava apenas atravessando uma fase difícil. Ela era excêntrica, não louca. Na verdade, ela era incrivelmente esperta. Entendia e internalizava cada conceito que eles lhe ensinavam.

— Então, minha nova composição é que sou uma donzela angustiada — disse ela.

Naquela noite, ela brilhou no *Tonight Show*. Ao contrário de sua aparição no *Letterman*, que fez a manchete de todos os jornais sensacionalistas, ela estava segura e bem-comportada diante da câmera — e sua performance com sua banda só de mulheres, Chelsea, serviu para lembrar que ela não era somente uma celebridade, era um rock star.

Eu tinha ido para o programa no carro de Katya com Herbal, Mystery, Katya e Kara, uma garota que eu conhecera num bar alguns dias antes. Depois do programa, subimos até o camarim de Courtney e a encontramos sentada num banco, cercada pelas meninas do Chelsea. Fiquei espantado com a guitarrista: ela era uma loura descolorida, alta e linda, com uma postura selvagem de rock and roll. Por que eu não conseguia achar mulheres como aquela nas boates?

— Posso ficar no seu quarto mais duas semanas? — Courtney perguntou a Herbal.

— Claro — respondeu ele.

Herbal nunca tinha problema com nada. Enquanto Mystery estivera se lastimando no seu quarto, ele estava lá fora ajudando Katya a cuidar do irmão.

— Pode ser que dure um mês — gritou Courtney, quando já tínhamos saído do camarim.

No estacionamento, Mystery sentou no banco do motorista do carro de Katya. Ele não dissera sequer uma palavra o dia todo. Ela sentou-se ao seu lado e colocou um DJ set de Carl Cox no CD player. Seu gosto musical se restringia a house e techno; Mystery praticamente só escutava Tool, Pearl Jam e Live. Aquilo devia ter sido um sinal de alerta.

Ao sairmos do estacionamento, o telefone de Mystery tocou. Ele desligou o som para responder.

Katya estendeu a mão e ligou o som, baixinho.

Mystery, furioso, desligou-o novamente.

E assim continuaram: ligando, desligando, ligando, desligando — cada vez mais irritado até que, finalmente, Mystery pisou no freio e berrou "Vá se foder", e saiu do carro.

Ele ficou em pé no meio da Ventura Boulevard, interrompendo o tráfego, com seu braço direito para o alto e o dedo médio para cima, na direção de Katya.

Katya passou para o volante e seguiu até o cruzamento, depois deu a volta e foi buscar Mystery, que começara a caminhar pela calçada. Quando ela estacionou ao lado dele, ele parou, lançou-lhe um olhar de desdém, cruzou os braços numa posição que queria dizer "Vai pro caralho" e continuou andando.

Ela arrancou sem ele. Ela não estava zangada, apenas decepcionada com aquela criancice.

Naquela noite, Mystery não voltou para casa. Liguei para ele várias vezes, mas ele não respondeu. Quando acordei na manhã seguinte, ainda não tinha voltado. Toda vez que eu ligava para ele, a chamada caía na caixa postal. Comecei a me preocupar.

Algumas horas depois, ouvi baterem na porta. Fui atender, esperando ver Mystery, mas deparei com o motorista de Courtney, em vez dele. Uma das habilidades de Courtney era transformar qualquer um num raio de 100 metros em seu assistente pessoal. Os alunos de sedução que visitavam a casa pela primeira vez acabavam indo até o Tokyopop buscar uma revista de mangá que ela estava a fim, apanhando roupa de cama no seu apartamento ou enviando e-mails para a consultora financeira Suze Orman.

— Ei, seu degenerado! — ela gritava para o irmão de Katya. — Você pode ir até meu apartamento com meu chofer e apanhar alguns DVDs?

Depois que ele se foi, Courtney disse para Katya:

— É um garoto legal e bem bonitinho.

— Você sabe que ele é virgem? — perguntou Katya.

— Sei — respondeu Courtney. Depois ficou calada, considerando aquela informação por alguns instantes. Em seguida, assentiu com a cabeça e disse para Katya: — Eu poderia trepar com ele por compaixão.

Naquela noite, Mystery voltou. Chegou com uma stripper em cada braço. Elas pareciam estar trabalhando na mesma boate cavernosa há 20 anos; nossas lâmpadas de 100 watts não lhes faziam bem.

— Oi, camarada — disse ele, como se acabasse de chegar do supermercado.

— Onde você estava?

— Fui para uma boate de strippers e passei a noite com Gina.

— Oi — disse a morena com cara de cavalo, pendurada no seu braço esquerdo. Ela acenou humildemente com a mão esquerda.

— Pois bem, rapaz, você deveria ter telefonado. Tudo bem se você tiver suas briguinhas com Katya, mas eu e Herbal estávamos muito preocupados. Isso não foi legal.

Ele desfilou com as garotas pela casa, certificando-se de apresentá-las a Katya, depois foi sentar no pátio com elas.

Katya foi cuidar da sua vida. Tomou uma ducha, limpou a explosão diária de manteiga de amendoim na cozinha e fez seu dever de casa de maquiagem para efeitos especiais no rosto de Herbal, executando nele uma lobotomia.

Embora a jogada da stripper de Mystery não a tivesse deixado com ciúmes, aquilo bastou para que o respeito que todos os outros tinham por ele definhasse ainda mais.

Capítulo 5

Estava fadado a acontecer. Katya finalmente achou alguém dentro de casa. Ela estava dando em cima de todos nós desde seu susto com a gravidez.

Foi Herbal que acabou não resistindo. Ele era um cara tranqüilo. Nunca perdia a calma. Gostava de escutar as pessoas. Era um cara modesto e tinha bom gosto. Em outras palavras, era exatamente o oposto de Mystery. O tempo todo que passara com Katya, enquanto Mystery tinha ficado amuado e deitado indolentemente na cama, ou então dormindo com uma stripper por pura vingança, acabara o afetando. Desenvolvera um afeto por Katya. Após vê-la sofrer com as manipulações e negligências de Mystery, começou a sentir que a merecia mais do que ele.

— Está ficando cada vez mais difícil dizer não — ele me confidenciou.

— Fale com Mystery. Ele já deve ter superado isso, agora.

— É. Afinal de contas, ele reagiu bem àquela história com Sima. — (Sima era uma ex-RMLP de Mystery em Toronto, com quem Herbal havia saído.)

Então, Herbal perguntou a Mystery. A resposta foi não. Mas naquela noite, depois de brigar outra vez com Katya, Mystery encontrou Herbal na sala de estar.

— Está acabado entre nós — ele disse, de modo casual. — Ela é toda sua.

Eram palavras das quais ele logo se arrependeria.

Em algumas horas, Herbal estava com o pau dentro dela. Como Courtney estava dormindo na sua cama, ele comeu Katya no quarto de Playboy, contíguo à cozinha.

Quando Mystery voltou do Standard para casa naquela noite, foi até a cozinha apanhar um Sprite. Foi quando ouviu os dois. Os gemidos que haviam sido sua serenata noturna exclusiva agora estavam sendo dedicados a outro homem. Ele ficou parado ao lado da porta de Playboy em estado de choque, ouvindo-os fazer sexo. Katya parecia estar curtindo, ruidosamente.

Mystery foi até a sala de estar e desabou no chão. Seu rosto ficou pálido. Como a morte de seu pai, aquilo o afetou mais do que havia previsto.

Nunca subestime sua própria capacidade afetiva.

— Eu a amo — ele disse, quando a primeira lágrima escorreu dos seus olhos. — Eu amo aquela garota.

— Não, você não a ama — eu o corrigi. — Você disse outro dia que a odiava. — Os pensamentos que eu estava retendo há semanas começaram a jorrar. — Tudo o que você aprecia é o corpo dela. O único motivo pelo qual você está transtornado é o fato de estar se sentindo rejeitado.

— Não. Estou puto com ela por ela não me amar da mesma forma.

— Ela o amou mais do que qualquer outra garota que eu já vi com você. Ela ficou sentada comigo certa noite na jacuzzi falando o quanto temia acabar se apaixonando por você. E assim que ela se apaixonou, você ficou frio, fechado, seu babaca.

— Mas eu a amo.

— Você diz isso de toda mulher com quem vai para a cama. Isso não é amor de verdade. É um amor falso. É uma ilusão.

— Não, não é — berrou ele. — Você está enganado.

Ele se levantou e foi para o quarto, batendo a porta e fazendo a tinta ressecada cair.

Ele havia sido tão negligenciado quando criança que o fim do amor acionou todos os gatilhos emocionais, explodindo a carapaça de narcisismo criada pelo seu escapismo infantil.

Quando voltei para meu quarto, uma cena de *O Mágico de Oz* me veio à cabeça. Nela o Mágico diz ao Homem de Lata: "Um coração não é avaliado pelo quanto você ama, mas o quanto é amado pelos outros."

Eu estava esperando meus sonhos arquivarem meus pensamentos, receios e aborrecimentos, de modo a poder recomeçar em paz o dia seguinte. Mas fui surpreendido por Courtney. Ela apareceu na minha porta, um maço de folhas na mão.

— Você precisa telefonar para Frank Abagnale por mim — me pediu ela. — Ele pode resolver isso. E ligue para Lisa. Diga que preciso vê-la.

— Deixe comigo.

Não tinha a menor idéia do que ela estava falando. Não sabia como entrar em contato com Frank Abagnale (o artista da simulação e disfarce cuja biografia inspirara o filme *Prenda-me se for capaz*), ou muito menos com Lisa, sua guitarrista. Mas, agora, eu já sabia como lidar com os pedidos constantes de Courtney: simplesmente concorde e não faça nada. Em algumas horas ela esqueceria o que tinha pedido.

De manhã, fui ver como estava Mystery. Sentado na sua cama, ele tremia convulsivamente. Seu rosto estava vermelho e os olhos cheios de lágrimas. Eu nunca o vira daquele jeito antes. Quando estava deprimido em Toronto, ele apenas ficava mudo e catatônico. Desta vez, ele parecia estar sofrendo de verdade.

Evidentemente, Katya entrara no seu quarto de manhã para apanhar a escova de dentes.

— Você quer me falar sobre o que aconteceu ontem à noite? — Mystery lhe perguntara.

— E por que deveria? Você praticamente me deu de presente para Herbal.

— Você trepou com ele?

— Bem, vamos colocar da seguinte maneira — ela respondera. — Eu tive o melhor sexo de toda a minha vida.

Aquilo acabou com ele.

— Quero matá-la. — Ele rolou na cama e gemeu como um cão agonizante. — É lógico, eu sei que estou sendo dominado pelas minhas emoções. Mas minha lógica está apenas 2% certa agora. Emocionalmente, estou em carne viva. — Ele se agarrou aos lençóis. — Me sinto estranho e vazio, como se tivesse acabado de cagar.

Rolando na cama, ele começou a soluçar outra vez.

— Me sinto vazio de merda.

Eu teria rido, se ele estivesse tentando ser engraçado.

Enquanto ele sofria, fiquei pensando na letra de uma música de Courtney: "Eu fiz minha cama / Vou me deitar nela." Mystery fizera sua cama. E agora Herbal estava deitado nela.

Ele ergueu as mãos para o teto e berrou com sua voz de Anthony Robbins. De repente, a cabeça de Courtney apareceu pela porta.

— É por minha causa? Posso dormir no quarto em frente se quiser.

Às vezes ela conseguia ser muito doce.

Fui até a sala de estar e contei para Courtney o que estava acontecendo. Katya estava sentada no pátio, fumando um cigarro.

— Eu estou me sentindo tão mal — disse Katya. — Coitado de Mystery. — Ela soltou uns gemidos de solidariedade por ele, como se estivesse falando da sua cadela.

Herbal caminhou pesadamente até a mesa, a cabeça pendendo para a frente. Estava em silêncio, tentando pensar em algo para dizer. Nenhum dos dois parecia se arrepender de terem dormido juntos. Simplesmente não conseguiram imaginar que Mystery fosse sofrer tanto. Nenhum de nós conseguira.

Courtney acendeu um cigarro e contou para Herbal sobre um *ménage à trois* que tinha experimentado e sobre como partilhar pode ser uma forma de afeto, e como ela havia fugido para São Francisco para encontrar o Faith No More, e como as Suicide Girls eram uma idéia dela e como ela tentou transformar uma groupie na Europa em uma artista. Em algum ponto de seu discurso sinuoso, havia uma metáfora para o dilema atual de Herbal — encurralado entre seu amigo mais íntimo e a garota por quem estava se apaixonando —, mas não sabíamos qual era.

Naquele instante então, o telefone de Herbal tocou. Ele atendeu e, com uma expressão perplexa no rosto, passou-o para Courtney.

— É Frank Abagnale que quer falar com você — ele disse. — Acho que ele recebeu minha mensagem.

Deixei os três no pátio e liguei para a irmã de Mystery, Martina.

— Ele está desabando novamente.

— Está muito mal?

— Começou como uma dor de cotovelo normal, mas hoje de manhã ele chegou ao limite. A situação parece ter desencadeado algum tipo de reação química. Agora mesmo, está chorando incontrolavelmente.

— Bom, se ficar pior, eu mando uma passagem de avião para ele voltar a Toronto. Se você puder colocá-lo num avião, nós cuidamos dele quando chegar.

— Você se dá conta de que, se ele voltar para Toronto, tudo estará perdido? O visto dele expirou aqui, nunca mais o deixarão voltar aos Estados Unidos. Não terá mais oportunidade de virar um grande ilusionista. E seu negócio de sedução estará destruído.

— Eu entendo. Mas não temos escolha.

— Vou tentar resolver isso sozinho.

— Apenas mande-o de volta. A assistência médica no Canadá é gratuita. Não temos condição de cuidar dele nos Estados Unidos, especialmente se o internarem.

— Deixe-me tentar. Se ele piorar, eu o mando de volta para vocês.

Ver o relacionamento de Mystery com Katya desabrochar havia servido para abrir meus olhos. Ele a convidou para morar com ele. Ele se casara com ela. Ele não a engravidou. Ele a ignorou e ficou ressentido. Deu a Herbal permissão para dormir com ela. Ele não era senão vítima de si mesmo.

Enquanto isso, desde meu artigo no *The New York Times*, meia dúzia de produtores de reality shows tinha procurado Mystery — incluindo os do programa *American Idol*. A VH1 chegara a enviar-lhe um contrato para um programa no qual ele transformaria fracassados em ases da sedução. O estrelato queria muito ele, mas Mystery não retornou nenhum telefonema.

— Isso já aconteceu antes — suspirou Martina quando lhe falei sobre as ofertas de programa. — Sempre que ele está a um passo de conseguir, desaba e joga tudo pela janela.

— Você quer dizer...

— É — concluiu ela. — Na verdade, ele tem medo do sucesso que tanto busca.

Capítulo 6

Na noite seguinte, Katya voltou para casa às 2h. Estava acompanhada por Herbal e pelo casal de Nova Orleans com que, por vezes, dormia. Mystery escancarou sua porta, sentou numa almofada no chão e ficou observando, enquanto eles bebiam na sala comum. Ele estava fazendo um esforço para se conter.

A mulher do casal tinha 1,85m, um abdome malhado, cabelos castanhos que escorriam até sua bunda bem esculpida, seios falsos recém-operados e um nariz grande, que aguardava na fila para passar pelo bisturi. Quando Katya se inclinou e começou a beijá-la, o rosto de Mystery se contorceu e ficou vermelho. Se ao menos tivesse ficado com Katya um pouco mais, ele poderia ter participado daquele elusivo *ménage*. Em vez disso, estava agarrado à sua almofada, vendo Katya rir com o casal, vendo Herbal sentado, com um sorriso de satisfação no rosto, vendo as garotas colocarem seus biquínis e se dirigirem à jacuzzi, vendo Herbal se juntando a elas.

Katya tinha dado seu amor a Mystery, e agora ele estava pagando por tê-lo jogado no lixo. Intencionalmente ou não, ela estava esfregando sua bissexualidade, sua juventude e sua felicidade na cara dele.

Pela manhã, a sanidade de Mystery se decompôs ainda mais. Quando não estava chorando no sofá, ficava patrulhando a casa, tentando se certificar de que Katya e Herbal não estavam juntos. Se não conseguia encontrá-los, ele ligava para ela. Quer ela atendesse ao telefone ou não, o resultado seria o mesmo: Mystery atiraria longe o aparelho e destruiria tudo que estivesse ao alcance de seus braços e pernas. Ele derrubou várias estantes de livros no chão; dizimou os travesseiros, deixando penas voando pelo quarto; arremessou seu celular contra a parede, fazendo marcas na pintura.

— Onde está Katya? — perguntou a Playboy.
— Foi comprar roupas em Melrose.
— Onde está Herbal?
— Ele está... está com ela.

Então o coração de Mystery apertava e seu rosto ficava abatido, os olhos cheios de água e as pernas começavam a tremer, fazendo com que ele apresentasse as justificativas evolutivas mais bizarras para aquilo tudo.

— É o gene do egoísmo — ele dizia. — É o bebê potencial inexistente me punindo.

Quando Herbal voltou das compras com Katya, eu o avisei:

— Você está sendo manipulado. Ela está usando você para voltar para Mystery.

— Não — retrucou ele. — Isso não é verdade. Nós realmente gostamos um do outro.

— Bem, você pode me fazer um favor e não ficar com ela até que Mystery comece a se sentir melhor? Vou pedir a ela para sair de casa por algum tempo.

— Ótimo — disse ele, com certa relutância. — Mas não vai ser fácil.

Naquela noite, levei Katya e seu irmão ao cinema. O plano A era fazer com que ela ficasse fora de casa e longe de Herbal, assim Mystery não ficaria pior. O plano B era trepar com ela a fim de que Herbal percebesse que sua ligação com Katya não era assim tão especial.

Felizmente, o plano A funcionou.

— Você está destruindo Mystery — eu lhe disse, ao voltarmos do cinema. — Você precisa sair de casa. E não voltar até que eu diga que está tudo bem. Isso não tem mais nada a ver com você. Mystery tem sérios problemas psicológicos, e você desencadeou tudo.

— Tudo bem — ela respondeu.

Seu olhar na minha direção era o de uma menina sendo castigada.

— E me prometa que não vai voltar a transar com Herbal. Você está magoando um de meus camaradas e está quase partindo o coração de outro. Não posso ficar parado, assistindo.

— Eu prometo — ela concordou.

— A brincadeira acabou. Você já provou o que queria.

— Ok. Está acabado.

— Cruzemos os dedos.

Nós cruzamos os dedos mindinhos.

Eu deveria ter feito ela jurar alguma coisa mais séria.

Sedução era moleza, comparada com aquilo. Mesmo se as pessoas não passavam de programas elaborados pela evolução, conforme Mystery acreditava, elas eram aparentemente complicadas demais para que qualquer um de nós as entendesse realmente. Tudo que tínhamos descoberto eram simples relacionamentos de causa e efeito. Se você reduz a auto-estima de uma mulher, ela irá buscar uma confirmação de sua parte. Se você deixar uma mulher com ciúmes, ela ficará mais atraída por você. Mas, além da atração e da luxúria, havia sentimentos mais profundos que poucos de nós experimentávamos e nenhum de nós dominava. E esses sentimentos — para os quais o coração e a palavra *amor* são apenas metáforas — estavam destruindo o Projeto Hollywood, uma casa já dividida, em pedaços.

Então ocorreu que Mystery começou a assustar todo mundo na casa e passou a falar em se matar. Tive que lhe dar um Xanax de Katya, colocá-lo no meu carro e levá-lo para o Centro Psiquiátrico de Hollywood, de onde ele tentou fugir duas vezes e quis dar em cima da terapeuta, mas não conseguiu.

Seis horas depois, ele saiu da clínica com um pacote de pílulas de Seroquel na mão e mais um Xanax no organismo. Eu nunca ouvira falar de Seroquel antes, então, quando voltamos para casa, olhei na bula do remédio.

"Para tratamento de esquizofrenia", dizia.

Mystery apanhou a bula das minhas mãos e deu uma olhada.

— São apenas comprimidos para dormir — disse. — Vão me ajudar a pegar no sono.

— Exato — concordei. — Comprimidos para dormir.

Décimo Passo
Destrua a resistência de última hora

"O que é sexual é aquilo que dá ao homem uma ereção... Se não houver desigualdade, violação, domínio, força, não há excitação sexual."

— Catherine MacKinnon
Toward a Feminist Theory of State

Capítulo 1

Era dia de limonada no Projeto Hollywood. Pelo menos, era isso que Courtney Love decidira. Mystery estava se recuperando, Katya estava em Nova Orleans por seis semanas e havia boas vibrações no ar.

Com o cigarro no canto da boca, deixando cair cinzas na sua camiseta Betsey Johnson, Courtney apanhou uma enorme jarra no armário. Abrindo a geladeira, procurou qualquer coisa que fosse líquida, misturando duas embalagens de limonada e um pouco de suco de laranja. Colocou tudo no liquidificador e, fazendo transbordar, encheu algumas panelas. Em seguida, pegou um punhado de cubos de gelo e despejou-os na sua mistura. Finalmente, mergulhou seus dedos de unhas negras no interior de cada recipiente e mexeu. O suco derramou sobre o balcão da cozinha, enquanto as cinzas do seu cigarro caíam dentro do liquidificador.

Dispensando a ponta de seu cigarro sobre o ladrilho amarelo do balcão, ela olhou ao redor freneticamente até notar um armário no alto. Abrindo as portas e enfiando as mãos lá dentro, pegou quatro copos. Um a um, ela mergulhou os copos no recipiente e os encheu. Depois, agarrou o restante dos copos e toda caneca limpa que conseguiu encontrar e os encheu de limonada.

Na sala de estar, Mystery estava sentado num sofá com as pernas cruzadas, dando o primeiro seminário desde que voltara da clínica de saúde, três semanas antes. Usava uma camiseta e um macacão de jeans. Os pés descalços. Estava com a barba malfeita e suas pálpebras se mexiam preguiçosamente sobre um olhar desfocado. Ele andava tomando o Seroquel regularmente e curando com sono sua depressão. Estava começando a superar o pior.

— Existem três fases num relacionamento — ele disse aos alunos, falando num torpor. — Um início, um meio e um fim. E eu estou atravessando a fase final neste momento. Não vou mentir para vocês. Chorei três vezes na última semana.

Seus seis alunos olharam uns para os outros, confusos. Estavam ali para aprender a levar mulheres para a cama, mas, para Mystery, aquilo não era apenas um seminário, era terapia. Fazia duas horas agora que ele estava falando a eles sobre Katya.

— É isso que vocês estão construindo, e pode ser duro — prosseguiu ele. — Meu plano para a próxima garota é ter de novo um falso casamento. O erro que cometi na última vez foi deixar Katya e sua mãe saberem que era uma brincadeira. Na próxima vez, o casamento será no quintal. Arrumarei um ator para fazer o padre e todo mundo, exceto seus pais, saberão que não estou de fato me casando.

Um dos alunos, um cara estiloso com seus 30 anos, cabelos curtos e um queixo que parecia um bloco de cimento, ergueu a mão.

— Mas você não acabou de nos dizer como o falso casamento foi um desastre na última vez?

— Estava apenas aplicando um teste de campo — respondeu Mystery. — É um ótimo procedimento.

Sempre que Mystery saía de suas depressões, seus eixos mentais se mexiam um pouco. Desta vez, havia ódio por baixo da superfície, além de uma recente amargura em relação às mulheres.

De repente, Courtney apareceu, vindo da cozinha.

— Quem quer limonada? — Os alunos olharam para ela, perplexos. — Vamos lá — disse ela entregando um copo para Mystery e outro para o Queixo-de-cimento. — O que você está fazendo aqui? — perguntou ela. — Você é uma gracinha.

— Sou instrutor de defesa pessoal — disse ele. — Mystery me deixou participar do workshop em troca de lições de Krav-Maga.

Courtney correu até a cozinha e voltou com mais dois copos de limonada, depois mais dois e mais dois, até haver mais copos do que pessoas na sala.

— Acho que chega de limonada — disse Mystery quando ela voltou com duas canecas nas mãos.

— Onde está Herbal? — ela perguntou.

— Acho que está tomando banho.

Courtney disparou até o banheiro e chutou a porta.

— Herbal? Você está aí?

Ela chutou a porta novamente, com mais força.

— Estou tomando uma ducha — ele respondeu, gritando.

— É importante. Vou entrar.

Empurrando a porta, ela entrou e abriu a cortina do chuveiro.

— O que está acontecendo? — Herbal perguntou, em pânico. Ele estava lá, pelado, seus cabelos cobertos de xampu. — A casa está pegando fogo?

— Fiz isso para você — disse Courtney.

Ela estendeu uma caneca de limonada em cada uma das mãos molhadas de Herbal e saiu correndo. Herbal ficou calado. Desde que ele se comprometera a parar de falar com Katya, ele ficara à deriva pela casa, envolto numa triste nuvem de silêncio. Embora fosse orgulhoso demais para admitir, estava magoado. Ele a amava.

Quando os alunos de Mystery fizeram um intervalo para almoçar, Courtney saiu correndo e subiu até o quarto de Papa, deixando a bandeja de limonada respingar sobre o tapete. Ela entrou bruscamente. Lá dentro estavam Papa, Sickboy, Tyler Durden, Playboy, Xaneus e os mini-Papas, trabalhando em computadores diferentes. Extramask estava deitado na cama desfeita de Papa, lendo o Bhagavad Gita. Enquanto estava em casa, Extramask ficava entediado e começava a ler os livros de Playboy sobre religiões orientais, que inesperadamente o tinham levado a um caminho de autodescoberta espiritual.

— Courtney — pediu Tyler Durden, enquanto Courtney distribuía limonada —, você pode nos colocar na lista de convidados para o Joseph's na segunda-feira?

Courtney pegou o telefone, entrou no banheiro com Tyler e ligou para Brent Bolthouse, o promotor que organizava as festas de segunda à noite no Joseph's, famosas pela suas listas restritas de convidados e o monte de gente querendo entrar nelas.

— Brent — disse ela. — Meu amigo Tyler Durden é um artista da sedução profissional. — Tyler agitou as mãos freneticamente numa fútil tentativa de avisar a Courtney que não devia falar sobre isso. — Ele seduz mulher para viver. É superbacana. — Tyler colocou as mãos no rosto. — Você pode colocá-lo na lista de convidados, assim ele pode ir com alguns amigos artistas da sedução e paquerar umas minas?

Courtney apanhou uma embalagem de seis preservativos na pia e a enrolou no pulso, como um bracelete, depois começou a explorar o banheiro. Enfiou a cabeça dentro dos dois closets — os quartos infames de Papa —, que ficavam em cada lado do banheiro.

— Deixe-me perguntar uma coisa — disse ela ao sair do closet de Tyler Durden, que continha uma mala, uma pilha de roupa suja e um colchão no chão. — Você gosta de mulheres?

No outro lado das janelas do banheiro, Queixo-de-cimento arrastava um saco de areia pelo pátio.

— Eu não era um misógino quando comecei com isso — respondeu Tyler. — Mas aí você vai ficando bom e começa a dormir com todas essas garotas que têm namorados e então pára de confiar nas mulheres.

Um efeito colateral das caçadas é que elas baixam a opinião sobre o sexo oposto. Você vê muita traição, mentira e infidelidade. Se uma mulher está casada há três anos ou mais, você acaba aprendendo que é mais fácil levá-la para a cama do que uma mulher solteira. Se uma mulher tem um namorado, você descobre que tem mais chances de comê-la na noite em que se conheceram do que conseguir que ela ligue um outro dia. As mulheres, você finalmente se dá conta, são tão más quanto os homens — simplesmente sabem disfarçar melhor.

— Eu me magoei muito quando comecei a seduzir as mulheres — prosseguiu ele. — Encontrava uma garota incrível de quem eu gostava realmente e ficávamos conversando a noite toda. Ela dizia que me amava e que tinha muita sorte por ter me encontrado. Mas, então, eu falhava num teste de provocação e ela ia embora e nunca mais falava comigo. Tudo que construímos nas últimas oito horas ia pelo ralo. Então isso me deixou calejado.

Existem homens neste mundo que odeiam as mulheres, não as respeitam, as chamam de filhas-da-mãe. Esses não são AS. Os AS não odeiam as mulheres; eles as temem. Ao se definir simplesmente como AS — um título conquistado somente pelas reações das mulheres —, o cara se vê obrigado a conseguir toda sua auto-estima e identidade a partir da atenção do sexo oposto, não é diferente do relacionamento de um comediante com sua platéia. Se ela não rir, ele não é engraçado. Então, como mecanismo de defesa da auto-estima, alguns AS desenvolvem tendências misóginas no processo do aprendizado.

A caçada pode ser arriscada para a alma.

Do outro lado da janela, Queixo-de-cimento segurava o saco de areia, enquanto Mystery saltava em volta, desferindo socos desajeitados.

— Mais forte — ele gritava para Mystery. — Quero ver mais agressividade.

Capítulo 2

Além do Projeto Hollywood, toda a comunidade parecia ter assumido uma posição perigosa e instável. Os relatórios de campo não se limitavam mais a encontros com garotas, mas também em arrumar brigas e ser expulso das boates. Os membros da comunidade começaram a superar os dramas que acontecem no Projeto Hollywood, assim como lendo os textos inconfundíveis de Jlaix, um AS pistoleiro e cantor de karaokê parecido com Elvis, que Tyler Durden e Papa descobriram em São Francisco.

GRUPO MSN: Lounge de Mystery
ASSUNTO: RC — Primeira stripper de Jlaix (drogas vendidas separadamente)
AUTOR: Jlaix

Acabei de voltar de Las Vegas, estou cansadérrimo. Fui expulso de um bar de karaokê na noite passada por ter rolado no chão e berrado durante o refrão de *Separate Ways (World Apart)* de Journey.

Mas este post não é sobre karaokê. É sobre uma trepada com uma stripper. Então vamos direto ao assunto, certo?

Cheguei na cidade na quarta-feira à tarde e comecei a beber. Alguns colegas do trabalho e eu estávamos no Hard Rock, como os personagens da série *OC* no episódio desta semana. Fomos postos para fora do Hard Rock Café por fazermos coquetéis de carne e provocarmos uns aos outros para bebermos. Um coquetel típico de carne contém carne, bacon, cerveja, purê de batata, mais cerveja, costelas, gelo, cebolas, mostarda, molho A-1, sal, pimenta e talvez um pouco de vodca. Depois de um de meus colegas de trabalho vomitar na mesa, fomos todos para uma boate de strip-tease chamada Olympic Gardens.

Eu estava puto porque queria sair caçando e não arrumar apenas uma dançarina de bunda flácida. Estou sempre dizendo como sou um grande artista da sedução para os caras do trabalho e precisava mostrar para eles que não estava de papo-furado. Eu treinei bastante para isso e estava, francamente, um pouco nervoso, não querendo parecer um idiota se não conseguisse provar minha capacidade. Além do mais, não gosto dessas boates porque me recuso a pagar para fazer sexo. Mas fui junto e sentei lá com uma cerveja enquanto os caras se divertiam.

Então vi uma garota ir sentar numa mesa na frente da minha. Na verdade, ela trabalhava lá, mas decidira tirar folga porque não havia muitos clientes e havia muitas mulheres no lugar. Comecei a aplicar meus procedimentos em cima dela. Meus amigos ficaram olhando para mim achando que eu estava louco, porque eu ficava chamando a garota de idiota.

Ela ficava dizendo "Você é tão metido!" e de fato começou a me irritar. Meus amigos viram isso acontecer com os queixos caídos. Eu disse a ela que estávamos voltando para o hotel e que ela poderia vir e chamar algumas de suas amigas piranhas mais gostosas. Ela ficou pau da vida porque eu a chamei de piranha, então logo mudei de assunto. "Oh meu Deus, tenho uma amiga que é tão esquisita. Ela come limão como se fosse uma laranja, bláblábá." E assim ela esqueceu. Mais procedimentos, bum, bum, bum. Aquilo durou um momento. Depois saímos todos juntos.

Lá fora, o gerente estava tentando fazer com que ela voltasse para trabalhar. Mas eu a puxei e entramos num táxi. Ela disse: "Sou uma stripper, mas tenho cérebro." Mandei então o truque do Mystery: "Nos parecemos tanto", e depois o sorriso C versus U do Style.

Quando chegamos ao hotel, eu lhe disse que ela poderia deixar suas tralhas no meu quarto. Lá em cima, apliquei a história do cubo nela. Depois eu lhe disse: "Quando fiz isso com a Paris Hilton num restaurante mexicano, ela falou que o cubo dela era grande como um hotel. Que egocêntrica!" Então ela começou a achar que eu saía com celebridades e modelos o tempo todo, muito embora isso tenha acontecido com Papa.

Apliquei também aquele negócio novo de Tyler Durden sobre os padrões, e disse: "Estou tão cansado de sair com minas que usam drogas o tempo todo e fazem cirurgia plástica. Quero dizer, não me entenda mal, eu gosto de dar uma trepada dentro do banheiro de um bar, como qualquer um, mas só de vez em quando! Quero dizer, você não é desse tipo, é?" Ela se descreveu. Então perguntei se ela era boa nos beijos, e nós nos beijamos um pouco. Eu parei e sugeri que fôssemos beber alguma coisa lá embaixo.

No cassino, comecei a aplicar outros procedimentos, preenchendo a tela vazia da minha vida. Mandei *Supercuts*, *Summer of Ripped Abs*, *Balloons in the Park*, *Stripper Babysitter* e *My Cat Got Laid*. São, todas, histórias da minha vida e, pode crer, os títulos são mais interessantes do que o verdadeiro conteúdo.

Demos uma volta pelo cassino, procurando meus amigos. Depois, disse a ela que estava cansado e precisava ir dormir, e ela devia subir comigo, contar uma história na cama e me cobrir. Ela perguntou: "O que vamos fazer? Coisas erradas? Só conheço você há meia hora!"

Décimo Passo: DESTRUA A RESISTÊNCIA DE ÚLTIMA HORA

Eu disse: "Não, espero que não. Tenho que acordar cedo, é melhor você me deixar dormir. Estou cheio de uísque." Vocês deveriam usar essa.

Entramos no quarto e três palhaços do meu trabalho estavam lá, totalmente embriagados. Rapidamente os coloquei para fora, sugerindo que fossem apostar no cassino. A mina olhou para a mesa e disse: "Alguém andou cheirando cocaína aqui. Tenho certeza. Sou uma stripper."

Eu cantei uma serenata para ela. Cantei *On the Wings of Love* de Jeffrey Osborne para ela. Disse que queria um carinho e ela me fez carinho, depois conversamos um pouco. Disse que queria lhe mostrar um truque. Falei que queria chupá-la e ela tirou a calça. Estava sem calcinha. Dei uma olhada para ver se estava saudável, depois comecei a lamber. Ela tinha um piercing no clitóris, o que eu nunca vira antes. O negócio ficava prendendo nos meus dentes. Enfiei o dedo depois de cinco minutos e a deixei submissa. Depois eu disse: "É uma pena que eu esteja de cara cheia!"

Ela disse: "Tudo bem", e eu comi ela todinha.

Nunca tinha visto uma garota tão magrinha com peitos tão grandes. Oh, meu Deus, foi a gata mais gostosa que eu comi: minha primeira stripper era nota 9. Fiquei curtindo com ela depois. Ela ficou perplexa com meus ferimentos e cicatrizes. Eu beijei aquela stripper filha-da-puta de tão gostosa e disse: "Não sou um maluco, apenas finjo. Estou apenas lidando com o absurdo da existência, enfiando absurdos pela garganta da existência."

Ela me deu seu telefone e pediu para eu ligar.

Na noite seguinte, usei meu quebra-gelo Meu Querido Pônei ("Vocês se lembram deles? Eu estava tentando lembrar, eles tinham superpoderes?"). No final da noite, depois de ser expulso do bar de karaokê, sai berrando "Meeeuuu queriiiido pôneeeeii" e acabei entrando em outra boate de strippers.

A última coisa de que me lembro é estar sentado na minha cama assistindo à televisão, confuso e gritando para ninguém: "Que merda é essa que estou vendo? Isso é OC? Que porra é essa?" Até me dar conta de que era só um episódio de *Punk'd* em que eles estavam sacaneando o elenco de OC. Depois apaguei.

— Jlaix

Capítulo 3

A primeira vez que a vi, ela estava cagando.

Abri a porta do meu banheiro e ela estava sentada no vaso.

— Quem é você? — perguntei.

— Eu sou Gabby.

Gabby era amiga de Maverick, um dos AS juniores que circulavam na órbita de nossa casa e apareciam por lá todo fim de semana sem serem convidados. Ela tinha atitude de uma rainha da beleza, mas o corpo parecia um saco de batatas. Dei um passo para trás e comecei a fechar a porta.

— Ei — disse, puxando a descarga. — Essa casa é legal. Qual é o seu trabalho?

Aquelas palavras cortavam a onda. Ao caçar em Los Angeles, logo se desenvolve um radar para mulheres que são interesseiras. A menos sutil delas perguntará, em poucos minutos de conversa, que tipo de carro você tem, qual é seu trabalho, quais as celebridades na sala que você conhece, a fim de determinar sua escala social e até que ponto você pode ser útil para elas. As mais sutis não precisam fazer perguntas: olham para seu relógio; vêem como as pessoas reagem quando você fala com elas, ouvem indicadores de insegurança em seu discurso. São esses os sinais que os AS chamam de subcomunicação.

Gabby pertencia à espécie menos sutil.

Enquanto ela lavava as mãos, abriu o armário de remédios e inspecionou o conteúdo. Depois, entrou no meu quarto e continuou sua exploração.

— Você é escritor? Devia escrever sobre mim. Eu tenho uma história muito interessante. Quero ser atriz. Você sabe como algumas pessoas simplesmente nasceram para serem famosas. — Ela apanhou meus óculos escuros em cima do móvel e os colocou no rosto. — Pois é, eu sou assim. Não que eu seja especial, ou coisa parecida. É só uma coisa que a gente sabe desde pequena, porque as pessoas nos tratam de modo diferente.

Um homem rico não precisa dizer que é rico.

Enquanto ela tagarelava, pegou um bolo num prato sobre a mesa. Aquele tinha sido um dia de bolo. Courtney percorrera a casa com mais bolos do que era possível comermos.

Gabby deu uma mordida, depois recolocou o bolo no prato. Eu não sabia quem a tinha convidado. Maverick não estava lá e ela não era amiga de ninguém mais ali.

— Tenho que trabalhar — eu lhe disse. — Mas foi legal conhecer você.

Imaginei que ela saberia achar sozinha o caminho para ir embora. Mas deve ter tomado a direção errada. Mais tarde, Mystery a encontrou sentada no seu banheiro.

Ambos são tão narcisistas, pensei, que iam acabar se repelindo como dois pólos positivos. Em vez disso, eles acabaram fazendo sexo.

Ela passou a semana seguinte na casa, dormindo com Mystery e se estranhando com Courtney, depois de pegar emprestadas algumas de suas roupas sem permissão. Como Mystery, o maior medo de Gabby na vida era não ter ninguém por perto para ouvi-la falando, então ela estava sempre andando pela casa, fofocando, reclamando e deixando Courtney nervosa.

Numa tarde, quando Courtney estava na cozinha comendo pasta de amendoim dentro de um pote com duas colheres, ela perguntou a Gabby:

— Você não vai voltar para casa?

— Casa? — Gabby olhou para ela com uma cara engraçada. — Eu moro aqui.

Aquilo era novidade para Courtney, para mim e para Mystery. A casa atraía pessoas assim. Finalmente, ela acabava expulsando todas.

Twyla foi a vítima seguinte do Projeto Hollywood. Ela, primeiro, apareceu na casa quando uma stripper com quem Mystery saíra anos antes estava sofrendo de uma grande depressão. Tendo alguma experiência no assunto, Mystery ofereceu-lhe alguns conselhos, quando Gabby tinha saído para uma boate. No entanto, a stripper veio com Twyla a reboque.

Twyla não era nenhum troféu. Era uma rockeira de 34 anos, tatuada, com a pele maltratada, o corpo rígido como seu rosto, cabelos negros num emaranhado de dreadlocks e um coração de ouro. Ela me lembrava um Pontiac Fiero, um carro velho pronto a quebrar a qualquer momento.

Quando Mystery e Twyla começaram a flertar, a amiga bêbada e deprimida começou a chorar. Chorou na pilha de almofadas por uma hora, até Twyla e Mystery finalmente irem para o quarto dele. Gabby voltou para casa naquela noite e, sem nenhuma objeção, pulou na cama com os dois e caiu no sono. Gabby e Mystery não estavam apaixonados, apenas queriam a proteção um do outro.

Naquela manhã e na manhã seguinte, Twyla preparou panquecas para todo mundo na casa. Como ela não parecia querer sair de lá tão cedo, Mystery a contratou como assistente pessoal por 400 dólares por semana.

Quanto mais Mystery ignorava Twyla, mais ela começava a acreditar que estava apaixonada por ele. Ele a magoava incessantemente, paquerando qualquer mulher, e ela ainda assim não ia embora. Mystery parecia se divertir com as lágrimas; elas o faziam sentir como se ele fosse importante para alguém. Se Twyla não estava chorando em casa, era Gabby que chorava. Se não era Gabby, era outra pessoa. Do casulo da última depressão de Mystery acabou surgindo um monstro.

O Projeto Hollywood devia ser um modo de nos cercarmos de influências úteis e saudáveis a fim de aperfeiçoarmos a nós mesmos, nossas carreiras e nossas vidas sexuais. Em vez disso, a casa se tornara um vácuo para machos carentes e fêmeas neuróticas. Ela sugava qualquer um com problemas mentais e assustava todos que tinham alguma qualidade. Entre os hóspedes permanentes, como Courtney, as mulheres de Mystery e os recrutas, empregados e alunos de Papa, era impossível saber quantas pessoas estavam de fato morando ali.

Entretanto, pelo menos no meu modo de raciocinar, eu estava continuando meu processo de aprendizado e crescimento. Eu vivi e trabalhei sozinho a maior parte da minha vida. Nunca tive um forte círculo social ou uma rede segura de amigos. Nunca ingressei em clubes, joguei em equipes esportivas ou fiz parte de um grupo de verdade, antes da comunidade. O Projeto Hollywood estava me fazendo sair da minha concha de solipsismo. Estava me dando os recursos de que precisava para ser um líder; estava me ensinando como caminhar na corda bamba das dinâmicas de grupo; estava me ajudando a aprender a abrir mão de coisas menores como propriedade pessoal, solidão, asseio, sanidade e sono. Estava me fazendo, pela primeira vez na vida, um adulto responsável.

Eu tinha de ser: estava cercado por crianças. Todo dia, alguém vinha até mim com uma nova crise a ser controlada:

GABBY: Mystery está agindo como um babaca, ele diz que esta casa não é minha e que não me querem aqui.

MYSTERY: Courtney apanhou 800 dólares no meu quarto. Ela me reembolsou pagando minha parte do aluguel. Mas o cheque dela não tinha fundos.

COURTNEY: Aquele cara com as calças puxadas para cima está me perturbando. Pode lhe dizer para me deixar em paz?

PLAYBOY: Courtney botou o mijo dela dentro da geladeira. E Twyla está chorando no meu banheiro e não quer sair.

TWYLA: Mystery está dando em cima de uma garota no quarto dele e disse para eu ir à merda. E Papa não quer deixar eu dormir no quarto com ele.

PAPA: Cliff, de Montreal, está no meu quarto, e Courtney entrou e apanhou quatro dos livros dele e três de suas cuecas.

Todo problema tinha uma solução; toda briga tinha uma conciliação; todo ego tinha um modo de ser afagado. Eu já não tinha mais tempo para ir à caça. As únicas mulheres novas que eu encontrava eram aquelas que vinham para a casa. Evitar que o Projeto Hollywood implodisse estava se tornando um emprego de tempo integral.

Capítulo 4

Saí de casa por uma hora para comprar comida. Apenas uma hora. E quando voltei havia um Porsche vermelho cuspindo fumaça na entrada, uma menina de 13 anos na sala de estar e duas mulheres louras irritadas fumando no pátio.

— O que está havendo por aqui? — perguntei batendo a porta atrás de mim.

— Esta é Mari — disse Mystery.

— A filha da dona que faz a faxina? — Nós nunca conseguíamos manter uma empregada por muito tempo. As tarefas de limpar a louça acumulada de uma semana, as latas de lixo transbordantes, as embalagens de fast-food, as bebidas derramadas e as pontas de cigarros de uma dúzia de caras e mais um monte de mulheres em inúmeras festas eram mais do que a maioria podia suportar. Conseqüentemente, o Projeto Hollywood tendia a cozinhar em sua própria imundice durante um mês ou mais, entre uma empregada e outra. A última havia estabelecido um recorde: trabalhara duas semanas seguidas.

— A empregada saiu para comprar produtos de limpeza, então estou tomando conta da filha. — Ele deu alguns passos na minha direção. — Ela me lembra uma de minhas sobrinhas.

Era bom ver Mystery agindo de modo mais ou menos normal outra vez. Uma adolescente em casa exercia um efeito calmante sobre ele. Quanto ao Porsche, Courtney fizera com que a trouxessem para casa a fim de que Mystery pudesse levá-la até seu ensaio. Mas Mystery apanhara o carro para fazer um teste e descobrira pelo modo mais difícil que suas intuições mágicas não bastavam para ensiná-lo a dirigir com câmbio manual e embreagem.

— E quem são aquelas duas? — perguntei, apontando para as louras.

— Fazem parte do grupo de Courtney.

Fui até o pátio e me apresentei.

— Eu sou Sam — respondeu uma garota com cara de moleque com sotaque do Queens. — Sou a baterista de Courtney.

— Nós já nos encontramos antes — eu disse.

— Nós também já nos vimos antes — disse a outra garota com um tom irônico. Seu sotaque de Long Island era tão forte que chegou a me assustar. Ela era alguns centímetros mais alta do que eu, seus cabelos estavam presos para trás, como a crina de um cavalo, e seus grandes olhos castanhos estavam envoltos por uma camada espessa de rímel, que me lembrou de quando eu ainda era adolescente e me masturbava pensando em Susanna Hoffs, dos Bangles, no vídeo em que ela cantava *Walk Like an Egyptian*. Aquela garota era a síntese do rock.

— É mesmo — eu gaguejei. — Nos vimos rapidamente no *Tonight Show*.

— Antes disso. Numa festa no Argyle Hotel, em que você ficou conversando a noite toda com aquelas duas gêmeas.

— Ah, as Porcelain TwinZ. — Não podia acreditar que havia me esquecido dela. Ela era tão carismática! Uma boa postura é uma das coisas que considero mais atraente numa mulher, e a postura dela irradiava confiança. Irradiava também "Não tente me sacanear".

Voltei para a sala e perguntei a Mystery sobre ela.

— É Lisa, guitarrista de Courtney — ele respondeu. — Uma tremenda filha-da-puta.

As garotas estavam ali porque Courtney tinha planejado gravar um acústico dentro de casa para um programa da televisão britânica. Mas ninguém sabia onde Courtney estava, e por isso Sam e Lisa estavam furiosas. Sentei para tentar pacificar as duas. Eu me sentia muito baixo perto delas.

Apanhei um case de CDs que pertencia a Lisa e comecei a verificar os discos. Era impressionante. Havia um de Cesaria Evora, a diva de Cabo Verde. Suas músicas melancólicas sustentadas por uma animada cadência latina eram, provavelmente, a melhor trilha sonora do mundo para dar uns amassos numa garota. Tão logo vi aquele CD, soube que encontrara alguém que gostaria de conhecer melhor.

Em algum lugar da minha cabeça, recordei vagamente daquilo que me permitia conhecer e interagir com as mulheres, antes de descobrir a indústria da sedução: o gosto em comum. Basta descobrir que você tem uma paixão por alguma coisa que outra pessoa também aprecia e respeita e uma estranha emoção se incendeia, e a isso chamamos de química. Os cientistas estudando feromônios afirmam que, quando duas pessoas descobrem que têm coisas em comum, os feromônios são liberados e tem início a atração.

Alguns minutos depois, Mystery se juntou a nós. Ele se largou numa cadeira e ficou sentado por um instante. Um turbilhão de carência sugando todos os feromônios que eu e Lisa tínhamos conseguido liberar.

— Liguei para Katya, hoje — disse ele. — Conversamos um pouco. Eu ainda amo aquela garota. — Ele olhou para Sam e Lisa, como se tentasse selecionar um alvo. — Elas sabem do drama com a Katya?

As garotas desviaram o olhar. Elas tinham seus próprios dramas para resolver.

— Bem — eu me desculpei. — Vou comer um burrito no Poquito Mas. Foi legal ver vocês duas novamente.

Eu precisava sair dali. Não queria ser associado à insanidade, embora fizesse parte dela.

Desci a colina até o Poquito Mas, onde encontrei Extramask sentado a uma mesa do lado de fora, lendo um livro espesso como um tijolo. Estava de short, uma bandana na cabeça e uma camiseta branca rasgada, ainda suando por causa da ginástica.

Era a primeira vez em meses que eu o via sozinho fora de casa. Desde que o conhecera, no primeiro workshop de Mystery, eu o via como se fosse meu irmão mais novo, embora, após ter ingressado na Verdadeira Dinâmica Social, eu o visse mais como um parente distante. Tentei fazer um esforço para voltar a me aproximar dele.

— O que você está lendo? — perguntei.

— Chama-se *Eu sou aquilo*, de Sri Nisargadatta Maharaj — ele respondeu. — Eu prefiro ele do que Sri Ramana Maharshi. Seus ensinamentos são mais modernos e mais fáceis de ler.

— Uau, impressionante. — Eu não sabia mais o que dizer; não estava muito familiarizado com os textos hindus de Vedanta.

— É, estou começando a me dar conta de que existe vida além das garotas. Todo esse negócio — ele fez um gesto com o braço, em direção do Projeto Hollywood — não significa nada. Tudo não significa nada.

Eu esperava que ele começasse a rir a qualquer momento e passasse a falar do seu pênis, como antigamente.

— Então você superou as caçadas, né? — perguntei.

— Pois é, estava obcecado com aquilo, mas quando li seu post sobre robôs sociais, percebi que estava me transformando num deles. Então, estou saindo fora.

— Você vai voltar para a casa de seus pais ou arrumar um lugar para morar sozinho?

— Nada disso — respondeu. — Vou para a Índia.

— Isso é incrível! Para quê?

Quando Extramask entrara para a comunidade, ele era um dos caras mais preocupados com a segurança que eu conhecera. Jamais tinha viajado de avião antes.

— Quero descobrir quem sou. Existe um *ashram* perto de Chennai chamado Sri Ramanasramam, e eu quero ficar lá.

— Por quanto tempo?

— Seis meses ou um ano. Talvez para sempre. Realmente, não sei. Estou apenas deixando fluir.

Eu estava surpreso, mas não chocado. A repentina transformação de Extramask, passando de um artista da sedução para um homem em busca de espiritualidade me lembrou Dustin. Algumas pessoas passam sua vida tentando preencher um vazio em suas almas. Quando as mulheres não absorvem esse vazio, eles procuram algo maior: Deus. Eu me perguntava para onde iriam Dustin e Extramask depois, quando descobrissem que nem Deus era grande o bastante para saciar o vazio interior.

— Muito bem, cara, boa sorte em sua jornada. Gostaria de dizer que vou sentir sua falta, mas mal conversamos durante um ano e meio. Tem sido um pouco estranho.

— É — ele disse. — Culpa minha. — Ele fez uma pausa e seus lábios se esforçaram para delinear um sorriso. Por um instante, o velho Extramask estava de volta. — Eu costumava ser um filho-da-mãe inseguro.

— Eu também — concluí.

Quando voltei para casa, os produtores da tevê inglesa haviam chegado, junto com o empresário de Courtney e seu cabeleireiro.

— Eu não posso mais trabalhar com ela — disse o cabeleireiro, quando ficou evidente que Courtney não apareceria a tempo para a filmagem. — Desde que começou a tomar drogas, ela se transformou num pesadelo.

Nós não tínhamos visto nenhuma evidência de drogas em casa, mas considerando o comportamento errático de Courtney, talvez o Projeto Hollywood não a tivesse mantido longe delas, conforme ela pretendia. Eu me sentia mal por ela. Ela estava deixando os problemas da casa distraí-la das suas questões na vida real com as quais devia estar lidando. Talvez ocorresse o mesmo com todos nós.

Acordei naquela noite e vi Courtney em pé ao lado da minha cama com um sapato Prada na mão.

— Vamos redecorar esta casa — ela disse, excitada. — Isto aqui será nosso martelo.

Olhei para o relógio. Eram 2h!

— Você tem pregos ou tachinhas? — Sem esperar uma resposta, ela desceu correndo e voltou com uma caixa de pregos, uma moldura de quadro e uma almofada e começou a pregar na parede uma caixa que parecia um velho presente de dia dos namorados.

— Esta é *a* caixa com forma de coração — disse ela. — Quero que você fique com ela.

Ela pegou meu violão, sentou na beira da cama e tocou minha música country predileta: *Long Black Veil*.

— Vou para a festa de aniversário de um amigo, amanhã à noite, na Forbidden City — ela disse, jogando o violão no chão. — Quero que você venha também. Vai ser bom para nós sairmos juntos desta casa.

— Vou lhe dizer uma coisa. Encontrarei você lá. — Eu sabia como ela demorava a se aprontar.

— Tudo bem, vou com Lisa.

— Falando em Lisa — eu disse —, havia um bocado de gente esperando por você ontem aqui e ninguém sabia onde achá-la. Acho que eles estavam bem zangados.

Seu rosto ficou sombrio, seus lábios franzidos e algumas lágrimas escorreram dos seus olhos.

— Eu vou procurar ajuda — ela disse. — Eu prometo.

Capítulo 5

Eu estava usando um blazer branco sobre a camisa preta com uma tela de cristal líquido que podia ser programada com uma mensagem. Eu inseri as palavras "Mate-me". Eu não ia à caça há mais de um mês e queria chamar atenção. Minhas expectativas de Courtney aparecer na Forbidden City eram poucas, então levei Herbal como meu parceiro.

Nós tínhamos voado recentemente para Houston juntos a fim de buscar a limusine do Projeto Hollywood, um Cadillac de 1998 para dez passageiros que Herbal achara no eBay. Convencido com o sucesso daquele esquema, Herbal havia, apesar de nossa decisão, feito um depósito para comprar um canguru num website de animais exóticos. A caminho da festa, discutimos a praticidade e a humanidade de ter um bebê marsupial daqueles em casa.

— São ótimos animais de estimação — ele insistia. — São cangurus domésticos. Eles dormem com você e você pode levá-los para passear segurando sua cauda.

Aquilo era a última coisa de que precisávamos no Projeto Hollywood. O único lado positivo daquele desastre era que ele servia como ótimo quebra-gelo. Percorremos a festa perguntando a todo mundo sua opinião sobre ter um canguru como animal de estimação. Com esse quebra-gelo e minha camisa, em meia hora estávamos cercados de mulheres. Era bom podermos exercitar novamente nossas habilidades. Estávamos tão absorvidos pelos dramas da casa que havíamos esquecido a razão inicial que nos levara a mudarmos para lá.

Quando uma garota alta com os ombros inclinados para a frente, se dizendo modelo, começou a tocar na minha camisa, vi uma crina de cabelos louros descoloridos sobressaindo na multidão. Olhei mais de perto. Embora estivesse do outro lado da sala, ela parecia brilhar. Seu queixo rígido, seu rosto cinzelado, seus olhos ardendo sob uma sombra azul-escura. Era a guitarrista de Courtney, Lisa. Próximas a ela, todas as candidatas a modelo e atriz com quem eu estivera conversando pareciam desprezíveis. Ela as sobrepujava com seu estilo e equilíbrio.

Pedi licença e me dirigi até ela.

— Onde está Courtney? — perguntei.

— Estava demorando demais para se vestir, então vim na frente.

— Eu respeito uma pessoa que não tem medo de aparecer sozinha numa festa.

— Eu sou a festa — disse ela, sem piscar ou sorrir. Acho que estava falando sério.

A noite toda Lisa e eu ficamos sentados lado a lado, parecendo o casal mais elegante da sala. A festa parecia vir até nós, como se exercêssemos, juntos, alguma força gravitacional. Os sofás à nossa volta logo ficaram cheios de modelos, comediantes, ex-artistas de televisão e Dennis Rodman. Quando as várias mulheres que eu paquerara durante a festa vinham flertar comigo, Lisa e eu desenhávamos em seus braços com caneta, dávamos a elas doses de Hypnotiq ou fazíamos testes de inteligência, nos quais geralmente fracassavam. Isso é o que os AS chamam de criar uma conspiração de "nosso mundo". Estávamos dentro de nossa pequena bolha, onde éramos rei e rainha, e todos os outros eram nossos brinquedos naquela noite.

Quando uma infantaria de paparazzi começou a tirar fotos de Dennis Rodman, que estava ali por perto, eu olhei para o rosto de Lisa, iluminado pelos flashes. E sem mais nem menos meu coração despertou de seu torpor e sacudiu dentro do peito.

Quando a festa acabou, Lisa pôs um braço em volta de mim e perguntou:

— Você pode me levar para casa? Estou bêbada demais para dirigir.

Meu coração deu outra pancada e disparou, numa palpitação arrítmica. Talvez ela estivesse bêbada demais para dirigir, mas eu estava nervoso demais para dirigir.

Sem esperar uma resposta, ela colocou a chave de sua Mercedes na minha mão. Chamei Herbal e pedi que ele fosse para casa com meu carro.

— Não posso acreditar — eu lhe disse. — Está funcionando!

Mas não estava.

Levei Lisa de volta à sua casa. Reconheci o prédio: ficava bem em frente da Clínica de Saúde Mental onde Mystery tinha sido internado. Quando chegamos, ela foi para o banheiro. Deitei na sua cama e tentei parecer relaxado.

Lisa saiu do banheiro, olhou para mim e então disse, com um olhar destruidor:

— Não pense que vai rolar alguma coisa entre nós.

Porra, eu sou o Style. Você tem que me amar. Sou um AmS.

Ela trocou de roupa e fomos até minha casa procurar Courtney. Só quem encontramos, porém, foi Tyler Durden, comandando dez homens na sala de estar numa espécie de exercício que envolvia corridas em volta dos sofás, gritos ruidosos e cumprimentos com as mãos se tocando no alto. Tyler estava experimentando recentemente uma técnica de motivação física em seus alunos, para quando saíssem à noite em busca de mulheres. Ele acreditava que, independente do resultado de suas performances, aquela dose de adrenalina e camaradagem faria com que eles pensassem que tinham se divertido e então fariam boas resenhas sobre a Verdadeira Dinâmica Social. Aquilo estava se tornando uma indústria competitiva.

Courtney parecia ter desaparecido novamente. Talvez estivesse falando sério na outra noite e tivesse realmente ido buscar ajuda. Talvez tivesse apenas saído para arranjar mais aborrecimentos.

Levei Lisa até meu quarto, acendi algumas velas, coloquei um CD de Cesaria Evora e entrei no meu closet.

— Vamos nos divertir um pouco — eu lhe disse.

Apanhei um saco de lixo cheio de fantasias de Dia das Bruxas: máscaras, perucas, chapéus. Experimentamos todos, tirando fotos com minha câmera digital. Eu ia tentar o procedimento das fotos digitais.

Tiramos fotos sorrindo, depois sérios. Na terceira, com pose romântica, nos olhamos nos olhos. Seus olhos pareciam felizes. Por trás daquela superfície rígida havia vulnerabilidade e afeto.

Mantive o contato visual e me aproximei para um beijo, segurando a câmera em frente para registrar o momento.

— Não vou beijar você — ganiu ela.

As palavras queimaram meu rosto como café quente. Não havia sequer uma garota que eu não pudesse beijar depois de conversar com ela por meia hora. Qual era o problema?

Fixei-a friamente e tentei de novo. Nada.

É nesses momentos que, sendo um AS, você começa a questionar o trabalho que tem feito consigo mesmo. Você começa a temer que talvez ela esteja vendo quem você é de fato, aquele que existia antes de ganhar um apelido idiota, aquele que escrevia poemas sobre essas coisas na escola.

Produzi então uma performance comovente e apaixonada do procedimento de troca de fase evolutiva. Em algum lugar ao longe, pude ouvir mil AS aplaudindo.

— Eu não vou morder você — ela disse.

Eu ainda não acabara. Contei para ela a mais bela história de amor já escrita: "Ao ver a garota 100% perfeita numa linda manhã de abril", de Haruki Murakami. É sobre um homem e uma mulher que são almas gêmeas. Mas quando hesitam sobre sua ligação por um instante e decidem não tomar uma atitude, eles se perdem para sempre.

Ela continuou gelada.

Tentei algo mais forte: apaguei as velas, desliguei a música, acendi as luzes e verifiquei meus e-mails.

Ela foi para minha cama, se aninhou sob as cobertas e dormiu.

Finalmente fui para o seu lado, e dormimos em lados opostos da cama.

Ainda me restava um truque: o troglodita. De manhã, sem dizer nada, comecei a massagear sua perna, esfregando lentamente sua coxa com a mão. Se ao menos eu conseguisse excitá-la fisicamente, sua lógica se desfaria e ela, sem dúvida, se entregaria.

Minha intenção não era usar Lisa para fazer sexo. Eu sabia que queria vê-la de novo, não importava o que acontecesse. Simplesmente, queria superar toda aquela história de sexo, assim poderíamos ficar naturalmente juntos. Ela não ficaria tentando esconder nada de mim; eu não tentaria conseguir nada dela. Sempre odiei a idéia de que sexo é algo que as mulheres dão e os homens tomam. Sexo é uma coisa que deve ser partilhada.

Mas Lisa não estava a fim de partilhar. Comecei a alisar a dobra macia onde suas coxas encontram sua pelvis, sua voz perfurou o ar como um despertador.

— O que você está fazendo? — Ela afastou minha mão com um tapa.

Tomamos café-da-manhã juntos, depois almoçamos e jantamos. Falamos sobre Courtney, os AS, meus textos, sua música e nossas vidas, e todo tipo de coisa de que mal posso lembrar, mas deve ter sido fascinante porque as horas passaram num piscar de olhos. Ela tinha minha idade; gostava do mesmo tipo de música que eu; dizia coisas inteligentes sempre que abria a boca; ria das minhas piadas que eram engraçadas e ridicularizava as que não eram.

Passou outra noite comigo. Nada aconteceu. Eu encontrara meu par.

Depois do café-da-manhã, fiquei na varanda, vendo Lisa partir. Ela subiu a colina, entrou na sua Mercedes, abriu o teto solar e arrancou. Dei a volta e comecei a subir a escada. Não queria olhar para trás. Queria parecer tranqüilo e não lhe dar mais nenhum IDI.

— Ei, vem aqui — ela gritou do carro.

Fiz que não com a cabeça. Ela estava estragando minha saída triunfal.

— Não. É sério, vem aqui. É importante.

Soltei um suspiro e me dirigi até seu carro.

— Eu lamento muito. Não fique chateado — ela disse. — Mas acho que amassei acidentalmente sua limusine quando saí com o carro.

Meu corpo gelou. Era o nosso pertence mais novo e mais caro.

— Estou brincando — disse Lisa, pisando no acelerador, me deixando sob a poeira e acenando com a mão. Vi seus cabelos louros se agitando fora do carro quando ela entrou no Sunset Boulevard ouvindo Clash.

Eu tinha sido mais uma vez um jogo nas suas mãos.

Capítulo 6

Certa noite, instalados na jacuzzi, eu contei para Mystery sobre minha frustração com Lisa. Eu o procurara muitas vezes no passado para me aconselhar sobre as mulheres, e raramente ele me decepcionara. Embora a manutenção de um relacionamento não fosse seu ponto forte, ele era infalível quando se tratava de romper resistências de última hora.

— Comece a acariciar seu pau — disse ele.

— Agora? Aqui?

— Não, na próxima vez que vocês estiverem juntos na cama. Simplesmente ponha-o para fora e comece a acariciá-lo.

— E depois?

— Depois, pegue a mão dela e ponha no seu saco. E ela vai começar a tocar uma punheta em você.

— Está falando sério?

— Estou. Depois, ponha o dedo na cabeça do pau, umedeça-o com um pouco de pré-gozo e coloque o dedo na boca da garota.

— De jeito nenhum. Isso é como aqueles conselhos de mau gosto que se vê nos filmes, onde o amigo faz isso e a garota se assusta e o cara que deu conselho diz: "Pensei que você tivesse entendido que eu estava de brincadeira."

— Estou falando sério. Vocês praticamente fizeram sexo, depois disso.

Três dias depois, depois de os bares fecharem, às 2h, Lisa apareceu lá em casa com Sam, a baterista da banda de Courtney. Ela estava bêbada.

Fomos para a cama e ficamos jogando conversa fora durante horas.

— Eu não entendo qual é o problema — ela disse inarticuladamente. — Eu não quero sair do seu quarto. Poderia ficar ouvindo você falar para sempre.

Ela se virou na minha direção.

— Esqueça o que acabo de dizer — ela emendou. — Não foi minha intenção. O álcool é como um soro da verdade.

Agora era minha chance. As palavras de Mystery atravessavam minha mente e eu considerei os prós e os contras de começar a me tocar e colocar a mão dela no meu pau.

Não conseguia fazê-lo. Não porque estivesse com medo, mas porque não via como aquilo poderia funcionar. Lisa ia começar a rir na minha cara e dizer algo sarcástico como: "Você pode ficar se acariciando porque eu certamente não vou fazê-lo." E, então, ela contaria a todas as suas amigas sobre o cara asqueroso que começou a esfregar o próprio pau na frente dela.

Nem sempre Mystery tinha razão.

Então passamos mais uma noite platônica juntos. Aquilo estava me deixando louco. Eu sabia que ela gostava de mim. Ainda assim, não conseguíamos ficar íntimos na cama. Eu estava à beira de me tornar um VSSA.

Talvez eu simplesmente não fosse seu tipo. Eu a imaginava com caras tatuados e musculosos, com jaquetas de couro, não com caras esqueléticos e metrossexuais, que precisavam fazer workshops para aprender as técnicas da sedução. Ela estava acabando comigo.

Pela primeira vez, desde que aprendera a palavra paixonite, eu a experimentava de fato. E eu sabia que estava condenado. Ninguém jamais consegue conquistar sua paixonite. Acaba-se ficando muito grudento e carente e tudo vai para o brejo. E, sem dúvida, era o que estava acontecendo comigo.

Na noite seguinte, Lisa saiu da cidade para tocar num festival em Atlanta, com Courtney. Ela me ligou três vezes, quando estava fora.

— Podemos ir jantar juntos quando eu voltar? — ela perguntou.

— Não sei — respondi. — Depende se você vai se comportar direito ou não.

— Então, está bem — ela disse. — Se você vai ficar agindo assim, esquece.

Eu estava apenas tentando provocá-la e deixá-la irritada, como David DeAngelo me ensinara. E, agindo assim, destruí tudo naquele instante. Eu me senti um babaca.

— Não procure encrenca — eu disse. Era hora de ser direto. — Quero ver você quando voltar. Vou ficar duas semanas fora da cidade, então será nossa última chance de sairmos juntos.

Ao fundo, pude ouvir Sam dizendo: "Você está falando com ele como se fosse seu namorado."

— Talvez eu queira que ele seja — ela disse para Sam.

Então eu ainda não tinha chegado à fase do VSSA. Podia esperá-la voltar. Eu também queria que ela fosse minha namorada.

Passei o dia todo, antes de Lisa voltar, bolando o plano perfeito de sedução. Eu a apanharia no aeroporto com a limusine. Herbal seria o chofer e eu a esperaria no banco de trás. Em seguida, a levaria até o Whiskey Bar, do Sunset Marquis Hotel, próximo do Projeto Hollywood.

Considerando que as mulheres não respeitam os homens que pagam a conta, mas ao mesmo tempo se irritam quando o cara é pão-duro, fui até o Whiskey Bar antecipadamente e dei 100 dólares ao gerente, dizendo-lhe que tudo que eu pedisse ele traria alegando que era por conta da casa. Depois disso, planejei levá-la para casa. No meu computador, escrevi todos os modelos e procedimentos que usaria para combater sua RUH. Agora que eu sabia que ela gostava de mim, sentia confiança para ir até o fim.

Se, ainda assim, ela resistisse, então era porque certamente tinha problemas com intimidade física e eu teria que aceitar o VSSA.

Seu vôo estava previsto para chegar às 18h30. Enquanto Herbal passava pelo terminal da Delta procurando por ela, eu preparava um Cosmopolitan atrás.

Mas quando o avião chegou, ela não estava nele.

Fiquei confuso, mas não decepcionado — ainda. Um AS deve estar disposto a mudar ou abandonar qualquer plano, quando confrontado com o caos e o acaso da realidade. Então, Herbal me conduziu até em casa e eu deixei uma mensagem para Lisa.

Como ela não respondeu, deixei outra mensagem e esperei a noite toda, em vão, por ela.

Às 5h, acordei com meu celular tocando.

— Desculpa acordar você, mas eu precisava falar com alguém.

A voz do outro lado tinha um sotaque australiano. Era Sweater.

Desde a última vez que o vira, ele deixara a comunidade e se casara. Eu pensava nele com freqüência. Toda vez que alguém perguntava se os caras da comunidade estavam aprendendo as técnicas apenas para fazerem sexo com o maior número possível de mulheres, eu apontava Sweater como um exemplo de alguém que entrara no jogo por outras razões.

— Tentei me matar hoje — ele disse.

— O que houve?

— Minha esposa está esperando nosso primeiro filho para daqui a dez dias e estou me sentindo mal. Faço tudo por ela, mas não é o bastante. Ela está me afastando de meus amigos. Meus sócios nos negócios estão me abandonando. Ela gasta todo o meu dinheiro e não pára de reclamar. — Ele fez uma pausa e soluçou. — E agora que ela está tendo um filho, eu estou enrascado.

— Mas você estava apaixonado por ela. Como foi que ela mudou?

— Não. O problema é que eu mudei. Era muito difícil ser a pessoa que Mystery e David DeAngelo queriam que eu fosse. Aquela pessoa não era um cara legal. E não era o tipo de cara que eu queria ser. Gosto de fazer coisas boas para as pessoas.

Então eu fazia tudo o que ela queria. Mandava flores três vezes por semana. Tentei agradá-la, mas não funcionou.

Eu nunca ouvira homens crescidos chorarem tanto quanto nos últimos dois anos.

— Fiquei sentado na garagem hoje com o motor do carro ligado e as janelas fechadas, — prosseguiu ele. — Desde 1986, eu não pensava em suicídio. Mas cheguei ao ponto em que pensei: "Fodeu." Não vejo mais nenhum sentido em continuar vivendo.

Sweater não precisava ser salvo. Apenas precisava de um amigo para conversar. Ele fingia ser alguém que não era só para seduzir as mulheres e agora sofria as conseqüências.

— Logo que ingressei na comunidade, anotei tudo o que queria — ele disse. — Agora estou vivendo a vida que sempre imaginei. Tenho dinheiro, uma casa grande e uma linda garota. Mas não fui suficientemente específico sobre essa linda garota. Nunca anotei que ela deveria me tratar com respeito e gentileza.

Mais tarde, naquela manhã, Courtney voltou para casa. Pude ouvi-la gritando com Gabby na sala de estar.

Desci e vi Courtney carregando as malas de Gabby para fora de casa, e me ouvi dizendo as mesmas palavras que pareciam sair sempre da minha boca toda vez que entrava na sala de estar: "O que está acontecendo?"

— Gabby brigou com Mystery e está indo embora — disse Courtney. — Estou só ajudando.

Courtney mal podia esconder seu sorriso.

— O resto da sua banda já voltou de Atlanta? — perguntei, tentando parecer casual.

— Já. Chegaram num vôo mais cedo.

Eu me afastei rapidamente. Sabia que se eu desse alguma resposta minha voz trairia minha decepção.

Depois que Gabby se foi, Courtney atirou um monte de sálvia sobre a mesa de café.

— Vamos limpar a atmosfera aqui — disse ela. Depois, foi para a cozinha, explicando — Precisamos de um pouco de arroz para trazer sorte.

Incapaz de achar arroz, ela voltou com um pacote de arroz misturado com temperos e colocou a sálvia no meio, depois correu até seu quarto. Quando voltou, trazia uma camisa de flanela em xadrez azul e branco.

— Isso serve — disse. — É uma das camisas de Kurt. Só me sobraram três.

Cuidadosamente, ela dispôs a camisa sob a mesa, onde ficaria em segurança, a fim de trazer boas energias para a casa. Depois de queimar as sálvias, fez com que Mystery, Herbal e eu sentássemos perto do seu altar improvisado e déssemos as mãos. O aperto de mão dela era de partir os ossos.

— Obrigado, Deus, por este dia e por tudo que nos proporcionou — ela começou a rezar. — Pedimos que limpe a energia desta casa de todo o mal. Por favor, traga paz, harmonia e amizade sob este teto. Chega de lágrimas! E me ajude a ganhar meu processo em Nova York e resolver todos os meus outros problemas. Eu ajudarei você, Deus, de verdade. Dê-me força. Amém.

— Amém — nós repetimos.

No dia seguinte, um chofer chegou e levou Courtney para o aeroporto, onde pegaria um vôo para Nova York. Lá, suas orações para si mesma seriam finalmente atendidas, mas a atmosfera na casa só ficou mais sombria na sua ausência. Courtney e Gabby, isso logo ficou claro, não eram a causa de nenhum problema. Tinham sido apenas os sintomas de algo muito maior que estava consumindo nossas vidas.

Capítulo 7

Naquela tarde, Lisa me deixou uma breve mensagem no telefone. "Oi, é Lisa. Estou de volta. Chegamos num vôo mais cedo." Só isso. Nenhuma desculpa, nenhuma ternura, sequer mencionou os planos que ela havia mandado para o espaço.

Liguei para ela, mas não houve resposta.

"Estou saindo da cidade daqui a algumas horas e vou para Miami com Vision", foi o recado que deixei. "Realmente gostaria de conversar com você antes de partir." Era uma mensagem de TFM, e eu nunca mais tive notícia dela. Verifiquei minha caixa de recados todos os dias, enquanto estava ausente. Nada.

Eu não era um babaca, como Tyler Durden. Se ela estivesse interessada, teria telefonado. Eu havia sido dispensado. E pela primeira mulher pela qual sentira alguma coisa em algum tempo. Imaginei que ela devia ter começado a sair com alguém, alguém que tinha sido capaz de romper sua RUH.

Primeiro fiquei furioso com ela, depois comigo mesmo e, em seguida, apenas fiquei triste.

Os AS sempre aconselharam que a melhor maneira de superar uma paixonite era trepando com uma dúzia de outras garotas. Então caí na esbórnia.

Não queria acabar como Sweater, de qualquer maneira. Eu quase fora surpreendido.

Passei a caçar todas as noites em Miami, com mais ardor, pulsão e sucesso que jamais tive. Eu nunca fora um fã das trepadas de uma noite só. Quando se fica tão íntimo assim de uma pessoa, para que jogar isso fora? Sou mais fã de trepadas de só dez noites: dez noites de ótimo sexo, cada dia mais vibrante, mais selvagem e mais experimental, à medida que os dois vão ficando mais à vontade juntos e aprendendo o que deixa o outro excitado. Assim, depois de dormir com cada uma, eu as misturava e as comparava como jujubas.

Era essa minha realidade.

As garotas com quem eu mais queria ficar eram Jessica, uma gata de 21 anos, tatuada, com quem já transara algumas vezes em Los Angeles, e uma outra Jessica, que eu conhecera no Crobar. Ela também tinha 21 anos, mas era totalmente o oposto da outra. Tinha um ar inocente, com algumas gordurinhas. Eu sabia que ambas gostavam de pornografia, então achei que as coisas poderiam ficar interessantes.

Depois de tomar um drinque no bar do hotel, levei as duas para meu quarto e depois as deixei sozinhas por alguns minutos, a fim de que se conhecessem. Quando voltei, mostrei-lhes alguns vídeos caseiros no meu laptop e em seguida comecei com a massagem dupla de indução. Aquilo, agora, não passava de um procedimento, como o da namorada ciumenta ou o teste da melhor amiga. E funcionava da mesma maneira.

Assim que as garotas se beijaram, elas se transformaram, passando de desconhecidas para amantes. Sempre me surpreendia ver duas garotas ficando íntimas tão rapidamente numa situação tão incomum.

A noite foi indecente, como eu imaginara. Tentamos todas as posições que conseguimos, algumas com mais sucesso do que outras. Quando Jessica I me pediu para gozar na sua boca, eu atendi. Ela cuspiu a porra na boca de Jessica II e elas começaram a se beijar apaixonadamente. Foi o momento mais sexy de toda a minha vida.

Mas depois disso me senti vazio e só. Não me importava com elas. Tudo que me restara era uma lembrança e uma história. Todas as garotas da minha vida podiam desaparecer e nunca mais me telefonar, eu não daria a menor importância.

Todas as trepadas de só dez noites e *ménages* no mundo não seriam o bastante para me fazer superar minha paixonite.

Os AS estavam enganados.

Capítulo 8

A sexualidade masculina pode parecer correr desenfreadamente, na superfície, para a sociedade — existem boates de strippers, sites pornôs, revistas de sexo e publicidades estimulantes em todo lugar. Mas, apesar de tudo isso, o desejo masculino é freqüentemente mantido reprimido.

Os homens pensam mais sobre sexo do que algum dia deixarão as mulheres, ou mesmo outros homens, acreditarem. Professores pensam em foder com as alunas, os pais pensam em trepar com as filhas dos amigos, médicos pensam em comer suas pacientes. E, agora mesmo, para toda mulher com um mínimo de sex appeal, existe, provavelmente, em algum lugar do mundo um homem que está se excitando sozinho, pensando como seria trepar com ela. Ela pode até não conhecê-lo: pode ser um executivo que passou por ela na rua ou o universitário que sentou à sua frente no metrô. E qualquer homem que disser a uma mulher que não é assim, provavelmente está fazendo isso porque está a fim de comê-la ou alguma outra ao alcance da sua voz. A grande mentira nos encontros românticos atuais é que, a fim de dormir com uma mulher, o homem deve, inicialmente, fingir que não está interessado.

O mais surpreendente para as mulheres é a obsessão dos homens por strippers, atrizes pornôs e adolescentes. É abominável porque isso ameaça a realidade feminina. Se todos os homens realmente desejam uma mulher dessas, então onde ficariam suas fantasias de casamento e felizes para sempre? Ela está condenada a viver com um homem que de fato está a fim da modelo da Victoria's Secret, ou a filha da vizinha, ou aquela dominatrix dos vídeos que ele esconde em casa. Enquanto as mulheres envelhecem, uma garota de 18 anos será sempre uma garota de 18 anos. O amor colide com uma rocha, diante da possibilidade de um homem não desejar uma pessoa, mas um corpo.

Felizmente, a história não acaba aí. Homens são pensadores visuais; assim somos freqüentemente iludidos pelos nossos olhos. Mas a verdade é que a fantasia é, com freqüência, melhor do que a realidade. Eu acabara de aprender a lição. A maioria dos homens finalmente aprende essa lição. Mystery pode ter pensado que queria viver com duas garotas que se amassem tanto quanto ele as amava, mas as chances eram de que elas o deixassem nervoso, se unissem contra ele e, por fim, o fizessem sofrer assim como ele sofrera com Katya.

Homens não são cachorros. Nós simplesmente achamos que somos e, ocasionalmente, agimos como se fôssemos. Mas, acreditando em nossa nobre natureza, as mulheres possuem o surpreendente poder de inspirar-nos a viver à altura. Esta é a razão pela qual os homens tendem a temer os compromissos — e, às vezes, como no caso de Mystery, até se rebelam contra isso, se empenhando para extrair das mulheres o que nelas há de pior.

Capítulo 9

Enquanto eu estava em Miami, Katya voltou.

Eu temia o terror que isso desencadearia dentro de casa. Mas Mystery estava esperando ansioso por aquele dia, como se fosse seu aniversário. Já havia planejado tudo.

Como eu estava fora, reconstruí a história do desastre que se seguiu a partir dos relatos das pessoas envolvidas.

O Projeto Hollywood atingira um novo patamar.

MYSTERY: Conheci uma gostosura de 19 anos chamada Jen. Eu a comi todinha, e foi fantástico, como a cena do chuveiro em 9½ semanas de amor. Tinha a pele mais macia e mais pura e a bundinha mais gostosa que já tracei. Eu fiquei lá olhando aquela bunda, aquela pele, pensando: "Eu mereço isso."

KATYA: Mystery ligou para mim o tempo todo quando eu estava em Nova Orleans, tentando me enrolar com sua voz manhosa. Ele disse: "Estou com uma linda garota de 19 anos que você vai adorar." Perguntei se ele ia dar a menina para mim. Ele disse: "Não, vamos dividir."

MYSTERY: A idéia não era Katya voltar a ser minha namorada, apenas um brinquedo para mim e Jen. Meu plano era apanhá-la no aeroporto na limusine, comprar comida no Farmer's Market e, então, voltar para casa e fazer a massagem dupla de indução.

HERBAL: Eu ignorei Katya por quase um mês e meio, quando ela estava fora, embora ela continuasse me enviando mensagens de texto. Mystery passou esse tempo todo se vangloriando de como iria fazer um *ménage* com ela, o que era como um punhal enfiado em meu coração. Eu disse a Mystery repetidas vezes para apenas ignorá-la e não deixar que ela voltasse para casa, a fim de evitar problemas. Mas ele nem quis saber.

KATYA: Eu voei para Los Angeles um dia antes, algo que Mystery não sabe, para alugar um estúdio e curtir com meus amigos de Nova Orleans. Fiquei hospedada num hotel e liguei para Herbal a fim de conversarmos, porque àquela altura eu queria realmente voltar a sair com ele. Na manhã seguinte, simplesmente fui até a casa e disse para Mystery que meu avião chegara mais cedo, então tomei um táxi.

HERBAL: Quando voltei para casa depois do trabalho e vi a mala de Katya, fui até meu quarto para cuidar da minha vida. Porém, Mystery e Katya entraram e começaram a falar comigo. Depois, fomos para o banheiro de Mystery e Katya pintou nossas unhas. Ela sumiu dentro do closet de Mystery, procurando um casaco, e então Mystery entrou lá dentro. Cinco minutos depois, eles ainda estavam dentro do closet.

MYSTERY: Ela me chamou no closet e disse: "Quero ficar com Herbal." Não acho que tenha dito isso porque o queria de verdade. Foi apenas para me irritar. Eu estava no maior chamego com Jen, e acho que ela ficou com ciúme. Então chamei Herbal para dentro do closet e disse para Katya: "Por que você não diz isso para ele?"

KATYA: Eu realmente gostava de Herbal. Nós sempre conversávamos pelo telefone, quando eu estava em Nova Orleans, e eu curtia a personalidade dele. Ele era tão tranqüilo, nunca discordava de nada.

MYSTERY: Herbal e Katya estavam saindo juntos, ficavam se abraçando e um pouco sem jeito, então eu disse: "Por que vocês não se beijam e vão até o fim?" Eles o fizeram e eu pirei imediatamente. Não esperava que aquilo acontecesse depois de tanto tempo. Mas, como David DeAngelo diz, atração não é uma escolha.

HERBAL: Naquela noite, saímos num encontro duplo. Mystery pediu Twyla para nos levar na limusine até o píer de Santa Mônica. Acho que fui ingênuo, mas realmente achei que ia ficar tudo bem.

TWYLA: Eu não podia acreditar que Mystery teria a presença de espírito de me pedir para dirigir só para esfregar na minha cara. Ele pensou que era um grande manipulador. E tive nojo de mim mesma por um dia ter gostado dele.

MYSTERY: Jen e Katya acabaram ficando de sacanagem dentro da limusine naquela noite. Tenho fotos delas, uma chupando o peito da outra dentro de uma cabine de telefone no píer. Mas estava ficando complexo. No momento em que Katya ficou sendo a namorada de Herbal, o *ménage* ficou impossível e eu não queria mais ver Jen se agarrando com Katya. No entanto, Katya estava se sentindo atraída por Jen, então começou a falar merda para ela sobre mim.

KATYA: Mystery ficava falando que realmente gostava de Jen e que não queria parecer um babaca na frente dela. Eu lhe disse: "Vocês, caras, são ótimos. Se há alguém capaz de agüentar você, é essa menina." Eu estava contente que ele tivesse alguém, porque eu queria Herbal.

MYSTERY: Jen foi para casa, em San Diego, por uma semana, depois disso, e Katya ligou para ela todos os dias. Certa noite, quando Jen estava ausente, eu estava com uma modelo de 1,80 na cama que apresentava certa resistência de última hora. Eu estava com o dedo dentro dela e me masturbando, mas não consegui ir além disso. Então, numa hora de esfriamento, fui até a cozinha apanhar um refrigerante. Aí, ouvi Katya fazendo sexo com Herbal novamente. Os gemidos desencadearam sentimentos de ciúme e eu comecei a chorar. Não conseguia parar, muito embora tivesse uma garota na minha cama. Voltei para meu quarto e disse para a modelo como minha vida estava fodida. Então ela ficou a fim de ir embora. Eu ia acompanhá-la, mas a Twyla apareceu rindo da minha cara.

TWYLA: Eu estava dormindo nas almofadas e Mystery passou, transtornado. Eu dei uma risadinha porque aquilo me divertiu. Nessa altura, eu tinha que encarar as coisas com humor, porque, se não o fizesse, ia acabar ficando magoada de novo. Então ele ficou puto e me mandou embora. A garota que estava com ele teve que chamar um táxi.

KATYA: Na semana seguinte, Mystery quis usar meu carro para buscar Jen em San Diego. No caminho de volta para casa, eu e Jen estávamos conversando e nos divertindo. Mystery se sentiu desprezado e então começou a me mandar uns negs.

MYSTERY: Eu senti que Katya estava tentando roubar Jen de mim e dividi-la com Herbal. Então fiquei puto com Katya no carro e começamos a brigar. Jen, vendo aquilo, disse: "Me levem para casa, só isso." Depois, ela me pediu para nunca mais procurar por ela.

MYSTERY [Post no Lounge de Mystery]: Fiquem atentos com Herbal, Katya e Jen. Se alguém vir Herbal (fácil identificá-lo, pois está sempre vestido como um pavão) ou sua namorada, Katya (uma bissexual russa, nota 9,5, fácil de localizar), com Jen (mexicana de 19 anos, nota 9,5, também fácil de ser identificada), por favor, avise a Mystery para que eu possa aplicar um castigo em Herbal, sem aviso prévio.

KATYA: Ele pensou que eu estava tentando colocar Jen contra ele. Mas, depois daquela viagem de carro, ela também não quis saber mais de mim. Ela achou que eu estava mentindo ao dizer todas aquelas coisas boas sobre ele. Aquilo me fez sentir como uma idiota.

MYSTERY: Herbal e eu ainda tínhamos relações de negócios. Então fomos para Chicago realizar um workshop. Pelo fato de ser fascinado pela mente, expliquei para ele o ciúme que eu estava sentindo e estabelecemos vários limites no seu relacionamento com minha ex-namorada.

HERBAL: No nosso último dia em Chicago, Mystery e eu fomos juntos comprar comida. Mystery abordou um grupo de quatro garotas perto de nós. Durante a paquera, ele disse: "Vocês não vão acreditar, mas esse cara roubou minha ex-namorada."

Ele contou toda a história para elas. De vez em quando, eu dava minha opinião, e ele começou a ficar realmente bravo. Ele disse, sem mais nem menos: "Katya não pode mais entrar na minha casa."

Eu disse: "Ei, a casa é minha também. Você que criou essa situação."

Ele disse: "Se eu a vir em casa outra vez, acabo com vocês."

E eu lhe disse: "Faça o que achar melhor."

MYSTERY: Quando voltamos, Twyla tinha ido embora do Projeto Hollywood, deixando de ser minha assistente pessoal e indo morar com Katya.

TWYLA: Katya e eu ficamos amigas. Nos aproximamos conversando sobre como Mystery era um cara estranho. Ela me perguntou se eu queria morar com ela. Então, respondi: "Agora mesmo."

HERBAL: Finalmente, eu e Mystery entramos num acordo. Eu disse que Katya não passaria mais do que a metade da semana na casa. Apertamos as mãos e ficou combinado assim.

Décimo Passo: DESTRUA A RESISTÊNCIA DE ÚLTIMA HORA

Quando voltei de Chicago, passei uma semana em Los Angeles, antes de ir para Boston, onde me aguardava uma reunião de família. Fiquei no apartamento de Katya a semana toda, só para ter sossego.

KATYA: Enquanto Herbal estava fora, eu estava ajudando Papa com seus workshops. Acabamos tarde na noite de sexta-feira, fomos até o Mel's e depois para casa, onde ficamos sentados na jacuzzi. Eu tinha que acordar à tarde, com boa aparência. Então ele me disse para dormir no quarto de Herbal. Quando acordei, vi Mystery.

Ele me perguntou o que eu estava fazendo em casa e eu disse: "Papa e eu saímos ontem à noite. Foi divertido."

Então eu disse: "Conheci uma de suas amigas, duas noites atrás."

Ele perguntou: "Quem?"

Eu respondi: "Sima."

E ele pirou.

MYSTERY: Quando Katya me disse, num tom bem lisonjeiro, que tinha saído com minha ex-namorada de Toronto, fiquei furioso. Perdi Jen por causa dela; perdi Twyla por causa dela e agora ela ia me levar Sima, que ainda era uma opção.

KATYA: Ele passou correndo por mim e deu um chute na porta de Herbal, dizendo: "Onde está Herbal?" Depois voltou correndo para seu quarto, apanhou uma foto emoldurada de Sima e a atirou contra a parede, sobre a cama de Herbal. E disse: "Não quero ver você nesta casa quando seu namorado não estiver aqui."

MYSTERY: Eu sabia que não podia argumentar com Katya e não podia tocar nela, então resolvi assustá-la. Chutei a porta e lhe disse que queria que saísse da casa. Ela disse: "Esta casa não é sua." E eu lhe disse: "Eu pago aluguel. Moro aqui. Você é uma convidada, e seu anfitrião não está aqui. Isso não é aceitável."

KATYA: Mystery começou a me ameaçar, dizendo que se me visse em casa outra vez, Herbal ia se machucar. Ele atirou velas para todos os lados; arrancou o colchão de Herbal da cama; atirou vasos de flores contra a parede e depois abriu a porta da varanda de Herbal e começou a jogar minhas coisas lá embaixo. Arrebentou minha garrafa de óleo para Kama Sutra. Eu fiquei muito puta.

MYSTERY: Eu disse: "Não volte mais aqui, senão..."

Ela me respondeu: "Senão o quê? Você vai me matar?"

E eu disse: "Não. Eu amo você. Vou punir seu namorado se você voltar. Diga a ele para controlar sua garota."

KATYA: Subi a escada, procurando por Papa, mas ele não estava. Então entrei no meu carro e fui para meu apartamento. Cinco minutos depois, Papa telefonou. Ele disse: "A casa não pertence a Mystery. Eu assinei o contrato e você é minha convidada. Vou buscá-la agora mesmo." Então ele me trouxe de volta para a casa.

MYSTERY: Papa estava descumprindo uma regra fundamental. Estava contratando minha ex-namorada, que eu treinei para atuar em seus workshops, uma idéia que roubou de mim.

HERBAL (para Mystery, via e-mail): Me contaram que meu quarto e meus pertences pessoais foram "destruídos" porque Katya estava em casa. Não sei exatamente o que entender por "destruídos", mas agora não me sinto seguro em minha casa. Você parece crer que o mundo gira ao seu redor e que todo os outros devem se curvar às suas vontades.

MYSTERY (para Herbal, via e-mail): Não quero Katya aqui e isso é tão definitivo que não há necessidade de uma resposta via e-mail de qualquer forma. Tampouco voltar a esse assunto outra vez, pois só irá aumentar minha raiva e me fará atirar você pela janela. Não avisarei novamente. Se ela aparecer aqui quando você voltar, vou esmurrar você — será rápido, forte, inesperado, impiedoso e repetitivo. Se você aparecer e ela não estiver por aqui, então poderemos viver em segurança e paz sob o mesmo teto. De um jeito ou de outro, nossa relação profissional está, obviamente, encerrada.

TYLER DURDEN (via e-mail, para Mystery): Você perdeu Katya por várias razões, mas me pareceu que você desdenhou emocionalmente a companhia dela. Você é carente, como um buraco negro sugando atenção. Você não consegue lidar com o fato de não ser sempre o centro das atenções, sequer por um minuto. Este é o seu trágico defeito. Não ofereça suas garotas para seus amigos. Não tente fazer de uma garota viciada em festas a sua namorada. E não subestime as conseqüências de apresentar TFMs recentemente convertidos ao nosso estilo de vida.

Capítulo 10

Meu telefone tocou todos os dias, enquanto eu estava em Miami. Eu atendia e era Mystery, ou Herbal, ou Katya, ou Twyla ou Tyler Durden. Recebi até telefonemas do Projeto Austin, que também estava caindo aos pedaços: o gás e a eletricidade haviam sido cortados porque as contas não eram pagas, e os quartos estavam cheios de velas, roupas sujas e pornografia. Mas a única pessoa que eu queria realmente que me telefonasse era Lisa.

Quando voltei para o Projeto Hollywood, o quarto de Herbal estava em frangalhos. Havia buracos nas paredes; sua porta se equilibrava nas dobradiças, seu colchão se encontrava sobre o aparelho de televisão e pedaços de vidro e sujeira se espalhavam pelo chão.

Da perspectiva de um artista da sedução, tudo o que Mystery estava fazendo reforçava o relacionamento entre Katya e Herbal, criando um drama e um inimigo comum. Mas Mystery não estava mais pensando como um artista da sedução. Ele não conseguia mais se controlar.

Naquela noite, tocaram a campainha. Quando Mystery abriu a porta, encontrou um cara musculoso de seus 20 anos, sob a chuva, com uma expressão contrariada no rosto. O carro de Katya estava estacionado em frente da casa.

— Sou o irmão de Katya — o cara disse para Mystery.

— Acho que não é, não. Eu conheço o irmão dela.

— Muito bem — disse ele, passando por Mystery e entrando na casa. — Ouvi dizer que você ameaçou matá-la. E não vou deixar isso acontecer.

— Eu nunca ameacei Katya. — Mystery examinou o amigo de Katya. Ele era mais baixo do que Mystery, porém muito mais forte. — Eu ameacei Herbal.

— Muito bem, se você fizer qualquer coisa com ela, eu vou pessoalmente rachar o seu crânio.

Mystery nunca reagia bem às provocações. Exatamente como ocorreu durante nossa discussão no carro, atravessando a fronteira de Trans-Dniester, Mystery ficou transtornado. As veias em seu pescoço chamavam atenção, seu rosto ficou vermelho e ele cresceu alguns centímetros.

— Você quer me encarar? — berrou Mystery. — Vamos, então, porque eu estou pronto para levar isso até o fim.

— Ótimo — disse o amigo de Katya. — Vem cá para fora. Não quero derramar sangue no tapete.

— Não, vai ser aqui mesmo. Eu quero ver sangue no tapete. É um modo de eu me lembrar de você.

Em sua visão periférica, Mystery percebeu um monte de pedras enormes que ele trouxera da praia para pintar. Ele apanhou uma delas e se preparou para esmagar a cabeça do seu adversário e então, rapidamente, mudou de idéia. Ele deu três passos largos até a porta já destruída do quarto de Herbal e com um chute a pôs no chão.

— Vem então — berrou Mystery. — Eu não vou me desculpar pelo que vou fazer.

Ele agarrou uma estante de livros e a arrancou da parede.

O amigo de Katya viu a centelha da loucura nos olhos de Mystery e, numa briga, o insano geralmente leva vantagem.

— Você não precisa derrubar as portas e o cacete — disse o cara, recuando. — Tudo o que eu quero é o cachorro, rapaz. Katya me mandou aqui para buscar seu cachorro.

O cara pegou Lily no braço e Mystery fez uma pausa, encarando-o. O perigo passara. O cortisol, a adrenalina e a testosterona — todos aqueles hormônios que percorriam seu corpo — começaram a se acalmar. Seu cérebro voltou ao estado normal.

— Por que você não disse de uma vez, em vez de me ameaçar na minha própria casa?

O cara ficou ao lado da porta, confuso, com Lily aninhada nos braços.

— Você precisa de comida para Lily? — perguntou Mystery.

— Eh... acho que sim.

Mystery foi até a cozinha, apanhou o saco de biscoitos de Lily e várias latas de ração e entregou para seu pretenso agressor.

Na saída, o cara deixou cair algumas latas. Mystery se abaixou e as entregou para ele, depois deu-lhe um tapinha nas costas.

— Meus respeitos — ele disse ao amigo de Katya, usando a frase que tínhamos tomado de Ali G para usá-la em campo.

Eu subi e desabei em minha cama, olhando para o teto.

Por que eu estava ali? Não se tratava mais de minha inveja de Dustin. No percurso, eu fora capturado na rede social e pelos rituais de união da comunidade

— a idéia de que éramos super-homens do futuro, os mais espertos que herdariam a terra dos fortes, os únicos donos da chave mestra para a mente feminina. Eu me mudara para ali com aqueles caras porque pensava que possuíamos todas as respostas. Eu imaginara que, trabalhando juntos, levaríamos todas as demais áreas de nossas vidas para um novo patamar, além das mulheres simplesmente. Esperava que viríamos a ser um conjunto maior do que a soma de nossas partes.

Mas, em vez de criar um sistema mútuo de sustentação, havíamos criado *O Senhor das Moscas*.

Algo tinha de ser feito para resolver isso. Minha fé naqueles caras — e na comunidade — estava presa a um fio tênue.

Décimo Primeiro Passo
Administre as Expectativas

"Não que fosse lindo, mas que, no final, houvesse um certo sentido de ordem; algo que valesse a pena aprender naquele estreito diário da minha mente."

....

— Anne Sexton

"For John, Who Begs Me Not to Enquire Further"

Capítulo 1

Mystery e Herbal se sentaram frente a frente, em sofás opostos, os braços cruzados na altura do peito. Não se tratava apenas de uma posição defensiva, mas também obstinada. Entre eles estava o instrutor de Krav-Maga de Mystery e Roadking, um AS que trabalhava como guarda-costas. Herbal se recusara a pôr os pés em casa sem alguém ali que o protegesse de Mystery.

Os outros residentes permanentes — Papa, Xaneus, Playboy e eu — estavam sentados num terceiro sofá, perpendicular aos deles. Tyler Durden não estava presente, porque alegou ser um convidado, embora estivesse morando no closet de Papa há meses.

Havíamos convocado uma reunião em casa para resolver o conflito entre Mystery e Herbal de uma vez por todas.

Autorizamos a cada lado dar sua versão da história sem interrupção. Mystery disse que não permitiria que sua ex-namorada voltasse a pôr os pés naquela casa. E Herbal disse que sairia de casa se sua namorada não pudesse visitá-lo. Cada um deles levou meia hora para transmitir esses pontos simples.

— Agora, normalmente, eu diria apenas que Herbal devia ir embora se ele deseja tanto ficar com a ex-namorada de Mystery — eu disse, tentando assumir o papel de pacificador que me havia sido designado. — Entretanto, Mystery, você danificou a casa e ameaçou o bem-estar de um dos moradores. Você não se desculpou pelos seus atos e tampouco consertou os estragos. — A porta de Herbal continuava no chão, e ainda havia marcas na parede, seu quarto parecendo ter sido atacado por um furacão. — E estamos muito relutantes quanto a gratificar esse mau comportamento, deixando você agir como bem entender.

— Eu, propositadamente, deixei o quarto de Herbal naquele estado como uma demonstração do que falei, se Katya voltasse a pisar nesta casa — disse Mystery de mau humor. — Foi um meio perfeitamente aceitável de mostrar que eu estava disposto a fazer valer minhas regras.

Um dos problemas com a comunidade de AS era que ela apresentava padrões inflexíveis de comportamento que os homens deveriam obedecer a fim de conquistar uma mulher. E o mais importante entre eles era a idéia de ser um macho alfa. O resultado era um bando de homens que tinham passado a maior parte da vida tentando agir como seus antigos molestadores, resultando em comportamentos imaturos, como os de Mystery.

— Se posso dizer alguma coisa — interferiu Roadking —, Herbal quebrou uma regra importante.

— E que regra foi essa? — perguntou Herbal. Não havia raiva ou ressentimento na sua voz; somente suas olheiras vermelhas traíam a emoção que sentia.

— A regra que favorece os irmãos, em detrimento das vadias — disse Roadking.

— Não — interferiu Mystery. — Gostaria de concordar, mas algumas vezes as vadias vêm na frente dos irmãos.

Herbal esboçou um sorriso pela primeira vez naquela tarde. Ele e Mystery se olharam nos olhos.

Arranque os laços da comunidade e os interesses do negócio da sedução que nos unia e o que sobrou? Seis caras na caça de algum subgrupo limitado de mulheres disponíveis. Guerras haviam sido travadas, líderes mundiais mortos e tragédias geradas por homens reivindicando direitos territoriais sobre o sexo oposto. Talvez tivéssemos apenas sido cegos demais para ver que o Projeto Hollywood estava condenado desde o início por causa do objetivo que ele próprio reunira.

Após três horas de debates vãos — durante os quais Papa, estranhamente, não disse nada —, pedimos a Mystery e Herbal para nos deixarem sós, a fim de que tomássemos uma decisão.

Ambos concordaram em aceitar o que viéssemos a decidir.

Quando entramos no quarto de Papa, havia um alvoroço de atividades. Várias figuras entraram correndo no banheiro e bateram a porta. Eu não entrava naquele quarto havia quase um mês. O tapete estava quase invisível, coberto por seis sofás-camas pretos que estavam abertos. Em cima de cada um, havia um travesseiro e um lençol.

Onde estão as pessoas que dormiram aqui? Quem eram elas?

Dobramos os sofás, sentamos e nos preparamos para chegar a uma conclusão. Foi então que Papa falou pela primeira vez.

— Não vou morar na mesma casa que aquele cara — disse ele.

— Quem? — perguntei.

— Mystery!

As mãos de Papa tremiam de ódio ou nervosismo. Ele era uma pessoa difícil de ser interpretada. Há meses ele não saía para caçar. E grande parte do progresso que fizera após se esforçar para se aperfeiçoar desaparecera. Era a mesma concha vazia e introvertida que eu vira pela primeira vez em Toronto. Sua paixão não era mais a sedução; era a Verdadeira Dinâmica Social. Em vez de participar de seminários ou encontrar mulheres, ele passava a maior parte do tempo voando pelo país para divulgar seminários de negócios.

— Mystery desorganiza meus workshops — prosseguiu ele. Sua voz soava distante e monótona, como um eco vindo da profundidade da sua cabeça. — Ele destrói a casa. E estou preocupado que venha me prejudicar.

— Do que você está falando? Ele não faria nada contra você.

— Tenho tido pesadelos com Mystery entrando em meu quarto com uma faca. Vou colocar trancas na porta pois temo que ele possa arrombá-la.

— Isso é ridículo — eu disse. — Ele não vai machucar você. Esse é um problema seu: você precisa saber como lidar com a agressão e o confronto, em vez de apenas evitá-lo tentando colocá-lo para fora de casa.

Mas, não importava o que eu dissesse para dissuadir Papa, ele continuava repetindo a mesma frase: "Não posso viver na mesma casa que esse cara", numa voz robótica, como se tivesse sido programado para dizê-la.

— Você já parou para pensar — Playboy finalmente me disse — que a única razão para você estar defendendo Mystery é porque ele é seu amigo?

Talvez Playboy estivesse certo. Eu estava dando a Mystery um tratamento de circunstâncias especiais, porque ele me trouxera para a comunidade e porque a casa havia sido uma idéia dele. Nenhum de nós estaria ali, se não fosse por ele. Mas ele estragara tudo. Cavara sua própria cova. Eu precisava considerar o que era melhor para a casa.

— Mas — eu disse —, ainda assim, gostaria de encontrar uma solução sem que ninguém tenha de sair da casa.

— Nós confiaremos em sua decisão — disse Papa. — Você é o líder. Todos o admiram.

Achei estranho que Papa, que era tão inflexível para que Mystery saísse de casa, estivesse colocando a decisão nas minhas mãos. Pelas duas horas e meia que se seguiram, discutimos uma possível conciliação. Quanto mais falávamos, mais complexo se tornava o dilema. Não havia solução capaz de satisfazer a todos:

Papa não queria viver na mesma casa que Mystery.

Mystery não queria viver na mesma casa que Katya.

E Herbal não ficaria na casa sem Katya.

Alguém tinha de partir.

— Todos os problemas desta casa podem ser investigados voltando à fonte — disse Playboy, com firmeza —, e a fonte é Mystery.

Olhei para Xaneus.

— Você concorda com Playboy e Papa? — perguntei.

— Concordo — ele respondeu. Sua voz também parecia vir das profundezas do seu crânio, como se ele não estivesse realmente presente. Ele estava se tornando um robô como os outros. — Acho que Mystery deve partir.

Capítulo 2

Chamamos Mystery e Herbal até o quarto para revelar nossa decisão. Eles se sentaram no degrau que levava à cama de Papa. Tendo alcançado a única conciliação possível para aquele complicado dilema, sentia-me orgulhoso — equivocadamente, como se veria a seguir — exercendo minha recém-descoberta capacidade de liderança salomônica.

— Herbal — eu comecei —, Katya não poderá entrar nesta casa nos próximos dois meses. Depois disso, se você ainda estiver saindo com ela, ela poderá voltar.

Herbal concordou.

— Mystery, você tem dois meses para superar essa história com Katya e encontrar uma nova namorada para você. Além disso, haverá uma política de tolerância zero para violência nesta casa. Se você ameaçar a vida de alguém, atacar alguém ou destruir algum bem, você terá de sair imediatamente desta casa.

Mystery não concordou.

— Então, basicamente, vocês estão dizendo que me querem fora desta casa para aquela vadia ficar no meu lugar — rosnou ele.

— Bem — disse Playboy —, há a possibilidade de Herbal e Katya se separarem nesse ínterim.

— Acho que isso não vai acontecer — protestou Herbal.

Mystery ergueu os braços.

— Muito bem. Vocês estão me chutando para fora.

— Não — eu disse —, estamos lhe dando dois meses para controlar suas emoções.

Eu estava tentando ajudá-lo. Mas ele recusava ser ajudado.

— Se você me der pelo menos um aviso prévio de duas semanas antes de partir — disse Papa —, eu posso reembolsá-lo pelo depósito e encontrar alguém para ocupar seu quarto.

Papa estava feliz. As coisas estavam acontecendo como ele queria.

A testa de Mystery ficou enrugada; sua cabeça começou a balançar involuntariamente.

— Vocês percebem — disse ele — que Papa está tentando me colocar para fora de casa porque está competindo comigo? Isso não tem nada a ver com Mystery e Herbal. Isso tem a ver com o Método Mystery e a Verdadeira Dinâmica Social. Eu dei a Papa todo o modelo do negócio. Ensinei a Papa como dominar seus impulsos sexuais e se tornar um homem de negócios. Ele está agora cobrando 1.500 dólares em seminários nos quais utiliza todo o meu material. — Mystery encarou Papa; Papa retribuiu o olhar. — E agora ele não precisa mais de mim e quer me ver fora daqui para transformar meu quarto num dormitório para 12 pessoas.

Naquela hora, achei que Mystery entrava em contradição, ainda se recusando a assumir a responsabilidade de suas ações.

— As coisas não precisavam ter chegado a este ponto — eu lhe disse. — A cada passo do processo, você tomou decisões erradas, e agora tem de viver com isso. Não estamos chutando você para fora. Você que está decidindo partir.

Mystery cruzou os braços e nos olhou com desdém.

— Você não vê que as ações que considera modos macho alfa para resolver o problema estão na verdade impedindo que alcance o resultado que queria? — eu acrescentei.

— Era uma tática destinada a manter Katya fora de casa, e funcionou — insistiu ele. — Desde então, ela não voltou mais.

Perdi minha calma. Estava na hora de ele acordar e dar uma boa olhada em si mesmo.

— Você precisa de um amor sério — eu lhe disse, elevando minha voz pela primeira vez em toda a reunião. — Você é o melhor ilusionista que já vi; ainda assim, não deu um passo para realizar seu show de 90 minutos, ou outro show qualquer, desde que o conheci. Seu negócio de sedução está uma desordem, e seus antigos alunos estão ficando com todo o dinheiro que deveria ser seu. Quanto à sua vida amorosa, desde Katya, você espantou todas as mulheres com que dormiu. Eu não aconselharia garota nenhuma a sair com você. Você está vivendo uma desordem financeira, mental e emocional. — A cada frase, eu sentia que um fardo era removido dos meus ombros. — Você não tem nada, não tem saúde, grana, relacionamento. E não pode culpar ninguém por isso, senão você mesmo.

Mystery deixou a cabeça cair entre as mãos. Seus ombros começaram a tremer. Grandes gotas de lágrimas escorreram de seus olhos.

— Estou arruinado, cara — ele gritou. — Estou arruinado.

O muro de sofisma e de falsa ilusão que o ajudava a manter-se em pé estava desabando.

— O que eu devo fazer? — Ele olhou para mim. — Diga, o que devo fazer?

As lágrimas começaram a se desprender dos meus olhos. Não consegui retê-las. Virei-me na direção da parede, para que Herbal e Papa não as vissem. As lágrimas escorreram rapidamente. Apesar de todos os defeitos de Mystery, eu ainda me preocupava com o cara. Após dois anos na comunidade, eu ainda não tinha uma namorada, mas por algum motivo havia me ligado emocionalmente àquele grande gênio chorão. Talvez fossem realmente a emoção e a experiência partilhadas que criassem relacionamentos, e não sete horas de procedimentos seguidas de duas horas de sexo.

— Você precisa de uma terapia — eu disse. — Você precisa de tratamento, ou algo parecido. Não pode continuar fazendo isso com você mesmo.

— Eu sei — ele disse. Os olhos marejados e viscosos como mercúrio. Ele cerrou as mãos e socou a própria cabeça em autopunição. — Eu sei. Estou fodido.

Capítulo 3

Saí do quarto de Papa e fui para a rua. Estava com dor de cabeça. Havia sido um longo dia.

Quando comecei a descer a rua para comer um burrito no Poquito Mas, uma Mercedes preta conversível dobrou a esquina e começou a subir pela pista. No interior, duas louras.

Com uma freada brusca, o carro parou ao meu lado e uma voz gritou meu nome lá de dentro. Era Lisa. Meu coração deu um salto.

Ela estava usando uma jaqueta Diesel vermelha com uma gola com as cores do arco-íris que lhe dava a aparência de um cruzamento de supermodelo com piloto de corrida. Eu estava com a barba por fazer, com calça de ginástica e em frangalhos após o debate com os caras lá em casa. Senti muitas emoções de uma só vez: embaraço, excitação, ressentimento, medo e alegria. Não achava que voltaria a vê-la um dia.

— Estamos indo beber alguma coisa — disse Lisa. — Quer vir com a gente?

— O que você está fazendo aqui? — Tentei manter a calma e parecer imperturbável com sua repentina reaparição.

— Nós vamos para o Whiskey Bar.

— Você acabou de passar por ele.

— É. Vim aqui para chamar você. Tem algum problema nisso?

Um toque de atitude. Eu ainda gostava dela. Ela era um desafio. Não deixava passar nenhum sarcasmo, neg ou coisa parecida sem dar o troco.

— Vou trocar de roupa — eu disse. — Encontro vocês lá.

Coloquei uma calça Levi's com falsos arranhões de gato na frente e uma camisa do Exército que comprara na Austrália, depois fui ao encontro delas.

Eu estava ansioso para conversar com Lisa e descobrir porque ela desaparecera depois de Atlanta. Mas, quando cheguei, Lisa e Sam estavam sentadas numa mesa com dois brutamontes tatuados. Eles eram o tipo de cara com o qual eu imaginava que Lisa saísse. Sentei entre eles, me sentindo diminuído.

Enquanto fofocavam sobre o cenário do rock local, com o qual eu não me importava nem um pouco, uma tremenda ansiedade tomou conta de meu corpo.

Não estava a fim de ficar de papo furado ou fingir estar me divertindo. Queria ficar sozinho com Lisa. Queria me sentir perto dela.

Quando a primeira gota de suor escorreu pela minha testa, levantei. Não podia suportar.

— Já volto — eu disse.

Eu precisava caçar. Não porque quisesse conquistar uma mulher, mas porque queria alcançar um estado positivo e um humor falastrão. Senão, ia acabar estourando, sentado ali, tão embaraçado.

Quando pedi uma bebida no balcão, senti cheiro de lilás atrás de mim. Ao me virar, vi duas mulheres em vestido preto de gala.

— Ei, meninas, deixe-me pedir a opinião de vocês sobre alguma coisa — comecei, com menos entusiasmo do que de costume.

— Deixe-me adivinhar — disse uma delas. — Você tem um amigo cuja namorada está com ciúmes porque ele ainda fala de uma ex da faculdade.

— Agora todos os caras nos perguntam isso — disse a amiga dela. — O que você quer?

Apanhei meu uísque com Coca-Cola e me arrastei até o pátio para fumantes, o local da minha batalha de sedução contra Heidi Fleiss. Com algum tremor, mandei outro quebra-gelo para duas garotas sentadas num banco. Felizmente, elas ainda não o conheciam.

— Ei — eu lhes disse em seguida. Não que estivesse realmente me sentindo à vontade, mas queria me tornar mais expansivo. — Há quanto tempos vocês duas se conhecem?

— Há uns dez anos — respondeu uma delas.

— Eu sabia. Vou fazer com vocês o teste das melhores amigas.

— Ah, a gente já conhece esse — ela respondeu educadamente.

Finalmente acontecera. Não havia mais caçada possível no Sunset Boulevard. A comunidade crescera e se tornara temerária: muitos concorrentes usando o mesmo material. E nós tínhamos saturado não apenas Los Angeles. Os AS em San Diego, Montreal, Nova York, São Francisco e Toronto vinham relatando o mesmo problema ultimamente: estavam faltando garotas novas para caçar.

Voltei para Lisa e seus amigos.

— Estou devastado — falei para Lisa. — Vou para casa. Mas amanhã vou surfar em Malibu. Você e Sam poderiam vir também, vai ser legal.

Ela olhou para mim e pela primeira vez uma conexão se estabeleceu entre nós naquela noite. Durante três extraordinários segundos o resto da boate desapareceu.

— É — ela respondeu. — Parece uma ótima idéia.

— Beleza, encontre comigo lá em casa ao meio-dia.

Câmbio final.

Quando voltei do Whiskey Bar para casa, Isabel estava esperando por mim. Assim, eu não ia conseguir dormir.

— Já não falei para você telefonar antes de aparecer? — perguntei.

— Eu deixei uma mensagem.

Não havia nada de errado com Isabel. Cinco anos atrás, eu teria deixado de escrever por um ano só para dormir uma vez com uma garota como ela. Mas ela não oferecia nada. Ela era apenas buracos: ouvidos para me escutar, uma boca para me falar e uma vagina para extrair meus orgasmos. Não formávamos um time; éramos apenas uma distração um para o outro, um modo de nos sentirmos menos solitários durante algumas horas num mundo grande e hostil. Nunca conversávamos; tínhamos desconversas, nas quais enchíamos o espaço vazio com palavras. Pelo menos, era assim que eu pensava. Mas, às vezes, simplesmente através do ato sexual com um homem, em especial se esse homem for um pouco mais emocionalmente distante do que ela gostaria que fosse, uma mulher acaba desenvolvendo sentimentos. E pode começar a querer mais.

— Você ainda está saindo com outras garotas? — perguntou Isabel de manhã, rolando sobre meu corpo e me fixando um olhar agressivo. Era uma pergunta tendenciosa para a qual só havia uma resposta certa. Eu lhe dei a errada, a resposta honesta.

— Bem, conheci uma garota chamada Lisa, por quem estou começando a sentir alguma coisa forte.

— Então você vai ter que escolher entre ela e eu.

No passado, eu costumava ceder aos ultimatos. Mas eu já aprendera que ultimatos são expressões de impotência, ameaças vazias destinadas a tentar influenciar uma situação sobre a qual não se tem controle.

— Ao me pedir uma coisa assim — respondi — você está se colocando na posição de perdedora.

Ela deixou a cabeça cair sobre meu ombro e chorou. Eu me senti mal por ela. Mas foi só isso que senti.

Uma hora depois de ela partir, Sam e Lisa chegaram. Mystery estava sentado diante do computador, digitando furiosamente. Ele olhou para Lisa, que estava usando um pulôver da Juicy Couture com o capuz sobre a cabeça, e tentou lhe mandar um neg.

— Que espécie de traje é este? — ele perguntou. Era o único modo que conhecia de se relacionar com uma linda mulher.

Lisa examinou devagar as roupas de Mystery. Ele estava com um roupão, cueca, as unhas dos pés pintadas de preto e sandálias. Ela lhe lançou um olhar devastador e disse entre os dentes: "Já falo com você, criança."

Lisa era à prova de negs. Perto dela, outras garotas pareciam seres humanos incompletos. Na maior parte de suas infâncias, as fêmeas são condicionadas a agir de modo subserviente à figura autoritária do macho. Quando crescem, um certo grupo delas — a maior parte das quais acaba morando em Los Angeles — segue pela vida psicologicamente atrofiada, constantemente silenciando na presença do sexo oposto. Elas acreditam que as técnicas que usaram para manipular seus pais funcionarão com a mesma eficácia com o resto do mundo, e com freqüência elas têm razão. Mas Lisa não era um capacho elaborado para atender as expectativas e desejos dos homens em sua vida. Ela vivia de fato o conselho que a maioria das mulheres dá com hipocrisia aos homens: ela não tinha medo de ser ela mesma.

Por fim, Mystery ficou calado. Ele limpou a garganta e anunciou, com a voz um pouco alta de mais: "Estou ocupado"; depois recomeçou a digitar. Eu tinha certeza de que ele estava enviando um post para o Lounge, desabafando um pouco após a reunião da véspera.

Antes de irmos para a praia, mostrei para Sam e Lisa as fotos que eu tirara na primeira noite que Lisa dormira lá em casa, quando tínhamos nos divertido com as perucas e fantasias.

— Olha só — exclamou Sam, quando viu a foto em que eu e Lisa nos olhávamos nos olhos, um pouco antes de não nos beijarmos. — Nunca vi Lisa com uma expressão tão feliz.

— É — concordou Lisa, seus lábios se abrindo num sorriso dentuço. — Você tem razão, eu acho.

Sam subiu para usar meu banheiro, enquanto Lisa e eu colocávamos as pranchas de surfe na traseira da limusine, que eu fazia de carro de surfe. Seguindo para Malibu, notei quando Sam se inclinou para sussurrar alguma coisa para Lisa, que suprimiu imediatamente o sorriso que tinha no rosto.

— O que houve? — perguntei.

Elas se olharam, hesitantes.

— O quê? — insisti. Eu realmente estava a fim de saber. Tinha certeza de que era sobre mim, e tinha certeza de que não era algo positivo.

— Nada de importante — disse Sam. — Só um papo de meninas.

— Humm, ok.

Antes, quando eu surfava, geralmente ficava perto da areia, descendo nas ondas menores, enquanto os surfistas mais experientes nadavam para mais longe a fim de pegar as ondas maiores. Eu achava que era melhor do que eles, porque eu pegava um número maior de ondas. Mas, depois de ajudar Lisa e Sam a ficarem à vontade em suas pranchas, saí nadando para mais longe com a intenção de tentar pegar uma onda bem grande.

Enquanto esperava, olhei com inveja para os surfistas que estavam mais perto da praia, pegando uma onda atrás da outra. Vinte minutos depois, finalmente uma onda começou a se formar atrás de mim e eu comecei a remar. Uma parede azul tomou conta da minha visão periférica, meu corpo ficou tenso: eu me perguntei se seria capaz de encarar uma onda como aquela. Ela se apoderou da minha prancha com um estalo seguido de uma trovoada e eu fiquei em pé. A onda se agigantou sobre mim. Eu tentei cortar para um lado subindo até a crista da onda e depois apenas deslizei em direção à praia. Senti-me vivo, alegre e extasiado. Eu não sabia antes se seria capaz; não sabia que tinha o conhecimento e a habilidade para descer num ondão daquele. Pela primeira vez desde os tempos da escola me senti como se estivesse escrevendo poesia.

Quando voltei triunfante para a areia, carregando minha prancha, me dei conta de que era hora, em relação às garotas, de pegar as grandes ondas e parar de perder tempo com as marolas, hora de buscar a qualidade em detrimento da quantidade. Eu merecia.

Quando voltamos para casa, chamei Lisa num canto.

— Gostaria de ir comer um sushi com você no sábado — eu disse.

Aquilo era tão TFM. Eu estava marcando um encontro com ela.

Ela hesitou um instante, como se decidisse pela melhor maneira de me dispensar. Depois, franziu os lábios e seus olhos piscaram. Finalmente, ela falou:

— Tudo bem, eu acho.

— Você acha? — Eu não conseguia me lembrar da última vez que marcara um encontro com uma garota e ela havia se comportado assim, cheia de atitude.

— Não, é que... — Ela se calou. — Deixa pra lá. É, eu adoraria. Estava só me perguntando quando é que você ia me convidar.

— Assim é melhor. Apanho você às oito.

As duas se foram. Fui até a cozinha e esquentei um peito de frango. A sobra de incontáveis refeições feitas por um bocado de convidados que tinha ficado dentro da geladeira. Enquanto aguardava meu frango esquentar, Tyler Durden apareceu, vindo do pátio, usando tênis de corrida e um walkman. Ele levantou a camiseta, examinou as gordurinhas da barriga e retirou o fone de ouvido.

— Ei, cara, eu ouvi o que aconteceu com Mystery — disse ele. — Lamento muito que as coisas tenham acabado assim. Me avisa se eu puder fazer alguma coisa para convencê-lo a ficar aqui.

— Ele é muito inflexível. Duvido que se possa fazer alguma coisa.

— Se ele for embora, não existe mais o Projeto Hollywood — prosseguiu ele.

— Acho que vai virar uma mansão VDS.

— Suponho que sim. — Coloquei o frango no prato e apanhei garfo e faca.

— Por falar nisso, comprei uma camisa Style em Melrose hoje. É exatamente o tipo de camisa que você usaria. Preciso mostrar pra você.

— Isso é bacana, mas é meio esquisito. — Havia algo que eu pretendia conversar com Tyler Durden há algum tempo. — Gostaria de falar com você pois acho que você devia pagar uma pequena parte do aluguel ou então das contas. Faz um mês que você está morando aqui e nós tínhamos combinado que convidados que ficassem mais de um mês teriam que contribuir com as despesas.

— Certamente, cara — ele disse. — Fale sobre isso com o Papa.

Suas palavras eram simpáticas, mas sua linguagem corporal, não. Ele agitava a cabeça desajeitadamente enquanto falava, como se não soubesse para onde olhar, e ficava girando de um lado para o outro. Ele parecia sempre dar um jeito de agir de modo artificial para mostrar que não estava envolvido ativamente em qualquer questão doméstica. Atrás de seu sorriso, havia alguma coisa — não era diferente do que eu sentira quando beijei a garota dele em Las Vegas. Ao lhe pedir para pagar o aluguel, eu me tornara uma ameaça para ele.

Levei meu prato para outra parte da casa, onde ficava o escritório, liguei meu computador e verifiquei o Lounge de Mystery. Queria ler a obra-prima que Mystery tinha escrito freneticamente naquela tarde.

Capítulo 4

GRUPO MSN: Lounge de Mystery
ASSUNTO: Mystery sai de casa
AUTOR: Mystery

Provavelmente, sairei do Projeto Hollywood no próximo mês, pois este lugar não serve mais para mim. O ambiente social invasivo tornou desconfortável a vida aqui.

No que diz respeito ao estilo de vida, o Projeto Hollywood é um fracasso. Não considero que viver aqui seja positivo para ninguém. Se e quando meu quarto extremamente caro ficar disponível, os repulsivos habitantes (exceto Style) irão destruir sua felicidade. Isso é algo que demonstraram em mais de uma ocasião.

No meu caso específico, fora a questão de haver uma concorrência de negócios debaixo do mesmo teto sob o qual moro (uma das várias rupturas de confiança ente Papa e eu), os membros da casa acham que é oportuno intervir na minha vida sexual privada. É uma situação intolerável para mim. Disseram-me que minha ex-namorada, que demonstrou inúmeras vezes que não é digna de confiança, poderá voltar para aqui dentro de dois meses.

Se ela voltar (como Papa espera), isso me obriga a sair de casa, porque não quero que uma pessoa tóxica como ela se aproxime de mim ou de meus amigos. A menos que o processo que Katya está ameaçando abrir contra mim a mantenha fora desta casa, um tal envolvimento em meus assuntos pessoais irá provocar uma amargura irreversível.

Quanto àqueles que dizem que eu preciso de ajuda psicológica, a melhor solução para a depressão não é pagar alguém para escutar você ou tomar remédios, que é apenas um paliativo de curto prazo para quando as coisas atingem o fundo do poço. O remédio de longo prazo é um ambiente social positivo, repleto de amigos que o escutam e partilham seus desafios. Era isso que o Projeto Hollywood deveria ser. Se alguém quiser conversar comigo abertamente sobre a situação e sobre os motivos que me levam a desaprovar a vivência aqui, ligue para mim. Não quero que ninguém mais seja roubado ou ferido como eu fui. Conheça a cultura antes de tomar a decisão de se mudar para cá.

E tenho dito.

— Mystery

P.S. Se eu for embora, venderei minha cama. Só dormi com dez garotas nela, portanto está bem limpa. É uma king-size. O preço é de 900 dólares, e não inclui travesseiro e lençóis.
Segue uma lista de quem dormiu nela comigo:

1. Joanne, a stripper
2. Mary, a modelo loura
3. A barwoman gostosa do Spider Club
4. Sima, a ex-namorada de Toronto
5. Katya, a *&%!
6. Gabby, a tagarela
7. Jen, a gatinha de 19 anos
8. A prima de Vision (eu sei, mas eu gostava dela)
9. Twyla, a assistente pessoal
10. A modelo de 1,80m que eu espantei (sem chegar a transar)

Acho que é só. É uma cama excelente. Firme. Onze pessoas satisfeitas.

GRUPO MSN: Lounge de Mystery
ASSUNTO: Relatório de campo — Mystery encontra sua futura esposa
AUTOR: Mystery

Encontrei minha futura esposa. E resolvi não falar sobre ela com vocês. Ela é muito importante e tem classe. É a garota dos meus sonhos (pelo menos é o que eu acho, até agora).

Ao contrário da última garota, não a apresentarei publicamente. Desta vez, começarei do nada e não destruirei meu relacionamento partilhando-o com vocês, rapazes. Serei mais fiel a ela do que a vocês, porque a ética "Irmãos primeiro, vadias depois" só se aplica quando você acha que a garota é uma vadia.

Isso é tudo que vocês precisam saber: encontrei-a rapidamente quando estava em Chicago, fazendo meu último workshop com Herbal. Encontrei-a durante sete minutos e peguei seu telefone. Temos conversado horas e horas pelo telefone. Eu amo sua personalidade. E, sim, seu corpo e sua mente também. Ela é nota 10. Falei com a mãe dela pelo telefone, e ela também gosta de mim. Essa garota está vindo para Los Angeles me visitar por uma semana. Paguei sua passagem de avião. Minha família chegará na mesma semana e elas vão se conhecer.

Embora só tenhamos estado juntos durante sete minutos, prevejo que ela se casará comigo, viveremos juntos e provavelmente teremos filhos. Que tal esse prognóstico? Vindo do maior artista da sedução do mundo?

Vocês não a verão nos meus workshops, pois evitarei explorá-la, a menos que ela queira ajudar para se divertir e tirar uma onda. Ela é intocável para este bando vil de desajustados. Não é uma garota festeira, como minhas cinco últimas. Ela pode parecer uma (humm), mas ela é perfeita, pelo menos para mim. Meus amigos a conhecerão em breve.

Quanto aos demais AS, fiquem afastados, pois vocês sabem que eu mordo.

Amor,
Mystery

Capítulo 5

Enfezado, Mystery percorreu a casa cheia de lixo com seu roupão, falando para quem quisesse ouvir sobre o antigo aluno que roubara seu negócio e a putinha que arruinara sua vida. Qualquer tentativa de levá-lo a fazer uma terapia era desprezada com uma longa explicação de como suas emoções e ações eram evolutivamente justificadas. A janela de vulnerabilidade e honestidade que se abrira, quando ele desabou na reunião da casa, havia sido fechada. Tinha voltado aos eixos; sua mente reconstruíra as paredes tortuosas que separavam a racionalização da realidade.

Embora ele não estivesse aborrecido comigo, eu me sentia culpado. O acordo que estava de fato o afastando daquela casa havia sido uma decisão minha. Graças à minha sabedoria salomônica.

Para piorar tudo, Katya estava revirando a faca na ferida. Ela dera dois meses de aviso prévio ao senhorio de onde estava morando, planejando se mudar para o quarto de Herbal assim que fosse permitida sua volta à casa. Sua vingança então estaria completa.

Naquela sexta-feira, fui com Mystery apanhar sua mãe e sua irmã com as sobrinhas no aeroporto. Elas entraram na limusine e o envolveram com o amor de que ele tanto precisava.

Em seguida, fomos até o terminal da United Airlines. Mystery tinha mais uma convidada chegando: Ania. Era a garota que ele conhecera em Chicago, aquela que ele anunciara on-line que seria sua futura esposa. Sua última chance. Uma das especialidades de caça de Mystery era a que ele chamava de matadoras de aluguel, tais como barwomen, strippers, garçonetes e recepcionistas. Ania era atendente de vestiário no Chicago Crobar.

Estacionamos ao lado do terminal e esperamos.

— Preparem-se para conhecer minha futura esposa — Mystery falou para sua família.

— Não vai assustá-la como fez com a última moça — disse sua mãe. Ela parecia ter aprendido que o segredo para sobreviver a tensão que seu marido e filhos colocaram sobre ela era nunca levar nada a sério. A vida era uma piada particular entre ela e Deus.

Reconhecemos Ania no instante em que as portas automáticas se abriram, revelando uma mulher baixa, cabelos louros e seios desproporcionais ao resto do corpo. Seu rosto de maçã amassada traía suas origens no Leste europeu, como Patricia e Katya.

Mystery a cumprimentou, segurou sua bagagem e a trouxe até a limusine. Exceto um humilde "Oi", Ania não disse mais nada durante todo o percurso. Apenas ficou sentada passivamente, escutando o que Mystery dizia. Ela era bem o seu tipo.

Talvez não fosse uma garota festeira como Katya, mas ela trouxe sua própria bagagem, que chegou inesperadamente no aeroporto no dia seguinte. Seu nome era Shaun.

No sábado, encontramos Shaun sentado do lado de fora da casa, ligando para o celular de Ania a cada cinco minutos. Ania nunca contara para Mystery que estava noiva. E, com certeza, nunca contara para seu noivo que estava voando para Los Angeles a fim de encontrar o artista da sedução que conhecera no trabalho. Shaun, certamente, verificara seu correio de voz, descobrira as mensagens de Mystery e decidira voar para L.A. de modo a encontrar seu rival.

Mystery não perdera o senso de ironia.

— Eu entendo o que o Shaun está sentindo — ele disse. — Eu sou como Herbal para ele. Ele quer me matar e recuperar sua mulher. — Ele se calou por um instante e ajeitou sua postura numa pose do que seria de um macho alfa, caso ele tivesse músculos peitorais. — Vou até lá conversar com ele.

Quando Mystery saiu, eu esperei na sala de estar com sua mãe e sua irmã. Ficamos sentados no sofá — tão sujo agora que até as manchas estavam manchadas — que servia para derramamento de lágrimas, para as garotas descansarem a bunda e para as reuniões da casa que haviam consumido minha vida há meses. Eu sentia necessidade de escapar daquela armadilha que eu armara para mim mesmo; a mesma que Mystery vivia armando para si próprio; as armadilhas que nós estávamos constantemente armando para nós mesmos, repetidas vezes, e nunca aprendendo com elas.

— Vocês se dão conta — perguntei a elas — de que Mystery está mais uma vez se preparando para quebrar a cara por causa dessa garota?

— Pois é — disse sua mãe. — Ele pensa que tudo gira em torno das mulheres, mas não é assim. É uma questão de baixa auto-estima.

Somente uma mãe podia reduzir toda ambição e razão de ser de uma pessoa a uma única insegurança básica alimentando aquilo tudo.

— O que me preocupa é a violência — eu disse. — Ele está começando a achar que a violência é uma solução para esses problemas, e é um modo perigoso de ver as coisas.

— Bater a cabeça com alguém nunca é a solução — disse sua mãe. — Eu sempre digo que não é necessária uma abordagem direta. Pode-se sempre dar a volta, pois assim se pode sempre recuar.

— Agora eu sei de onde ele tirou aquele Método Mystery.

Em três frases sua mãe, involuntariamente, resumira toda a abordagem de Mystery em relação às mulheres: o método indireto.

Martina franziu as sobrancelhas e se ajeitou no sofá.

— Sua depressão está ficando cada vez pior — ela falou num suspiro. — Ele nunca foi violento antes.

— Bem, eu me lembro de uma vez que ele ficou furioso e bateu a porta matando seu camundongo de estimação — disse sua mãe. — Mas nunca vi Mystery ficar violento em outras ocasiões. Mesmo quando o gato dele morreu, ele disse apenas: "Assim é a vida."

— O que eu acho que está acontecendo — disse Martina — é que, com a morte de nosso pai, ele está começando a perceber que papai não era tão mau quanto ele pensava. Então, agora, está se permitindo ser mais parecido com o papai.

Refleti sobre a conversa que tivera com Mystery na fronteira Trans-Dniester. Ele fez seu pai parecer um monstro.

— Então o pai de vocês não era o monstro que Mystery dizia?

— O problema é que eles se pareciam muito — explicou Martina. — Papai podia dominar qualquer lugar onde aparecesse. Era carismático, mas também muito cabeça-dura. Eles nunca se deram bem. Mystery sempre fazia coisas que aborreciam papai. E papai, em vez de agir como um adulto, acabava explodindo com ele.

— Tínhamos que colocá-los em lados opostos da mesa — acrescentou a mãe de Mystery —, e bastava um olhar meio enviesado para o outro e a briga começava.

— E agora que papai morreu — disse Martina —, Mystery precisa de alguém em quem descarregar sua raiva. Então Katya tomou o lugar de papai. Ela se tornou a vilã, a responsável por todas as emoções confusas que ele está sentindo.

Agora era a minha oportunidade de levantar a questão que eu sempre quis sobre o colapso nervoso de Mystery em Toronto, a pergunta que me libertaria da inexplicável obrigação de ter que salvá-lo de si mesmo.

— Então, o que podemos fazer?

Conversamos durante meia hora. A resposta, concluiu Martina finalmente, era deixá-lo solto; dar-lhe a chance de fazer alguma coisa de seu talento e gênio; dar-lhe tempo para encontrar duas notas 10 que o amariam tanto quanto amariam a si mesmas. E esperar que ele fizesse algum progresso para alcançar seus objetivos de vida, antes da próxima colisão, ou da colisão seguinte, ou qualquer colisão que viesse a ser tão destrutiva que o obrigaria a voltar para casa para sempre. Ele estava caminhando sobre areia movediça com balões de hélio nas mãos. E nesse ponto ele era como todos nós, exceto que o gás nos seus balões estava escapando mais rápido.

Interrompemos nossa conversa quando Mystery entrou na cozinha.

— Pronto — disse ele. — Tive uma longa conversa com o noivo de Ania lá no Mel's. Disse-lhe que era tarde demais para ele dar um jeito na situação. Agora Ania é minha namorada e estamos apaixonados. Essa está sendo a melhor conquista de todas na história do Método Mystery.

Martina me lançou um olhar cúmplice. A mãe de Mystery cruzou os braços e riu sozinha.

Ele colocou uma fita no gravador da cozinha.

— Eu gravei toda a conversa. Querem ouvir?

— Não — respondi. Não agüentava mais tanto drama.

Além disso, eu tinha um encontro marcado com Lisa.

Capítulo 6

Apanhei Lisa às oito e levei-a até um restaurante japonês chamado Katana. Foi um dos jantares mais difíceis da minha vida. Nós já havíamos passado tanto tempo juntos que, literalmente, não me restava mais material algum. Fui obrigado a ser eu mesmo.

— Tem uma coisa que eu queria perguntar — eu disse, enquanto as lâmpadas do pátio do restaurante escaldavam nossos escalpes e o saquê aquecia nossos estômagos. Aquela pergunta tinha me deixado com insônia há semanas. — O que aconteceu com você depois de Atlanta? Nós tínhamos feito planos e você sumiu.

— Você foi rude comigo no telefone — ela respondeu. — E, de qualquer jeito, eu não achava que tínhamos planos definitivos.

Então era essa a versão dela da teoria do gato e do barbante: me castigar por mau comportamento.

— Eu fui um presunçoso metido a engraçado. Eu estava a fim de ver você.

— Enfim. Você foi rude. Você estava sendo supergentil e, então, de repente, tão desleixado e desinteressado que foi broxante. Eu pensei: "Não consigo arrumar ninguém e, de repente, esse cara aparece agindo como se fosse o sr. Legal?"

Enquanto conversávamos, tentei entender porque eu gostava tanto daquela garota, por que, depois de conhecer tantas pessoas, ela se tornara minha obsessão? Uma parte cínica de mim dizia que eu simplesmente estava me submetendo pelo equivalente feminino das táticas que usávamos. O segredo para fazer alguém pensar que está apaixonado por você é ocupar seus pensamentos, e era isso que Lisa fizera comigo. Ela havia escapado de mim e depois me rejeitado fisicamente, enquanto me mantinha interessado, oferecendo apenas o encorajamento necessário para eu continuar atrás dela.

Por outro lado, eu não era um cara insistente. Se uma mulher com a qual eu não me importasse tivesse me dado tanto trabalho para conquistá-la, eu teria desistido há muito tempo. Claro, também era possível que minha obsessão viesse de um filão misógino, macho alfa, que eu, acidentalmente, contraíra como um efeito colateral das caçadas. Lisa era tremendamente independente, alguém que eu admirava mais do que desdenhava. Então talvez o troglodita que havia em mim queria apenas dormir com ela e, desse modo, conquistá-la.

E também havia sempre a remota possibilidade de que ela tivesse conseguido tocar uma parte de mim que eu mantinha oculta de todos, até de mim mesmo. Uma parte de mim que queria parar de pensar, parar de procurar, parar de se preocupar sobre o que os outros pensavam de mim e apenas deixar rolar, ficar à vontade e livre e, no momento, do modo como me sentira descendo naquela onda enorme em Malibu. E, de tempos em tempos, quando Lisa e eu baixávamos nossa guarda, era assim que eu me sentia com ela. Sozinhos e juntos.

Voltamos para casa. Lisa colocou uma camiseta branca e um short. Depois deitamos na minha cama, como havíamos feito tantas vezes antes — sob as cobertas, com travesseiros diferentes, virados um para o outro, mas sem que nenhuma parte de nossos corpos se tocasse.

Eu queria continuar a conversa que começamos no jantar. Não estava mais tentando seduzi-la. Só precisava de respostas.

— Então o que fez você vir me procurar outro dia?

— Quando você estava ausente, me dei conta de quanto sentia sua falta. — Eu adorava ver seus lábios se separarem, deixando à mostra seus dentes enquanto falava. Faziam-me pensar em arroz com salmão. — Minhas amigas estavam zombando de mim porque eu estava contando os dias para você voltar para a casa. Na verdade, fui fazer compras no mercado, quando você estava fora, a fim de cozinhar para você. Não sei por quê. — Ela hesitou e sorriu, como se estivesse me dando informações que nunca pretendera divulgar. — Comprei um pedaço de peixe-espada fresco e tive que jogar fora porque ficou podre.

Um jorro quente de confiança me encheu o peito. Então eu ainda tinha uma chance com aquela garota.

— Mas é tarde demais — ela disse. — Eu dei mole e você estragou tudo.

David DeAngelo aconselharia, nesse ponto, a agir como um pretensioso engraçado. Ross Jeffries teria dito para não morder a isca. Mystery assinalaria que era hora de castigá-la. Mas eu perguntei:

— O que fiz para estragar tudo?

— Em primeiro lugar, você não me telefonou quando voltou de Miami. Eu tive que procurá-lo.

— Espere um pouco. Eu achei que você havia me dispensado. Você não telefonou nenhuma vez quando eu estava fora.

— Seu correio de voz dizia que você estava fora da cidade e não poderia retornar as chamadas, então não deixei mensagens.

— Está certo, mas eu teria retornado sua ligação. Eu queria ouvir sua voz.

— Depois, você veio até o Whiskey Bar e mal falou comigo. E a última gota foi quando fomos até sua casa para ir à praia. Eu disse para Sam que estava começando a gostar de você novamente e ela disse: "Esquece ele. Quando fui ao banheiro do quarto dele, eu vi uma camisinha usada no chão."

Meu cérebro acordou e tomou um choque. Eu havia sido descuidado: esquecera de jogar fora a camisinha que usara com Isabel. Então era isso que Sam tinha sussurrado para ela no carro, a caminho de Malibu.

— Então por que você concordou em sair comigo esta noite?

— Por que você me convidou formalmente para um encontro. E você estava um pouco nervoso, então pensei que você devia estar mesmo a fim de mim.

Eu me apoiei no travesseiro. Estava a ponto de dizer a coisa mais TFM da minha vida.

— Deixe-me lhe dizer uma coisa. Os artistas da sedução têm uma palavra para isso: paixonite. É uma doença que os caras pegam quando ficam obcecados por uma única garota. E eles nunca conseguem essa garota porque ficam nervosos demais perto dela e acabam a assustando.

— E daí? — ela perguntou.

— E daí — respondi —, você é minha paixonite.

Estávamos olhando um para o outro bem nos olhos, agora. Eu podia ver os dela cintilando. Eu sabia que os meus também estavam brilhando. Era hora de beijá-la.

Não existem frases, procedimentos, troca de fase evolutiva — eu tentei tudo isso sem sucesso, de qualquer maneira. Eu me aproximei. Ela se aproximou. Seus olhos se fecharam. Os meus se fecharam. Nossos lábios se tocaram. Foi como eu sempre achei que um beijo devia começar.

Durante quatro horas nós ficamos ali nos beijando e dissecando as conexões e os mal-entendidos das últimas semanas.

Enquanto Lisa dormia, de manhã, desci com minha agenda de telefones. Liguei para Nadia, Hie, Susanna e Isabel, Jessicas e todas FA e RMLP e outros acrônimos com quem saía e disse a todas que estava agora com alguém a quem pretendia ser fiel.

— Então é ela quem você prefere? — perguntou Isabel, furiosa.

— Não é uma escolha intelectual.

— Ela é melhor na cama ou o quê?

— Não sei. Até agora só nos beijamos.

— Então você tirou uma onda com uma garota qualquer — disse ela numa frágil tentativa de emitir uma risada cruel — e agora quer se livrar de mim.

— Não é isso. Ainda gostaria de ver você, mas como amigo. — Pude ouvir a palavra rasgar seu coração como se fosse um punhal, como acontecera com o meu próprio coração tantas vezes, antes de ingressar na comunidade.

— Mas eu amo você.

Como poderia ela me amar? Ela precisava trepar com uma dúzia de outros caras para superar sua paixonite.

— Eu lamento — eu disse. E era verdade.

Existe um lado negativo no sexo casual: às vezes, ele pára de ser casual. As pessoas desenvolvem um desejo por algo mais. E quando a expectativa de uma pessoa não se encaixa com a da outra, então quem tiver a maior expectativa vai sofrer. Não existe algo chamado sexo gratuito: sempre há um preço.

Eu acabara de violar um dos regulamentos éticos de Ross Jeffries: deixe-a melhor do que a encontrou.

Capítulo 7

O vapor se elevava da água e subia para o céu sem estrelas de L.A., enquanto eu e Mystery conversávamos, sentados em lados opostos da jacuzzi. Com um dos braços ele se apoiava na borda da banheira e a outra mão segurava um copo com um líquido laranja e cubos de gelo. Parecia um coquetel, o que era estranho porque Mystery nunca tomava bebidas alcoólicas.

— Dei meu aviso prévio ao Papa — disse ele. — Estou me mudando oficialmente no mês que vem.

Ele estava me abandonando, exatamente como fizera quando teve seu colapso nervoso em Toronto. Agora, eu ficaria encurralado, vivendo com o feliz casal que o forçara a sair de casa e o exército de clones acampado no quarto de Papa.

— Mas você deixou seus inimigos vencerem — eu disse, retirando uma guimba de cigarro da água e colocando dentro de um copo vazio. — Fique aqui e se mantenha firme. Katya não vai ousar colocar o pé nesta casa sabendo que você está aqui. Tome uma posição. Não me deixe a sós com esses caras.

— Não. A raiva e o ressentimento que tenho são muito grandes; grandes o bastante para me fazer partir, e assim não ter de vê-los nunca mais.

Ele sorveu mais um gole do seu copo.

— O que você está bebendo — eu perguntei.

— Um Hi-fi. Acho que estou meio alto. Sabe, nunca me embriaguei antes. Sempre evitei isso, porque eu não gostava de meu pai. Mas agora que ele se foi, acho que não tem problema se eu experimentar.

— Olha só, cara, agora não é uma boa hora para começar. Você já está bastante instável assim. Não precisa acrescentar álcool à mistura.

— Eu estou gostando.

Ele deu outro gole, com um floreio desta vez, como se estivesse fazendo alguma coisa glamourosa e elegante.

— Sabe, Isabel passou por aqui ontem à noite, procurando por você.

— Isso é irritante. Eu tentei ser franco com ela em relação a Lisa.

Ele se inclinou para a frente, agitando a espuma da água com a base do seu copo.

— Você nem fez sexo com Lisa ainda. Então, por que não deixar Isabel à mão? É uma pena perder um corpinho daquele.

— De jeito nenhum, rapaz. Quero fazer isso direito. Não quero deitar na cama ao lado de Lisa me sentindo culpado por algo que não posso lhe contar. Isso acabará com a confiança que ela tem em mim.

Eu me debrucei na beira da jacuzzi e coloquei a mão na piscina. A água estava tão morna quanto na jacuzzi. Alguém esquecera o aquecedor ligado outra vez. Nossa conta de gás seria astronômica.

— Você conhece a história do sapo e do escorpião? — Mystery me perguntou.

— Não, mas adoro analogias. — Mergulhei na piscina e andei dentro d'água, enquanto Mystery se virava para me contar a história.

— Certa vez, um escorpião estava à beira do rio e pediu ao sapo para levá-lo até o outro lado. "Como posso saber se você não vai me picar?", perguntou o sapo. "Ora, se eu picar você, vou me afogar", respondeu o escorpião. O sapo pensou bem e se deu conta de que o escorpião tinha razão. Então, ele colocou o escorpião nas costas e iniciou a travessia. Porém, no meio do rio, o escorpião enfiou seu ferrão nas costas do sapo. Quando ambos começaram a se afogar, o sapo perguntou: "Por que você fez isso?" O escorpião respondeu: "Porque essa é minha natureza."

Mystery sorveu um gole triunfante de seu Hi-fi e depois fixou seu olhar em mim, enquanto eu boiava na piscina. Em seguida, ele falou lenta e ponderadamente, como aquele Mystery que me dissera certa vez para me livrar daquela pele de Neil Strauss:

— É sua natureza. Você é um artista da sedução agora. Você é o Style. Mordeu a maçã do conhecimento. Não pode voltar a ser como era antes.

— Pois bem, cara — respondi, nadando para trás. — Esse é um papo muito cínico vindo de alguém que diz que vai se casar e ter filhos com uma garota que acabou de conhecer.

— Somos poliamorosos — ele disse. — Conseqüentemente, temos que trair nossas namoradas. E se isso ameaçar nosso relacionamento, que assim seja. — Ele esvaziou seu copo e pressionou as têmporas como se estivesse sentindo tonteira. — Nunca subestime o poder da negação.

— Não. — Eu não podia olhar para ele. Não estava a fim de deixar que estragasse tudo. — Não preciso mais de conselhos.

Saí da piscina, coloquei a toalha nos ombros e fui para a sala de estar. Xaneus, Playboy e Tyler Durden estavam sentados lá. Logo que eu entrei, eles foram para o quarto de Papa, sem sequer olhar para mim. Era um comportamento estranho, porém, nada inesperado depois de tanto tempo vivendo no Projeto Hollywood.

Subi até meu meu quarto, tomei uma ducha e comecei a folhear um exemplar da lenda medieval *Parsifal* que eu comprara recentemente. As pessoas freqüentemente lêem livros em busca de si mesmos e encontram algo que tem a ver com elas. E, naquele exato instante, a natureza de *Parsifal* tinha a ver comigo. Muito mais do que a natureza do escorpião.

Do modo como interpretei a lenda, era a história de um menino, filho de uma mãe protetora, que conheceu uns cavaleiros e decidiu que queria ser exatamente como eles. Então, ele sai pelo mundo, vive uma série de aventuras e passa de um bobo fabuloso a um cavaleiro fabuloso.

O país, naquela época, havia se tornado uma terra devastada, porque o rei Graal (que guarda o Santo Graal) tinha sido ferido. E então acontece de Parsifal ser levado até o castelo de Graal, onde encontra o rei sofrendo de dores terríveis. Como um ser humano piedoso, ele queria perguntar: "O que houve?" e, segundo a lenda, se alguém de coração puro fizesse aquela pergunta ao rei, este ficaria curado e a terra ressecada voltaria a florescer.

No entanto, Parsifal não sabe disso. E como cavaleiro, ele foi treinado a obedecer estritamente um código de conduta, que inclui a regra de nunca fazer perguntas ou falar, a menos que alguém o intime a fazê-lo. Então, ele se retira para seu leito sem falar com o rei. De manhã, ao acordar, descobre que o castelo de Graal desapareceu. Ele desperdiçara a oportunidade de salvar o rei e o país por ter obedecido a suas instruções, e não ao seu coração. Ao contrário do escorpião, Parsifal tinha escolha. Apenas fez a escolha errada.

Quando fui até a sala de estar para apanhar uma bebida na cozinha, vi Mystery com outro drinque na mão, na frente da tevê. Estava assistindo *Karatê Kid* e chorando.

— Eu nunca tive um Senhor Miyagi — soluçou ele, enxugando as lágrimas no rosto avermelhado. Estava bêbado. — Meu pai não me ensinou nada. Tudo o que eu queria era um Senhor Miyagi.

Suponho que todos nós buscamos alguém para nos ensinar as atitudes que precisamos tomar na vida, o código cavaleiresco de conduta, o comportamento do macho alfa. É por isso que acabamos nos encontrando. Mas uma seqüência de manobras e um sistema de comportamento nunca consertam o que está quebrado por dentro. Nada é capaz de consertar o que está quebrado por dentro. Tudo o que podemos fazer é aceitar o estrago.

Capítulo 8

Lisa e eu passamos o dia seguinte juntos, e o outro também, e o outro depois desse. Eu ficava me preocupando, achando que ia estragar tudo, que estávamos passando muito tempo juntos, que ela ia se cansar de mim. Rick H. sempre dizia: "Dê-lhe o presente de sentir sua falta." Mas parecia que não conseguíamos nos separar.

— Você é perfeito para mim — ela disse, quando deitamos na minha cama na quarta noite seguida. — Eu nunca fiz sexo com um cara de quem gostasse tanto antes. Tenho medo de ficar muito apegada.

Por baixo daquela superfície resistente, ela estava assustada. Todo aquele puxa-empurra não era uma tática psicológica pré-planejada; era seu coração lutando contra sua mente. Talvez, a razão pela qual ela havia se mostrado tão relutante para se entregar era que estava protegendo seu frágil interior. Como eu, ela tinha medo de sentir realmente alguma coisa por alguém — amar, ficar vulnerável, entregar a alguém o controle da sua felicidade e bem-estar.

Quando eu dormi com todas aquelas outras garotas, apenas fizemos sexo por uma noite — e se eu gostasse bastante delas, fazíamos sexo outra vez de manhã. Mas algo fantástico aconteceu com Lisa, quando fizemos sexo pela primeira vez. Depois de eu ter meu orgasmo, continuei duro. Continuei, como o velho Extra-mask diria, duro como uma pedra, e sensual.

Fizemos uma segunda vez.

— Sinta isso — eu disse em seguida. Ainda estava pronto para continuar.

Fizemos uma terceira e uma quarta vez naquela noite, e nunca ficou mole. Eu não conseguia entender. Meu pau, que eu pensava se tratar de um animal totalmente estúpido, desesperado para penetrar em qualquer orifício, na verdade reagia às emoções. Ele tinha sentimentos também. Não era apenas uma ereção antecipada. Ele ficava em pé durante três ou quatro orgasmos toda vez que eu e Lisa fazíamos amor. Trepávamos dentro do carro, nos becos, nos banheiros dos restaurantes, atrás das máquinas de venda automáticas nos corredores dos hotéis. Certa vez, um cara da manutenção nos pegou e tentou extorquir 20 dólares de mim.

Quando broxei no banheiro com a atriz pornô, talvez não tivesse nada a ver com o uísque. Meu corpo estava reagindo à falta de preliminares emocionais: eu não me importava com ela, sequer a desejava de fato. E tenho certeza de que ela tampouco. Era apenas uma diversão. Sexo com Lisa não era por diversão. Não era uma confirmação e um afago no ego, como ocorrera com todas as outras conquistas das quais tanto me orgulhava. Tratava-se de criar um vácuo onde nada mais existia, exceto nós dois e nossa paixão. Aquilo fazia o resto da existência parecer mera distração.

E então, numa tarde, exatamente quando eu esquecera dela, Courtney reapareceu. Ela chegou numa limusine e saiu parecendo radiante num vestido azul com um xale.

— Minha boceta recuperou seu fluxo sanguíneo! — foi a primeira coisa que ela disse.

— Conseguiu pegar aquele diretor que você estava procurando? — perguntei.

— Não. Apanhei um outro cara, em Nova York. E a culpa vai ser dele se eu virar uma puta, porque agora eu quero trepar o tempo todo.

Ela veio dançando na minha direção, leve como uma bailarina.

— Bem, nós tínhamos feito uma aposta em relação à sua paixão pelo diretor — eu disse.

— É verdade. Acho que eu perdi.

— Então isso significa que eu vou poder escolher o segundo nome de seu próximo filho.

Ela sorriu e me olhou, cheia de expectativa, como se eu devesse escolher um naquele exato instante.

Pensei numa série de nomes possíveis.

— Que tal Style? — propus finalmente. — Eu vou aposentar esse nome de qualquer maneira, então posso muito bem passá-lo para alguém. — Pensei naquela idéia por um momento. Era um apelido realmente estúpido. Mas, por outro lado, o nome do meio da sua filha era Bean.

Ela soltou um grito agudo e me abraçou, esmagando meus ossos.

— Sabe, tenho achado você sexualmente intrigante nesses últimos meses — ela disse.

Eu engoli em seco e me preparei para lhe falar sobre Lisa. Antes de abrir a boca, porém, ela continuou:

— Mas me contaram sobre você e Lisa. E acho fantástico. Então alguma coisa boa aconteceu, finalmente, depois de eu morar com vocês.

— Aconteceu. E para você também, eu espero.

— Nem quero pensar sobre o que aconteceu nesta casa.

— Pois bem, você está ótima. Sua vida sexual está fazendo maravilhas para sua compleição.

— É. E a desintoxicação também.

Ela piscou o olho e sorriu. Suas preces haviam sido atendidas. Ela estava normal de novo.

— Agora vou largar do seu pé e vou morar no Hotel Argyle, até conseguir recuperar minha filha, o que deverá acontecer em breve — disse ela. — Eu passei para devolver o dinheiro que peguei emprestado com Mystery.

Ela me entregou um cheque e voltou para o carro. Ao vê-la partir, ela abriu a janela e disse:

— E esse tem fundos.

Eu realmente ia sentir sua falta.

Alguns dias depois, Lisa e eu fomos até o Centro de Celebridades da Cientologia. Não tínhamos aderido à cientologia. Gostávamos muito de nossas rendas. Tom Cruise havia cumprido sua palavra e enviado um convite para a festa de gala anual do centro. Foi um dos eventos mais repletos de estrelas aos quais já fui em Los Angeles.

Após o jantar, Cruise, bem barbeado, em seu smoking impecável, veio até nossa mesa. Sua aproximação foi hipnótica: não havia hesitação em seus passos, nenhum esforço em seu sorriso, nenhuma complexidade nas suas intenções. Levantei para apertar sua mão e ele me deu um tapa amigável no ombro. Foi difícil manter o equilíbrio.

— É sua namorada? — ele perguntou, examinando Lisa de um modo respeitoso. Não podia imaginá-lo sendo lascivo. — Você não tinha me dito como ela era maravilhosa.

— Obrigado. Nunca me senti tão realizado ao lado de alguém antes.

— Então, você parou de conquistar as mulheres?

— Parei, depois de um tempo você começa a se sentir como se estivesse enchendo um balde furado.

— Exatamente — ele exclamou. — Cameron Crowe e eu, quando estávamos filmando *Vanilla Sky*, conversamos sobre o que uma transa de uma noite só e uma foda amiga são. E quando você pára para pensar nisso, não passa de uma falsa intimidade. E é uma coisa insatisfatória. Num relacionamento de verdade, sexo é algo mais. Você quer que continue, e quer ficar junto e conversar sobre a vida. É fantástico.

— Verdade, mas o problema é que não quero que este seja o fim da minha jornada pela subcultura. Isso apenas reafirma a mensagem da sociedade sobre monogamia e a capacidade do verdadeiro para conquistar tudo, todos aqueles finais felizes de Hollywood. Parece muito piegas.

— Quem disse que é piegas? — perguntou Cruise, seus olhos apertados e suas mãos se preparando para me atacar com um gesto amigável. — Sabe de uma coisa? Eu superei isso. Desde quando é piegas estar apaixonado?

Ele, mais uma vez, mandara um anti-MAG para cima de mim.

Capítulo 9

Fantasmas.

Somos apenas fantasmas, flutuando invisivelmente por uma casa putrefata, que não via uma faxina ou um conserto há meses.

Mystery não estava falando com Herbal. Herbal não estava falando com Mystery. Papa quase não falava com ninguém. E, por alguma razão, Sickboy, Playboy, Xaneus e todos as outras abelhas operárias da Verdadeira Dinâmica Social tinham parado de interagir comigo e com Mystery. Mesmo os AS novatos que estavam por lá — Dreamweaver, Maverick e outros ex-alunos — não diziam oi quando passavam por nós. Se eu tentasse iniciar uma conversa, eles reagiam de modo rude. Sequer me olhavam nos olhos.

A única pessoa que falava com todo mundo era Tyler Durden. Mas interagir com ele nunca era uma conversa; era um interrogatório, como se estivesse conversando com um ator que quisesse fazer o papel dele num filme.

— Eu realmente quero perguntar uma coisa — disse ele, certa tarde, ao sair da cozinha com Sickboy. Sempre gostei de Sickboy. Apesar do nome, ele tinha boa educação, um típico nova-iorquino com boas maneiras. — O que você tem de mais para conseguir uma gata como a Lisa? — Tyler Durden perguntou. — Por que eu saio todas as noites e me esforço ao máximo e sei que nunca conseguiria que ela fosse minha namorada.

O que era incrível em relação a Lisa era que, apesar do seu ar durão, ela era uma das mulheres mais generosas com quem eu já estivera. Ela fazia minha cama todas as manhãs; preparava as refeições e me trazia no quarto quando eu estava trabalhando e raramente aparecia sem trazer algum pequeno presente — um tubo de Origins para limpeza facial, um frasco de água-de-colônia John Varvatos, um exemplar de *Henry IV*, Parte I que eu estava procurando. Talvez eu tivesse achado minha Caresse.

— Acho que é porque tenho experiência de vida — eu respondi. — Tudo o que vocês fazem é caçar todas as noites. Vocês estão trabalhando em um único aspecto de vocês mesmos. É como ir para a academia de ginástica e só trabalhar os bíceps.

Suas sobrancelhas se franziram e sua mente começou a girar rapidamente. Por um instante, ele pareceu acolher o conselho profundamente. Então, depois, o rejeitou e seus olhos começaram a brilhar. Se não era ódio que eles continham, era pelo menos ressentimento.

Estava ressentido comigo porque eu ainda não o considerava como um igual, porque ele ainda não era um cara legal aos meus olhos, porque ele não conseguia associar a idéia de ser legal a um subgrupo de comportamentos que ele fosse capaz de modelar. Lisa estava comigo porque, para ela, eu era um cara legal. Tyler Durden nunca seria um cara legal.

Ele me alugou os ouvidos durante dez minutos, dizendo como ele era bom em campo agora, e como não precisava mais dos procedimentos para obter IDI, e como as celebridades sempre tentavam convidá-lo para as festas.

Finalmente, ele se virou e foi para o quarto de Papa. Sickboy ficou para trás, em pé ao meu lado.

— Você não vem? — Tyler perguntou, fazendo sinal com a cabeça na direção da escada, como se algo importante estivesse acontecendo lá em cima.

— Só quero me despedir de Style — ele disse.

— Você está indo embora? — perguntei. Fiquei surpreso, vendo Sickboy se dar conta da minha presença.

A porta do quarto de Papa foi batida com força. Sickboy parecia nervoso.

— Estou saindo fora disso tudo — disse ele.

— Disso tudo o quê?

— Esta casa é tóxica. — Ele expeliu estas palavras como se elas tivessem formado uma pústula dentro dele. — Há tantas coisas legais para fazer em L.A. e tudo que eles querem é caçar. Ainda nem vi o oceano Pacífico nesse tempo todo que estou aqui. Esses caras são uns fracassados. Eu não apresentaria nenhum deles às pessoas que eu conheço em Nova York.

— Eu entendo o que você quer dizer. Lisa tampouco os suporta.

— São uma piada — ele disse, aliviando a tensão de seus ombros, como se tivesse achado alguém normal, alguém que compreendesse, alguém que não tivesse sofrido uma lavagem cerebral. — Eles trazem garotas para casa o tempo todo, mas elas ficam assustadas e vão embora. Tyler Durden mal consegue que uma delas retorne seus telefonemas. Acho que não comeu ninguém nos dois últimos meses. Papa fez sexo provavelmente com uma só garota no ano passado. Mystery não consegue se segurar numa namorada para salvar a própria vida. E quando Xaneus chegou, era um cara bacana. Agora parece uma farsa. Só falam sobre caçadas.

Você é o único que quero como modelo. Você tem um estilo de vida fantástico, um bom emprego e uma namorada legal.

Elogios podem levá-lo a qualquer lugar.

— Olhe, eu vou dar umas aulas de surfe para Lisa amanhã. Por que você não vem conosco? Vai ser bom para você sair desta casa e ver o mar.

Capítulo 10

GRUPO MSN: Lounge de Mystery
ASSUNTO: Relatório de campo — Vida no Projeto Hollywood
AUTOR: Sickboy

Para aqueles que não sabem, tenho dormido no closet do Papa, no Projeto Hollywood. Hoje foi meu melhor dia na casa, apesar de todos os dramas malucos que estão rolando.

Acordei mais cedo do que de costume e fui surfar em Malibu com Style e sua namorada, que é uma pessoa incrível. Ver como eles se dão bem juntos é realmente inspirador. Ele é uma das poucas pessoas que conheci no jogo que tem algo importante a mostrar, depois de todo esforço que fez.

O surfe foi incrível. Eu estava muito feliz porque ainda não tinha surfado neste verão. Recomendo este esporte para todos aqueles que nunca tentaram. Assim que você entra na água, sua mente fica clara e é quase impossível pensar em outra coisa. Uma experiência de fato relaxante.

Em seguida, comemos num quiosque de peixe, bem na beira do Pacífico, e batemos um ótimo papo sobre música, amigos, viagens, vida e carreiras.

Quando voltei para casa, trabalhei um pouco. Depois assisti a *O último dragão*, com Playboy, que é um bom amigo. Durante o filme, Herbal e Mystery conversaram lá fora e acertaram suas diferenças. Embora Mystery ainda esteja aborrecido por causa de Katya, ele disse que não culpava Herbal por ter se apaixonado por ela. E Herbal disse que se Mystery pagasse pelos prejuízos no seu quarto, ele o perdoaria pelo seu comportamento. Graças a Deus. É bom ver essas coisas acabarem de uma maneira sã. Mystery sairá dessa casa amanhã de qualquer maneira, o que eu acho uma pena.

Por volta das 2h, Playboy, Mystery e eu sentamos na sala principal, fumamos um narguilé, ouvimos música e falamos sobre objetivos na vida.

Não tive sequer uma conversa hoje sobre caçada, sedução ou comunidade. Meu dia foi repleto de conversas sérias com verdadeiros amigos. Não precisei foder nenhuma vagabunda de Saddle Ranch para me sentir bem. Na verdade, não dei em cima de ninguém hoje.

São dias assim que fazem a vida valer a pena. São dias assim também que me farão falta quando eu sair do Projeto Hollywood.

— Sickboy

Capítulo 11

Sentei imprestavelmente na sala de estar e observei Mystery colocando seus últimos pertences na bagagem: botas plataforma, os chapéus extravagantes e ridículos, os ternos risca-de-giz que não usava mais, uma lancheira com seu retrato na frente, os discos rígidos cheios de filmes pornôs com lésbicas e episódios do *That '70s Show*.

Não pude deixar de pensar que talvez tivéssemos tomado a decisão errada.

— Então, para onde você vai? — perguntei.

— Estou me mudando para Las Vegas. Vou começar o Projeto Vegas. Aqui eu aprendi com meus erros e o Projeto Vegas será maior e melhor. As mulheres são mais gostosas em Vegas e há grandes oportunidades de fazer truques de mágica nos cassinos. Vou pagar o vôo do meu cunhado para Vegas a fim de gravar suas músicas, comigo cantando, imagina — ele apontou sua mão para cima como se estivesse lendo alguma coisa —: "O maior artista da sedução do mundo lança um álbum com canções românticas." Quem não compraria isso? — Seu senso obsessivo das possibilidades estava de volta. — Ania vai morar comigo lá. E, como você é o meu melhor amigo, quando tudo estiver pronto, gostaria que fosse para lá. Vamos criar a coisa certa dessa vez. Tomaremos conta de tudo e analisaremos cuidadosamente as pessoas que ingressarão na casa.

— Lamento, cara. — Não dava para ficar seguindo Mystery toda vez que ele fodia com tudo.

— Vai ser Mystery e Style, como antigamente — ele insistiu. Abrindo a porta da frente, ele levou a mala até lá fora e produziu um dos muitos grandes aforismos que usava para transformar derrotas em triunfos. — Onde há um problema, há uma oportunidade.

— Não posso passar por isso novamente. — As palavras de desculpa soaram acusatórias.

— Entendo — disse ele. — Às vezes os eventos não funcionam e seguimos os caminhos errados na vida. Quero que saiba disso, mesmo que não tenhamos nos olhado nos olhos recentemente, sempre serei seu amigo, para a vida toda e mais um dia. Você não precisa administrar seu relacionamento comigo. Divirta-se com sua namorada e sempre teremos tempo para sairmos juntos. Você é o cara mais importante na minha vida.

Meu rosto ficou quente e meus olhos arderam com as lágrimas.

— Tente não ficar muito sensível, ok? — disse ele, sorrindo brandamente, revelando emoção também.

Um táxi estacionou e buzinou. Mystery bateu a porta do Projeto Hollywood. A brancura da porta tremulou na neblina dos meus olhos. Senti-me como se estivesse perdendo um pedaço de mim mesmo. Por um instante, não consegui descobrir qual de nós era mais tolo.

Uma semana depois, Katya se mudou para o quarto de Herbal e Papa passou dois AS para o antigo quarto de Mystery. Um deles era Dreamweaver, um antigo aluno meu; o outro eu nunca vira antes. Papa planejava mandar um outro AS para o closet de Mystery. Com a chegada de residentes novos e mais jovens, o Projeto Hollywood parecia cada vez mais com um alojamento estudantil, embora a maioria dos alojamentos fosse mais limpa.

Sem Mystery sentado na sala de estar, pronto e disposto a partilhar os detalhes de seus dramas mais recentes com quem quer que por ali passasse, a falta de comunicação na casa se tornou ainda mais inconfortável. Sempre que eu atravessava a sala de estar, achava novos residentes deitados no tapete, jogando videogames. Eles nunca olhavam para cima ou diziam alguma coisa, mesmo quando eu os cumprimentava. Não eram AS; eram legumes. Se alguém tivesse me dito dois anos atrás que era esse o estilo de vida que nos aguardava, eu jamais teria ingressado na comunidade. Teria me dado conta de que aqueles que vivem pelo joystick estão condenados a morrer pelo joystick.

Na festa do aniversário de 24 anos de Papa, não apareceu nenhuma mulher — muito menos Paris Hilton que, inútil dizer, nunca viera a uma festa no Projeto Hollywood, como Papa esperava. Seus únicos amigos eram AS. E, por algum motivo, todos me ignoravam. Eu não conseguia entender.

Na semana seguinte, Tyler Durden, que nunca havia sido diretamente hostil comigo, começou a escrever posts me atacando on-line. Resolvi que era hora de ter uma conversa com ele sobre o comportamento estranho de todos naquela casa. Singrei o mar de lixo até a cozinha; fui até o quintal, onde só uma poça de lama vicejava no fundo da jacuzzi. Bati na porta de Papa.

Encontrei Tyler Durden sentado ao computador, escrevendo posts sobre sedução.

— Quero conversar com você sobre o que anda acontecendo ultimamente — eu disse. — Todo mundo nesta casa está agindo de modo estranho. Ainda mais

estranho do que de costume. E você parece estar zangado. As pessoas estão putas porque eu tenho saído muito com Lisa e não tenho ido à caça?
— Isso é parte do problema — ele respondeu. — Mas a parte mais importante é que ninguém gosta de você nesta casa. Todos acham que você é metido e é responsável por um bocado de problemas que estão acontecendo aqui, porque fala das pessoas pelas costas. — Embora fossem palavras fortes, vindas de Tyler Durden, que nunca dissera uma palavra áspera na minha frente antes, sua voz não era maldosa. Ele falava quase servilmente, como se estivesse me dando um conselho construtivo, de um AS para outro. — Só estou dizendo isso porque você é meu amigo e não quero que aconteça com você o que aconteceu com Mystery.

Eu não sabia o que responder porque estava chocado. Não tinha idéia de que os outros caras se sentiam daquele jeito.

— É isso — ele prosseguiu. — Você notou como Extramask costumava ser seu amigo, mas passou a evitá-lo? Pois bem, isso é porque ele não confiava mais em você. Dreamweaver me disse que odeia você. Maverick também.

Pensei no que ele estava dizendo. Talvez tivesse razão. O entusiasmo que trouxera para meus primeiros encontros com os companheiros de caça havia dissipado e vi os procedimentos serem vendidos, em vez de partilhados e homens perfeitamente normais se transformarem em assustadores parasitas sociais. Então, embora eu fosse sempre simpático com todo mundo, talvez estivessem implicando com o fato de eu ter ficado desiludido com a comunidade.

Por outro lado, como Juggler sempre dizia, as pessoas costumam se sentir à vontade perto de mim. Eu sempre fora uma pessoa amigável e fácil de se lidar, mesmo antes de ingressar na comunidade. Não tinha inimigos, pelo menos eu achava.

Quando saí do quarto, depois de mais uma hora de conversa, minha cabeça estava girando. Não conseguia entender como aqueles caras, com os quais eu passara a maior parte dos últimos dois anos, tentando conhecê-los, me odiavam. O que eu tinha feito?

A resposta, logo descobri, era nada.

Capítulo 12

Quando vi Playboy na sala de estar empacotando seus livros dentro de umas caixas, perguntei, como de costume:

— O que houve?

— Estou indo embora.

Primeiro Extramask, depois Mystery, então Sickboy e agora Playboy. O barco estava afundando.

— Você tem alguns minutos? — perguntei. — Preciso desabafar, antes de você ir embora.

Playboy me levou até seu quarto e fechou a porta.

— Eles estão tentando tirar você do jogo — disse ele.

— Quem está tentando me tirar do jogo?

— Papa e Tyler Durden. Estão usando táticas para isso.

— Do que você está falando? O que quer dizer com táticas?

— Uau, você realmente não tem idéia do está rolando no quarto de Papa. Tyler Durden está dizendo para todo mundo ignorar você. Ele quer que você pense que todos odeiam você. Está tentando fazer você se sentir mal nesta casa.

— Por que ele faria isso?

— Ele quer assumir o comando. E não pode deixar que você fique aqui porque é uma ameaça para ele.

Isso explicava a atitude de Tyler Durden outro dia, porque tentava me fazer crer que todos estavam contra mim. Era uma tentativa de me expulsar dali. Ele estava armando uma arapuca para mim.

— Ele o considera uma ameaça a seu poder, porque não pode dominá-lo. Você não é fraco como Xaneus — continuou Playboy. — Ele o considera uma ameaça às suas finanças porque você quer que ele pague aluguel. E o considera uma ameaça para as suas mulheres porque você ganhou aquela garota dele em Vegas. Ele acha que se deixar as garotas dele se aproximarem de você, elas vão deixar de se sentir atraídas por ele.

— Ele ainda está aborrecido com aquilo?

— Está. Mas acho que o problema principal é que Papa e Tyler Durden associam você a Mystery, e ele é concorrência para eles. Eles têm uma mentalidade de gangue. Pensam em termos de alianças. Então expulsaram Mystery e, agora, estão expulsando você. Querem transformar esta casa num escritório e dormitório para a Verdadeira Dinâmica Social.

— Não entendo. Como podem ter expulsado Mystery. Foi ele próprio que cavou seu túmulo.

— Mas você não percebe como eles o ajudaram? Como Papa convidou Katya para dormir aqui e depois a trouxe de volta quando Mystery a pôs para fora? Era uma armadilha para ele. — Cada frase de Playboy era um pedaço de gaze retirado dos meus olhos. — Tudo o que Papa disse durante a reunião que tivemos foi instrução recebida de Tyler Durden. Ele é um discípulo. E eu cometi um equívoco ao obedecer a eles. Se eu pudesse voltar atrás, votaria para que Mystery permanecesse aqui. Este projeto era dele. Ainda que seu comportamento tenha saído da linha, ele tinha o direito de não querer sua ex-namorada aqui.

Eu tinha feito o jogo deles. Eles eram tremendos mestres da manipulação. Tinham organizado a reunião a fim de me deixar pensando que eu estava controlando as coisas. Papa não parava de me chamar de líder da casa. E, assim, conseguiram fazer com que fosse minha a decisão de pôr Mystery para fora. Não tinham como sair perdendo.

— Eles me fizeram de marionete — eu disse, sacudindo a cabeça de perplexidade.

— Fizeram o mesmo comigo. É por isso também que estou indo embora. Tyler Durden pode fazer aqueles caras agirem como ele bem entender. Ele não está motivado pelas garotas. Mas pelo poder.

Como pude ser tão cego? Em Las Vegas, cheguei a dizer a Tyler Durden diretamente que ele era o tipo de cara que gostava de ficar por cima da situação, eliminando os competidores. E ele concordara.

— Tudo o que fazem no quarto de Papa é ir ao banheiro e elaborar um plano — acrescentou Playboy. — Todas as palavras que vêm de Tyler Durden são calculadas. Todos os posts que escreve servem a seus objetivos. A cabeça daquele cara é cheia de engrenagens, girando e manipulando. Ele vê tudo na vida desse jeito. Eles têm procedimentos prontos para fazer os alunos escreverem resenhas melhores sobre seus workshops e assim controlar todo mundo. Sempre que alguém novo chega no quarto dele, eles o vacinam contra você.

Nós tínhamos criado um perigoso precedente, estudando como controlar situações sociais nas boates. Aquilo levara a uma disposição mental de que tudo na vida era um jogo que podia ser manipulado para se tirar vantagem com os procedimentos adequados.

Mas ainda havia uma coisa que eu não entendia.

— Se o que você está dizendo é verdade — perguntei a Playboy —, por que Papa estava evitando a mim e a Mystery antes mesmo de haver um plano para nos congelar?

— Isso veio de Tyler Durden também — respondeu ele. — Ele não queria que Papa representasse os negócios de Mystery do mesmo modo que os dele, então pôs Papa contra Mystery logo que vocês chegaram. Aí, uma vez que Mystery e Papa começaram a se estranhar, ele disse a Papa para evitar vocês dois completamente e usar a porta dos fundos para entrar em casa.

Diversas conexões se acendiam na minha mente, à medida que Playboy falava. Toda a estranheza que estava ocorrendo na casa desde o primeiro dia tinha sido orquestrada por um homenzinho dentro do closet, o mágico do Projeto Hollywood. Eu me senti um otário.

— O grande erro que você e Mystery cometeram — concluiu Playboy —, foi deixar Papa vir morar nesta casa.

Havia uma lição nesse ponto, talvez a última que esta comunidade me ensinaria. Esta era: sempre seguir meus instintos e primeiras impressões. Eu não tinha confiado em Papa nem em Tyler Durden quando os conheci. Achei que Papa era um cara mimado e robótico e Tyler Durden insensível e manipulador. E embora tivessem feito grandes avanços, quando se tratava de elegância e caçada, Mystery estava certo: o escorpião não pode negar sua natureza.

Ainda assim, ao mesmo tempo, Mystery e eu não éramos inteiramente inocentes. Havíamos usado Papa como testa-de-ferro para assinar o contrato e pagar pelo quarto mais caro. Nunca tentamos ficar amigos dele ou tratá-lo como um igual.

Quando eu estava verificando meus e-mails mais tarde no escritório da casa, notei um programa chamado Family Key Logger. Eu o teria ignorado se não fosse pela paranóia que desenvolvera depois de minha conversa com Playboy. Então procurei pelo programa no Google. Quando vi os resultados, a raiva tomou conta de mim totalmente. Alguém instalara um software que estava capturando todas as palavras que eram digitadas e as armazenando num arquivo de texto. O computador era destinado a ser um recurso para que todos os moradores e convidados pudessem acessar a Internet. Isso significava que quem quer que tivesse instalado o programa tinha agora as senhas de todo mundo, números de cartão de crédito e e-mails privados.

Sem que eu soubesse, havia uma guerra sendo travada dentro da casa, desde o momento em que entramos nela.

Em seguida, liguei para Sickboy em Nova York. Precisava de uma segunda opinião.

— Isso bate com o que você sabe? — perguntei, depois de lhe contar tudo que Playboy me dissera.

— Totalmente. Quando Mystery estava aí, eles fizeram o que estão fazendo com você agora. Tyler Durden e Papa diziam: "Não falem com Mystery, gelo nele." Tudo o que eles fazem obedece a um procedimento. A reunião para decidir a sorte de Mystery foi planejada dias antes. Eles falavam constantemente sobre como fazer Mystery partir, assim poderiam tomar o comando do Projeto Hollywood. A casa faz parte de seus planos de negócio. Por isso, vim embora. Não podia suportar essa merda.

Nos dias que se seguiram, falei com Dreamweaver e Maverick. Ambos contaram a mesma história: Mystery e eu, supostamente os melhores da comunidade, tínhamos sido manipulados. Os veneradores estavam esmagando seus ídolos.

Capítulo 13

Havia ainda um guru da sedução que eu precisava encontrar. Eu não queria que ele me aconselhasse como seduzir as mulheres; queria que me aconselhasse a parar com isso.

Todos na comunidade mencionavam seu nome. Ele era uma espécie de presença espiritual que pairava sobre o mundo da sedução, uma figura mitológica como Odisseu ou Capitão Kirk, ou uma GG nota 11. Seu nome, Eric Weber, o primeiro AS da modernidade, o autor do excelente livro publicado em 1970, que deu início a tudo, *Como seduzir as mulheres*, e tema do filme com o mesmo título.

Encontrei-o num pequeno estúdio de pós-produção, onde ele estava editando um filme que dirigira. Definitivamente, não era um cara extravagante; parecia um executivo de meia-idade da indústria publicitária, cabelos grisalhos, uma camisa engomada abotoada até o pescoço e calças pretas comuns. Somente seus olhos, brilhando cheios de eletricidade, revelavam que sua ousadia juvenil ainda não se havia extinto.

Você está ciente da comunidade da sedução?
Estou. Mas vejo isso com a impressão de estar sendo imitado. Uma parte do que surgiu, após a publicação do meu livro, é repulsiva para mim. Não acredito que se deva fazer coisas que torçam e manipulem uma pessoa. Nunca tive interesse em conquistar uma mulher de uma maneira despótica. Estava interessado em encontrar alguém a quem amar. Entretanto, não fiquei apaixonadamente interessado em sedução. Sabia que havia muitas outras coisas que eu queria fazer.

O que o fez superar isso?
Perdi o interesse depois de me casar, fiquei mais autoconfiante e me dei conta de que acumular uma infinidade de pontos a meu favor não me curava de meu desespero existencial. O que também me ajudou foi ter duas filhas que, ocasionalmente, me acusavam de ser machista, o que eu sou um pouco, acho.

Qual era seu desespero existencial?
Acho que o dilema existencial é: somos animais sociais, portanto, todos lutamos contra uma impressão de inadequação. Mas quando percebemos que não somos

tão inadequados quanto pensávamos e quando nos damos conta de que todo mundo se acha inadequado, então a dor passa, e a idéia de que não somos uma pessoa de valor desaparece, até certo ponto.

E quanto àquelas pessoas que não se livram de sua impressão de inadequação?
Esses caras se tornam obcecados em dormir com um número cada vez maior de mulheres. E isso é um problema.

E há também aquele tipo de cara que precisa de sessões de terapia. Nem sei o número de caras que vi, malvestidos, dizendo, numa voz nasalada: "Eric, parece que não consigo seduzir as garotas." Eu digo a eles: "Você precisa de roupas novas, uma melhor postura e uma terapia de discurso." Tudo isso é uma evidência de profundas feridas psicológicas.

O telefone toca. Ele atende, fala alguns minutos, depois desliga.

Certa vez, eu conquistei uma garota, isso faz 38 anos e meio: minha esposa. Na verdade, eu estava fazendo pesquisas para meu livro quando a conheci e experimentei uma frase pronta em cima dela. Ela passou por mim num bar e eu falei: "Você é bonita demais para eu deixar você escapar." Pensei que aquela moça durona de Nova York ia ficar danada. Mas ela disse: "Você acha mesmo?" Não consegui mais me livrar dela, depois disso.

Então, como você, de fato, concebeu o livro?
Eu tinha um amigo que era estagiário como eu na Benton & Bowles. Um dia, nós dois olhamos pela vitrine de um escritório da El Al, ao lado, e vimos uma moça trabalhando lá dentro. Ela era maravilhosa, estilo mediterrâneo, como um quadro de Boticelli. No dia seguinte, meu amigo me disse que, durante o intervalo do almoço, ele a seguira até uma lanchonete, onde ela comprou um sanduíche e depois foi sentar no parque. Ele sentou-se ao seu lado, conversou com ela e combinaram de jantar juntos na sexta-feira.

Na semana seguinte, ele veio e disse que ela era virgem. Teve de sair para comprar vaselina porque ela era muito apertada. Foi isso que me deu a idéia de escrever um livro sobre como conquistar as garotas. Fiquei interessado em sua falta de pudor e habilidade de transformar o fato de falar com pessoas estranhas em algo agradável e corriqueiro. Eu era então muito tímido e inseguro. Escrevi sobre sedução porque não conseguia seduzir, e, realmente, realmente queria ser bom naquilo.

Houve algum precedente na época?
Em meados dos anos 1960, a vida estava mudando radicalmente na América. As mulheres tinham começado a tomar a pílula; os Stones e os Beatles tinham chegado; Bob Dylan estava se tornando popular. Toda uma contracultura estava nascendo. A vida, de repente, tinha se tornado selvagemente erótica.

Nos anos 1940 e 1950, se você crescesse em sua cidade natal, conhecia pessoas na igreja ou era apresentada a elas pela sua tia. Mas nos 1960, todo mundo estava saindo da casa dos pais para morar em seus próprios apartamentos na cidade. As pessoas viviam sozinhas sem os modos convencionais de conhecer outras. Então os bares para solteiros se tornaram populares. E todo mundo precisava de novas ferramentas para conhecer outras pessoas.

Qual você acha que é a diferença entre os caras naturais e os que, como nós, precisam aprender analiticamente?
Acho que os caras naturais têm um poder psicológico. Já no final da minha vida de solteiro eu consegui adotar uma ousadia que era chocante. Desenvolvi coragem para dizer a uma mulher, depois de um copo de vinho: "Estou a fim de comer você." Existem mulheres que esperam que você seja ousado e as comande. Levei muito tempo para aprender isso.

Algo estranho acontecera com Eric Weber, quando a conversa se direcionou para os caras naturais e as histórias da experiência em campo. Ele ficou mais animado. A centelha nos seus olhos brilhou. Durante meia hora trocamos histórias e teorias sobre o jogo. Pois debaixo de toda aquela conversa de casamento e felizes para sempre ainda fervia aquele cara desajeitado que invejava o sucesso de seus amigos com as mulheres.

Depois de conversarmos, ele me mostrou uma cena do filme que estava editando. Era sobre um homem careca e pálido, de meia-idade, desempregado, vendendo um roteiro terrível e tentando esquecer sua ex-esposa, que estava agora casada com um cara bonito e bem-sucedido.

— Aquele roteirista no filme é como você se vê realmente? — perguntei ao sairmos juntos do estúdio.

— Aquele é meu eu interior — ele admitiu. — Por dentro, às vezes, me sinto patético, desajeitado e mal-amado.

— Mesmo depois de toda a confiança que conquistou como um artista da sedução, marido e pai de família?

— Sabe — disse ele, abrindo a porta de seu carro —, às vezes, tudo que você pode fazer é assumir uma aparência de confiança. E, depois de certo tempo, os outros vão começar a acreditar. — Ele puxou a maçaneta da porta e a fechou. — E então você morre.

E ele bateu a porta.

Capítulo 14

Às 2h, Lisa entrou ruidosamente em casa, na mais total embriaguez. Subiu as escadas, largando a bolsa e as roupas pelo caminho e pulou na minha cama, vestindo apenas uma garrafa de cerveja.

— Você me atrai em todos os sentidos — balbuciou ela.
— É mesmo?
— Você sabe o que significa em todos os sentidos?
— Eh... talvez.
— Quer que eu os descreva?
— Claro.
— Emocional, física e mentalmente.
— É um bocado de sentidos.
— Posso elaborar melhor.
— Muito bem, comecemos pelo aspecto físico. — Esta era, provavelmente, a área em que eu precisava de mais confiança.
— Gosto de seus dentes e da sua boca, especialmente. — Tentei discernir alguma hesitação, ou dúvida. Não havia. — Eu gosto de seus ombros largos e de seus quadris estreitos. Gosto dos pêlos que tem pelo corpo. Gosto da cor de seus olhos, porque são iguais aos meus. Gosto da forma do seu nariz. Gosto das entradas laterais na sua cabeça.
— Oh, meu Deus. — Pulei sobre ela e segurei seus ombros. — Ninguém jamais me cumprimentou pelas minhas entradas antes. Eu gosto delas também.

Eu ri, um pouco alto demais, do ridículo do que acabara de dizer. E então confessei tudo para ela. Contei sobre os TFM, AS, FA, RMLP, IDI e MAG.

— Gostaria de ver você vestida superprovocante, um dia — eu disse, aliciado pela excitação do jogo que ajudara a inventar —, e então iremos até um bar, e eu serei o MAG com todos os caras que tentarem dar em cima de você.

Ela me rolou para o lado, de modo que ficamos cara a cara, os rostos separados apenas por alguns centímetros.

— Você não precisa da opinião deles — disse ela, com o hálito intoxicante e intoxicado. — Tudo o que eu gosto em você e tudo que me faz achar que você é radical, é o que você já tinha antes de encontrar os AS. Não quero que você use jóias estúpidas e sapatos ridículos. Eu teria gostado de você antes de toda essa merda de auto-aperfeiçoamento.

Do lado de fora, ouvimos o barulho de homens subindo a colina na excitação de mais uma noite em que quase conseguiram trepar.

— Todas as coisas que você aprendeu com os AS quase fizeram com que nós nunca ficássemos juntos — prosseguiu Lisa. — Quero que você seja apenas o Neil: calvo, nerd, com óculos e tudo.

Talvez ela tivesse razão. Talvez ela tivesse gostado do meu verdadeiro eu. Mas ela nunca teria a oportunidade de encontrá-lo, se eu não tivesse passado dois anos aprendendo como colocar para fora o que havia de melhor em mim. Sem todo aquele treinamento, eu nunca teria tido a confiança necessária para conversar e lidar com uma garota como Lisa, que era um desafio constante.

Eu precisei de Mystery, Ross Jeffries, David DeAngelo, David X., Juggler, Steve P., Rasputin e todos aqueles outros pseudônimos. Precisei deles para descobrir o que eu era desde o início. E agora que eu encontrara essa pessoa, a retirara da concha e aprendera a aceitá-la, talvez os tivesse superado.

Lisa sentou-se e tomou um gole de cerveja.

— Todo mundo estava dando em cima de mim esta noite — ela disse, rindo. A modéstia nunca fora seu ponto forte. — Espero que você perceba que está saindo com a garota mais fabulosa de L.A.

Em resposta, sem palavras, abri a gaveta de cima da minha cômoda, apanhei dois envelopes de papel pardo e os trouxe para a cama. Virei o primeiro envelope de cabeça para baixo e deixei cair seu conteúdo sobre a coberta. Centenas de pedaços de papel, caixas de fósforos, cartões de negócio, guardanapos de drinques e recibos rasgados. Cada um continha a caligrafia de uma garota diferente. Então esvaziei o segundo envelope sobre a cama — mais do mesmo conteúdo — até formar uma pequena montanha de pedaços de papel. Eram números de telefone que eu colecionara desde o primeiro e fatídico workshop com Mystery.

— Eu sei que você é — respondi, finalmente. — Passei dois anos conhecendo todas as garotas de L.A. E, entre todas, escolhi você.

Essa era a coisa mais linda que eu dizia há muito tempo. E depois de dizê-la me dei conta de que não era totalmente exata. Se havia algo que eu aprendera, era que um homem nunca escolhe uma mulher. Tudo o que ele pode fazer é lhe dar a oportunidade de escolhê-lo.

Capítulo 15

Herbal era o próximo a ir embora.

Eu o vi da minha janela do quarto, enfiando seu aspirador de pó dentro de uma caminhonete de aluguel.

— Estou voltando para Austin — ele disse com um sorriso abatido, quando saí para falar com ele.

Ele era a última pessoa que eu esperava ver saindo da casa.

— Por quê? Depois de tudo pelo que passou com Mystery, você vai embora?

— Eu acho que esta casa foi um fracasso, só isso — respondeu ele. — Ninguém se reúne mais. Os caras da VDS pararam de falar comigo quando comecei a trabalhar para Mystery, e Papa não pára de trazer para cá uns caras de quem eu realmente não gosto.

— O que Katya vai fazer?

— Ela vai comigo para Austin.

Imaginei que se Katya o estivesse usando só por vingança, ela já o teria dispensado agora.

— Entendi. Aliás, o que devo fazer quando seu canguru chegar?

— Já dei um jeito de ele ser enviado para Austin.

Vendo Herbal arrumar seus pertences dentro da caminhonete de mudança, fui surpreendido por uma tristeza muito mais profunda do que quando Mystery se foi. Com Mystery, eu perdera um amigo e um mentor formal. Mas eu achava que, apesar do drama, a casa continuaria unida. Porém, entre as maquinações de Tyler Durden e a iminente partida de Herbal, o Projeto Hollywood estava definitivamente acabado.

Fora Papa e Tyler Durden, todos pareciam estar despertando do encantamento que a comunidade exercera sobre eles. Mesmo Prizer — o caçador que perdera a virgindade em Juarez — parara de vender DVDs de sedução e se tornara um cristão renascido. No seu último post, ele alertava: "Saia de seu transe e pare de entregar seu salário para um bando de fracassados que só consegue seduzir garotas ingênuas. Existem mais coisas na vida além das caçadas."

Se o mais estúpido caçador de todos nós havia superado a comunidade, o que eu ainda estava fazendo ali?

Atrás de mim e de Herbal, uma garrafa de cerveja espatifou na calçada, espalhando fragmentos de vidro verde para todos os lados. Olhei para cima e vi um adolescente com o corte de cabelo igual ao de Eminem e uma camiseta sem mangas, sentado nos degraus da entrada.

— Quem é esse cara?

— Não sei — disse Herbal. — Ele está morando no quarto de Papa.

Agora eu estava sozinho. Eram apenas eu e meu quarto contra os cyborgs no resto da casa tentando me expulsar dali. Eu estava cansado de lutar. Cansado de me decepcionar com as pessoas. Não precisava mais ficar ali. Além do mais, eu tinha uma namorada.

Ainda assim, não conseguia parar de pensar: "Se eu era tão esperto, como é que o Papa acabou ficando com a casa?"

Lisa respondeu esta pergunta quando deitamos na cama naquela noite.

— Porque você não queria ficar com a casa — ela disse. — Isso não é vida, é uma subcultura na qual você mergulhou. Como alguma coisa pode ser boa se ela se baseia numa realidade falsa e num comportamento programado? Sai fora! Esses caras não servem mais para nada. Estão atrasando sua vida.

Assistindo *O Mágico de Oz* quando era criança, eu ficava sempre decepcionado quando Glinda, a Boa Bruxa, dizia a Dorothy que ela possuía o poder de voltar para casa desde o momento em que chegara a Oz. Agora, 20 anos depois, eu entendia a mensagem. Eu possuía o poder de largar a comunidade esse tempo todo, mas não havia alcançado o final da estrada até agora. Eu ainda acreditava que aqueles caras tinham alguma coisa que eu não tinha. Ainda assim, a razão pela qual todos os gurus adotaram minhas idéias — a razão pela qual Tyler Durden queria ser eu, muito embora me odiasse — era que eles achavam que eu tinha algo que eles não tinham.

Estávamos todos procurando fora de nós mesmos as peças que faltavam e estávamos todos procurando no lugar errado. Em vez de encontrarmos a nós mesmos, tínhamos perdido o sentido de nossos egos. Mystery não possuía as respostas. Uma loura nota 10 num grupo de duas mulheres no Standard não possuía a resposta. As respostas só poderiam ser encontradas interiormente.

Vencer o jogo era abandoná-lo.

Mesmo Extramask descobrira isso. Após ficar um tempo num centro de meditação em Vipassana, na Austrália, e num *ashram*, na Índia, ele também estava voltando para casa, conforme me disse num e-mail, "a fim de recuperar o modo como as coisas eram antes".

Pela manhã, fui acordado pelo ruído no andar de baixo. Havia novos recrutas para a Verdadeira Dinâmica Social — substituindo Playboy, Sickboy e Extramask. Estavam carregando caixas com móveis para o quarto de Herbal. Como aqueles que vieram antes, eram antigos alunos que se tornavam estagiários e empregados, trabalhando de graça em troca de lições de sedução e um closet onde dormir. Haviam largado seus trabalhos, abandonado os estudos, saído de suas cidades para aquilo.

Sentei na sala de estar de cueca e os observei trabalhando. Eram diligentes. Eram eficientes. Eram autômatos. Sem dizer nada, eles armaram três beliches com lençóis, cobertores e colchões semelhantes. O quarto de Herbal estava sendo convertido num acampamento para abrigar aquele próspero exército. As tropas seriam mandadas para o Sunset Boulevard todas as noites para guerrear — armados com minhas roupas, maneirismos e histórias — enquanto os generais, no banheiro, planejavam os últimos estágios de sua conquista da comunidade. Até o Lounge de Mystery logo seria deles, com o expurgo de Mystery.

Não havia mais nada a fazer ali.

Voltei para meu quarto, retirei várias bolsas do armário e comecei a fazer minha bagagem. Pendurado no armário havia um monte de trajes de pavão: um casaco felpudo roxo, calças de vinil pretas, um chapéu de caubói rosa. No chão, dezenas de livros sobre paquera, PNL, massagem tântrica, fantasias sexuais femininas, análise de caligrafias e sobre como ser o babaca que as mulheres adoram. Eu não precisaria de nada disso aonde estava indo.

Era hora de sair da casa e deixar a comunidade para trás. A vida real acenava para mim.

Glossário

A seguir, uma lista de termos e abreviaturas de sedução usados ou a eles referidos neste livro. Algumas palavras foram cunhadas pela comunidade; outras vêm dos jargões de hipnose e marketing e outras são palavras comuns que foram apropriadas pelos artistas da sedução. As definições abaixo pertencem apenas a cada utilização da palavra no contexto da sedução. Sempre que possível, a pessoa creditada como criadora do termo foi citada.

AFASTAMENTO — *substantivo*: uma técnica de sedução em que um homem que abordou uma mulher e está se entendendo com ela se afasta — por alguns instantes ou até por algumas horas — de maneira a demonstrar seu desapego e aumentar a atração que ela sente por ele. *Também: falso afastamento.*

AFOFAR — *verbo*: travar conversa fiada e mundana. Ocorre normalmente entre duas pessoas que acabaram de se conhecer; os assuntos em comum incluem onde mora, qual seu trabalho, além de interesses similares e hobbies em geral.

ALVO — *substantivo*: a mulher num grupo que é desejada pelo artista da sedução e na qual ele está dando em cima. Origem: Mystery.

AMS — *substantivo* [artista-mestre da sedução]: um jogador que se sobressai no jogo e cujas capacidades o colocam no patamar mais elevado da comunidade de sedução.

ANCORAGEM (ANCORAR) — 1. *substantivo*: um estímulo externo (uma visão, um som, um toque) que dispara uma reação emocional ou comportamental específica, tal como uma música que deixa alguém feliz porque traz reminiscências de um evento positivo da vida. Âncoras são utilizadas pelos artistas da sedução a fim de se associarem aos sentimentos de atração de uma mulher. 2. *verbo*: o ato de criar uma associação entre o estímulo externo e uma reação emocional ou comportamental. Origem: Richard Bandler e John Grinder.

BAE — *substantivo* [baixa auto-estima]: usado para descrever uma mulher que está insegura e tende a assumir um comportamento de auto-anulação ou autodestrutivo. Origem: MrSex4uNYC.

BEIJO ÍNTIMO — 1. *locução verbal* (dar um): beijar ou dar um amasso, com paixão. 2. *substantivo*: um beijo ou amasso apaixonado. *Também: bíntimo ou *íntimo.* Origem: Mystery.

BOICOTAR — *verbo* e *substantivo*: ignorar uma mulher para fazer com que ela procure confirmação; geralmente usado como uma técnica de enfrentamento em resistências de última hora.

CAÇA(R) — 1. *verbo*: seduzir ou sair para tentar encontrar mulheres. 2. *substantivo*: uma mulher que ainda não foi seduzida. Origem: Aardvark.

CAÇADOR — *substantivo*: uma pessoa que seduz mulheres; um membro da comunidade de sedução.

CADUCAR — *verbo* ou *adjetivo* (caduco): uma ocorrência na qual o número do telefone de uma mulher não é mais um meio efetivo para fazer planos com ela, geralmente porque passou muito tempo entre as interações e a mulher perdeu interesse; pode também ser usado para descrever uma mulher que perdeu o interesse num artista da sedução.

CALIBRAR — *verbo*: interpretar as reações verbais e não-verbais de uma pessoa ou grupo e deduzir com exatidão o que estão pensando ou sentindo naquele momento. Origem: Richard Bandler e John Grinder.

CAMPO — *substantivo*: qualquer lugar público onde um artista da sedução pode encontrar mulheres.

CAP-CAM — *substantivo* [convite de abordagem prévia, convite de abordagem masculina]: uma ação ou série de ações não-verbais destinadas a induzir uma mulher ou um grupo a notar um homem e exprimir passivamente interesse em conhecê-lo antes de ele se aproximar de fato. Origem: Formhandle.

COLIDIR E INCENDIAR — *locução verbal*: agir de modo direto, e freqüentemente rude, ao ser rejeitado ou dispensado por uma mulher ou um grupo, logo após a abordagem.

CONJUNTO — *substantivo*: um grupo de pessoas num contexto social. Um conjunto de dois é um grupo de duas pessoas; um conjunto de três são três pessoas e assim por diante. Os conjuntos podem conter mulheres, homens ou ambos (neste caso pode-se referir a ele como um conjunto misto). Origem: Mystery.

CONTROLAR AS EXPECTATIVAS — *verbo*: esclarecer para uma mulher, antes de ir para a cama com ela, os termos aproximativos do relacionamento que se pretende ter, de modo que ela não espere demais ou de menos.

CORPO A CORPO TOTAL ou ÍNTIMO — 1. *locução verbal* (fazer um): realizar intercurso sexual. 2. *substantivo*: intercurso sexual. *Também: trepada total, f total ou total.* Origem: Mystery.

CTM — *substantivo* [cegueira típica masculina]: incapacidade de alguns homens para reconhecer que uma mulher se sente atraída ou está interessada por ele, até que ela vai embora e então é tarde demais. Origem: Vincent.

DAV — *substantivo* [defesa antivadia]: as manobras de algumas mulheres para evitarem assumir a responsabilidade por desencadear ou concordar com sexo; ou a fim de evitar parecerem vadias para o homem que está com ela, para seus amigos, para a sociedade, ou para si mesma. Isso pode ocorrer antes ou depois do sexo, ou pode impedir que o sexo ocorra. Origem: Yaritai.

DAV — *substantivo* e *verbo* [demonstração de alto valor]: um procedimento em que o artista da sedução expõe uma habilidade ou atributo que eleva seu valor ou seu encanto na apreciação de uma mulher ou grupo; destina-se a fazê-lo sobressair-se entre outros homens menos interessantes do grupo. *Antônimo: DBV [Demonstração de Baixo Valor].*

DECODIFICADOR DE GATA — *substantivo*: qualquer assunto espiritual ou psicológico que agrada a maioria das mulheres, mas não interessa à maior parte dos homens, tais como astrologia, cartas de tarô e testes de personalidade. Origem: Tyler Durden.

DESCONVERSA — *substantivo*: uma conversa em que uma pessoa não está prestando atenção ao que a outra está dizendo, geralmente devido à falta de interesse ou ao fato de estar distraído. Origem: Style.

DESTRUIDOR DE NAMORADO — *substantivo*: um jeito, um discurso ou uma frase que o artista da sedução utiliza com a intenção de seduzir uma mulher que tem um namorado.

DI — *substantivo* [declaração de intenção ou demonstração de interesse]: um comentário direto destinado a deixar que uma mulher fique sabendo que se está atraído ou impressionado em relação a ela. Origem: Rio.

DIA DOIS — *substantivo*: um primeiro encontro. *Também: segunda vez.*

DISTORÇÃO DE TEMPO — *substantivo*: originalmente, um termo de hipnose que se refere à perda de consciência de um sujeito sobre o decorrer do tempo, refere-se, igualmente, à técnica de sedução de fazer uma mulher se sentir como se conhecesse o artista da sedução há mais tempo do que o conhece de fato. Exemplos de distorção de tempo incluem: levar uma mulher a vários lugares diferentes durante uma mesma noite ou fazer com que uma mulher imagine eventos e aventuras futuras juntos. *Também: ritmo futuro ou projeção de eventos futuros.*

DIV — *substantivo* [demonstração interativa de valor]: uma breve fórmula destinada a fisgar a atenção e o interesse de uma mulher que acaba de se conhecer ensinando-lhe algo sobre ela mesma. Origem: Style.

ECAC — *substantivo* [encontre, conheça, atraia, conclua]: um modelo rudimentar e seqüencial de sedução. Origem: Mystery.

EMPATA(R) FODA — *substantivo e verbo*: uma pessoa que interfere ou obstrui o jogo de um artista da sedução. Um empata-foda pode ser um amigo da mulher, um amigo do artista da sedução ou um estranho completo.

ENCONTRO INSTANTÂNEO — *substantivo*: o ato de levar uma mulher que acaba de se conhecer de um local para outro, geralmente de um ambiente movimentado para um lugar mais favorável a fim de a conhecer melhor; por exemplo, de um bar para um restaurante ou da rua para um café. Origem: Mystery.

ENQUADRAMENTO — *substantivo*: o contexto dentro do qual uma pessoa, coisa, evento ou ambiente é percebido. Origem: Richard Bandler e John Grinder.

ESCADA DO SIM — *substantivo*: uma técnica de persuasão na qual se faz a uma pessoa uma série de perguntas destinadas a extrair respostas positivas, aumentando a probabilidade de que essa pessoa responda afirmativamente a uma pergunta final. Por exemplo: "Você é espontânea? Você gosta de aventura? Quer jogar um jogo chamado o Cubo?"

FA — *substantivo* [foda amiga]: uma mulher com quem um homem pode se envolver em sexo casual e consensual sem qualquer apego emocional ou expectativas de relacionamento.

FALSA RESTRIÇÃO DE TEMPO — *ver restrição de tempo.*

FALSO AFASTAMENTO — *ver afastamento.*

FISIÔ — *locução verbal* [derivado de fisioterapia, *substantivo*]: tocar ou ser tocado, em geral com a intenção sugestiva ou o propósito de excitar, tal como afagar os cabelos, segurar a mão ou repousá-la sobre o seu quadril; precede o verdadeiro contato sexual. Origem: Ross Jeffries.

FURAR — *verbo*: uma ocorrência em que uma mulher cancela ou não aparece num encontro marcado.

GG — *substantivo adjetivado* [gata gostosa]: um termo usado pelos membros da comunidade de sedução para se referir a mulheres atraentes. Quando se discute sobre uma mulher específica, freqüentemente, o papo vem seguido de uma ordem numérica de beleza — tal como GG nota 10 — ou por um apelido, como GG Ruiva. Origem: Aardvark.

GSG — *substantivo* [gata supergostosa]: uma mulher extremamente atraente.

IDI — *substantivo* [indicador de interesse]: sinal que uma mulher dá a um homem revelando indiretamente que ela se sente atraída ou está interessada por ele. Essas pistas, em geral intencionais e sutis, incluem: inclinar-se na direção de um homem quando ele está falando, fazer perguntas mundanas a fim de manter a conversa rolando ou apertando sua mão quando ele segura a dela. *Antônimo: IDD [Indicador de Desinteresse]*. Origem: Mystery.

INFERIR VALORES — *locução verbal*: extrair, através de uma conversa, o que é importante para uma pessoa, geralmente com a intenção de alcançar um desejo íntimo profundo que a provoca. Em termos de sedução, ao inferir valores um homem pode conseguir determinar se uma mulher que diz estar procurando um marido rico está de fato apenas buscando um sentimento de segurança e proteção. *Também: IV*. Origem: Richard Bandler e John Grinder.

INTERRUPTOR DE PADRÃO — *substantivo*: uma palavra, frase ou ação inesperada transmitida repentinamente a fim de interromper a resposta de piloto automático de uma pessoa antes de sua conclusão, tal como interromper uma mulher que está falando sobre seu ex-namorado mudando rapidamente de assunto. Origem: Richard Bandler e John Grinder.

LEI DOS TRÊS SEGUNDOS — *substantivo*: uma diretriz que atesta que uma mulher deve ser abordada em três segundos, após ser vista primeiramente. Destina-se a evitar que um homem pense demasiadamente sobre a abordagem e fique nervoso, assim como para impedir que o homem a assuste, olhando-a por muito tempo. Origem: Mystery.

LOUNGE DE MYSTERY — *substantivo*: um fórum privado on-line exclusivo para membros, onde muitos dos principais artistas da sedução na comunidade partilham técnicas, fotografias e relatórios de campo. Origem: Mystery.

MAG — 1. *substantivo* [macho alfa do grupo ou macho alfa garanhão]: um macho socialmente à vontade que compete com um artista da sedução por uma mulher ou interfere no jogo de um artista da sedução. Origem: Old-Dog. 2. *locução verbal* (fazer um anti-MAG): remover um concorrente macho — através de táticas físicas, verbais ou psicológicas — de um grupo de mulheres. Origem: Tyler Durden.

MISSÃO DE NOVATO — *substantivo*: um exercício destinado a ajudar um homem tímido a superar seu medo de abordar as mulheres. A missão de novato inclui passar um dia inteiro num local público, como um shopping, e dizer "Oi" para toda mulher que passar.

MM — *substantivo* [Método Mystery]: uma escola de sedução iniciada por Mystery, que se concentra em abordagens indiretas de grupo. Origem: Mystery.

MODELAR — *verbo*: observar e imitar o comportamento de uma outra pessoa, geralmente alguém que possui uma característica ou habilidade que se deixa adquirir. Origem: Richard Bandler e John Grinder.

ND — *substantivo* [namorado].

NEG — 1. *substantivo*: uma declaração ambígua ou insulto aparentemente acidental proferido pelo artista da sedução para uma linda mulher que ele acaba de conhecer, com a intenção de demonstrar abertamente para ela (ou seus amigos) uma falta de interesse por ela. Por exemplo: "Que unhas bonitas, são verdadeiras?" 2. *locução verbal* (mandar um neg): demonstrar abertamente a falta de interesse para uma linda mulher emitindo declarações ambíguas, insultando-a de modo a parecer acidental ou oferecendo crítica construtiva. *Também: um golpe de neg.* Origem: Mystery.

NEG GRUPAL — *substantivo*: um tipo de neg usado numa situação grupal com uma mulher, destinado a divertir o restante do grupo à sua custa. Origem: Mystery.

NEG SOLITÁRIO — *substantivo*: um tipo de neg usado para constranger uma mulher numa conversa a dois com ela. Origem: Mystery.

NÓDOA (NODOAR) — *substantivo* ou *verbo*: uma ocorrência em que uma mulher pára de retornar os telefonemas, embora estivesse inicialmente interessada em que o homem ligasse.

NÚMERO ÍNTIMO — 1. *locução verbal* (pegar o): conseguir o número de telefone correto de uma mulher. Atenção, dar a uma mulher o próprio número não significa dar um número íntimo. 2. *substantivo*: o número de telefone de uma mulher, obtido durante o progresso da sedução. *Também #íntimo*. Origem: Mystery.

OBSTÁCULO — *substantivo*: pessoa ou pessoas num grupo que o artista da sedução não deseja, mas que deve(m) ser conquistada(s) de maneira a aplicar o jogo sobre a mulher no grupo que ele deseja. Origem: Mystery.

OLHAR DE CÃO FAMINTO — *substantivo*: a expressão arrebatada nos olhos de uma mulher quando ela se sente atraída por um homem que está falando com ela. *Também: OCF*. Origem: Ross Jeffries.

OLHARES TRIANGULARES — *locução verbal* (lançar): uma técnica usada diretamente, antes de tentar beijar uma mulher, na qual, enquanto estabelece contato visual, um homem lança vários olhares breves e sugestivos para seus lábios.

PADRÃO — *substantivo*: um discurso, geralmente preparado previamente, que se baseia numa série de frases de programação neurolinguística destinada a atrair ou excitar uma mulher.

PAIXONITE — *substantivo*: 1. uma obsessão com uma mulher com quem não se está saindo; os artistas da sedução acreditam que uma fixação assim tão extrema em uma mulher reduz significativamente as chances de um homem sair ou dormir com ela. 2. uma mulher pela qual se está obcecado. Origem: John C. Ryan.

PALAVRAS HIPNÓTICAS — *substantivo*: as palavras que uma pessoa enfatiza ou repete quando fala, indicando que elas possuem um significado especial para quem as diz. Assim que um artista da sedução conhece as palavras hipnóticas de uma mulher, ele pode usá-las na conversa para fazer com que ela sinta uma impressão de entendimento ou conexão com ele. Origem: Richard Bantler e John Grinder.

PARCEIRA — *substantivo*: ver pivô.

PARCEIRO — *substantivo*: um amigo, geralmente com algum conhecimento sobre sedução, que auxilia no processo de conhecimento e atração de uma mulher, ou para levá-la para casa. Um PARCEIRO pode ajudar mantendo um amigo da mulher ocupado, enquanto o artista da sedução conversa com ela, ou falando diretamente com a mulher sobre os traços positivos do artista da sedução.

PAULADA — *substantivo*: inutilidade; um desperdício de papel; geralmente usado para escrever o telefone de uma mulher quando ela o dá ao artista da sedução voluntariamente, mas é improvável que retorne a ligação quando ele lhe telefonar.

PAVONEAR — *verbo*: vestir-se com roupas chamativas ou usar acessórios vistosos de modo a atrair a atenção das mulheres. Entre os itens para se pavonear incluem-se camisas brilhantes, jóias cintilantes, casacos de pele, chapéus de caubói coloridos ou qualquer coisa que faça uma pessoa se sobressair na multidão. Origem: Mystery.

PEÃO — 1. *locução verbal* (usar um): abordar e conversar com um grupo de pessoas de modo a conhecer uma mulher ou grupo adjacente a este. 2. *substantivo*: uma pessoa que é abordada a fim de se conhecer uma mulher ou grupo vizinho. Um peão pode ser um conhecido ou um estranho. Origem: Mystery.

PISTOLEIRA DE ALUGUEL — *substantivo*: empregadas da indústria de serviços que são geralmente contratadas por conta de sua aparência física, tais como atendentes de bar, garçonetes e strippers.

PIVÔ — *substantivo*: uma mulher, geralmente uma amiga, usada em situações sociais para ajudar a conhecer outras mulheres. Um pivô pode servir a várias funções: ela fornece comprovação social, pode despertar ciúmes no alvo, pode facilitar o acesso a grupos difíceis e pode elogiar o artista da sedução para seu alvo. *Também: apoiadora.*

PNL — *substantivo* [programação neurolinguística]: uma escola de hipnose desenvolvida nos anos 1970, amplamente baseada nas técnicas de Milton Erickson. Diferente da hipnose tradicional, na qual o sujeito é levado a dormir, esta é uma forma de hipnose do despertar, em que sugestões verbais e gestos físicos sutis são usados para influenciar uma pessoa no nível subconsciente. Origem: Richard Bandler e John Grinder.

PONTO DE FISGADA — *substantivo*: momento no jogo da sedução em que uma mulher (ou um grupo) resolve que lhe agrada a companhia de um homem que acabou de abordá-la e não quer que ele vá embora. Origem: Style.

PROCEDIMENTO — *substantivo*: uma história, conversa pré-elaborada, demonstração de técnica ou outra peça preparada, destinada a iniciar, manter ou avançar uma interação com uma mulher ou grupo. Exemplos incluem o teste de melhores-amigas, a troca de fase evolutiva e demonstração de valor PES (percepção extra-sensorial).

PROTEÇÃO DE FILHA-DA-MÃE — *substantivo*: uma reação de defesa de uma mulher para dissuadir a aproximação de homens. Embora sua reação à primeira abordagem verbal possa ser rude, isso não significa necessariamente que a própria mulher seja rude, ou, mesmo, que seja impossível iniciar um papo.

PUXA-EMPURRA — *substantivo*: uma técnica usada para criar ou aumentar a atração na qual um homem dá a uma mulher indicações de que não está interessado nela, seguidas de indicações de que está interessado nela. Esta seqüência pode se realizar em poucos segundos — por exemplo, segurando a mão de uma mulher e, em seguida, largá-la como se você ainda não confiasse nela — ou num período mais longo, por exemplo, sendo muito amável durante uma conversa pelo telefone, mas depois muito distante e áspero na vez seguinte. Origem: Style.

QUEBRA-GELO — *substantivo*: uma declaração, pergunta ou história usada para iniciar uma conversa com um estranho ou grupo de estranhos. Os quebra-gelos podem ser ambientais (espontâneos) ou enlatados (pré-fabricados); e diretos (mostrando interesse romântico ou sexual por uma mulher) ou indiretos (não mostrando interesse).

REENQUADRAR — *verbo*: alterar o contexto através do qual alguém vê uma idéia ou situação; mudar o significado que uma pessoa atribui a uma idéia ou situação. Origem: Richard Bandler e John Grinder.

RELATÓRIO DE CAMPO — *substantivo*: relatório escrito de uma sedução ou de uma noitada seduzindo mulheres, geralmente divulgado na Internet. *Também: RC*. Outros tipos de relatório são RE (relatório de excursão), RCAMA (relatório de cama), RF (relatório de furada) e RMT (relatório de *ménage à trois*).

RESTRIÇÃO DE TEMPO — *substantivo*: dizer a uma mulher ou a um grupo que será necessário deixá-los em breve. O objetivo de uma restrição de tempo é abrandar a ansiedade da mulher quanto à possibilidade de que o homem que ela acabou de conhecer fique por perto a noite toda, ou de que ela deveria fazer sexo com um homem assim que entrar em sua casa. *Também: falsa restrição de tempo*. Origem: Style.

RLP — *substantivo* [relacionamento de longo prazo]: uma namorada.

RMLP — *substantivo* [relacionamento múltiplo de longo prazo]: uma mulher que faz parte de um harém, ou é uma das muitas namoradas com quem um artista da sedução está saindo e dormindo no momento. Idealmente, o artista da sedução é honesto com seus RMLPs e lhes informa que está saindo com outras mulheres. Origem: Svengali.

RUH — *substantivo* [resistência de última hora]: uma ocorrência, com freqüência após alguns beijos, em que uma mulher que deseja um homem o impede, através de palavras ou ações, de avançar para contatos sexualmente mais íntimos, tais como retirar seu sutiã, colocar a mão dentro da sua calça ou efetuar penetração manual.

SEGUNDA VEZ — *substantivo*: um primeiro encontro marcado. *Também: dia dois.*

SINESTESIA — *substantivo*: literalmente, uma sobreposição de sentidos, tais como sentir o cheiro de uma cor; na sedução, um nome dado a um tipo de hipnose de despertar na qual uma mulher é posta num elevado estado de consciência e solicitada a criar imagens prazerosas e sensações de intensidade crescente. O objetivo é excitá-la através de conversas, sensações e fantasias sugestivas e metafóricas. *Também: hiperemperia.*

SISTEMA DE ALARME DE PROXIMIDADE — *substantivo*: o estado de consciência de uma mulher ou grupo de mulheres que estão pouco à vontade nas proximidades, na esperança de que alguém venha conversar com elas. Geralmente, a mulher estará de costas para o artista da sedução, de modo que sua presença ali pareça acidental. Origem: Mystery.

SR — *substantivo* [sedução rápida]: uma escola de sedução com base no PNL fundada por Ross Jeffries na década de 1980. Origem: Ross Jeffries.

STYLEMAG — *substantivo* ou *locução verbal* (aplicar um): um conjunto sutil de táticas, maneirismos, comentários sarcásticos e respostas usado por um artista da sedução para se manter numa posição de domínio num grupo. Origem: Tyler Durden.

SUBCOMUNICAÇÃO — *substantivo*: uma impressão, mensagem ou efeito criado pelo vestuário, maneirismo ou presença geral de uma pessoa; uma forma indireta e não-verbal de comunicação, habitualmente mais bem percebida pelas mulheres do que pelos homens. Origem: Tyler Durden.

SUPLICAR — *verbo*: colocar-se numa posição servil ou inferior a fim de agradar uma mulher, por exemplo, comprando-lhe uma bebida ou mudando de opinião para concordar com ela.

TEMPERATURA DE PERSUASÃO — *substantivo*: o grau até o qual uma mulher está disposta a efetuar contato físico com um homem. Diferente da atração, uma elevada temperatura de persuasão geralmente aparece e some rapidamente. Para manter o nível do interesse físico de uma mulher durante um período longo, um artista da sedução tenta elevar sua temperatura de persuasão com procedimentos rápidos. Origem: Tyler Durden.

TEORIA GRUPAL — *substantivo*: a idéia de que as mulheres estão sempre acompanhadas por amigos, e para conhecê-las um homem deve simultaneamente conquistar a aprovação de seus amigos, enquanto demonstra ativamente falta de interesse nelas. Origem: Mystery.

TESTAR EM CAMPO — *locução verbal*: experimentar e aperfeiçoar uma tática ou procedimento de sedução numa série de mulheres em diferentes situações sociais, antes de partilhá-los com outros artistas da sedução.

TESTE DE PROVOCAÇÃO — *substantivo*: uma pergunta, solicitação ou comentário aparentemente hostil feito por uma mulher com o objetivo de avaliar se um homem é suficientemente forte para se tornar um namorado ou parceiro sexual. Se acolher a pergunta, solicitação ou comentário pelo seu valor nominal, ele fracassará e, em geral, perderá a oportunidade de avançar em sua interação com ela. Exemplos incluem ela lhe dizer que é jovem ou velho demais para ela, ou pedir-lhe para lhe fazer favores desnecessários.

TFBAM — *substantivo* [tolo frustrado bem abaixo da média]: um homem que é um tremendo fracasso com as mulheres, geralmente em função de seu embaraço, nervosismo e falta de experiência.

TFM — *substantivo* [tolo frustrado médio]: estereótipo do cara legal sem técnicas de sedução ou conhecimento sobre o que atrai as mulheres; um homem que tende a se aproximar, com padrões de comportamento suplicantes e afetados, de mulheres com quem ele ainda não foi para a cama. Origem: Ross Jeffries.

TFMR — *substantivo* [tolo frustrado médio reformado]: um aluno da sedução que ainda não se tornou um artista da sedução ou não dominou as técnicas apresentadas pela comunidade.

TROCAR DE FASE — *locução verbal*: fazer a transição, durante uma conversa a dois com uma mulher, passando da conversa comum para uma conversa, contato ou linguagem corporal mais lentos e de maior teor sexual; destinado a preceder uma tentativa de beijá-la. Origem: Mystery.

TROGLODITAR — *verbo*: avançar de modo direto e agressivo para o contato físico e progredir no sentido do sexo com uma mulher interessada; baseado na idéia de que os primeiros seres humanos não usavam a inteligência e as palavras, e sim o instinto e a força para se acasalarem. *Também: ficar troglodita.*

VDS — *substantivo* [Verdadeira Dinâmica Social]: uma empresa especializada em seminários, oficinas e produtos sobre sedução inaugurada por Papa e Tyler Durden. Origem: Papa.

VSSA — *verbo* ou *adjetivo* [vamos ser só amigos]: uma declaração que uma mulher faz a um homem para indicar que ela não está romântica ou sexualmente interessada nele. Pode-se ouvir um VSSA ou ser VSSAdo.

Agradecimentos

Onde estão eles agora?

Na mesma época em que este livro estava sendo escrito, muita coisa aconteceu no Projeto Hollywood e nas vidas dos personagens presentes neste livro para garantir uma seqüência. Contudo, uma sinopse deverá bastar. Minha história está concluída, deixemos vir os créditos...

Agradeço a Mystery, que seguiu seu plano de se mudar para Las Vegas com sua namorada Ania. Eles moram juntos num apartamento no Las Vegas Boulevard. Ele, finalmente, encontrou um sócio digno de confiança, Savoy, que deu uma virada em sua vida financeira. Ele agora realiza quase um workshop a cada fim de semana. O preço é de salgados 2.500 dólares, mas, pelo que vi, todos saem satisfeitos. Seu primeiro amigo em Las Vegas, David Copperfield, que leu o artigo sobre a comunidade no *The New York Times*, entrou em contato com Mystery e agora fala com ele quase diariamente. No entanto, Mystery ainda não conseguiu convencer Ania a participar de um *ménage à trois*.

Agradeço a Tyler Durden e Papa, que logo abandonaram o Projeto Hollywood. Após vários AS entrarem e saírem ininterruptamente da casa, eles acolheram um casal New Age no quarto de Mystery em troca do direito de usarem o apartamento do casal em Nova York como base para workshops. Devotos Hare Krishna dos novos residentes apareciam para prestar homenagem quase diariamente — oferecendo música, dança e batalhas psíquicas na sala de estar do Projeto Hollywood. Mas quando Tyler Durden foi para Manhattan realizar um workshop num fim de semana, a pessoa que estava morando no apartamento do casal não o deixou entrar. Enquanto isso, segundo os moradores da casa, uma batalha pelo controle do Projeto Hollywood teve início.

A verdade sobre o que aconteceu em seguida talvez nunca seja conhecida. O casal New Age alega que Tyler Durden e Papa pularam fora após autoridades locais tentarem notificá-los com uma convocação, acusando-os de manter um negócio comercial numa zona residencial. Tyler Durden e Papa mantêm que o aluguel do Projeto Hollywood estava simplesmente sugando demasiadamente a receita da companhia. De qualquer modo, um mês e meio antes de o contrato de aluguel de 18 meses expirar, Papa, Tyler Durden e os demais artistas da sedução que moravam na casa, repentinamente, carregaram suas coisas num caminhão e foram embora. Eles se mudaram para um conjunto de apartamentos a um quarteirão da casa de Lisa e da clínica psiquiátrica para onde levei Mystery. Tyler Durden mora lá com uma nova namorada, e Papa continua sua busca por Paris Hilton. Ele acha que está chegando perto. Os dois continuam administrando a Verdadeira Dinâmica Social e recebendo depoimentos extraordinários dos alunos.

Agradeço ao Projeto Hollywood, que é atualmente habitado por um excêntrico casal New Age e uma maravilhosa faxineira. Ela se auto-intitula a Buda da Faxina e mora no meu quarto.

Agradeço a Herbal e Katya, que ficaram juntos por seis meses em Austin. Herbal mora com seu canguru, Shaniqua, na sua casa própria, onde o está treinando para superar o recorde de corrida de 100 metros numa aposta e oferecendo uma recompensa para quem conseguir dominar com sucesso a dieta do sono. Katya voltou para Nova Orleans, onde está trabalhando como modelo e maquiadora. Seu irmão se tornou um cristão renascido e não tem tido sintomas de Tourette há mais de um ano.

Agradeço a Sickboy e Playboy, que não foram capazes de deixar para trás o mundo da sedução quando foram para Nova York. Atualmente, eles administram juntos uma empresa, Cutting Edge Image Consulting, que oferece programas de áudio, workshops e e-books sobre valorização da imagem e encontros românticos.

Agradeço a Dustin, o rei dos naturais, que ainda está morando em Jerusalém, aonde não pude ir para assistir a seu casamento com a filha de um rabino.

Agradeço a Marko, que atualmente está noivo em Belgrado. Ele me conta que rejeitou o conselho dos AS e cortejou sua noiva num período de vários meses com poesia, flores e encontros apropriados. Eles planejam se mudar para Chicago e formar uma família.

Agradeço a Ross Jeffries, que finalmente terminou sua rivalidade com Mystery. Ele andou saindo com uma enfermeira por um breve período e agora está de volta às caçadas, realizando, ele diz, importantes descobertas para ajudar os caras a superarem seu medo, timidez e velhos hábitos de pensamento. Ele tem se afastado do PNL e está explorando idéias mais espirituais para transformação pessoal com um instrutor de despertar sentimental e um professor de ioga.

Agradeço a Courtney Love, que resolveu suas pendências com a justiça e tem conseguido se manter longe dos jornais sensacionalistas por enquanto. Ela está vivendo muito contente em sua casa em Los Feliz com a filha e trabalhando no seu novo álbum com Billy Corgan e Linda Perry. Ela diz que gostaria de interpretar o papel de Katya no filme.

Agradeço a Formhandle, que tem mantido de modo ingrato e incansável esta comunidade funcionando. Seu website Sedução Rápida segue sendo uma câmara de compensação para todos os assuntos relacionados à sedução, e suas pesquisas e seu site foram úteis para a realização do Glossário. E a Cliff, o outro pilar da comunidade, que recentemente reuniu centenas de alunos e dezenas de instrutores em Montreal para sua primeira convenção anual de artistas da sedução.

Agradeço a Sin, que se casou com a mulher de quem gostava, andando de coleira em Atlanta. Recentemente, tive a honra de conhecê-la; ninguém suspeitaria.

Agradeço a Britney Spears, que também se casou. Duas vezes. E a Tom Cruise, que há pouco tempo anunciou seu noivado e não teve medo de declarar seu amor do alto de um edifício. Toda vez que tenho que tomar uma decisão difícil, eu me pergunto: "O que Tom Cruise faria?" Depois, dou pulos sobre o sofá.

Agradeço a Dreamweaver, que atualmente escreve roteiros. Pouco depois da publicação deste livro, lhe diagnosticaram um câncer no cérebro e ele foi levado para o hospital por Maverick. O pai de Versity, um dos membros do Lounge de Mystery, é um renomado cirurgião e ofereceu ajuda. Dreamweaver, você é uma pessoa talentosa e criativa e nossas orações são para você.

Agradeço a Grimble, que se dedicou em tempo integral para negociar seus e-books e fitas cassetes de áudio sobre sedução; a Twotimer, que saiu de Los Angeles para se formar na universidade; a Vision, que recentemente se tornou padrinho do filho de Versity; e a Sweater, que está atualmente se separando da esposa.

Agradeço à própria comunidade e às centenas de amigos que fiz nos últimos dois anos. Espero que todos vocês encontrem o que estão procurando — no amor e na vida. Muitos de vocês podem se irritar com o fato de eu estar abrindo o jogo. Mas não se preocupem: sempre haverá um jeito de um homem e uma mulher se conhecerem e fazerem sexo. E, qualquer que seja o modo como isso aconteça, vocês irão descobrir.

Agradeço a Caroline, Nadia, Maya, Mika, Hea, Carrie, Hillary, Susanna, Jessicas I e II e todas as outras mulheres divertidas e únicas que se tornaram parte da minha vida. Liguem para mim e eu explicarei tudo.

AGRADECIMENTOS

Agradeço a todos os outros gurus: David DeAngelo, cuja lista de mala direta cresceu para estimados 1,1 milhão de nomes e que agora está oferecendo conselhos às mulheres sobre como conquistar e conservar os homens; Rick H., que se mudou para a Romênia a fim de prosseguir com seus negócios e aventuras românticas; Steve P. e Rasputin, que estão partilhando suas técnicas numa série de vídeos. Agradeço a Swinggcat e David Shade.

Agradeço a todos que me permitiram divulgar seus posts e relatórios de campo. Juggler, que deu um tempo em sua carreira de comediante para expandir seus negócios de sedução e concluir seu e-book, está morando com sua nova namorada, uma instrutora de condicionamento físico e maratonista; ele ainda gosta de Barry Manilow. Extramask, que se afastou inteiramente da comunidade para se concentrar de modo integral em uma carreira de comediante e seu show ao vivo semanal. Jlaix, que encontrou a namorada bissexual com a qual Mystery sempre sonhou e expôs em detalhes suas aventuras numa série de relatórios de campo que, por si só, valem um livro.

Agradeço a Judith Reagan, que me acusou de seduzir sua filha de 13 anos na página 6 do *New York Post*. Ela estava brincando, eu acho. E mesmo que não estivesse, eu a perdoaria. Ela me apoiou em toda essa louca aventura desde o começo e foi não apenas uma editora como também uma santa padroeira.

Agradeço aos outros funcionários da ReganBooks, particularmente meu [insira um adjetivo hiperbólico aqui] editor Cal Morgan, que estava tão empolgado para conhecer Lisa após editar o livro que, quando a viu, ficou com a língua presa. Agradeço também à paciência de Bernard Chang, Michelle Ishay, Richard Ljoenes, Paul Crichton, Cassie Jones, Kyran Cassidy e Aliza Fogelson.

Agradeço a Ira Silverberg, minha agente, que não pára de insistir para eu escrever sobre um tópico intelectual. E agradeço a Anna Stein e ao restante do pessoal da Donadio and Olson.

Agradeço a David Lubliner, Andrew Miano, Craig Emanuel, Paul Weitz, Chris Weitz, Andrea Giannetti, Matt Tolmach e Amy Pascal pelo apoio no outro Projeto Hollywood.

Agradeço ao Fedward Hyde, meu humilde correspondente, pela assistência na pesquisa e pelos longuíssimos e-mails dignos de Joyce. Talvez não James Joyce, mas pelo menos do dr. Joyce Brothers. Agradeço ao Lovedrop, que criou o prospecto original do Método Mystery. E agradeço a Sue Wood, que transcreveu pacientemente fita e mais fita, o que não foi uma façanha simples, considerando as várias horas de hipnose e as reuniões da casa nelas contidas. Agradeço igualmente a Laura Dawn e a Daron Murphy, pelo trabalho com as fitas adicionais.

Agradeço a muitos instrutores de auto-aperfeiçoamento, entre os quais Joseph Arthur (pelas lições vocais, infinita sabedoria e uma regressão Esalen reveladora) e Julia Caulder (por ensinar a Alexander Technique e me deixar assistir seu show, cantando Wagner na Los Angeles Opera).

Agradeço a todos que leram os manuscritos, entre eles Anya Marina, Maya Kroth, M o G, Paula e Hazel Grace, Marg a babá malvada e meu irmão, Todd, que agora tem imagens na cabeça que eu preferia que ele esquecesse.

Finalmente, sim, Lisa e eu ainda estamos juntos. E, embora eu tenha aprendido tudo sobre atração, sedução e namoro nos últimos dois anos, eu nada aprendi sobre como manter um relacionamento saudável. Ficarmos juntos tem exigido muito mais tempo e trabalho do que aprender a conquistar mulheres, porém me proporcionou uma satisfação e uma alegria imensamente maiores. Talvez porque não se trate de um jogo.

Este livro foi composto na tipografia
Legacy Serif ITC TT, em corpo 10/14,5, e impresso em
papel off-set no Sistema Digital Instant Duplex
da Divisão Gráfica da Distribuidora Record.